MES SŒURS ET MOI

Des pas dans la nuit, L'Archipel, 2009 ; Archipoche, 2011.
L'Enfant de l'ombre, Archipoche, 2010.

JUDITH LENNOX

MES SŒURS ET MOI

roman

*Traduit de l'anglais
par Thierry Cruvellier*

l'Archipel

Cet ouvrage a été publié sous le titre
All my sisters
chez Pan Books, Londres, en 2005.

www.editionsarchipel.com

Si vous désirez recevoir notre catalogue
et être tenu au courant de nos publications,
envoyez vos nom et adresse, en citant
ce livre, aux Éditions de l'Archipel,
34, rue des Bourdonnais 75001 Paris.
Et, pour le Canada,
à Édipresse Inc., 945, avenue Beaumont,
Montréal, Québec H3N 1W3.

ISBN 978-2-8098-1138-4

À mes belles-sœurs,
Frances et Sam

PROLOGUE

Les nuits où elle n'arrivait pas à dormir, elle dressait des listes. La liste des comtés de Grande-Bretagne, de ses villes industrielles ou des principaux produits d'exportation de l'Empire. La liste des rois et des reines d'Angleterre ou celle des œuvres de William Shakespeare. *Le Conte d'hiver, Cymbeline, La Tempête,* murmurait-elle aux premières heures d'une chaude nuit de janvier, et un souvenir jaillissait, comme cette soirée au théâtre. Assis dans l'ombre derrière elle, Arthur lui prenait la main et la mettait dans la sienne. Avec son pouce, il lui caressait la paume ; elle se souvenait de ce contact léger et insistant, et de la façon dont le désir l'avait envahie tandis qu'elle écoutait les voix s'élever de la scène. «Rien de lui ne s'est flétri, mais tout a subi dans la mer un changement[1]...»

Lui, pourtant, s'était flétri.

Il y avait des trous, des pièces manquantes. Des journées entières, voire des semaines, dont elle avait oublié les événements. Elle ne pouvait se rappeler, réalisait-elle avec un pincement au cœur, les faits et gestes des jours ordinaires. Tout comme elle ne pouvait plus vraiment se remémorer la couleur précise de ses yeux, les angles et les méplats exacts de son visage.

Ses listes devinrent une tentative de sceller le passé. Elle se souvenait de pique-niques sur les collines, de vacances au bord de la mer. Ici, en ce lieu désert, elle se rappelait l'odeur

_____

1. William Shakespeare, *La Tempête*, acte I, scène II.

de la marée et le caoutchouc glissant des algues brunes. Elle entendait le grincement et le cliquetis de la cabine de bains roulante descendant vers la plage, et se souvenait comment, dans la pénombre de cette cabine, elle avait retenu son souffle, anticipant le choc de l'eau glacée de la mer du Nord. Ses sœurs et elle étaient vêtues de tenues de bain en serge noire. Mouillée, la lourde matière de leurs maillots grattait la peau. À un autre bout de la plage, les femmes plus impécunieuses se baignaient dans leurs robes d'été. Eva et elle les avaient regardées, elles avaient observé la façon dont leurs jupes pâles flottaient et se gonflaient autour d'elles, leur donnant l'allure d'étranges créatures marines. «Telles des méduses, Marianne, s'était exclamée Eva, la main en visière au-dessus de ses yeux plissés. Telles de grandes et magnifiques méduses!»

Les avaient-elles vues à Filey ou à Scarborough, ces femmes qui, tout habillées, dansaient dans les vagues, leurs traits fatigués rayonnants soudain de plaisir? Cela la contrariait de ne plus en être certaine. À l'aube, se réveillant la tête encore pleine de cauchemars, elle appréhendait l'avenir et se sentait hantée par le passé. Lors des nuits les plus troublées, une voix résonnait. «Il est minuit. L'heure du diable.»

D'autres souvenirs encore venaient chasser l'obscurité. Elle se rappelait la ville de Sheffield, où elle était née et avait grandi. Elle se rappelait les grands magasins et les hôtels du centre-ville, et la nappe de fumée grise qui planait tel un linceul au-dessus du quartier industriel. Elle se rappelait le grondement des fourneaux, l'incessant fracas des marteaux et des machines, la cohue des gens, l'odeur de la fumée et de la pluie.

Les nuits sans air et sans sommeil, elle se remémorait le salon à Summerleigh, avec ses quatre fauteuils bas, recouverts d'un velours couleur rouille, et la chaise de sa grand-tante Hannah, au coin du feu. Les photographies encadrées de mère et père dans leurs beaux habits de mariage étaient posées sur le piano, ainsi qu'une photo de grand-mère Maclise, aussi monumentale que la reine Victoria, avec son chignon, ses bajoues et son regard d'acier. Et un cliché des trois garçons – James portant un blazer et un canotier, Aidan et Philip en costume marin.

Ainsi qu'une photographie des quatre filles Maclise. Ses sœurs et elle étaient vêtues de leur robe de mousseline blanche. Sur la photo, les ceintures en soie enroulées autour de leur taille avaient pris la teinte de la terre de Sienne. Mais, dans le souvenir de Marianne, ces ceintures étaient colorées : celle d'Iris avait le bleu vif de ses yeux, celle d'Eva était vert pomme, celle de Clémence jaune beurre. Quant à la sienne, elle avait la teinte pâle des roses d'Albertine. Iris aux cheveux d'or s'appuyait à la branche d'un arbre et riait en fixant l'objectif, tout comme Eva. Clémence portait sa robe avec gaucherie, comme si elle était mal à l'aise dans la soie et la mousseline. Marianne se souvint avoir regardé ailleurs ; le photographe l'avait alors crue timide.

Être regardée lui avait toujours déplu. Elle détestait traverser une pièce pleine de gens ; elle ne marquait jamais un temps d'arrêt en entrant, contrairement à Iris qui attendait que le regard des hommes se tournât vers elle ; elle n'avait jamais maîtrisé ce petit mouvement souple du talon qui révèle quelques centimètres d'un jupon orné de dentelle. Elle méprisait la séduction et s'en montrait incapable. L'amour, croyait-elle alors, devait être la rencontre de deux cœurs et de deux esprits, scellée par un regard, capable de survivre à l'absence, aux changements et à la mort. *L'amour*, pensait Marianne, *n'advient qu'une fois dans une vie.*

Au loin, un moteur rugit et la fit tressauter. Les yeux grands ouverts dans le noir, la concentration vacillante, elle se mit à scruter tous ces sentiers familiers et cauchemardesques. Les choses qu'elle avait vues, celles qu'elle avait faites, et celles dont elle ne se serait pas crue, alors, capable. Restait-il encore quoi que ce soit de la jeune fille qu'elle avait été, de celle qui se détournait de l'objectif de l'appareil photo, de celle qui avait fui en sentant le regard d'un homme sur elle ? Était-il possible de se muer en une personne complètement différente ?

« Parlez-moi de votre famille, lui avait dit Arthur la première fois où ils s'étaient rencontrés. De vos trois frères et de vos trois sœurs. » Que répondrait-elle s'il pouvait lui poser la même question aujourd'hui ? Qu'elle ne les connaissait plus, ces personnes qu'elle avait jadis aimées le plus au monde. Et que si elles avaient changé autant qu'elle-même, elles seraient méconnaissables. Ou bien qu'elles lui manquaient tellement que son chagrin, pensait-elle parfois, devait suinter de ses pores en même temps que la sueur. Ses sœurs, toutes ses sœurs, qu'elle se devait de ne jamais revoir.

1

Effectuant, collée au mur, son lent trajet solitaire autour de la salle de bal, Marianne surprit la remarque de la voisine de Mme Catherwood, qui accompagnait à ce bal les sœurs Maclise et sa fille Charlotte. Les dames chaperonnes étaient assises ensemble dans une pièce adjacente, la porte ouverte leur permettant de garder un œil sur leurs protégées. De manière légèrement sarcastique, Iris les appelait les *tricoteuses*[1]. «La deuxième des filles Maclise est une si grande asperge!», dit Mme Palmer. Et l'aimable Mme Catherwood de répondre: «Dans un an ou deux, lorsqu'elle aura mûri un peu, Marianne sera superbe.» Mais c'est la première remarque qui était restée ancrée dans l'esprit de Marianne, tandis qu'elle se retirait derrière un lourd rideau de velours pourpre. «Une si grande asperge...» Les doutes habituels commencèrent à la ronger. Difficile de ne pas se voûter, comme le font les filles de haute taille pour se faire plus petites; difficile de ne pas tortiller le ruban autour des pages vides du carnet de bal. Elle aurait aimé être à la maison avec Eva et Clémence. Chanceuse, Eva, qui avait attrapé un rhume, et bienheureuse, Clem, qui n'avait pas encore l'âge de sortir et n'avait pas à endurer cet horrible bal. Elle aurait aimé être lovée dans le fauteuil devant la fenêtre de la chambre qu'elle partageait avec Iris, après avoir retiré *Three Weeks*[2] de sa cachette, sous un tas de bas dans un tiroir de la commode.

---

1. En français dans le texte.
2. Roman d'amour d'Elinor Glyn, paru en 1907, considéré comme assez osé à l'époque.

Marianne s'était mise à tourner fiévreusement les pages de ce livre. Parfois, Paul Verdayne, sur la trace d'une mystérieuse beauté dans un hôtel suisse, lui semblait plus vrai et vivant que son propre foyer et sa famille. Elle rêvait de mystère et de romance, de visages et d'horizons nouveaux, de quelque chose – de quelqu'un – qui ferait battre plus vite son cœur. *Mais,* pensa-t-elle en examinant la pièce autour d'elle avec dédain, *quel mystère pouvait-il y avoir à Sheffield ?* Il y avait là Ellen Hutchinson qui, dans une robe de satin rose parfaitement affreuse, dansait avec James. Triste constat que son propre frère fût l'homme le plus séduisant du bal. Et il y avait Iris, qui était guidée maladroitement autour de la piste par Ronnie Catherwood. Marianne soupira. Chaque figure lui était familière. Comment pourrait-elle se marier à l'un de ces garçons qu'elle connaissait depuis l'enfance et dont les visages arboraient une moustache clairsemée ou, pis, un tapis de boutons écarlates ? Ils avaient l'air inachevés, légèrement ridicules. Imaginer devoir quitter sa famille pour aller vivre le restant de ses jours avec l'un de ces jeunes hommes communs et ingrats la dégoûtait.

Mais elle devait pourtant se marier. Sinon, que deviendrait-elle ? *Sa vie continuerait à peu près comme aujourd'hui,* pensa-t-elle. Sa mère était incapable de garder une femme de ménage plus d'une année. Elle avait une santé médiocre, et puis Iris ayant le don d'éviter les tâches ménagères, c'était donc elle, Marianne, qui s'en chargeait principalement.

Elle réalisa qu'elle pourrait finir comme la grand-tante Hannah, en vieille fille. Elle porterait de grands corsets comme elle, et peut-être une perruque. Marianne rit à l'idée de s'imaginer en jupe de bombasin noire, avec des poils au menton.

C'est alors qu'elle prit conscience que quelqu'un l'observait. Plus tard, elle serait incapable de dire comment elle s'en était aperçue. Comment pouvait-on sentir la direction du regard d'un homme ?

Il se tenait debout, à l'autre extrémité de la pièce. Lorsque leurs yeux se croisèrent, il sourit et la salua en inclinant brièvement la tête. Elle eut un étrange sentiment de familiarité. Elle devait le connaître, se dit-elle, ou l'avoir rencontré au cours d'une interminable réception ou lors d'un morne concert. Mais si tel était le cas, ne s'en souviendrait-elle pas ?

Son regard fut comme une brûlure. Elle ressentit le besoin soudain de s'enfuir. Filant au milieu de dames mûres et corpulentes aux plumes d'autruche dans les cheveux, et parmi des messieurs moustachus qui la reluquaient sur son passage, elle sortit de la salle de bal, atteignant un long corridor faiblement éclairé, qui s'ouvrait sur des pièces de chaque côté. Elle pouvait entendre les bruits métalliques venant des cuisines. Les servantes s'activaient dans le couloir, des plateaux de verres à la main ; en retrait, un valet de chambre, vêtu d'un tablier et d'une chemise à manches courtes, craqua une allumette pour fumer une cigarette.

En ouvrant une porte, Marianne se retrouva dans une petite pièce. Il s'y trouvait deux chaises au cuir usé, un chevalet et un piano droit endommagé. Elle enleva ses gants, passa ses doigts sur les touches, puis se mit à jouer. Elle joua d'abord en sourdine, ne souhaitant pas attirer l'attention. Puis elle s'abandonna à la musique.

La porte s'ouvrit. Elle vit l'homme de la salle de bal. Ses doigts, qu'elle avait relevés du piano, tremblaient au-dessus des touches.

— Veuillez m'excuser, dit-il, je ne voulais pas vous faire peur.

— Je dois retourner au bal, murmura-t-elle en refermant rapidement la partition.

— Pourquoi vous êtes-vous enfuie ? Préférez-vous jouer du piano plutôt que de danser ?

— Je ne dansais pas.

— Le souhaitiez-vous ?

Elle secoua la tête.

— Je souhaiterais être à la maison avec mes sœurs.

Ses cheveux bruns dorés, abondants et ondulés, étaient coupés courts, et ses yeux bleus étaient beaucoup plus clairs que les siens. De ses traits harmonieux et de sa mâchoire ferme émanaient solidité et force. Elle devina qu'il avait quelques années et quelques centimètres de plus qu'elle. À ses côtés, elle n'aurait pas à se voûter ou à pencher la tête.

15

— Combien de sœurs avez-vous? demanda-t-il.

— Trois.

— Et de frères?

— Trois.

— Vous êtes sept! Je suis enfant unique. J'ai toujours trouvé difficile de m'imaginer membre d'une famille nombreuse.

— Les enfants uniques semblent souvent envier les familles nombreuses.

— Vraiment? Je crains avoir toujours, au contraire, aimé ma solitude. Dans une grande famille, on doit craindre d'être oublié.

Son regard resta fixé sur elle.

— Bien que je n'imagine guère que vous puissiez être oubliée, ajouta-t-il.

— Cela ne me gênerait pas de l'être. C'est le regard des gens sur moi – leur jugement – que je ne supporte pas.

Elle marqua un silence, horrifiée d'avoir parlé si franchement.

— Peut-être ne vous jugent-ils pas. Peut-être vous admirent-ils.

«La deuxième des Maclise est une si grande asperge.» Marianne se releva à moitié de son tabouret.

— Je dois retourner au bal.

— Pourquoi? Vous ne souhaitez pas danser et la compagnie vous ennuie. Pourquoi y retourner? À moins, bien entendu, que je vous lasse encore plus.

Elle devait retourner au bal car sa proximité avec lui, dans cette pièce étroite, la mettait mal à l'aise. Mais elle ne pouvait pas dire cela. À défaut, elle retomba sur son siège.

— Voilà qui est merveilleux, mademoiselle...?

— Maclise, murmura-t-elle. Marianne Maclise.

— Arthur Leighton.

Il lui prit la main.

— Parlez-moi de votre famille. De vos trois frères et de vos trois sœurs. Où vous situez-vous?

— James est l'aîné, puis vient Iris. Elle est ici ce soir. Vous devez l'avoir vue dans la salle de bal. Elle a des cheveux dorés et des yeux bleus. Elle est ravissante.

— Porte-t-elle une robe blanche, des diamants aux oreilles et un gardénia blanc dans les cheveux ?

— Vous l'avez donc bien remarquée.

Elle sentit la morsure de la jalousie : Iris était toujours la préférée. Mais il répondit :

— J'aime observer. Il y a souvent davantage de plaisir dans l'observation que dans la conversation.

— Ah bon, croyez-vous ? Je le pense aussi. La conversation paraît souvent si... si forcée. Si fausse.

Les mots sortaient naturellement de sa bouche.

— Elle ne l'est pourtant pas toujours, dit-il gentiment. Notre conversation ne sonne pas faux, n'est-ce pas ?... Donc, nous avons James et Iris. Et puis ?

— Puis moi, et ensuite Eva. Eva est brune, comme moi. Mais nous n'avons vraiment rien à voir. Elle n'est pas du tout aussi grande et elle est davantage... elle est plus sûre d'elle.

Marianne serra les plis de sa robe en soie.

— Il semble qu'en toute chose, je voie toujours deux facettes.

— D'aucuns diraient que c'est un atout – un signe de maturité.

— Mais comment choisir ? Lorsque l'on doit trancher une question, comment savoir ?

— Parfois, il faut savoir oser. C'est ma conclusion, en tout cas.

— J'imagine que les décisions que vous avez à prendre sont plus importantes que les miennes, répondit-elle âprement. J'ai l'impression de passer mon temps à me creuser les méninges pour savoir si je dois porter ma robe rose ou la blanche, ou si je dois dire à la cuisinière de faire un blanc-manger ou un roulé à la confiture.

— Ah, le roulé..., reprit-il avec sérieux. Bien meilleur que le blanc-manger. Et vous devriez vous habiller en blanc plutôt qu'en rose. Laissez le rose aux jolies blondes, comme votre sœur Iris. Même si j'aimerais beaucoup vous voir dans de plus vives couleurs. En violet, peut-être, comme vos fleurs – elles sont exactement de la couleur de vos yeux.

Marianne resta sans voix. Aucun homme, ni son père ni ses frères ni les frères de ses amies, n'avait jamais émis de tels commentaires sur son habillement. Elle craignait qu'il y ait là quelque chose d'inapproprié.

— Qui est le suivant? Une sœur ou un frère? continua-t-il.

— Clémence, répondit-elle. Ma sœur Clémence est la suivante. Puis viennent Aidan et Philip. Aidan a treize ans et Philip à peine onze. Je ne suis pas certaine de savoir à quoi ils ressemblent. Ce sont juste «les garçons» et ils sont en queue de famille. Seule Clem semble avoir du temps pour eux. Nous autres les laissons se débrouiller.

— Ce doit être un foyer bien occupé. Vous ne devez jamais être seule.

Il fallait retourner à la salle de bal, pensa-t-elle. Une fille non mariée ne devait jamais être seule avec un homme – cette règle était inviolable. Pourtant, elle ne bougeait pas et restait assise sur son tabouret de piano. La part rebelle cachée en elle et qu'elle laissait si rarement s'exprimer la poussa à faire fi de toute prudence et à ignorer les conventions. Elle se sentait vivre; elle pouvait presque sentir le sang circuler dans ses veines. Pour une fois, elle ne souhaitait être nulle part ailleurs ni avec quelqu'un d'autre. Elle se secoua un peu, comme pour chasser ces inconvenantes pensées, et demanda:

— S'il vous plaît, parlez-moi donc de votre famille, monsieur Leighton.

— Je crains de ne point en avoir. Ma mère est décédée quand j'étais bébé et j'ai perdu mon père quand j'avais la vingtaine. J'ai un oncle et un ou deux cousins. Mais ne soyez pas triste pour moi: j'ai beaucoup d'amis.

— Ici? À Sheffield?

— Je loge chez les Palmer depuis une semaine et j'aime assez cette ville. Il y a de belles choses à voir.

Sa bouche se replia aux commissures. Si elle était Iris, elle ferait des minauderies et lui dirait quelque chose paraissant le décourager mais l'invitant, en réalité, à d'autres louanges. Pour la première fois, elle pensa qu'il était peut-être tout simplement en train de flirter avec elle. Elle se sentit accablée par une déception dont le poids ne lui aurait pas paru possible à l'issue d'une si brève rencontre. Il dit alors:

— Lorsque je vous ai vue dans la salle de bal, vous étiez en train de rire. Vous aviez l'air très sérieuse et, soudain, vous avez ri. Et je me suis demandé pourquoi...

— J'étais en train de m'imaginer, avoua-t-elle, en grosse vieille fille.

Ses lèvres se contractèrent.

— En ce qui vous concerne, un tel sort paraît peu probable.

— Il me semble parfaitement possible.

— Vous ne le pensez pas vraiment.

— Je sais que je déconcerte les gens. Ils n'en disent rien, bien sûr, mais je le sais. Je dis ce qu'il ne faut pas.

Elle le regarda.

— Monsieur Leighton, notre conversation est remplie de propos déplacés. Nous avons parlé de choses inappropriées, peu convenables.

— De quoi aurions-nous dû parler?

— Eh bien, voyons... du beau temps... et du caractère magnifique de la salle de bal des Hutchinson.

— Je vois...

— Et de la qualité de l'orchestre.

— Le violoniste joue faux. Serait-il convenable que je le souligne?

Elle sourit.

— Ma foi, c'est exact. Il joue de manière assez atroce.

Il marqua un silence, puis ajouta:

— Serait-il convenable que je vous dise que vous vous êtes méprise un peu plus tôt?

— Méprise?

— En disant que votre sœur Iris était belle.

— Mais tout le monde pense qu'Iris est belle! dit-elle en sursautant.

— Iris est très jolie, répliqua-t-il. Mais elle n'est pas belle. Vous, mademoiselle Maclise, êtes belle.

Elle avait l'étrange habitude, quand elle était gênée, de perdre le peu de teint qu'elle avait plutôt que de rougir. Elle se sentit toute pâle, la peau parcourue de frissons.

Il se rassit sur sa chaise en la regardant.

— On vous doit la vérité, dit-il.

À l'issue du bal, de retour dans sa chambre, Marianne décrocha le petit bouquet de violettes qu'elle portait à la taille et le déposa délicatement sur la coiffeuse. Puis elle enleva sa robe et la suspendit dans le placard avant d'ôter ses jupons ; ceux-ci émirent comme un chuchotement, tombant au sol en une flaque de soie. Elle délaça son corset et retira ses bas de soie, son caraco et sa culotte. Enfin, elle enleva ses pinces à cheveux. Ceux-ci se relâchèrent le long de son dos. Nue, elle se regarda dans la glace. Il lui avait dit qu'elle était belle et, pour la première fois de sa vie, elle pensa qu'elle l'était.

Arthur Leighton lui avait demandé de jouer pour lui et elle avait exécuté un morceau de Rameau. Tandis qu'elle murmurait la mélodie à voix basse, au milieu du morceau, elle avait levé la main pour tourner la page alors qu'il tendait la sienne pour faire de même, et leurs mains s'étaient touchées. À ce seul contact, à ce seul instant, le décor des déguisements des hommes et des femmes qui l'entouraient s'était dissipé. Tout ce qui la perturbait, tout ce qu'elle méprisait – l'artifice des apparences, le caractère factice du flirt et tous ces calculs de mariages d'argent et de classe – avait perdu toute importance. Elle avait eu envie de lui et savait, bien qu'il ne l'eût pas dit, qu'il l'avait désirée.

Elle enfila sa chemise de nuit et prit son journal intime. « 20 mai 1909, écrivit-elle. Soirée magique. Ce soir, ma vraie vie a commencé. »

*

Clémence atteignit les dernières marches de l'escalier du grenier qu'elle scruta dans la pénombre. « Philip ? appela-t-elle. Philip, es-tu ici ? » Des formes se dessinaient dans le faisceau de la lampe à huile qu'elle tenait à la main – un trépied ou une pile de livres dont les tranches usées pendaient. « Philip ? », appela-t-elle encore. Philip avait l'habitude de se cacher la veille de son retour à l'internat. L'idée du grenier était cependant improbable car il avait peur du noir.

En redescendant vers le corridor, un mouvement furtif sous le lit d'une chambre vide attira son attention. Clémence s'agenouilla près du lit. «Philip?», dit-elle avec douceur. Il n'y eut pas de réponse, mais elle entendait une respiration légèrement contrainte. «Philip? Sors s'il te plaît. Personne ne sera fâché contre toi, je te le promets.»

Il y eut un frottement et Philip émergea de dessous le lit. Des boulettes de poussière étaient accrochées à ses cheveux et ses habits étaient salis.

Elle s'assit sur le lit et le prit sur ses genoux. «Mon Phil adoré, dit-elle en le serrant dans ses bras, je suis si heureuse de t'avoir retrouvé. Je te cherche depuis le petit-déjeuner.» Il respirait bruyamment. «Tu ne devrais pas te salir ainsi. Tu sais que cela t'indispose.»

Ils grimpèrent les escaliers. Le sac de Philip était ouvert au milieu de la chambre qu'il partageait avec Aidan. On était à la moitié du trimestre. Clémence pensa : *Six semaines entières sans le voir. Ne t'avise pas de pleurer comme un veau,* se gronda-t-elle avant de dire rapidement :

— Tes crayons, Philip. Tu n'as pas pris tes crayons.

Il regarda autour. Ses crayons étaient dans une vieille boîte à biscuits en fer, posée sur la commode. Son regard vague se dirigea vers elle, puis s'en éloigna. «Sur la commode», réagit-elle en le regardant plisser des yeux pour mieux voir.

Clémence alla voir sa mère. Lilian Maclise était assise devant sa coiffeuse. Comme toujours, la pièce était à moitié dans le noir, les rideaux tirés pour se protéger du soleil. Bien que la journée fût chaude, un feu crépitait dans l'âtre.

— Mère, vous sentez-vous mieux?

— Je crains que non, Clémence.

Lilian se reposa sur le dossier de sa chaise, les yeux clos. Ses cheveux blonds lui tombaient le long du visage, encadrant des traits délicats. Ses mains étaient petites, pâles et fines. À côté de sa mère, Clémence se sentait toujours costaude et maladroite.

— Mère, je suis inquiète pour Philip, dit-elle. Je pense qu'il a des problèmes de vue.

— Bêtises, répondit Lilian. Dans la famille, tout le monde a de bons yeux.

— Je ne crois pas qu'il voie très bien, insista Clémence. Peut-être devrait-il porter des lunettes.

— Des lunettes?

Lilian se regarda dans le miroir et balaya sèchement son foulard en soie.

— Quelle idée saugrenue. Si la vue de Philip était faible – ce que je conteste, Clémence –, lui faire porter des lunettes serait la pire des choses: il est bien connu que cela abîme les yeux.

Une goutte de sueur glissa le long du dos de Clémence et elle s'écarta de la cheminée.

— Mais il ne voit rien!

— Très chère, pourrais-tu un peu baisser la voix pour ma pauvre tête...

Lilian referma les yeux.

— Mère? dit Clémence, inquiète.

— Je suis vraiment désolée, chérie, reprit Lilian en pressant ses doigts sur son front. Je me sens épuisée. Et la douleur...

Clémence eut soudain le ventre noué. La santé de maman s'était tellement améliorée récemment qu'au cours du dernier mois elle avait été capable de se joindre aux repas en famille, en bas. Clémence avait nourri l'espoir qu'elle guérît enfin. Même si elle ne se rappelait pas avoir jamais vu maman en bonne santé (elle avait pris le lit peu de temps après la naissance de Philip, alors que Clémence n'avait que cinq ans); Philip en avait désormais onze et l'ambiance du foyer Maclise faisait des hauts et des bas en fonction de l'état de santé de Lilian.

— Oh, ma chérie, chuchota Lilian, c'est vraiment trop fatiguant. Tu dois être tellement lasse de moi, mon ange. Tu dois en avoir assez de ta vieille mère inutile.

— Bien sûr que non! Mère, vous ne devez jamais croire cela. Je n'ai qu'un souhait: que vous alliez bien. C'est la seule chose qui importe.

Lilian sourit bravement.

— Peut-être pourrais-tu demander à Marianne de m'apporter un petit verre de porto. Et si tu veux bien t'assurer que mes lettres partent à la poste...

Tandis qu'elle prenait les lettres et quittait la chambre, Clémence pensa avec une soudaine bouffée de joie qu'il ne restait que cinq jours avant le début du trimestre. Contrairement à Philip, elle aimait l'école. Elle descendit les escaliers quatre à quatre, ses nattes claquant contre son dos. Iris la surprit en bas des escaliers.

— Où vas-tu?

— Mère souhaite un verre de vin et je dois poster ça.

La méchante Iris lui arracha les lettres des mains.

— Je les porterai, dit-elle en se saisissant de son chapeau et en quittant la maison.

Le vélo d'Iris avait un pneu à plat. Elle prit donc celui de Clémence. Un des inconvénients de l'aversion de maman pour le téléphone était un important courrier et, par conséquent, un grand nombre de trajets vers la poste.

Parfois, en s'échappant de la maison à bicyclette, Iris jetait un coup d'œil sur les devantures des magasins ou regardait simplement les autres dames pour avoir de nouvelles idées de chapeaux. À l'occasion, en contradiction avec la règle selon laquelle une fille non mariée ne devait jamais être seule avec des garçons, elle se joignait aux frères Catherwood pour une promenade dans le parc. Au cours des quatre années depuis la fin de ses études, Iris avait reçu plus d'une dizaine de demandes en mariage. Elle n'en avait accepté aucune. Un ou deux de ses prétendants auraient été de très bons partis, le genre de mariage avantageux qu'Iris espérait faire un jour, mais elle les avait repoussés. Elle ne voulait tout simplement pas se marier avec eux. Ils n'avaient rien à se reprocher mais elle n'était pas amoureuse d'eux. Depuis peu, son incapacité à trouver un mari avait commencé à la préoccuper. Elle avait vingt-deux ans et la plupart des filles de son âge étaient mariées ou fiancées. Certaines avaient des enfants. Elle s'était mise à douter de pouvoir tomber amoureuse. Cela semblait arriver tout le temps aux autres filles. Or, pas une fois le cœur d'Iris n'avait été touché. *Peut-être suis-je déjà hors circuit?* pensait-elle en se brossant les cheveux avant d'aller se coucher. Elle se regardait dans le miroir pour se rassurer en voyant ses cheveux tomber presque jusqu'à la taille, comme un voile doré. Mais cette pensée restait dans un coin de sa tête, l'agitant de temps à autre, comme une petite et sèche palpitation.

En arrivant en bas de la colline, son vélo avait pris de la vitesse. Arbres et demeures défilaient ; son chapeau faillit se détacher de son nid d'épingles et sa jupe se gonfla, dévoilant largement ses chevilles. Soudain, la roue avant buta sur le bitume, Iris perdit le contrôle du guidon et fut éjectée par-dessus le vélo. Une seconde plus tard, elle s'étalait de tout son long sur la chaussée. La bicyclette lui était retombée dessus et la coinçait. « Ma robe ! » gémit-elle tandis que quelqu'un débarrassait le vélo et lui demandait anxieusement si elle allait bien. Elle vit alors que son sauveteur était jeune et pas laid du tout. Il ne portait pas de chapeau et sa chevelure blonde et brouillonne, que la lumière du soleil rendait par endroits couleur de paille, frisait légèrement. Le volant qu'Iris venait de coudre sur sa robe n'était plus qu'un lambeau de tissu rose serpentant sur le bitume.

— Ma robe ! Elle était toute neuve ! lança-t-elle furieusement.

Il tendit sa main pour l'aider à se relever.

— Je crois que c'est votre robe qui vous a joué un tour. Ce morceau, dit-il en montrant le voile, s'est pris dans la chaîne. Mais vous êtes blessée…

Les gants d'Iris étaient arrachés et les paumes de ses mains saignaient là où elle s'en était servie pour freiner sa chute.

— Ce n'est rien.

— Si vous me permettez, dit-il en sortant un mouchoir de sa poche.

Elle s'assit sur un muret tandis qu'il lui retirait les gants et les gravillons qui s'étaient logés dans les écorchures. Malgré les précautions qu'il prenait, elle dut se mordre les lèvres pour éviter de hurler. Et alors qu'il emmaillotait ses mains avec un mouchoir, elle lui dit poliment :

— Vous êtes très aimable, monsieur…

— Ash, dit-il. Juste Ash.

— Ash ?

— Ashleigh Aurelian Wentworth. C'est un peu un nom à coucher dehors, non ? Je préfère donc Ash.

Iris lui dit son nom. Puis, regardant autour d'elle, elle ajouta :

— J'étais censée poster les lettres de ma mère.

Il les trouva dans le caniveau, les enveloppes froissées et souillées de boue.

— Peut-être devriez-vous les rapporter à la maison. Votre mère souhaitera sans doute changer l'enveloppe.

— Oh, mon Dieu, soupira Iris. Je crois que ça va faire des histoires.

— C'est un accident. Je suis certain que votre mère comprendra.

— Mais Clémence, non, reprit-elle avec un air contrit. C'était son vélo.

Ash releva la bicyclette. La roue avant était voilée.

— Où habitez-vous ?

Elle le lui indiqua et il proposa de pousser la bicyclette jusque chez elle.

— Je ne veux pas vous importuner. Je suis sûre que vous avez d'autres choses à faire.

— Aucun problème. Et à l'instant, je n'ai rien de spécial à faire.

— Rien du tout ? Où vous rendiez-vous ?

— Nulle part en particulier, dit-il en retirant un lambeau de tissu rose de la chaîne du vélo. J'aime flâner. Vous n'aimez pas ? Vous ne savez jamais qui vous pourriez rencontrer, dit-il avec un grand sourire.

Ils remontèrent la côte.

— Je me baladais également, en fait. Mais je ne suis pas censée le faire, bien entendu.

— Et pourquoi diable ?

Elle remarqua que ses yeux étaient couleur noisette – tellement plus beaux, pensa-t-elle, que le bleu froid des yeux Maclise. Elle réalisa aussi qu'il n'avait réellement pas compris. Elle expliqua donc.

— Car je dois être chaperonnée, naturellement. Je ne suis pas censée sortir toute seule. Ma mère, ma tante, mes sœurs ou l'une des servantes est supposée m'accompagner. Mais c'est tellement pénible, dit-elle en haussant les épaules. Et de toute façon, j'aime enfreindre les règles. Avez-vous des sœurs ?

— Aucune, je le crains.

— Et vous n'êtes pas marié ?

Il était toujours préférable de clarifier cela d'emblée.

— Marié ? Oh non.

— Êtes-vous de Sheffield ?

— Non, du Cambridgeshire. J'ai terminé mes études universitaires il y a environ deux ans.

— Et depuis ?

— J'imagine que j'ai simplement flâné. Et vous, mademoiselle Maclise, que faites-vous ?

— Ma foi, les choses habituelles. Tennis, bridge et danse...

Il la regarda comme s'il s'attendait à ce qu'elle continue. Elle réfléchit, essayant de songer à la façon dont elle tuait le temps et ajouta mollement :

— Et je couds...

— Aimez-vous lire ?

— Parfois. Ma sœur Marianne a toujours le nez fourré dans un livre.

Il marqua un bref silence, puis reprit :

— Tennis... Danse... Est-ce que tout cela ne devient pas assez... assez ennuyeux ?

— Pas du tout ! J'aime jouer au tennis. Et j'adore danser.

Elle se sentit déconcertée, contrainte de prendre la défense d'un style de vie qu'elle n'avait jamais remis en question auparavant.

— Et vous, Ash, que faites-vous ? À part flâner, bien sûr.

— Oh, ceci ou cela. Après l'université, je suis allé à Londres.

— Londres. Chanceux que vous êtes.

— Je travaillais dans un centre d'action sociale universitaire. C'est une association qui rassemble des étudiants et des gens de condition pauvre. Ensuite, j'ai voyagé six mois sur le continent. Et depuis, j'ai fait des choses et d'autres – un peu de journalisme, un peu de photographie, etc. J'ai aussi un peu pratiqué l'escalade dans les Highlands d'Écosse. Ah, et j'ai également aidé mon tuteur avec son livre.

— Votre tuteur écrit un livre ? Quel genre de livre ? Est-ce un roman ?

Il secoua la tête.

— C'est un abrégé de toute la connaissance universelle. Histoire, sciences et mythologie – tout.

— Juste ciel, dit-elle faiblement.

— Il ne l'achèvera jamais, bien sûr, grimaça Ash. Les gens continuent d'apporter de nouvelles découvertes et le pauvre vieux Emlyn doit réécrire un chapitre entier.

— Ce doit être très déprimant.

— Je ne pense pas qu'Emlyn le ressente ainsi. Il dit toujours que c'est le voyage qui compte, pas la destination.

Il la fixa du regard.

— Vous n'êtes pas d'accord ?

— Je n'y ai jamais vraiment pensé.

Elle songeait à ses vains efforts pour trouver un mari. Elle aimait la danse, les flirts, les baisers volés, mais si, Dieu l'en garde, elle ne se mariait jamais, à quoi bon ?

— Les voyages ne doivent-ils pas prendre fin ? dit-elle. Cette fin peut d'ailleurs être fort belle.

— Mais lorsque vous parvenez à ce terme, ne devriez-vous pas tout recommencer et penser à quelque chose d'autre ?

— Mon Dieu, vous rendez cela si épuisant !

En le regardant, elle vit pourtant un éclair de malice dans ses yeux et, piquée, elle s'exclama :

— Vous me taquinez !

— À peine. Comment vont vos mains ?

— Bien, répondit-elle. Tout à fait bien.

— Vous êtes fort vaillante, mademoiselle Maclise.

Personne ne l'avait jamais décrite ainsi. Elle craignait que cela soit peu flatteur. Ils sortirent d'un virage.

— J'habite ici, déclara Iris.

Ash regarda l'endroit où Summerleigh avait été grossièrement gravé en fer forgé en travers du portail. Alors qu'ils s'approchaient dans l'allée, la porte principale s'ouvrit et Eva apparut.

— Iris! cria-t-elle en descendant les marches en courant. Mère te cherche depuis des lustres! Elle s'arrêta, les yeux écarquillés. Ta *robe*. Et tes *mains*!

Iris se tourna vers Ash.

— Si j'étais vous, je partirais. Il va y avoir du grabuge. Mais vous avez été tellement gentil et je vous suis très reconnaissante. Vous devez me promettre de repasser afin que je vous présente à ma famille.

*

Eva peignait la grand-tante Hannah. Elle posa le vase en grès contenant des plumes de paon à côté de celle-ci; à ses pieds, elle installa Winnie l'épagneul, allongée sur le tapis. Tante Hannah portait une robe en étoffe noire brillante. Les plis et rides de son cou retombaient sur le haut col de la robe et un corset raide enserrait son corps comme une armure. Eva s'était souvent demandé si tante Hannah ne possédait qu'une seule robe noire ou vingt du même modèle. Cette tante lui semblait entourée de beaucoup de mystères: quel âge avait-elle? Que faisait-elle au cours des longues heures qu'elle passait seule dans sa chambre? Pourquoi sentait-elle toujours le camphre? Avait-elle jamais dénoué son chignon? Ses cheveux pouvaient-ils même être déliés ou, comme le soupçonnait Eva, avaient-ils été noués depuis tant d'années qu'ils avaient depuis longtemps formé une boule compacte?

Le portrait était presque achevé. Eva donna un éclat blanc au vase en grès et une touche plus légère aux yeux d'Hannah. Puis elle prit un peu de recul et se dit: *Voilà, même si tu as cent ans et que tu meurs demain, je pourrai désormais me souvenir.*

Après avoir quitté l'école l'été précédent, Eva avait continué ses cours avec un professeur d'art, Mlle Garnett, tous les quinze jours. Les appartements de Mlle Garnett se trouvaient sur la rue Plumpton, au-dessus d'un marchand de levure. Elle avait expliqué à Eva avoir choisi ces mansardes à cause de la lumière. Son salon donnait sur le mur couvert de suie d'un fabricant de voitures de maître. Sur le rebord de la fenêtre, un bol au vernis opalescent réfléchissait les rayons corail d'un soleil de fin d'après-midi. De lourdes senteurs d'huile de lin et de peinture se mélangeaient à l'odeur de Bovril et à celle de la levure. Eva aimait ce studio. Elle se promit d'avoir, un jour, un lieu à elle.

Fin mai, Mlle Garnett invita Eva à une réunion sur le vote des femmes. Celle-ci se tint dans le salon surchauffé et surchargé d'une maison de Fulwood. Leur hôtesse, une matrone plantureuse habillée d'une cretonne bleu électrique, scruta Eva à travers sa lorgnette et dit d'une voix forte:

— Adorable petite, mais elle a un air entêté. Êtes-vous têtue, mademoiselle Maclise?

Mlle Garnett vint à la rescousse d'Eva et la présenta à deux jeunes femmes se tenant debout dans un coin de la pièce. L'une d'elles, Mlle Jackson, portait accroché à sa robe le ruban violet, vert et blanc de l'Union politique et sociale des femmes, dirigée par Mme Pankhurst. La seconde, Mlle Bowen, avait des cheveux fins coupés au niveau des épaules et noués à la nuque. Sa bouche était comme une entaille écarlate. Elle portait une robe de lin vert menthe à col carré qui découvrait des chevilles nues. Eva jalousa terriblement Mlle Garnett et ses amies. Une récente tentative d'imiter la tenue simple de cette dernière lui avait valu une interdiction de petit-déjeuner par sa mère et une expulsion de la chambre de celle-ci, jusqu'à ce qu'elle s'habillât décemment. Maintenant, elle étouffait de chaleur sous sa veste, son chemisier, sa jupe, son jupon, ses bas, son caraco et son corset, ses lourds cheveux bruns plantés sur la tête, son corps ficelé comme un colis, dissimulé sous des couches de tissu, piégé et suffocant. Mlle Bowen regarda Eva.

— A-t-elle du talent, Rowena?

— Suffisamment, répondit Mlle Garnett en souriant à Eva.

— C'est un vrai compliment. Rowena est plutôt avare en la matière, mademoiselle Maclise. Vous devez être sacrément intelligente.

Quelqu'un sonna la cloche pour ouvrir la réunion. Une dame aux cheveux gris se leva et, d'une voix basse et monotone, commença à lire le compte-rendu de la précédente session. Mlle Bowen bâilla et tendit à Eva son étui à cigarettes. Mlle Garnett murmura :

— Lydia, je n'ai pas amené Eva ici pour la corrompre.

— Pourquoi l'as-tu fait venir ? Pour la galvaniser ? Pour exciter son zèle révolutionnaire grâce à l'éloquence de nos oratrices ?

Mlle Jackson pouffa de rire.

— J'ai fait venir Eva ici pour qu'elle puisse *s'informer*, peut-être, dit Mlle Garnett avec douceur. Mais c'est à elle de se faire un avis.

— Ton école ne lui a-t-elle rien appris, Rowena ?

Mlle Jackson accepta une cigarette de Mlle Bowen.

— Quel âge avez-vous, mademoiselle Maclise ? Dix-neuf ans ? J'aurais pensé qu'à cet âge vous vous seriez déjà fait une opinion sur le vote des femmes. Peu de choses ont autant d'importance.

— Allons, allons, May, tempéra Mlle Bowen en glissant une cigarette dans un élégant étui en onyx et en faisant briller ses yeux verts. Beaucoup d'autres sujets sont d'une égale importance, comme la façon de s'habiller, de se coiffer, ou le devoir d'aller à toutes ces fêtes ennuyeuses auxquelles nous sommes invitées.

— Vraiment Lydia, si tu as décidé d'être déprimante…

— Ne fais pas attention, May, dit gentiment Mlle Garnett. Lydia te taquine juste.

— Pas du tout, reprit Mlle Bowen, j'insiste ! Il me semble parfois aussi difficile de choisir ses habits que de défiler à Hyde Park. Voire plus.

Elle sourit à Eva.

— Mais je crains d'être irréductiblement cossarde.

— Tu es ridicule, Lydia. Tu es tellement bûcheuse. Lydia possède une galerie à Londres, expliqua Mlle Garnett à Eva. Sur Charlotte Street.

Mlle Jackson gesticula avec sa cigarette, faisant tomber la cendre sur le tapis d'Aubusson.

— Et nous voilà donc, nous, les femmes indépendantes et responsables, avec une carrière et un foyer à nous, et pas droit à un mot sur qui nous représente au Parlement ou sur les lois qui nous régissent. Scandaleux, non ?

— C'est parfaitement grossier, dit Mlle Bowen. Et je ne vois rien changer avant longtemps. Les femmes se sont battues pour le droit de vote depuis plus de quarante ans. On se conduit en bonnes filles bien élevées, on écrit de gentilles lettres à nos députés, puis on nous dit que l'on ne s'intéresse pas assez à la politique pour mériter de voter. Alors on manifeste et on remplit Hyde Park de femmes exigeant le droit de vote, on jette des œufs sur les politiciens et on nous punit de peines de prison. Que disent nos lords et nos maîtres? Eh bien, ils secouent la tête et font « *tss-tss* ». Voici, nous leur prouvons qu'ils ont toujours eu raison de le croire et que nous étions bien trop idiotes et hystériques pour avoir le droit de voter.

Elle se tourna vers Eva.

— Irez-vous aux Beaux-Arts, ma chère? Si vous êtes aussi talentueuse que Rowena le dit, vous devriez étudier la peinture. Rowena, Mlle Maclise devrait aller aux Beaux-Arts, n'est-ce pas?

— Ma foi, dit lentement Mlle Garnett, puisque le sujet vient sur la table... Je souhaitais vous en parler, Eva. Si vous devez devenir une artiste, vous devez ouvrir le champ de votre horizon. Vous pouvez continuer d'étudier à Sheffield, bien sûr, ou vous pouvez aller à l'université à Manchester. Mais je souhaite que vous réfléchissiez à la Slade, à Londres. J'y ai étudié et je sais que vous y apprendriez beaucoup. Les étudiantes y sont autorisées à dessiner d'après nature. D'autres universités sont plus vieux jeu en la matière.

— Les Beaux-Arts..., répéta Eva avec un frisson d'excitation.

— Oui, pourquoi pas?

Eva s'imagina échapper à la routine familiale qui, depuis un an qu'elle avait quitté l'école, s'était déposée autour d'elle comme un gros édredon. Elle s'imagina à Londres, entourée d'amis chics et entreprenants.

— Ou croyez-vous que votre père s'y opposerait? interrogea Mlle Garnett.

Les rêves d'Eva explosèrent et s'écrasèrent dans un sifflement. Mais elle tint bon.

— Je suis certaine que père comprendra que je doive aller aux Beaux-Arts. Je suis sûre de le lui *faire* comprendre.

— Bravo, mademoiselle Maclise! s'écria Mlle Bowen en applaudissant. Parole de soldat!

Quelques jours plus tard, Eva alla voir son père. Il se trouvait dans son bureau. Sa table de travail était couverte de paperasse mais il lui ouvrit les bras.

— Viens dans mes bras, ma petite.

Il sentait le tabac et le savon au bois de santal, des odeurs qu'Eva avait toujours associées à l'affection et au sentiment de sécurité.

— Alors, comment va ma fille?

— Je vais très bien.

— Magnifique! s'exclama Joshua en prenant son stylo.

— Quand vous étiez jeune, père, en quoi étiez-vous doué? dit Eva rapidement.

— En arithmétique. J'ai toujours été bon en arithmétique. Je comprenais aussi la gestion, bien sûr. J'étais celui qui voyait à quel moment investir et quand se débarrasser d'une ligne non rentable. Si je n'avais pas eu ce flair, notre affaire n'aurait pas prospéré.

— Et si votre père vous avait dit que vous deviez faire autre chose, repartit Eva avec astuce. S'il vous avait dit que vous deviez rejoindre l'Église ou devenir enseignant…

— Je n'aurais pas été un bon instituteur, grogna Joshua. Je n'ai pas la patience.

— Mais s'il avait insisté? Pensez-vous que vous auriez été heureux?

Il la regarda avec acuité.

— Cela n'a rien à voir avec cette sottise de peinture, n'est-ce pas?

Son rejet désinvolte de ce à quoi Eva tenait le plus la mit en colère et elle s'écria:

— La peinture n'est pas une sottise!

— Ma foi, c'est un assez bon passe-temps pour une fille. Je suppose que peindre une belle aquarelle est raffiné et féminin.

Il était en train de trier une pile de lettres et Eva sentit qu'il ne prêtait qu'à moitié attention à la conversation. Elle essaya de se rappeler ses arguments les plus convaincants, ceux dont elle avait été sûre, en préparant cette entrevue, qu'ils feraient pencher son père.

— La Bible nous dit que nous ne devrions pas gâcher nos talents. Vous n'avez pas gâché les vôtres, père, n'est-ce pas ?

— Ce n'est pas pareil pour les filles. Je n'aimerais pas que tu frayes avec certaines personnes avec qui j'ai eu à frayer, Eva, ou que tu doives travailler chaque jour dans la boue et le bruit. Ma grand-mère fabriquait des manches de couteau en os. Sa vie était dure. Je suis fier qu'aucune de vous, mes filles, n'ait à vivre comme elle. Tout ce que j'ai fait l'a été pour que vous puissiez prendre un meilleur départ dans la vie.

— Peindre n'est pas travailler dans un atelier de coutellerie. Ce n'est ni bruyant ni sale.

Eva cacha ses mains dans les plis de sa robe pour que son père ne voie pas ses doigts noirs de charbon.

— On peut peindre assis dans un studio, ou dans un champ. On peut peindre n'importe où.

— Si vous pouvez peindre n'importe où, pourquoi aller à Londres ?

Elle se sentit coincée. Un peu désespérée, elle dit :

— Comment puis-je faire du bon travail si l'on ne me l'a pas enseigné ?

— Tu n'as pas *besoin* de travailler, voici la vérité, Eva. Tu as la chance de m'avoir et d'être sûre d'avoir de belles robes.

— Je me fiche des robes, marmonna-t-elle.

— Tu ne t'en ficherais pas si tu avais à gagner ta croûte, répliqua-t-il sèchement. En voilà des sottises ! Tu n'as pas vu ce que j'ai vu : des jeunes filles de ton âge en haillons, des gamines pieds nus en plein hiver, dans cette ville même. Tu devrais être reconnaissante de ce que tu as.

Elle voulait lui dire qu'elle n'avait pas vu cela car il ne lui laissait pas le voir, qu'elle *languissait* de découvrir le monde. Mais au contraire, elle respira profondément et dit :

— Je vous en prie, ne pensez pas que je ne suis pas reconnaissante pour tout ce que vous avez fait pour moi, père.

— Tu es encore une jeune fille, Eva. Comment pourrais-je te laisser aller seule à Londres ? Comment pourrais-je t'abandonner dans un tel endroit ? Il pourrait t'arriver n'importe quoi.

Eva s'était préparée à cette objection.

— Mlle Garnett m'a dit qu'il y avait des internats pour filles à Londres. Pour jeunes filles de bonnes familles.

Elle le vit vaciller, sur le point de changer d'avis et son cœur se mit à battre plus fort. Puis il dit doucement.

— Il s'agit de *Londres*... Moi-même je ne peux pas la supporter.

Son visage s'éclaira alors et il s'exclama :

— Et si nous trouvions un compromis, toi et moi ? Je pourrais te payer des leçons ici avec un professeur de premier plan, quelqu'un de meilleur que ta Mlle Garnett. À Sheffield ou même à Manchester.

— Mais j'ai besoin d'aller à Londres ! gémit-elle. J'ai besoin d'apprendre à dessiner d'après nature !

— La nature est abondante à Sheffield.

— J'ai besoin d'apprendre à dessiner le corps humain.

À peine avait-elle prononcé ces mots qu'elle les regrettait. Elle vit le regard stupéfait de son père.

— Le corps humain ? répéta-t-il. Dis-moi que ce n'est pas ce que j'imagine, Eva ?

— Il n'y a aucun mal à cela, se mit-elle à bafouiller. Ce n'est pas malséant. Les artistes ont toujours dessiné d'après nature.

— C'est possible, mais aucune de mes filles ne le fera !

L'humeur de Joshua pouvait changer très vite. En un instant, il passa alors de la conciliation à l'indignation.

— Pas malséant ! Si ça ne l'est pas, je voudrais bien savoir ce qui l'est pour toi !

— Mais je dois aller aux Beaux-Arts, père ! Il le faut. D'autres femmes y vont – des femmes respectables.

— Non, Eva, répliqua-t-il d'un ton sec. Cette comédie suffit. Tu me donnes mal à la tête. Je ne veux plus en entendre parler. File, j'ai des choses importantes à faire.

— Mais c'est la chose la plus importante pour *moi*.

— Oui, oui, trop importante sans doute.

Ses yeux bleu marine, dont elle avait hérité, se plissèrent en la regardant de plus près.

— C'est quoi, ça ? dit-il en fixant le ruban épinglé à son revers.

— Ce sont les couleurs de l'Union politique et sociale des femmes, répondit Eva avec fierté. Mlle Jackson, une amie de Mlle Garnett...

— Encore cette Mlle Garnett! cria Joshua. Cette demoiselle te bourre le crâne. Peut-être devrais-je avoir une conversation avec elle et lui dire que tu ne prendras plus de leçons chez elle!

— Père, ne faites pas ça...

— Ne faites pas ça? Comment oses-tu? Tu feras ce que je te dis, jeune dame! Tu vas vite oublier cette sottise de peinture, Eva, et tu vas retourner à tes tâches à la maison!

— Je *déteste* être à la maison!

Son visage avait viré au rouge écrevisse.

— Comment peux-tu être aussi entêtée? Comment peux-tu manquer autant de... de... distinction?

Sa réplique sortit d'elle-même.

— Et comment pouvez-vous être si étroit d'esprit, si vieux jeu, si cruel.

En se dressant, il martela le bureau si fort que la tasse sauta sur sa coupelle. De peur, Eva recula, avant de sortir en courant de la pièce. Après cette dispute avec son père, Eva pleura tellement qu'elle se sentit prise de vertiges et malade. Elle se rendit à son cours mais Mlle Garnett, remarquant ses yeux rouges et sa main tremblante, la renvoya chez elle plus tôt. Sur le chemin du retour à Summerleigh, elle se dirigea à vélo vers un petit parc. Les nuages s'amoncelaient dans le ciel, éclipsant le soleil et dessinant des ombres sur le gazon et les chemins de gravier. Eva s'assit sur un banc. Elle savait son rêve brisé. Son père ne changerait jamais d'avis. S'il existait un moyen de le convaincre de l'envoyer aux Beaux-Arts, elle ne l'avait pas trouvé. Elle avait perdu son sang-froid et avait hurlé comme une poissonnière. Comment avait-elle été assez folle pour dire qu'elle avait besoin d'apprendre à dessiner d'après nature? Rien n'aurait pu le bloquer davantage.

Seul son père pouvait ainsi la mettre en larmes et en colère. Pourtant, ses sentiments envers lui étaient clairs et l'avaient toujours été. Peut-être ne pourrait-elle jamais exprimer son amour pour lui mais cet amour était bien là, comme un fil d'or accompagnant sa vie. Elle admirait son énergie, sa confiance, sa force. Elle savait qu'ils se querellaient parce qu'ils se ressemblaient. Ils étaient aussi têtus l'un que l'autre, et avaient tous deux le don de se faire une opinion et de refuser d'en changer. Ils ne suivaient pas le vent comme Marianne, et ne comptaient pas sur la finesse pour atteindre leurs objectifs, comme Iris. Ils étaient incapables d'être manipulateurs et incapables, souvent, d'avoir du tact.

Ils n'avaient cependant jamais eu une telle querelle. Le souvenir de ce qu'elle lui avait dit la remplissait de honte. «Comment pouvez-vous être si étroit d'esprit, si vieux jeu, si cruel?»

Elle avait vu la stupéfaction dans les yeux de son père et, pis, la blessure. Elle savait qu'elle avait franchi une ligne et elle souhaitait réparer les dégâts.

La cloche d'une église sonna. Eva eut une soudaine inspiration: elle pédalerait jusqu'à l'usine et irait demander pardon à son père. Au lieu de se rendre à la maison de Summerleigh, elle se dirigea donc vers le centre-ville. Passant devant les grands hôtels et les grands magasins, elle prit le chemin du quartier industriel. Les cheminées des fonderies marquaient de cicatrices orangées le ciel agité. Elle pouvait entendre le ronflement et le fracas des moteurs à vapeur et des marteaux; elle sentait la suie dans les gouttes de pluie. Les entrepôts se reflétaient dans les eaux troubles et décolorées de la rivière. Les bateaux étaient délestés de leur charbon et chargés de poutres d'acier et de pièces détachées. Eva imagina ces vaisseaux gagnant la mer, traversant les océans et rejoignant les pays lointains de l'Empire. Prise dans le bruit et la foule, elle eut l'impression de revenir à la vie après un long sommeil, comme si elle s'était branchée à une source électrique.

Perçant à travers le brouillard, elle aperçut le nom de son père, *J. Maclise*, peint en lettres blanches à environ un mètre vingt de hauteur sur les briques noircies d'un entrepôt. Marquant une pause devant le portail, Eva regarda autour d'elle. Les bâtiments – entrepôts, fonderies, ateliers et bureaux – formaient un carré approximatif autour d'une cour. Du charbon et des creusets ayant servi dans les fourneaux reposaient en tas sur les pavés de cette cour. Quelques ouvriers fixèrent Eva du regard alors qu'elle franchissait le portail à pied. Une fille en tablier marron gloussa avant que sa voisine, lui donnant un coup dans les côtes, lui marmonnât quelque chose qui la fit taire.

*

Dans le bureau, M. Foley regarda Eva entrer. C'était l'assistant de son père. Ce dernier invitait M. Foley à Summerleigh une fois par an, à Noël. Iris adorait mimer M. Foley, se moquant de son air sérieux et de ses phrases courtes et précautionneuses. «Tellement *déprimant*, disait Iris, tellement *terne*. Et il n'est même pas vieux.» Eva pensait, au contraire, qu'il avait un visage intéressant et avenant, avec des pommettes et une mâchoire bien marquées, et des yeux et des cheveux d'un brun assorti. Et voici que ses yeux s'écarquillaient de surprise. «Mademoiselle Eva, dit-il en se levant, cherchez-vous votre père? Je crains qu'il ne soit parti un peu tôt aujourd'hui, il y a environ dix minutes.» La déception envahit Eva. Toute l'excitation de son voyage s'évanouit.

— Puis-je vous aider?

— Non merci, M. Foley, répondit-elle.

Venir ici n'avait fait qu'aggraver la situation. Elle allait rentrer en retard à la maison et son père serait un peu plus en colère contre elle.

Alors qu'elle tournait les talons, M. Foley demanda :

— Êtes-vous venue par vos propres moyens?

Eva opina.

— Alors, je vous ramène.

— Ce n'est pas utile, je suis venue à vélo, dit-elle en souriant. Tout va bien.

Tandis qu'Eva retraversait la ville, il se mit à pleuvoir plus fort. En se dirigeant vers les faubourgs, les villas en pierre apparurent plus grandes, avec leurs jardins entourés d'arbustes à feuilles résistantes et leurs portails en fer forgé. Eva eut l'impression que son avenir était aussi prévisible et gris que les rues autour d'elle. Père allait interrompre ses leçons avec Mlle Garnett. Dépourvue de stimulation et consciente de ses propres limites, elle abandonnerait bientôt, se mariant au premier homme passable qui demanderait sa main et elle terminerait ainsi ses jours, emmurée à Sheffield.

Il y eut un coup de tonnerre et la pluie se transforma en grêle. Les grêlons s'accumulèrent dans les caniveaux et sur le palier des échoppes. Les écolières crièrent en filant à travers la foule, les coursiers lancèrent des jurons et se mirent à pédaler plus vite. La grêle piquait le visage d'Eva et crépitait sur le bord de son chapeau. Elle dut plisser les yeux pour trouver sa voie dans la circulation.

Elle reprit le moral à la vue de son père pressant le pas le long de la rue Ecclesall, au milieu d'une mer de redingotes noires et de parapluies. Grand et costaud, Joshua Maclise dépassait d'une tête la plupart des autres hommes. Elle essaya de le héler mais sa voix se perdit dans le bruit de la grêle et du trafic.

Une charrette avait déversé son chargement, éparpillant des navets sur la chaussée, et elle eut à sauter de sa bicyclette pour avancer à travers les débris. Lorsqu'elle releva la tête, elle l'avait perdu de vue. Essayant de courir, elle glissa sur les grêlons. Puis, la grêle diminuant, elle l'aperçut à nouveau, tournant dans une rue adjacente à la rue principale.

En prenant cette rue, elle remarqua son parapluie posé contre le mur d'une maison. Cette maison appartenait à Mme Carver, dont le mari était mort l'année précédente. Eva avait rendu visite à la famille Carver pour lui présenter ses condoléances. Elle se rappela que les deux filles Carver, un peu plus jeunes qu'elle, avaient un air triste et silencieux, et que leur chevelure rousse comme le feu se mariait mal à leurs robes noires.

Elle fixait du regard les portes désormais fermées et les persiennes baissées, et la maison sembla la regarder également.

Il y avait des taches de suie sur son chemisier et elle avait fait un accroc à l'ourlet de sa jupe. Ses cheveux mouillés formaient une masse désordonnée et sauvage sur ses épaules. Son père lui avait reproché de manquer de distinction féminine et c'était vrai, pensa-t-elle piteusement. Elle remonta sur sa bicyclette et repartit chez elle. Personne ne remarqua qu'elle était en retard.

Quant à son père, il semblait avoir oublié leur querelle : en arrivant à la maison une heure plus tard, son humeur avait changé. Il ébouriffa de la main les cheveux d'Eva, amadoua Marianne d'un sourire et complimenta Iris sur sa robe. Puis il baisa la joue de leur mère et s'excusa d'être en retard. Il avait dû rester plus longtemps au bureau, expliqua-t-il, une commande ayant du retard. Eva ouvrit la bouche pour parler, avant de décider de taire ce mensonge. Elle oublierait ce qu'elle avait vu, et ne penserait pas à la façon dont cela la turlupinait comme une épine de chardon coincé à l'intérieur d'un gant.

*

Un mois plus tôt, lorsque Marianne avait rencontré Arthur Leighton, elle s'était dit que quelque chose de magique s'était passé, un de ces moments qui n'arrivent qu'une fois dans une vie. Pourtant, elle ne l'avait pas revu depuis. Se souvenant l'avoir entendu dire qu'il habitait chez les Palmer, elle parla à Alice Palmer, une strabique au teint cireux, et découvrit que M. Leighton avait quitté le domicile des Palmer le lendemain du bal. Il n'avait donné aucune explication pour ce départ soudain.

— M. Leighton a posé des questions à ma mère au sujet de votre famille, dit Alice. Maman vous avait vus parler ensemble. Elle se demandait si vous aviez fait une conquête. Vous viseriez très haut si vous plaisiez à M. Leighton. C'est un fort bon parti. Il est parent d'un comte. (Alice mordit la petite peau d'un ongle.) À moins que ce soit un vicomte.

La certitude de Marianne que quelque chose d'extraordinaire était survenu, si solide immédiatement après le bal, vacilla. Peut-être M. Leighton avait-il interrogé Mme Palmer sur sa famille et celle-ci lui avait-elle dit la vérité : que Joshua Maclise était un fabricant de taillanderie et que la grand-mère de Marianne façonnait jadis des manches de couteau en os. Peut-être M. Leighton avait-il trouvé sa compagnie suffisamment convenable pour passer une soirée ennuyeuse à un bal de province mais que, réalisant que Marianne Maclise n'était guère de son rang social, avait-il décidé de ne pas donner suite à cette rencontre.

En se regardant dans le miroir, elle ne voyait désormais que ses défauts : son nez romain, sa pâleur, sa solennité. Elle avait aperçu une chose merveilleuse, pour se la voir arrachée devant ses yeux. Rien n'avait changé sinon qu'elle se méprisait un peu plus. Qu'il était ridicule d'avoir fait de tels plans sur la comète à partir de ces quelques heures ! Une femme plus intelligente et sophistiquée aurait deviné qu'il ne faisait que flirter avec elle, se dit-elle sèchement.

Puis, un soir, alors que Joshua l'avait emmenée avec Iris à un dîner à Fulwood et qu'elle contemplait sans aucune envie les hors-d'œuvre russes dans son assiette, elle leva les yeux vers l'autre bout de la table et vit Arthur Leighton. Son cœur lui remonta à la gorge. Elle craignit de s'évanouir devant les trente autres invités et les rangées de serviteurs. Elle respira profondément, se ressaisit, et regarda à nouveau. C'était bien M. Leighton. Lorsqu'il se tourna vers elle, Marianne détourna vite le regard. Elle n'allait pas les plonger tous les deux dans l'embarras en le fixant avec des yeux de biche, comme une sotte d'écolière.

Des valets en gants blancs servaient les plats. Bougies et cristal étincelaient. Et les choses les plus simples lui échappaient : le verre tremblait dans ses mains de sorte qu'elle avait peur de le briser ; elle fit tomber sa serviette. La conversation autour d'elle semblait irréelle, comme dans un rêve. Elle nota l'impatience de sa voisine devant son manque de réaction et elle s'en voulut. *Tu es une idiote, Marianne Maclise*, se dit-elle, *une idiote et une maladroite.* L'orgueil la fit alors se redresser, elle sourit et se mit à parler.

— Dites-moi quel type de métal vous utilisez, M. Hawthorne. Que c'est extraordinaire ! Et vos cadenas sont exportés en Amérique ! J'aimerais tant voyager en Amérique…

Et, tandis qu'elle parlait, elle se rendit compte du pouvoir qu'elle possédait et dont elle avait si peu conscience. Elle brillait.

Le dîner s'acheva et les dames laissèrent les hommes à leur porto et à leurs cigares. Assise dans le salon, son allégresse passagère la quitta et elle se sentit frileuse et tremblante. Personne ne parut deviner sa gêne. Les hommes vinrent alors les rejoindre. Quand Marianne vit Arthur Leighton traverser la pièce dans sa direction, son cœur se serra.

— Mademoiselle Maclise, j'espérais bien vous voir ici.

— Monsieur Leighton, je croyais que vous aviez quitté Sheffield, murmura-t-elle.

— Le lendemain du soir de notre rencontre, j'ai été appelé en ville de façon inattendue. Les affaires, je le crains, dit-il avec un geste rapide et impatient.

— Vos hôtes doivent désespérer de vous, M. Leighton, dit Marianne sur un ton soudain tranchant. Avec un invité aussi imprévisible. Les Palmer étaient déçus par votre départ.

— Uniquement les Palmer?

Marianne se sentit envahie par une vague de désespoir. Elle partirait sans que rien d'important se fût dit entre eux et avec la perspective, peut-être, de ne jamais le revoir. Puis il reprit:

— Je suis à Sheffield pour quelques jours. Je me demandais si je pourrais vous rendre visite.

Devant son silence, il ajouta avec plus d'insistance:

— Puis-je?

Elle sut alors combien dépendait de sa réponse.

— Oui, M. Leighton, je vous en saurai gré.

Mais le lendemain, elle avait à nouveau perdu confiance en elle. Convaincue qu'il ne viendrait pas, elle ne prit aucun soin particulier de sa coiffure et de sa robe. Lorsqu'il se présenta, elle portait une vieille robe bleu foncé et son esprit était occupé par les commissions et autres prescriptions commandées par sa mère. Elle se sentit en position de faiblesse. La voix d'Alice Palmer résonna dans sa tête, narquoise et condescendante, évaluant froidement sa valeur. «Vous viseriez très haut si vous plaisiez à M. Leighton, Marianne.»

En se dirigeant vers le salon, elle rameuta ses sœurs: Iris, Eva, et même Clémence, privée d'école à cause d'un rhume d'été.

— J'ai besoin de vous, dit-elle, et elles se levèrent pour la suivre.

Chaque fois qu'elle se trouvait dans la même pièce que lui, il lui semblait mieux remarquer les choses. Le vert des fougères, la feuille d'or sur les assiettes, la captivante odeur sucrée du chèvre-feuille, s'engouffrant par la fenêtre ouverte.

Les voix de ses sœurs et celle de M. Leighton s'entremêlaient dans l'air chaud et lourd. La conversation glissa sur le temps. « Quel mois de juin merveilleux… presque trop chaud… »

Iris donna un coup de coude à Marianne, pour l'inciter à parler.

— La chaleur donne envie d'aller à la campagne. Les villes peuvent être tellement, tellement…

Le mot ne venait pas. Son regard passa d'une sœur à l'autre, appelant à l'aide.

— Chaudes et humides ? proposa Eva.

— Lourdes ? suggéra Clémence.

— Débilitantes, dit M. Leighton et Marianne souffla avec soulagement.

— Oui, c'est ça, débilitantes. Vous ne trouvez pas ?

— J'ai vécu en Inde pendant trois ans. En comparaison, ce temps me semble délicieusement frais.

— En Inde ! s'exclama Marianne, qui s'imagina soudain un tout autre Arthur Leighton, en habit blanc tropical, portant le casque colonial et se tenant debout dans la véranda d'une maison au sommet d'une colline.

Elle ne savait rien de lui, se dit-elle. *Tiens donc, il aurait bien pu être marié et veuf !* Ou voyager à travers le monde, avec une maîtresse dans chaque port. Mais lorsqu'il la regarda, elle reconnaissait à nouveau cette sensation, ce sentiment qu'elle avait presque oublié ou qu'elle s'était persuadée d'oublier. Quelque chose en elle semblait s'épanouir, fleurir. Elle planta ses ongles dans la paume de ses mains, étonnée de constater avec quelle facilité elle, la froide et sérieuse Marianne Maclise, semblait perdre le contrôle.

Le temps passa et il s'en alla. Marianne souleva le coin du rideau pour le voir quitter l'allée. Quand il fut hors de vue, le jour lui sembla plus terne.

— Il est amoureux de toi, lui dit Iris par-dessus l'épaule.

Marianne pressa ses mains sur son visage et secoua la tête.

— Je t'assure, répéta Iris qui, pour une fois, ne semblait pas désinvolte. Il est amoureux de toi.

2

À l'église, Eva se mit à observer les Carver. Les filles Carver avaient la peau blanche couverte de taches de rousseur, leurs longs cheveux roux enroulés en frises tressées. Ceux de Mme Carver étaient de couleur fauve et brillaient comme un manteau de renard. Ils s'échappaient à différents endroits des rebords de son chapeau, comme s'ils avaient une vie autonome. Eva prit un bout de crayon dans sa poche et commença à dessiner sur le dos de son livre de prières. Elle avait à moitié achevé la composition compliquée des rubans du chapeau de Mme Carver lorsque le culte prit fin.

La congrégation sortit lentement de l'église, par groupes de deux ou trois. Eva s'attarda, crayon et missel à la main. Les filles Carver passèrent devant elle. Dans l'ombre du porche de l'église, Eva se retourna pour regarder. Seules deux personnes demeuraient dans l'église, son père et Mme Carver. Alors qu'elle posait son crayon pour finir de dessiner le chapeau, la main de son père s'enroula dans celle de Mme Carver, qu'il pressa ensuite contre ses lèvres. Le crayon d'Eva accrocha le papier fin du missel et y fit un trou. Avec une parfaite clarté, elle vit le noir des gants de Mme Carver et le blanc de la main de son père, et les yeux de celui-ci qui se fermaient en embrassant sa main à elle. Quelques mots susurrés, puis les corps se séparèrent. Eva quitta l'église en courant.

Mais cette image ne lui sortait plus de la tête. L'église, le baiser. Cette vision l'assiégeait partout, alors qu'elle était assise à dîner, ou quand elle emmenait tante Hannah faire les magasins.

Les achats de tante Hannah ne variaient jamais : du savon à la lavande et des pastilles chez Gimpson, des bas et des mouchoirs chez le marchand de nouveautés, du papier à lettres et des enveloppes à la papeterie, des macarons chez le pâtissier. Toutes deux les mangeaient dans un parc alentour, où les nourrices poussaient les landaus entre des massifs de lilas et de lauriers. Ce jour-là, Eva détacha la laisse de Winnie l'épagneul, et offrit le dernier macaron à sa tante.

— Non, ma chérie, il est pour toi.

— Je n'ai pas très faim.

— Ce doit être la chaleur, dit gentiment tante Hannah en lui tapotant la main. Tu as mauvaise mine, en effet. Je suis bien égoïste de t'avoir traînée dehors par ce temps.

— Ce n'est pas ça. J'aime faire les courses avec vous.

— De quoi s'agit-il alors, mon trésor ?

Des miettes s'étaient accrochées à la robe brillante d'Hannah ainsi qu'aux poils de son menton. Elle les essuya sans succès.

— Es-tu soucieuse pour ta mère ?

— Pas spécialement.

— Peut-être es-tu toujours déçue que ton père ne t'autorise pas à aller aux Beaux-Arts.

— Oui, dit Eva en choisissant la réponse la plus facile.

— Ton père est un homme bon, Eva, parmi les meilleurs. Je n'aurais pas pu avoir de neveu plus généreux que Joshua.

Eva rêvait de dire : *Les hommes bons ne mentent pas. Les hommes bons ne vous font pas de sermons sur la bienséance un jour, pour baiser la main de cette horrible femme à l'église le lendemain.*

— Joshua n'aime pas le changement, ajouta Hannah. Il lui faut du temps pour s'habituer à une idée nouvelle. Tu dois être patiente. Il peut encore changer d'avis.

— Il ne changera jamais d'avis ! dit Eva avec véhémence. Il pense qu'une école des Beaux-Arts n'est pas convenable.

— Je t'en prie, ne désespère pas, Eva. Les voies du Seigneur sont mystérieuses.

Hannah regarda Eva par-dessous la visière de son chapeau.

— Rentrons. Il fait une telle chaleur...

Eva poussa la chaise roulante sur la pente du chemin. Elle laissa le fauteuil gagner de la vitesse tandis qu'elle courait, accrochée aux poignées. Les rubans de son chapeau volaient derrière elle et les plis de la robe de tante Hannah se gonflèrent comme la voile d'un navire. Winnie courait à côté en aboyant et un sourire d'allégresse envahit le visage d'Hannah Maclise. Eva se demanda si, en courant assez vite, elle parviendrait à oublier toutes ces choses qui la perturbaient. Un parapluie au seuil d'une porte, un mensonge inutile. Et les yeux clos de son père – dans une espèce d'extase, lui sembla-t-il –, en embrassant cette main gantée de noir.

*

Ash était devenu un visiteur régulier de Summerleigh. Il passait à n'importe quelle heure du jour et restait toujours plus longtemps que le quart d'heure à la fois obligatoire et ignoré. Lorsqu'il venait, les sœurs ne semblaient jamais être dans le salon, comme elles l'auraient dû, mais étaient en train de déambuler dans le jardin ou, si le temps était trop mauvais, s'étaient installées dans d'autres pièces, moins formelles. Rapidement, ils s'appelèrent par leur prénom. Personne n'interrompit de telles transgressions. Mère était toujours fragile et, presque tous les jours, père rentrait tard à la maison. Les occasions de violer les règles étaient donc nombreuses. Ash apprit à Iris à utiliser son appareil photo, une grosse machine en cuivre et acajou. Un, deux, trois, quatre, cinq! Un flash apparaissait et les sœurs se trouvaient figées pour l'éternité dans leurs mousselines, assises dans le verger.

Les parents d'Ash étaient morts. Depuis l'âge de huit ans, il avait passé ses vacances avec son tuteur à Grantchester, près de Cambridge. À Sheffield, il habitait actuellement chez un ancien ami d'université et était engagé dans quelques bonnes œuvres, comme l'avait compris Iris sans y prêter attention. Iris se surprenait à apprécier la compagnie de Ash. Ils ne se ressemblaient pas du tout, ne partageaient ni les mêmes centres d'intérêts, ni les mêmes goûts. Et il s'habillait terriblement mal (Iris soupçonnait qu'il enfilait le matin le premier habit qui lui tombait sous la main). Il débarquait ainsi à Summerleigh avec une veste de chasseur et une tenue de cricket, ou dans un affreux tweed moisi qui partait en lambeaux au niveau des coudes. Lorsque Iris, qui faisait très attention à son apparence, lui fit remarquer ses mauvais choix, il acquiesça vaguement.

Iris avait conscience de son pouvoir sur les hommes depuis le milieu de l'adolescence. Elle ne douta jamais que, si elle le choisissait, elle pouvait rendre amoureux à peu près n'importe quel homme. Seul le plus ennuyeux ou le plus guindé des hommes pouvait rester indifférent à son immense charme – et Ash n'était ni l'un ni l'autre. Cependant, le malaise qu'elle avait ressenti récemment de ne toujours pas avoir de mari ne cessait de croître. Elle avait toujours été au centre de toutes les attentions. Cadette de la famille et la plus âgée et jolie des filles, elle était depuis longtemps le sujet de discussion des amis et parents. Or, bien qu'elle eût aimé la compagnie d'Ash – en toute honnêteté, elle trouvait les journées longues quand il ne venait pas –, il ne s'était pas mis en quatre pour elle. Il se montrait même plus gentil avec ses sœurs. De temps à autre, il lui disait quelque chose qui lui faisait croire qu'il se moquait d'elle. Ce n'est pas qu'elle ne le taquinait pas sur ses diverses obsessions – la politique, la pauvreté et son ennuyeux centre social universitaire –, et il y avait quelque chose de rafraîchissant à discuter avec un homme qui ne choisissait pas ses mots pour lui plaire. Mais elle était troublée qu'il ne fasse aucune tentative claire de gagner ses faveurs. Il lui adressait rarement des compliments et n'avait jamais essayé de l'embrasser.

Cet été-là, ils avaient joué au tennis ensemble et avaient fait de longues promenades à vélo. Parfois, ils partaient ainsi sans direction, découvrant des parties de la ville qu'Iris n'avait jamais vues. Ils se disputaient souvent. Il avait une façon de la provoquer, de mettre en doute de vieilles certitudes qu'elle n'avait jamais remises en question.

Un jour, ils se promenaient ensemble quand ils furent surpris par une averse.

— Mon chapeau! lança-t-elle avec mauvaise humeur, alors que son chapeau de paille se décomposait rapidement. Vous voir entraîne souvent la destruction d'un chapeau. Savez-vous pourquoi, Ash ?

— Mon tuteur, Emlyn, ne croit pas au port de chapeaux. Il pense qu'ils gardent la tête trop au chaud et sont mauvais pour le cerveau, sourit-il.

— Ma mère pense que le bruit, l'air frais et la compagnie de plus d'une personne à la fois sont mauvais pour elle. Quel sale temps ! cria-t-elle, exaspérée.

Elle n'avait pas pris de veste et ne portait qu'un chemisier et une jupe en coton.

— Prenez ceci pour ne pas vous noyer, dit Ash en se débarrassant de son veston et en l'enroulant autour d'elle. Votre mère est-elle malade depuis longtemps ?

— Depuis des lustres, répondit Iris.

Il l'interrogea du regard.

— Je suis désolée si cela semble manquer de compassion. Ce n'est pas ce que je veux dire. Mais c'est assez épuisant.

Elle se demanda comment faire comprendre à une personne sans famille les rapports entre parents, frères et sœurs.

— J'avais l'habitude de remonter le moral de ma mère, expliqua-t-elle. J'allais dans sa chambre, je lui parlais, je lui racontais ce que j'avais fait dans la journée. Mais je voyais bien que cela ne l'intéressait pas et que cela ne faisait aucune différence. Alors j'ai arrêté. Et maintenant, mère est comme elle a toujours été, mais je suis plus heureuse car je ne reste pas assise dans cette chambre sombre, à chercher désespérément des choses agréables à dire à quelqu'un qui ne répond pratiquement jamais.

La pluie redoubla, martelant le trottoir. Ash attira Iris à l'abri d'un arbre. Voitures et charrettes passaient devant eux, leurs roues créant des vagues d'eau. Iris sentait la pluie goutter le long de son cou et Ash debout à côté d'elle, la main posée délicatement sur son épaule. Portant son regard vers lui, elle déclara :

— Vous pensez que je suis égoïste, n'est-ce pas, à ronchonner sur le temps passé avec une mère malade ?

— Je n'ai pas dit cela.

— J'essaie juste d'être pragmatique. Ma mère est malade depuis onze ans. Les médecins ne se sont jamais accordés sur ce dont elle souffre – l'un dit qu'elle a une inflammation de la moelle épinière, un autre évoque une faiblesse cardiaque, un troisième est convaincu que c'est dans son sang, *et caetera*. Ce matin, mère est sortie du lit, est descendue prendre le petit-déjeuner et a annoncé que nous allions organiser une fête estivale. C'était comme si elle n'avait jamais été malade. Mais ça ne durera pas. Cela ne dure jamais. Rien de ce que j'ai fait n'a amélioré son état. Rien de ce que Marianne et Clémence font ne change rien, mais elles ne le voient pas.

— Peut-être le simple fait d'avoir ses filles auprès d'elle est-il une source de réconfort pour votre mère, quand bien même vous ne pourriez la guérir.

— Peut-être. Mais l'une d'entre nous sera prise au piège, j'en suis sûre. L'une d'entre nous ne se mariera pas et restera le restant de ses jours à la maison à s'occuper de mère. Et je suis déterminée à ne pas être celle-là.

Il la regarda avec intensité.

— Une telle possibilité ne m'avait pas traversé l'esprit.

— Comment le pourrait-elle ? Vous êtes un homme. James, Aidan et Philip n'auront pas à renoncer à leur vie pour s'occuper de leur mère. Les hommes font comme bon leur semble.

La pluie diminua un peu.

— Allons-y, courons ! dit-il.

— *Courir* ? Je ne peux pas courir. Mes chaussures…

Mais il lui saisit la main et ils se ruèrent dans la rue. Le chapeau d'Iris s'envola. Déjà fichu, elle l'abandonna à son vol. En parvenant à Summerleigh, elle s'écroula contre lui, hilare et le souffle coupé. Et tandis qu'ils entraient dans la maison, elle dit :

— Voyez-vous, Ash, je ne serai pas cette vieille célibataire allant faire les courses pour sa mère. (Ses yeux se rétrécirent.) Je ferai tout pour éviter ça. Absolument tout.

Au cours de son séjour à Sheffield, Ash s'était lié d'amitié avec deux familles, les Maclise et les Brown. Le contraste entre ces deux familles n'aurait pas pu être plus marquant. Les Brown vivaient dans une seule pièce sinistre sur High Street Lane, dans le quartier du Parc. Les six membres de la famille – la mère, le père, une fille de dix ans, Lizzie, et ses trois plus jeunes frères – mangeaient et dormaient dans la même chambre.

L'été que Ash avait passé à travailler pour le centre d'œuvres sociales de l'université à Whitechapel l'avait transformé. Lui qui n'avait jamais eu faim avait vu des enfants souffrir de malnutrition ; lui qui avait toujours eu des habits chauds et un toit sur la tête découvrait que beaucoup ne possédaient ni l'un ni l'autre. Il lui était impossible d'oublier ce qu'il avait vu. Les conditions de vie sordides, la misère et, plus que tout, l'injustice de cette situation l'avaient indigné. Il avait quitté Whitechapel en sachant qu'il devait faire *quelque chose*.

Bien que la plupart des habitants des taudis étaient trop fiers pour le laisser entrer chez eux – ils collaient du papier d'emballage à leurs carreaux pour que les passants ne voient pas l'état de dégradation à l'intérieur –, les Brown lui avaient finalement accordé la permission. Ils avaient atteint un tel seuil d'indigence, se dit-il, qu'ils étaient contraints de vendre jusqu'à leur fierté. Pendant l'été, il avait pris une série de photographies montrant la façon dont les Brown vivaient. Il avait fini par bien connaître cette famille. Récemment, il s'était fait du souci pour le plus jeune des enfants, un bébé de quelques mois. Les nourrissons ne pleuraient-ils pas forcément ? Et pouvaient-ils être d'une telle pâleur et aussi peu réactifs ?

Après avoir visité les Brown, il passait souvent voir Iris, ayant besoin de se délivrer de toute cette détresse et de cet abattement qui planait sur les taudis comme un nuage noir. L'entrain et l'éclat d'Iris lui faisaient presque oublier ce qu'il avait vu. Presque. Le contraste entre les deux familles le troublait de plus en plus. Il ne pouvait pas s'empêcher de penser que la richesse de l'une dépendait, d'une certaine façon, de la pauvreté de l'autre.

En juillet, il partit avec les Maclise et leurs amis pour un pique-nique dans la région du Peak. Quittant Sheffield, voitures et chars à bancs grimpaient vers le grand air des collines. D'énormes rochers parsemaient l'escarpement et la colline tombait à pic. Au bout de la vallée, ces rochers se dressaient en dessinant de dures silhouettes sur le ciel chatoyant. Par groupes de deux ou trois, ils se dispersèrent sur le plateau rocheux.

La chaleur de la mi-journée chauffait les pierres. Après le pique-nique, Ash partit se balader vers un chaos de roches gigantesques posé sur les hauteurs, tel un immense cairn. Entendant des pas, il se retourna et vit Iris en train de se presser pour le rejoindre.

— Où allez-vous ?

— Quelque part, dit-il. N'importe où.

Il se mit à grimper sur les rochers. Iris le suivit. Il lui tendit la main pour l'aider à se hisser. Du sommet du cairn, les pique-niqueurs en contrebas ressemblaient à de petits insectes colorés et les ombrelles des dames à du duvet de chardon.

Iris s'assit à côté de lui sur le plus haut rocher.

— Vous ne vous amusez pas, Ash ?

— Il fait trop chaud.

— Vous n'avez pas pris de fraises.

Elle montra un mouchoir noué. Des fraises y nichaient comme des rubis dans un vieux tissu. Elle les lui offrit, puis l'interrogea :

— Qu'est-ce qui ne va pas ?

Il jeta un caillou dans le vide et le regarda dégringoler de roche en roche.

— Vous n'êtes jamais inquiète de ne jamais savoir tout à fait ce que vous voulez faire de votre vie ?

— Pas du tout, répondit-elle en mangeant une fraise. Je le sais exactement. Je vais me marier à un homme très riche et je vivrai dans une belle maison avec de nombreux serviteurs, en ayant des tonnes de robes et de chapeaux.

Il s'allongea sur la roche plate en la regardant.

— Et vous pensez que cela vous rendra heureuse ?

— Bien sûr. Parfaitement heureuse.

— Balivernes, dit-il. Vous vous ennuierez à mourir au bout d'une semaine.

— Bêtises, répliqua-t-elle en levant les sourcils. Pourquoi m'ennuierais-je ?

— Parce que cela ne vous suffira pas. Que ferez-vous toute la journée, Iris ? Arranger les fleurs ?

— Pourquoi pas ? Et d'ailleurs, pourquoi devrais-je faire quoi que ce soit ?

— Vous aimez enfreindre les règles, reprit-il calmement. Vous l'avez dit vous-même. Vous ne seriez pas satisfaite.

— Vous êtes sans doute extrêmement intelligent, Ash, beaucoup plus que moi, dit-elle en le fixant des yeux. Mais vous ne comprenez pas vraiment, n'est-ce pas? Les filles ne sont pas censées se servir de leur cerveau ou se soucier du monde. Nous sommes censées être belles et bien nous marier. Nous sommes faites pour ça.

Son manque de conscience du monde extérieur, son manque d'expérience personnelle... Elle le rendait parfois furieux.

— Et vous l'acceptez? Vous acceptez une vie entière de... d'inutilité?

Il la vit rougir.

— Vous pouvez dire que je fais mon devoir. Je me comporte comme une bonne fille.

— Vous vous contenteriez donc d'être purement décorative alors que, en réalité, vous êtes robuste comme une vieille paire de bottes.

«Robuste comme une vieille paire de bottes!» Iris s'indigna.

— Ash! Ce n'est pas vrai – et quel propos épouvantable!

— Voyez la manière dont vous avez grimpé ces rochers. Et rappelez-vous ce jour où vous êtes tombée de bicyclette...

— Et alors?

— Vous m'avez laissé retirer le gravier de votre main sans crier une seule fois. Et ce devait être atrocement douloureux.

Elle regarda au loin, puis, après un silence, dit:

— Tout cela... mon apparence, mon comportement... c'est ce que je suis censée être. Ne comprenez-vous pas, Ash, que l'on me demande d'être ainsi?

— Mais ce n'est pas ce que vous êtes vraiment, répliqua-t-il sèchement.

— Peut-être pas. Mais de votre part, cela manque plutôt... de galanterie de le faire remarquer.

Il réalisa qu'il l'avait contrariée et se sentit honteux. Il lui prit le bras.

— Je suis désolé, Iris. Ne nous querellons pas.

— «Robustes comme de vieilles bottes», répéta-t-elle en se tournant vers lui. Aucun homme ne m'a jamais dit cela!

— Aucun homme n'a donc observé vos qualités les plus fines.

Il la vit sourire avec réticence et prit une autre fraise.

— Par ailleurs, reprit-il, les temps changent. Il existe des femmes médecins et d'autres étudient le droit et vont à l'université. Voyez aussi les suffragettes…

— Si vous pensez que je vais porter l'un de ces hideux chapeaux violet, blanc et vert et défiler dans les rues en brandissant une pancarte, alors vous vous trompez lourdement!

Ils se regardèrent.

— Voilà que nous nous querellons à nouveau! lança-t-elle. Pourquoi prenez-vous tant de plaisir à me faire sortir de mes gonds?

Se relevant, il regarda vers la vallée.

— Vous pouvez porter le chapeau que vous voulez, Iris, mais ne nous disputons plus. Cela fait deux ans que j'ai quitté l'université et je ne me suis toujours pas fixé sur un objectif. Je dois choisir. J'ai l'impression de faire du surplace.

— Y a-t-il du mal à cela? Qu'y a-t-il de mal à prendre du bon temps?

— Je veux changer les choses, Iris. Et on ne peut pas y arriver en papillonnant.

Comme elle ne répondait pas, il se tourna vers elle et dit:

— Cela ne vous plaît pas que je veuille changer les choses? Peut-être me trouvez-vous arrogant? Ou naïf?

— J'ai toujours le sentiment qu'il est impossible de changer la vie des autres. On ne peut que changer la sienne. Et encore, souvent, on ne peut même pas accomplir cela.

— Mais nul doute que nous devons au moins essayer.

— Dites-moi à quoi vous réfléchissez, Ash, et je choisirai pour vous.

— La médecine, ou le journalisme. Ou le droit, peut-être.

Elle commençait à s'éloigner tranquillement vers le bas de la pente, en direction des autres pique-niqueurs.

— C'est facile, affirma-t-elle. Le droit, évidemment.

— Pourquoi?

Se trouvant en contrebas de lui, elle leva les yeux et eut un sourire malicieux.

— Car vous pourriez alors argumenter à volonté, non?

Elle disparut derrière un rocher. Il attendit qu'elle réapparaisse, puis il la regarda courir vers ses amis, comme un papillon blanc et doré.

*

Marianne avait attendu ce pique-nique avec joie. Elle pensait se sentir plus calme en étant loin de la maison et de la constante possibilité de recevoir des nouvelles d'Arthur Leighton. Mais elle ne se sentait pas dans son assiette. Sachant qu'elle ne le verrait pas, la journée se trouvait, en fait, dépourvue de piquant. Elle s'éloigna du groupe et partit se promener en direction de la route. Autour d'elle, le paysage paraissait étinceler. Des ombres entre le noir et le bleu se tapissaient dans les cavités tandis que la lumière du soleil miroitait sur les rochers, et le grès semblait serti de diamants. Au loin, une voiture prenait un virage et des éclats d'argent jaillirent des vitres et du métal. En s'approchant du pont, la voiture ralentit, puis s'arrêta. Le chauffeur sortit. En reconnaissant Arthur Leighton, le cœur de Marianne se mit à battre la chamade. Elle le vit marquer une pause et regarder vers elle, la pointer du doigt et se mettre à marcher dans sa direction.

— Je dois vous parler seul à seule, dit-il.

— M. Leighton…

— Je ne doute pas que vos sœurs soient éparpillées comme des lézards dans les rochers mais vous m'autoriserez malgré tout à vous parler.

Il l'emmena sur le sentier qui descendait au ruisseau, où les fougères offraient des reflets d'émeraude dans les crevasses entre les pierres, et où les eaux roulaient en crachant de l'écume.

— La première fois que je vous ai vue au bal, commença-t-il, j'ai été frappé par votre beauté. Je ne pouvais cesser de vous regarder. Puis, lorsque nous nous sommes parlé, il m'a semblé que nos esprits aussi se rencontraient.

Il lui releva le menton pour qu'elle le regarde.

— Parlez-moi, Marianne, continua-t-il d'une voix basse et pressante. Dites-moi ce à quoi vous pensez.

— Je ne sais pas, murmura-t-elle.

— Vous ne savez pas quoi?

— Je ne sais pas ce que vous voulez de moi.

— C'est très simple. Je vous veux, *vous*.

Elle eut le souffle coupé. Il posa ses lèvres sur le dos de sa main. Elle ferma les yeux et se sentit tanguer légèrement. Elle l'entendit susurrer:

— Ma pauvre chérie, votre peau va brûler sous ce soleil. Une peau si blanche…

Quand il baisa le creux de son coude, elle frissonna. Il l'amena contre lui et, à travers son fin corsage d'été et sa jupe légère, elle sentit la chaleur et la force de son corps. Sa bouche frôla la courbe de son cou. Et quand, enfin, leurs lèvres se touchèrent, elle eut l'impression qu'elle allait se noyer et se dissoudre, comme si elle, Marianne Maclise, qui s'était toujours sentie si à part, si détachée des autres, avait commencé à se confondre et à se fondre en lui. Le bruit du ruissellement de l'eau grandit en clameur, le soleil devint écrasant et elle se sentit en feu.

Quelque chose lui fit ouvrir les yeux et regarder plus haut. Revenant à la réalité, elle entendit un bruit de pas avant d'apercevoir une ombrelle verte et blanche dansant sur un ciel azur. Elle s'écarta.

— Mlle Catherwood arrive, souffla-t-elle.

Mlle Catherwood, le visage rougi par la chaleur, descendait le sentier en gambadant vers eux.

— Marianne, ma chère, on n'arrivait pas à te trouver. Nous servons le thé.

Elle posa un regard de fouine sur M. Leighton, puis dit, le regard brillant:

— Vous joindrez-vous à nous, monsieur?

— Je vous remercie, mais non.

Il allait de nouveau s'en aller, pensa Marianne, et la laisser seule. C'était insupportable.

— S'il vous plaît…, murmura-t-elle.

— Vous me pardonnerez, Marianne. J'ai enduré ce rituel il y a quelques années, quand j'étais plus jeune, et je préférerais ne pas le répéter aujourd'hui.

Il lui saisit les mains.

Mais, mon amour, je dois savoir...

Mlle Catherwood les regardait. C'était intolérable, se dit Marianne, que la plus intime de ses émotions fut ainsi exposée.

— Ma mère a décidé de donner une fête d'été. Vous viendrez, M. Leighton, n'est-ce pas? dit-elle rapidement.

Marianne le regarda rejoindre sa voiture. Tandis qu'elle suivait Mlle Catherwood sur le chemin, elle nota que l'un des boutons de son chemisier était ouvert. Les mains tremblantes, elle le referma. Elle se souvenait de la chaleur de son corps, de la pression de sa langue entre ses lèvres, de la manière dont ses mains avaient découvert les formes de son corps. Sans qu'elle eût essayé de l'arrêter. Une heure plus tôt, elle n'aurait pas cru possible qu'elle permît à un homme de la toucher ainsi. Une heure plus tôt, elle n'aurait jamais cru désirer qu'Arthur Leighton la touche ainsi, encore et encore.

Iris ne profitait pas du pique-nique autant qu'elle l'avait espéré. La nourriture avait séché au soleil, le champagne était chaud, et la conversation plate et futile, mâtinée de médisance.

Alice Palmer l'attira à l'écart.

— Mlle Catherwood a trouvé Marianne en compagnie de M. Leighton, chuchota-t-elle. Ils *s'embrassaient!*

Alice était atteinte de strabisme; son œil vagabond avait du mal à se fixer sur Iris.

— Quelle surprise ce serait si Marianne devait se marier avant toi! Je me souviens qu'à ton arrivée, tout le monde pensait que tu serais prise dès la première année. Je détesterais que Louisa se marie avant moi. Imagine devoir être la demoiselle d'honneur de ta sœur cadette! J'en aurais horreur! (Elle taquina le bras d'Iris avec son éventail.) Mieux vaut ne pas tarder, Iris.

Se souvenant de la manière dont M. Leighton avait regardé Marianne, Iris, la mort dans l'âme, comprit qu'il était tout à fait possible qu'une de ses sœurs se mariât avant elle. Jusque-là, elle avait toujours écarté cette éventualité: Marianne était trop effacée, trop solennelle, Eva trop désintéressée et Clémence trop jeune. De surcroît, elle était l'aînée et également la plus belle. Ce serait fort de café – et terriblement humiliant – qu'une de ses sœurs se mariât avant elle. Cela ne pouvait pas – ce ne devait pas – arriver.

Après le thé, Charlotte Catherwood, la meilleure amie d'Iris, l'attira à l'écart du groupe.

— Je dois te parler, Iris. (Charlotte respira profondément.) J'ai décidé de devenir infirmière.

Iris la regarda, les yeux écarquillés. Si Charlotte avait dit : «J'ai décidé d'aller explorer l'Afrique», ou «j'ai décidé de me faire nonne», elle n'aurait pas été plus choquée.

— Infirmière? répéta-t-elle. Charlotte, ne sois pas ridicule!

— J'ai l'intention de commencer ma formation à la fin de l'année.

— Charlotte, tu *ne peux pas* faire ça!

Puis, voyant que Charlotte était tout à fait sérieuse, Iris demanda :

— Mais pourquoi?

— Parce que je pense que je ne me marierai jamais, dit Charlotte calmement. J'ai vingt-deux ans, Iris. Cela fait quatre ans que je suis disponible. Personne n'est tombé amoureux de moi quand j'avais dix-huit ans; pourquoi cela arriverait-il aujourd'hui? D'autant plus que des filles plus jeunes et plus jolies arrivent tous les jours.

— Mais… infirmière. C'est tellement fatiguant… quelle horreur…

— Les infirmières peuvent voyager. Elles peuvent parcourir le monde. Je serai indépendante et j'aurai mon propre argent. Je n'aurai pas à demeurer ici, à vieillir au milieu des mêmes choses. C'est cela, l'horreur.

Charlotte regarda autour d'elle.

— Ma mère s'est réveillée. Je ferais mieux d'aller voir si elle a besoin d'aide pour le thé. Tu devrais penser aussi à l'idée de devenir infirmière, lança-t-elle en s'éloignant.

— Moi?

— Pourquoi pas? Nous nous amuserions bien toutes les deux. Songes-y!

Une fois Charlotte partie, Iris se saisit de son ombrelle et quitta le reste du groupe. Elle ressentait une sorte de panique intérieure. Afin de se rassurer, elle dressa la liste de ses relations masculines. L'un de ces hommes ferait bien l'affaire, non ? Gerald Catherwood lui demandait régulièrement sa main. Même Ronnie avait une fois proposé de l'épouser. Elle ressentit néanmoins comme un choc électrique en réalisant que cela faisait bien six mois que cette proposition avait eu lieu. Peut-être avait-il jeté l'éponge ? Peut-être ne l'aimait-il plus ? *Fort bien*, se dit-elle, *et que dire d'Oswald, le frère des filles Hutchinson ?* Elle écarta cette idée immédiatement. Oswald était bien gentil mais il était très ennuyeux. Ou Alfred Palmer ? *Ridicule*, pensa Iris, effarée à l'idée de cheminer au bras du corpulent et pompeux Alfred Palmer. *Ash ?* songea-t-elle soudain. Impossible : ils se disputeraient tout le temps. Mais, au moins, ce ne serait ni ennuyeux ni ridicule.

Elle s'arrêta, se retourna, et vit Ash redescendre du cairn en direction des pique-niqueurs. Elle le regarda, plissa des yeux, nota la taille et l'aisance gracieuse de ses mouvements. *Ash*, pensa-t-elle à nouveau. Pourquoi ne se marierait-elle pas avec lui ? Elle devait épouser quelqu'un, et vite. Au risque de finir vieille fille. Elle avait toujours eu le don de séduire n'importe quel homme. Elle sourit et, pour la première fois, se mit à songer à la fête d'été chez les Maclise avec impatience.

Eva attendit dans l'allée étroite en face de J. Maclise & Fils, sa bicyclette posée contre le mur. Au bout de la rue se trouvait un garçon vendant des paniers et des cravaches ; un fiacre, les rideaux tirés, était stationné au loin. La pluie glissait sur son imperméable ciré et formait des flaques luisantes sur le pavé. Les employés de son père se déversaient par le portail en fer. Elle cherchait un haut-de-forme, un parapluie. Elle avait décidé qu'elle suivrait son père et, s'il se rendait à la maison de Mme Carver, elle le hélerait avant qu'il s'engage dans l'allée. Elle lui dirait qu'elle s'était trompée de tournant en pédalant vers la maison après sa leçon d'art et qu'elle s'était perdue. L'ayant repéré dans la rue, elle l'avait rattrapé avec soulagement devant la maison de Mme Carver.

Elle ignorait ce qu'elle dirait ensuite. «Je ne savais pas que Mme Carver était une de vos amies chères, père.» Ou bien: «Pauvre Mme Carver, elle doit être terriblement seule. Comme c'est gentil à vous de lui tenir compagnie.» Mais tout cela sonnait trop indiscret ou trop vague. Elle se dit que les mots lui viendraient naturellement. À l'expression du visage de son père, elle saurait si ses soupçons avaient le moindre fondement.

Peu de temps après la sortie des derniers ouvriers, son père franchit le portail. Il s'attarda sur le trottoir, regardant à droite et à gauche. Puis, au lieu de se diriger vers le centre-ville, il partit en direction du fiacre. Il y eut un mouvement d'agitation, le cheval se déplaça sur la voie et le rideau s'ouvrit. Eva aperçut la femme qui l'attendait et vit son père se pencher pour l'embrasser en se hissant à l'intérieur. Un reflet de cheveux châtain roux apparut, comme un manteau de renard, une main dans un gant noir sortit et tira le rideau.

Le fiacre descendit la rue et fut avalé par la pluie et les grands bâtiments en brique. Pendant plusieurs minutes, Eva fut incapable de bouger. Puis elle se secoua énergiquement, comme pour évacuer de son esprit l'image de son père embrassant Mme Carver dans le fiacre. Elle se mit à pédaler sans but, choisissant sa direction au hasard. Elle se trouva emportée par la pression de la foule qui se rendait aux Shambles, la halle aux viandes, où chaque matin, de petits hommes râblés vêtus de tabliers en cuir aiguisaient leurs couteaux, tandis que le bétail à abattre, conduit dans les ruelles, beuglait. L'odeur de sang et d'excréments bovins était encore douce et lourde. Eva en eut l'estomac retourné. Elle longea bientôt les voies de garage du chemin de fer, dans un hurlement de vapeur et le fracas des machines. La pluie emportait dans les caniveaux un méli-mélo d'allumettes usagées et de paille, et déposait une pellicule foncée sur la chaux écaillée des immeubles de brique.

Les maisons et rues qui l'entouraient désormais étaient petites et misérables. Elle sentit son cœur battre plus fort lorsqu'elle réalisa se trouver au milieu des taudis, une zone qui lui était interdite. Par défi, elle descendit de son vélo et marcha en le poussant à travers le maquis de ruelles et de cours sombres. Elle voulait voir, elle voulait *savoir*.

Ce monde était différent. Les magasins mêmes étaient différents. Des tranches de viande pendaient à des crochets dans l'encadrement non vitré de la fenêtre du boucher et un nuage noir de mouches bourdonnait autour d'une carcasse suspendue à la voûte. Une file menant à un bureau de loterie s'étirait dans la rue. Sur le rebord de la fenêtre, de rares objets étaient posés : la veste d'un homme avec des pièces aux coudes, un jupon de calicot bon marché, jauni par les ans. Dans un square exigu cerné d'immeubles, une vieille femme était assise sur une boîte retournée, des habits de fortune étalés sur le pavé devant elle, à vendre.

De frêles enfants jouaient dans des flaques d'eau. Ils dévisagèrent Eva sur son passage. Sur chaque palier, des femmes aux yeux caves étaient assises en train d'allaiter leurs bébés. Couches et paires de draps usés et tachés de suie pendaient sur des fils tendus entre les maisons. Eva poursuivit son chemin, avec effroi. Elle était épouvantée que tant de gens puissent être entassés dans un si petit espace où tout était sale et sombre, et les couleurs réduites à une gamme de noirs, de gris et de bruns. Au milieu de cette misère, elle entendit de la musique. Remontant à sa source, elle s'enfonça dans une allée étroite où des chiens galeux se disputaient un os rongé ; un vieux sofa pelé duquel sortait du crin de cheval était posé à côté de quelques marches en pierre. L'allée menait à une placette où des enfants dansaient sur la musique d'un orgue de barbarie. Des fillettes aux tabliers rapiécés sautillaient et faisaient des pirouettes, l'air sérieux et concentré. Tandis que l'organiste tournait la manivelle et que son singe faisait la cabriole, une petite fille aux nattes blondes serrait les poings en se balançant d'un pied sur l'autre.

Eva aurait elle-même aimé se perdre dans la musique et valser toute seule. Mais ses pensées demeuraient obnubilées par son père. Elle avait toujours admiré son énergie, sa force et sa vitalité, autant que la mauvaise santé de sa mère l'avait rebutée. Délicate par nature, elle passait le moins de temps possible dans la chambre sombre et surchauffée de cette dernière. Elle réalisa avec une clarté soudaine qu'elle ne devait jamais dire ce qu'elle avait vu. Si sa mère l'apprenait, le choc la tuerait peut-être. Elle dont les sentiments étaient si transparents devait apprendre à se dédoubler. Pourtant, à cet instant, elle qui s'évanouirait à la vue du sang avait la sensation d'être tout aussi méprisable qu'un Joshua Maclise en train de tranquillement trahir sa femme. À travers la tendre blancheur de ses mains, et la soie et la laine fines de ses habits, elle exhibait les signes extérieurs de sa richesse. La conscience de sa propre responsabilité dans l'existence de ces rues misérables l'accabla. Elle savait qu'elle ne pouvait pas plus se joindre à la danse qu'elle ne supporterait de porter les haillons de cette vieille femme.

Regardant autour d'elle, Eva s'aperçut avec panique qu'elle s'était perdue. Les hauts murs de brique cachaient la lumière finissante du jour. Des hommes, assis sur le pas de leur porte, fumaient et jouaient aux dés ou aux cartes, le regard intense, crachant dans la paume de leurs mains pour se porter chance. Ils la suivirent des yeux alors qu'elle passait en marchant.

— Tu veux un verre, chérie? lança l'un d'entre eux.

Elle accéléra le pas. L'écho de cette voix la poursuivit alors qu'elle se précipitait dans un passage couvert de débris.

— Pourquoi t'es si pressée, poupée? Hé, pourquoi marches-tu si vite, ma chatte?

Quelqu'un passa près d'elle en courant. Elle dut se coller au mur pour lui céder le passage. Un autre homme déboula derrière lui en criant des jurons. Là où l'allée s'élargissait, formant une aire miteuse derrière une rangée d'échoppes, les deux hommes se bagarrèrent, s'envoyant des directs du poing, des coups de coude et de souliers cloutés. Eva lâcha son vélo et courut à l'aveugle. Son cœur frappait ses tempes et ses poumons lui semblaient sur le point d'exploser.

Au coin de l'allée, elle percuta une personne calme et solide. Elle s'arrêta net.

— Mademoiselle Eva?

Elle leva les yeux et vit M. Foley. Il la tenait debout par les épaules. Elle s'agrippa aux manches de sa veste comme à une bouée de sauvetage. Il lui fallut beaucoup de volonté pour se détacher de lui et prendre du recul.

— Ça va? demanda-t-il l'air inquiet.

— Oui. Oui, bien sûr, répondit-elle dans un souffle de soulagement.

Elle n'aurait jamais cru être aussi heureuse de voir le terne et sévère M. Foley.

— Ma bicyclette! J'ai perdu ma bicyclette!

— Où est-elle?

— Là-bas, en bas, murmura-t-elle en regardant l'allée, apeurée.

— Je vais la chercher. Attendez-moi ici.

Il disparut dans l'obscurité. Elle chercha un mouchoir dans ses poches. N'en trouvant point, elle s'essuya le visage sur le revers de sa manche. Après quelques minutes, M. Foley réapparut en poussant le vélo.

— Je vous raccompagne chez vous, dit-il.

Cette fois-ci, elle ne discuta pas.

Elle sentait les questions qu'il ne lui posait pas alors qu'ils traversaient la ville. Elle avait l'esprit vide, elle était fourbue. Aucune bonne excuse ne lui venait. Au bout d'un moment, il se mit à lui parler de sa sœur, une enseignante, et lui raconta des histoires d'écoliers. Elle parvint à sourire une ou deux fois. Summerleigh était en vue quand elle annonça :

— Je crois que je devrais finir mon chemin seule, M. Foley.

— Bien entendu, dit-il en lui tendant la bicyclette.

— Et si vous pouviez… dit-elle sans terminer sa phrase.

— Je ne vous ai jamais vue, reprit-il. Si cela peut vous aider.

Au bout de l'allée, elle se retourna et vit qu'il avait attendu jusqu'à ce qu'elle eût atteint la maison en sécurité. Il salua alors de la main et repartit vers le bas de la colline.

*

Le soir de la fête d'été chez les Maclise, peu de temps avant l'arrivée prévue des premiers invités, la famille se rassembla dans l'entrée. Tante Hannah était comme d'habitude habillée en noir, une broche étant sa seule concession aux festivités du jour. La robe de Lilian était un bouillon de soie mauve et de crêpe de chine. Les diamants à son cou et sur ses oreilles mettaient en relief sa fragile beauté. Marianne, Iris et Clémence étaient en blanc. Quand ces dames se mouvaient, les différentes épaisseurs de leurs jupons frémissaient en un frou-frou de dentelle et de ruban, leurs longues traînes bruissant derrière elles. Les corsets leur serraient la taille et faisaient jaillir leur poitrine et leurs hanches. L'air était rempli des senteurs de violette, d'œillet et de tubéreuse.

— Où est Eva? demanda Marianne.

Il y eut un mouvement en haut des escaliers. James leva les yeux.

— Doux Jésus, souffla-t-il.

Un cri inarticulé sortit de la bouche de Joshua Maclise, et Hannah, Iris, Marianne et Lilian se tournèrent vers Eva, qui descendait les marches, vêtue d'une robe blanche ample, ses cheveux noirs lâchés et coupés court à hauteur des épaules.

Le dîner fut interminable. Marianne trouvait à redire sur tous les plats. De temps en temps, son regard glissait vers l'autre bout de la table où Arthur Leighton était assis à côté de sa mère. Lorsqu'il captait son regard, elle s'immobilisait, ce qu'elle disait à sa voisine demeurait en suspens, la salle lui semblait se figer et les autres invités s'évanouir pour ne laisser qu'eux deux. L'aimait-il? se demanda-t-elle. Est-ce qu'elle le hantait comme lui la hantait? Une bulle de bonheur gonflait en elle, mélange d'excitation et d'allégresse, et la soudaine certitude qu'elle se trouvait à l'aube d'une merveilleuse aventure.

À travers la porte-fenêtre, Iris vit Ash debout, légèrement à l'écart des autres invités.

— Ash, demanda-t-elle, vous ne dansez pas?

La réponse habituelle et attendue était: « Uniquement si vous dansez avec moi, Iris. » Mais Ash secoua simplement la tête et répondit:

— Pas maintenant.

— Le dîner était plutôt indigeste, n'est-ce pas?

— Huit plats…

— Je sais. Assez difficile d'en venir à bout.

— Qui donc aurait besoin de huit plats…

— Il ne s'agit pas d'un besoin.

— Non, répliqua-t-il. Assurément.

— Oh Ash, ne soyez pas si négatif!

Mais au lieu de s'amender et de sourire, comme elle s'y attendait, il dit brusquement:

— Si vous voulez bien m'excuser, Iris. Et il s'en alla.

L'irritation d'Iris n'en fut qu'accrue. La planter ainsi! Une soudaine angoisse s'ajouta à sa mauvaise humeur. Elle se regarda dans le reflet des carreaux de la fenêtre. Ses cheveux étaient-ils moins brillants? Son teint avait-il commencé à pâlir?

Très bien, pensa-t-elle rageusement en réintégrant la pièce, elle le lui ferait bientôt regretter. Elle savait comment se faire remarquer par un homme. Elle fit semblant d'étudier son programme de danse en traversant le salon en direction du groupe de jeunes hommes qui se tenaient debout près de la cheminée.

— Oh, mon Dieu, dit-elle en faisant la moue, je n'ai aucun partenaire pour la prochaine danse.

— Venez donc danser avec moi, Iris, s'empressa Oswald Hutchinson. Ceux-là ont tous deux pieds gauches.

— Balivernes! protesta Ronnie Catherwood. Dansez plutôt avec moi, je ne vous ennuierai pas, comme Oswald, avec le prix du charbon.

— Tu l'ennuieras avec ton cricket, reprit Gerald Catherwood; tu sais bien que tu ne sais pas parler d'autre chose, Ronnie. Dansez avec moi, Iris, ma conversation est plus intéressante que celle de Ronnie et je danse mieux qu'Oswald.

Une propension à la malice poussa Iris à trancher le débat ainsi:

— Je danserai avec M. Summerbee.

Tom Summerbee était un ami des Catherwood. Ronnie grogna et Gerald protesta:

— Vous ne sauriez danser avec Summerbee, il n'en est pas fichu!

Gerald avait raison. M. Summerbee était aussi incapable de danser que de l'ennuyer avec des histoires de charbon ou de cricket. Le visage cramoisi et le front brillant de sueur, il ne dit pas un mot. Ils étaient au milieu de leur danse quand, du coin de l'œil, Iris nota le retour de Ash dans la pièce. Se serrant davantage contre Tom, elle lui sourit avec séduction.

— Je ne vous ai pas vu depuis des lustres, Tom. Où diantre étiez-vous ?

— À Oxford.

— Oxford. Êtes-vous donc si intelligent ?

— Pas vrai... vraiment.

— Je ne suis pas intelligente pour un sou, soupira Iris. J'étais affreusement mauvaise à l'école.

— Je ne pe... peux imaginer cela, balbutia-t-il. Je pense que vous êtes douée en toutes choses, mademoiselle Ma... Maclise.

— Le pensez-vous vraiment, Tom ?

Elle s'attendait à ce qu'il lui déclarât son amour pour le bleu de ses yeux ou qu'il se damnerait pour une boucle de ses cheveux. Mais il ne dit rien, étant devenu aussi écarlate que les rideaux. Tristement, elle poursuivit :

— Parfois, je crains que vous ne m'aimiez pas beaucoup.

— Ne p... p... pas vous aim... vous aimer ?

— Vous ne demandez presque jamais à danser avec moi.

Il trébucha et Iris sauva ses orteils d'un prompt mouvement.

— Je ne suis pas très bon dan... danseur, s'excusa-t-il.

Un long silence s'ensuivit. Iris commença à s'ennuyer. Elle se demanda si tant de peine valait bien le coup, comme l'idée de flirter avec Tom Summerbee pour rendre jaloux Ash.

— Et ceux-là sont de tels imbéciles ! dit soudainement Tom.

— Oswald et les Catherwood ? Oui, j'imagine. Mais ils sont assez divertissants.

— Vous ne vous ma... marierez pas avec l'un d'entre eux, n'est-ce pas ?

— Je ne le pense pas, répondit-elle d'un ton apaisant.

Cet après-midi-là, Ash avait promené son appareil photo autour de la maison des Brown, sur High Street Lane. Les parents étaient sortis, laissant Lizzie en charge de ses jeunes frères. Au bout d'un moment, Ash avait remarqué que le bébé, endormi dans une boîte en carton, était particulièrement immobile. Il avait touché le visage de l'enfant ; il était froid. Il avait dû s'éteindre dans son sommeil et personne n'avait noté le moment de son décès. N'avait-il pas toujours été si calme ?

Il avait envoyé Lizzie chercher ses parents et emmené les enfants à l'extérieur. Lorsque les parents revinrent, il leur avait donné l'argent qu'il avait pour aider à payer l'enterrement. Puis il était retourné dans la maison de son ami, avait bu quelques whiskies pour se remonter et effacer cet affreux après-midi, et avait enfilé sa tenue de soirée pour rejoindre la fête d'été des Maclise.

Jamais le contraste entre ces deux familles n'avait été aussi vif. Certaines images de l'après-midi lui avaient traversé l'esprit et l'avaient fait s'étouffer en mangeant tandis qu'il regardait les matrones Fulwood et Abbeydale vanter la richesse de leurs maris et de leurs filles prêtes à marier. Il avait contemplé Iris, qui passait des bras d'un homme à un autre, éclatante dans ses habits blancs, et se blottissant dans leur étreinte. Ses yeux s'étaient posés sur sa petite moue rouge, la courbe pâle de son cou et de ses épaules. Il avait vu la façon dont, en dansant, elle se rapprochait, taquine, de son partenaire qui, comme un pauvre idiot, la fixait, bouche bée et le regard mou. Puis, écœuré, il avait quitté la salle de bal et était sorti dans le jardin où, debout, les bras écartés et le visage tourné vers le ciel, il avait laissé la pluie lui tomber dessus.

La chaleur s'était accumulée dans le jardin d'hiver et les fougères dessinaient des ombres en dentelle sur les tuiles de terre cuite. La pluie s'écrasait sur le toit de verre.

— Vous devez savoir pourquoi je voulais vous parler, Marianne, avança M. Leighton.

Elle se souvint du pique-nique, du ruisseau dévalant sous le pont et des lèvres d'Arthur effleurant sa peau. La force de son désir l'ébranla. Gentiment, il ajouta :

— Je ne voulais pas vous faire peur.

— Après le bal des Hutchinson, commença-t-elle, en ne vous voyant pas, j'ai pensé que peut-être vous pensiez…

— Qu'avez-vous pensé, Marianne ?

— Que je n'étais pas assez bien pour vous. Alice Palmer m'a dit que...

— Quoi ? Qu'a dit Mlle Palmer ?

— Que vous étiez parent d'un vicomte. Ou d'un comte.

— Vraiment ? lança-t-il, l'air amusé. Eh bien, j'ai un grand-oncle qui est baronnet. Nous ne nous parlons pas. Il s'est querellé avec son frère, mon grand-père, bien longtemps avant ma naissance. Vous avez pensé que je vous regardais de haut ? dit-il avec le sourire.

— N'en fut-il pas ainsi ?

— Non. Votre père est dans la manufacture et je suis dans le transport maritime. Je ne vois pas de grande différence. Nous sommes tous deux, dans une large mesure, des autodidactes. Mais il y a certaines choses que vous devez considérer. Par exemple, notre différence d'âge. Vous avez vingt ans, j'en ai trente-huit.

— Je me fiche de cela.

— Réellement ? Je m'en réjouis, mais vous devez au moins y songer. Lorsque vous aurez quarante-cinq ans et serez dans la force de l'âge, je serai un vieux sexagénaire. Une autre question plus délicate est la suivante : est-il juste que je vous emmène loin de votre famille ? Or, si nous devions nous marier...

« Si nous devions nous marier... » Le tambourinage de la pluie sur le toit sonnait comme l'annonce de sa prochaine extase.

— Si nous devions nous marier, je devrais vous demander de quitter Sheffield. Je dois être honnête avec vous : je déteste la province. Cela paraît beaucoup de demander ainsi à une personne si jeune, de l'emporter loin de tout ce qui lui est familier. Bien entendu, vous serez en mesure de venir rendre visite à votre famille et ils pourront demeurer chez nous autant qu'ils le souhaitent. Mais il n'y aura plus cette proximité quotidienne à laquelle vous êtes habituée.

— Parfois, je ne désire rien moins que d'être livrée à moi-même, dit-elle. Ma tête semble éclater du tintamarre des nouvelles et des querelles de chacun.

— Vous ne serez pas livrée à vous-même. Vous serez avec moi.

— Mais *vous* êtes comme une partie de moi, repartit-elle, enfin, comme une glorieuse libération. Lorsque je suis avec vous, Arthur, je m'aime davantage.

Il ouvrit la verrière pour laisser l'air frais s'y engouffrer.

— Ma chère Marianne, dit-il doucement, la première fois où nous nous sommes rencontrés, j'ai ressenti une telle connivence entre nous. Et puis, je crois que j'ai eu peur. Peur que l'histoire se répète. Je me suis fiancé, voyez-vous, quand j'étais beaucoup plus jeune. J'avais vécu toute la comédie de deux saisons londoniennes, j'ai rencontré une jeune fille et je lui ai demandé sa main. Elle a rompu les fiançailles deux semaines avant le mariage. Elle avait rencontré quelqu'un d'autre. Vous m'avez dit un jour que vous trouviez difficile de prendre des décisions, que vous voyiez toujours les deux faces du problème. Je ne veux pas vous convaincre de vous marier avec moi si vous avez des doutes. Je peux vous offrir tous les avantages que la fortune peut acheter, et je peux peut-être vous offrir une vie plus riche, plus pleine que celle que vous avez à présent. Je peux vous donner une belle demeure, de la bonne compagnie, et nous pourrons aussi voyager. Mais ce n'est peut-être pas ce que vous désirez. S'il en est ainsi, je préfère que vous me le disiez tout de suite. J'accepterai votre décision et je m'en irai sans jamais vous importuner à nouveau.

— Les voyages, la compagnie, les maisons… peu m'importe tout cela, dit-elle avec véhémence. Cette fille que vous avez failli épouser, l'aimiez-vous ?

— Je croyais que oui, répondit-il en prenant le visage de Marianne dans ses mains, mais j'avais tort. Je vous aime vous, Marianne. Je n'ai jamais aimé quelqu'un comme je vous aime.

Elle baignait dans le bonheur, elle en était ivre. Mais elle se retira, soudain sur ses gardes, inquiète des pièges de l'amour et des douleurs qu'il pouvait receler.

— Ne me quittez jamais, lança-t-elle farouchement. Vous devez me promettre de ne jamais, jamais, me quitter.

Il sortit de sa poche une petite boîte en cuir bleu. Lorsqu'il l'ouvrit, elle vit une bague en diamant à l'intérieur.

— Pour toujours et à jamais, promit-il en enfilant la bague autour de son doigt. Je vous aimerai toujours et à jamais, Marianne. Au-delà de la mort, s'il le faut.

La pluie se fracassait contre le toit et dévalait dans les gouttières tandis qu'il l'embrassait.

Iris avait décidé que Ash danserait avec elle. S'être fait traiter ainsi était injuste. Elle lui tapota l'épaule.

— Vous ne pouvez venir à notre fête et tous nous ignorer. C'est impoli.

— Je ne vous ai pas tous ignorés. J'ai parlé à votre mère, à Marianne et à tante Hannah. Oh, et James a essayé de me taper un peu d'argent – désolé, je n'ai pas pu l'aider. Au fait, où est Eva ? Personne ne veut me le dire.

— Elle est indisposée. Enfin, c'est la version officielle. En réalité, elle est en disgrâce. Elle s'est coupé les cheveux et elle ressemble à un agneau tondu. Père l'a renvoyée dans sa chambre.

Elle le regarda sévèrement.

— Insinuez-vous que je suis la seule que vous ignoriez ?

— Vous semblez fort occupée.

— À l'instant, je ne le suis point. D'ailleurs, j'ai gardé cette danse uniquement pour vous, Ash.

— Je ne suis pas vraiment d'humeur à danser.

La pluie avait ébouriffé et foncé ses cheveux. Il avait dû marcher dans le jardin pendant un moment, se dit-elle. Il y avait un dur éclat dans ses yeux qu'elle n'avait jamais vu auparavant et qui aurait dû l'alerter. Mais elle ricana et assura :

— La mauvaise humeur n'est pas une bonne excuse. Je vous ordonne de danser avec moi, Ash.

Elle pensa un instant qu'il allait réellement refuser, ce qui aurait été intolérable, mais il l'emmena finalement sur la piste de danse.

— Je n'étais pas sûre que vous sauriez danser, reprit-elle.

— J'ai de nombreux talents cachés.

— Je n'en ai jamais douté.

— Par exemple, j'ai compris ce à quoi sert tout ceci. En effet, ce n'est pas que beaucoup de gens s'amusent réellement, n'est-ce pas ?

— Comment pouvez-vous dire cela ? Tout se déroule magnifiquement bien.

Il baissa le regard sur elle. Une expression calculée perçait dans ses yeux, qu'elle décida de ne pas considérer.

— Les hommes arrangent des contrats et les femmes des alliances. Ce n'est pas une question de plaisir, c'est une question d'argent. Et de pouvoir.

Il la guida adroitement vers un angle de la pièce. Il était parfaitement bon danseur et pourtant, elle qui aimait danser ne s'amusait pas autant qu'elle l'escomptait. Quelque chose dans son ton, dans la lueur de son regard, la perturbait.

— Vous avez un dîner à huit plats car vous en avez les moyens. Vous pouvez vous offrir nourriture, vin et domestiques. C'est facile pour vous. Ensuite, il y a les habits que vous portez.

— Ma robe ? Vous n'aimez pas ma robe, Ash ?

— Je ne sais pas. Je n'y ai pas vraiment réfléchi.

Son regard se posa sur elle, l'étudiant des pieds à la tête.

— En fait, je crois que je vous préfère dans la tenue que vous portiez lors de ce pique-nique.

— Je ne pourrais pas porter une simple mousseline ce soir !

— Mais vous portez donc des diamants et des plumes d'autruche car vous le *pouvez*. Il est possible que vous soyez plus belle dans de simples atours mais vos habits ne sont pas choisis pour leur beauté, ils le sont pour montrer ce que vous valez. Et ces fleurs sur votre robe, poursuivit-il en effleurant les roses de soie blanche qu'Iris avait cousues autour du col, savez-vous combien gagnent les femmes qui les fabriquent ?

Il commençait à l'irriter.

— Je n'en ai pas la moindre idée.

— Elles travaillent quatorze heures par jour pour un ou trois sous par bouquet de roses, ce qui fait cent quarante-quatre fleurs.

— Je sais ce qu'est un bouquet, dit-elle sèchement. Ce n'est pas *moi* qui décide combien les gens sont payés. Je ne doute pas que leur vie soit très dure. Mais ce n'est pas ma faute.

— Ce sont des gens comme votre père qui décident, repartit-il sur un ton soudain amer.

— Mais vous ne sauriez m'en blâmer. Je n'ai pas un sou à moi, Ash. Nous ne sommes pas des héritières. Vraiment, je n'ai pas un sou.

— Il existe d'autres formes de pouvoir, n'est-ce pas ?

Elle vit son regard se déplacer vers la cheminée, où les garçons Catherwood, Oswald Hutchinson et Tom Summerbee se tenaient debout.

— Voici vos caniches, par exemple. Regardez-les. Leurs langues pendent, dans l'attente d'un mot gentil de votre part.

— Vous n'êtes pas très agréable ce soir, Ash.

— Et vous n'êtes pas très gentille non plus, rétorqua-t-il en s'arrêtant net, de sorte qu'elle le percuta. Si vous n'êtes pas intéressée par eux, vous devriez le leur dire.

— En voilà des sottises ! jeta-t-elle, furieuse. Ils ne prennent rien de cela au sérieux. Ils savent que ce n'est qu'un jeu.

— Pour Tom Summerbee, ce n'est pas un jeu.

— Comment pouvez-vous l'affirmer ? dit-elle en rougissant.

— Parce qu'il m'a mis le grappin dessus dans un couloir et a insisté pour que je partage une bouteille de champagne avec lui. Lorsqu'il fut suffisamment ivre, il m'a confié les sentiments qu'il vous porte.

Elle réalisa que Ash avait trop bu. Cela expliquait l'éclat de ses yeux et la colère à peine contenue dans sa voix. Elle en fut surprise. Elle n'aurait pas pensé qu'il fût le type d'homme à avoir l'alcool mauvais. La musique s'arrêta et la danse prit fin.

— Vous vous méprenez, déclara-t-elle froidement avant de s'écarter de lui. Vous n'avez pas l'habitude de ce genre de choses. Vous êtes resté trop longtemps isolé dans votre université poussiéreuse. Je vous dis que ce n'est qu'un jeu.

Mais à son plus grand embarras, Tom Summerbee bondit sur elle alors qu'elle sortait de la pièce et insista pour lui parler seul à seule. Ils se rendirent dans le jardin d'hiver et là, au milieu des palmiers et des ficus, il s'agenouilla devant elle et la demanda en mariage. Elle murmura la formule habituelle selon laquelle elle était extrêmement honorée mais qu'elle ne pouvait accepter, pensant que cela suffirait à y mettre un terme pour qu'elle puisse retourner dans la salle danser une dernière valse et, peut-être, si elle n'y résistait pas, évoquer Tom Summerbee avec Gerald. Elle était bonne imitatrice et elle savait toujours faire rire Gerald. Mais Tom se redressa et se jeta sur elle pour l'embrasser. Il se montra nettement plus fort et pressant que son apparence douce ne l'aurait suggéré. Finalement, elle dut le repousser et il perdit son équilibre, renversant une plante et éparpillant de la terre et des feuilles sur le sol.

— Vraiment, monsieur Summerbee, je n'aurais pas cru ça de vous, dit-elle sur son ton le plus cinglant.

Mais au lieu de s'excuser et de nettoyer le désordre, il s'assit sur le carrelage, la tête entre les mains, et sanglota. Puis, dans un gémissement, il balbutia :

— Mais je vous aime, Iris.

— Non, vous ne m'aimez pas, répondit-elle sèchement. Ne soyez pas ridicule. Bien sûr que non.

— Mais si, dit-il en la regardant les yeux embués. Je veux me marier avec vous. Je pensais que vous aviez les mêmes sentiments à mon égard et que c'était la raison pour laquelle vous souhaitiez danser avec moi.

Un bouton s'était détaché de son gant et il y avait de la terre sur l'ourlet de sa robe.

— Je ne me marierai évidemment pas avec vous, répliqua-t-elle sur un ton glaçant. Comment oseriez-vous même l'envisager ?

Il tressaillit, tituba et partit en courant, laissant à Iris le soin de redresser le pauvre figuier. Qu'il était idiot et contrariant que Tom Summerbee ne comprenne rien et confonde une frivole séduction avec une déclaration d'amour. C'était un jeu, comme elle l'avait dit à Ash, et en l'empoignant et en pleurnichant ainsi, il avait enfreint les règles.

*

Il plut toute la nuit. Le lendemain matin, de grosses gouttes d'eau perlaient des gouttières et du toit. Une certaine pesanteur subsistait de la fête de la veille. Lilian retourna au lit, Joshua se retira dans son bureau et les sœurs cherchèrent leurs

71

traditionnels refuges : une place à la fenêtre, à la maison d'été ou dans le jardin d'hiver, où Marianne avait l'impression que l'énergie produite par les événements de la veille faisait scintiller les feuilles et les fleurs.

Après l'église, tante Hannah demanda à Joshua si elle pouvait lui parler. Hannah Maclise avait vécu dans le foyer de Joshua depuis la mort du père de ce dernier, frère d'Hannah, quinze ans plus tôt. Sa chambre et son étroit salon se situaient au rez-de-chaussée car elle trouvait les escaliers difficiles. Ses appartements étaient bourrés d'affaires accumulées par plusieurs générations de Maclise. Une aquarelle ayant appartenu au père de Joshua était coincée entre le daguerréotype de son grand-père (moustaches d'aristo et regard catégorique de presbytérien) et un croquis de Winnie l'épagneul, dessiné par Eva quand elle était enfant. Une poupée d'une grand-tante morte depuis longtemps était nichée entre un chandelier en cuivre et un chevrier grognon en porcelaine. Hannah offrit un xérès à Joshua dans un verre qui avait la taille d'un dé à coudre. Puis, sans préalable, elle dit :

— Joshua, je souhaite vous parler d'Eva.

Cela provoqua chez lui comme une rage incohérente. Mais avec fermeté, Hannah continua.

— Mon cher, Eva est très malheureuse.

— Malheureuse ? Je l'espère bien, après la façon dont elle s'est comportée hier soir !

— Son comportement est parfaitement condamnable. Mais je pense que nous devons en considérer les causes.

— La cause en est simple, reprit-il doucement. C'est Lilian. Elle a négligé les filles – oui, tante Hannah, elle les a négligées. Elle a passé l'essentiel des onze dernières années dans son lit ou à voyager à travers le continent à la recherche d'un remède. Une fille a besoin d'une mère et mes filles n'en ont pas eu. C'est la raison pour laquelle elles tournent si mal.

— Ce ne sont pas des mauvaises filles, Joshua, dit Hannah gentiment.

— Oh, Marianne et Clem sont assez gentilles, je dois reconnaître. Elles ne me causent pas trop de soucis. Mais Eva et Iris...

— Eva est juste une forte tête, Joshua. Quant à Iris...

— Iris est une séductrice, coupa-t-il. Je l'ai regardée hier soir, gardant une demi-douzaine de soupirants à sa botte. On dit des choses sur elle, vous savez, Hannah. Hier soir, une vieille bonne femme s'est appliquée à m'informer de ces rumeurs. Cela fait quatre ans qu'elle est disponible, qu'elle me coûte une fortune en robes et autres choses, et elle n'a pas été fichue de se trouver un mari ! Si elle n'y prête pas gare, elle va se retrouver sur le carreau. Ou pire.

— Iris a du caractère, dit Hannah avec tact.

— Du caractère ! grogna Joshua. C'est une façon de le dire. Eva, elle, est une enfant gâtée. Une ingrate, ajouta-t-il dans un soupir. Je ne veux pas la rendre malheureuse. Voir cette jeune fille mal fichue me contrarie. Je ne savais pas qu'elle pouvait être si, si... *intransigeante*.

Il vida le verre de xérès d'une gorgée.

— J'ai toujours voulu le meilleur pour elles.

— Je le sais bien, mon cher.

— Vous avez fait ce que vous avez pu avec les filles, Hannah, et Mme Catherwood a été très attentionnée, mais j'ai bien peur qu'elles perdent la raison. Dieu seul sait ce qu'il adviendra d'elles.

Joshua passa une main dans son épaisse barbe blanche, puis son regard s'assombrit.

— Et puis, il y a James. Ce gars a les poches trouées – il n'a aucun contrôle de lui-même. Tous les hommes aiment aller prendre un verre et voir les jolies filles, mais James ne sait pas s'arrêter. Il doit apprendre la valeur de l'argent. Le problème est qu'il n'a pas eu, comme moi, à se battre pour en avoir.

Hannah lui tapota la main.

— Vous devez lui donner un peu de temps. Tous les jeunes hommes peuvent être irresponsables – vous l'étiez aussi, Joshua, quand vous aviez quelque chose en tête.

Ses fils devaient prendre la relève de l'affaire familiale que Joshua avait si durement bâtie. Les outils Maclise – limes, scies, faux, pièces détachées et équipements agricoles – étaient acheminés partout dans le monde. Il avait besoin de fils qui aient le sens des affaires et de filles qui fassent de bons mariages. De préférence avec des familles de Sheffield, afin de construire des alliances avec d'autres fabricants. Parfois il s'inquiétait de ce monde en transformation qu'il laisserait derrière lui. L'Amérique comme l'Allemagne produisaient désormais du bon acier à un coût moindre que la Grande-Bretagne. La politique selon Joshua, une sorte de conservatisme légèrement paternaliste, était en train de passer de mode, menacée par les pulsions révolutionnaires de fauteurs de troubles et d'anarchistes. La montée du syndicalisme lui restait sur le cœur : il n'en voyait pas l'intérêt. Il connaissait chacun de ses employés par leur nom, n'exigeait rien de déraisonnable de leur part, n'avait pas, comme d'autres, réduit les salaires à cause de la baisse de la demande. Pourtant, il sentait bien un mécontentement grandissant. Même les femmes ne paraissaient plus heureuses et s'étaient transformées en harpies, perturbant les réunions politiques et s'enchaînant aux balustrades. De vieilles rancœurs grondaient en Irlande et sur le continent. Les ouvriers n'avaient aucun scrupule à se mettre en grève pour contraindre leurs employeurs à satisfaire leurs exigences. *Il n'y a plus de respect,* pensa Joshua avec irritation, *et guère de sens des responsabilités.* La tension ambiante le contrariait ; ses convictions et son sens de la moralité semblaient de plus en plus en porte-à-faux avec ce monde en mutation.

Hannah interrompit ses ruminations.

— J'ai une suggestion à vous faire, Joshua. Je souhaiterais payer l'école des Beaux-Arts d'Eva. Attendez – écoutez-moi, s'il vous plaît. J'ai quelques économies et je ne vois pas de meilleure manière de les dépenser.

— Ce n'est pas avec l'argent que j'ai un problème. Ce sont toutes ces absurdités. Pourquoi ne se marie-t-elle pas pour se fixer, comme toute fille sensée ?

— Car cela lui est impossible, Joshua. Et si vous forcez Eva à vivre une vie qui est contre sa nature, vous la détruirez.

Joshua marqua un silence, puis grommela :

— Ce n'est pas ce que je souhaite, vous le savez.

— Alors, ravalez votre orgueil et dites-lui que vous vous êtes trompé.

— Pourquoi tout doit-il être si difficile? Le foyer d'un homme est censé être son refuge. En ce moment, je ressens du soulagement quand j'arrive au bureau.

— Bien entendu, Joshua, vous aimez votre travail.

Le ton d'Hannah était voulu et il le fit réfléchir. Même s'il se plaignait de ses longues heures de travail, il savait qu'il aimait cela. Il aimait l'odeur âcre du coke et le flamboiement des fourneaux, ce sens de l'application et de l'accomplissement. Il terminait chaque jour en pouvant voir le fruit de ses efforts. Il aimait voir refroidir les barres de métal dans la pièce aux fourneaux et les boîtes de limes, de scies et de pièces détachées dans l'entrepôt, chacune d'entre elles enveloppée dans son papier d'emballage. Il avait besoin de fabriquer et de tenir dans ses mains le produit de son labeur. Était-ce ce dont Eva, elle aussi, avait besoin? songea-t-il. Une fille ne pouvait évidemment pas suivre sa voie chez J. Maclise & Fils. La peinture lui donnait-elle cette même satisfaction et ce même sens de l'accomplissement?

— Hum... soupira-t-il en se tortillant inconfortablement sur le glissant canapé bordeaux de Hannah.

Cette chambre était trop chaude, trop étroite, trop encombrée. Et il vendrait son âme pour un bon alcool. Son regard croisa celui d'Hannah.

— Mais enfin, Hannah, Londres! Et toute seule! N'importe quoi pourrait lui arriver.

— Absurde, répliqua-t-elle. Eva sera en parfaite sécurité. J'ai une autre suggestion à ce sujet: elle pourrait habiter chez Sarah Wilde. Vous vous souvenez d'elle, n'est-ce pas?

Joshua se rappela une lointaine visite à une amie d'Hannah vivant à Bloomsbury. La demeure était remplie d'oiseaux en cage et de chaises trop petites et fragiles pour qu'un homme puisse s'y asseoir.

— Sarah accepte de prendre Eva chez elle. Elle sera heureuse d'avoir de la compagnie et elle gardera un œil sur Eva.

Hannah scruta Joshua de ses yeux bleus voilés. Avec réticence, il donna son accord.

Peu de temps après, donnant sa permission à Eva d'aller aux Beaux-Arts à Londres, il fut décontenancé de voir qu'elle ne le serra pas dans ses bras comme il s'y attendait, mais limita ses remerciements à quelques phrases polies et un baiser obéissant sur la joue. Après qu'elle fut sortie, assis seul dans son bureau, il se versa un verre de whisky et le vida cul sec. Il reposa le verre, se prit la tête entre les mains et gémit à haute voix. Il savait qu'il avait été distrait ces derniers temps et qu'il peinait à demeurer concentré sur ses tâches quotidiennes. La raison, qu'il ne pouvait confier à personne, s'appelait Katharine Carver.

Joshua avait connu son défunt mari, Stanley Carver, des années auparavant. Stanley était le propriétaire d'une entreprise à Attercliffe qui fabriquait des mèches torsadées et des roues dentées. Il y avait juste un peu plus d'un an, il était mort d'un arrêt cardiaque, laissant derrière lui Katharine, deux jeunes filles et, selon Joshua, peu d'argent. En tant qu'ami de la famille, Joshua avait délicatement offert son assistance et Mme Carver l'avait refusée. Au début, ses visites occasionnelles aux Carver avaient été motivées par le sens du devoir. Mais avec le temps, autre chose l'y conduisait. S'il avait toujours considéré Katharine Carver comme étant de belle apparence, ce n'est qu'après le décès de Stanley qu'il s'était senti attiré par la splendide couleur fauve de ses cheveux, par sa taille et par la droiture de son port. Une vitalité émanait de tout son corps – en contraste flagrant avec la langueur pâle de Lilian.

Il s'était mis à prendre des nouvelles de Mme Carver environ tous les quinze jours. Katharine ne l'avait ni encouragé à venir ni invité à interrompre ses visites. Souvent, dans la journée, il pensait à elle. Il n'avait pas ressenti cela depuis des années, depuis qu'il avait courtisé Lilian. Il avait l'impression de se débarrasser des soucis et des regrets de sa vie d'adulte. Il ne parla de ses visites à personne. Cela ne regardait que lui, s'était-il dit. Il n'y avait d'ailleurs aucun mal à garder un œil bienveillant sur la veuve d'un vieil ami. N'étaient-ils que cela, des amis?

Oui, jusqu'à il y a trois mois. Un soir où il lui rendait visite, il avait trouvé Mme Carver dans l'arrière-cuisine. Le sol était inondé d'un centimètre d'eau. Une canalisation avait explosé, expliqua-t-elle. Elle avait envoyé la femme de ménage chercher un plombier ; le cuisinier avait glissé sur le carrelage mouillé et s'était abîmé le dos : il était allongé à l'étage.

Au milieu de la soude et du désinfectant, Joshua s'était baissé sous l'évier et avait tourné le robinet d'arrêt.

— Joshua, votre manteau ! s'était-elle exclamée lorsqu'il s'était relevé, avant d'essayer d'en enlever l'eau et la poussière.

Et c'est alors qu'il l'avait prise dans ses bras et l'avait embrassée. Embrasser une femme après tant de temps lui avait procuré une sensation étrange et merveilleuse, et elle ne l'avait pas repoussé, comme il s'y était plus ou moins attendu. Au contraire, elle lui avait rendu ses baisers avec des lèvres humides et avides.

Il lui avait fait l'amour là, sur-le-champ, dans la cuisine. Une vraie folie, avec le cuisinier au-dessus et la femme de ménage et le plombier pouvant débarquer à chaque instant. Non que cela lui eût pris longtemps : il avait été sevré depuis suffisamment d'années pour ne pas faire dans la finesse. Une fois le plombier et les domestiques partis, ils étaient montés à l'étage. Dans le large lit en chêne que Katharine avait jadis partagé avec son mari, Joshua lui avait fait l'amour une nouvelle fois, prenant son temps cette fois-ci, et prenant soin de lui donner du plaisir.

Les événements de cet après-midi-là l'avait transformé. Il s'était senti jeune et fort. Mais son allégresse était toujours entachée d'un sentiment de culpabilité. Il aimait toujours Lilian. Il n'avait jamais cessé de l'aimer. Bien qu'ayant la quarantaine et ayant donné naissance à sept enfants, elle apparaissait toujours à Joshua comme la fille blonde et svelte dont il était tombé amoureux. Mais Lilian n'avait pas partagé sa couche depuis la grossesse de Philip, et Philip avait maintenant onze ans. Joshua ne se souvenait pas du moment où il avait compris qu'il ne ferait plus jamais l'amour à sa femme. Cela n'était pas arrivé en un jour, mais plutôt comme une prise de conscience progressive et fatale. Percevoir la fin de cette partie-là de sa vie l'avait davantage vieilli que ses cheveux blancs et son embonpoint à la taille. À cinquante-trois ans, il était épouvanté à l'idée qu'il pourrait vivre encore dix ou vingt ans sans toucher à nouveau une femme. Bien sûr, il aurait pu avoir recours à des rapports tarifés. Il n'était pas difficile d'y avoir accès dans certaines ruelles de Sheffield.

Parfois, en rentrant chez lui à pied le soir, il avait songé à croiser le regard d'une de ces créatures peinturlurées et tapageuses qui se tenaient debout sur le palier des échoppes. Mais il n'en avait rien fait. Ces jeunes femmes lui faisaient penser à ses propres filles, et le regard des plus vieilles était fatigué et amorti. Il s'imaginait trop le sentiment de dégoût personnel qu'il ressentirait ensuite. De plus, il ne voulait pas seulement du sexe : il avait autant besoin d'affection que de s'apaiser. Ou, sinon de l'affection, du moins le sentiment qu'il avait un tant soit peu été *choisi*.

Que Katharine l'eût choisi lui semblait donc miraculeux. En fermant les yeux, il imaginait les plis et les rides de sa peau blanche, la rondeur et la douceur de ses épaules, la courbe de son ventre. Parfois, dans la rue ou dans un wagon de train, il pensait sentir son parfum, se retournait et scrutait la foule pour la voir. Seul dans la tristesse bruyante d'un fiacre, il caressait le bout de ses doigts avec le pouce pour se remémorer la volupté de sa peau. Il savait que ce qu'il faisait était mal, qu'il était en train de tromper Lilian et qu'en rompant les vœux du mariage, il trompait Dieu lui-même. Il résolut plusieurs fois de mettre fin à cette liaison. Mais sa résolution avorta systématiquement. Était-ce la proximité de Katharine qui annihilait ses bonnes intentions ? Ou était-ce l'éloignement de Lilian, son intouchabilité, qui lui rappelait tous les jours la solitude qui l'accablait dans sa propre maison ?

Avant qu'il puisse se resservir à boire, on frappa à la porte.

— Monsieur, M. Leighton voudrait vous parler, annonça la femme de chambre.

Joshua se secoua, comme pour libérer son esprit de la pensée de Katharine Carver. Puis il dit à la domestique de faire entrer M. Leighton.

*

Père ayant annoncé à la famille avoir autorisé Arthur Leighton à épouser Marianne, à l'issue d'une longue discussion passionnée sur la date du mariage, les demoiselles d'honneur et le trousseau, Iris s'éclipsa vers le jardin après s'être assurée que personne ne remarquerait son absence. La pluie avait cessé mais le sol était encore humide. Iris s'assit sur la balançoire. Elle avait eu mal à la tête toute la journée et se sentait misérable. Marianne allait se marier, Eva partait aux Beaux-Arts. Alors que des gouttes de pluie tombaient des branches auxquelles était accrochée la balançoire, faisant des taches rouges sur sa robe rose, elle réalisait le caractère critique de sa situation. Elle avait trop attendu. Elle avait commencé à se faner. Elle allait finir vieille fille, coincée à la maison, servant d'aide-soignante à sa mère. *Jamais!* se dit-elle farouchement. Elle se marierait, et vite. Elle avait trop longtemps fait la fine bouche. Elle entendit le portail s'ouvrir, puis des pas sur l'herbe. Relevant la tête, elle vit Ash. Le souvenir de la soirée de la veille demeurait une blessure mais elle leva le menton et l'appela.

— Êtes-vous venu vous excuser?

— Je suis venu dire au revoir.

— Au revoir?

— J'ai décidé de retourner à Cambridge.

Enfant, en se baignant dans la mer à Scarborough, elle s'était trop éloignée du rivage et une vague l'avait soulevée du sol et engloutie. À cet instant-là, elle ressentit le même choc, le souffle coupé, complètement désorientée.

— Je prends le train tôt demain matin, précisa-t-il. Je ne pouvais partir sans dire au revoir.

— Mais vous ne pouvez pas partir! s'écria-t-elle.

— Il le faut.

Cette dureté lui rappela la veille. Elle lâcha:

— Vous ne pouvez pas partir, Ash! Que vais-je devenir?

— Oh, vous vous en sortirez, Iris. Vous êtes de celles qui s'en sortent toujours.

— Que voulez-vous dire?

— Rien, répondit-il en haussant les épaules.

— Vous me trouvez égoïste, n'est-ce pas? Vous pensez que je ne me soucie que de moi-même.

Elle descendit de la balançoire et son châle en soie tomba de ses genoux. Le temps de se pencher et de le ramasser sur l'herbe humide, elle sut ce qu'elle avait à faire. Cette fois-ci, elle ne laisserait pas passer sa chance. C'était peut-être la dernière.

— Eh bien, ce n'est pas vrai. Les autres m'importent. Par exemple, je me soucie de vous, Ash.

— C'est gentil de votre part.

— C'est sincère. Vous pensez que je n'ai pas de cœur. Mais je peux changer. Je sais que nous ne sommes pas toujours d'accord...

— Peut-être est-ce cela qui me manquera, dit-il, le regard s'attardant sur la maison. Ce temps passé avec vous tous. C'était... différent. Différent de tout ce que j'avais vécu auparavant.

— Différent, de façon agréable ?

— La plupart du temps.

— Quand bien même nous nous disputions ?

— Ma foi, nous ne sommes pas pareils, n'est-ce pas ? Vous l'avez dit vous-même. Vous préférez éviter les choses déplaisantes de la vie. Tandis que je...

Il s'interrompit, respira profondément.

— Enfin, je disais donc que je partais demain.

— Je crois que vous avez tort, dit-elle avec force. Nous avons beaucoup en commun. Nous rions des mêmes choses. Les mêmes prétentions nous ennuient.

Dans la lumière faiblissante, elle remarqua pour la première fois des marques bleuâtres sous ses yeux.

— Vous avez l'air fatigué, Ash.

— Le fruit d'une mauvaise nuit, convint-il en souriant à moitié.

— Pauvre Ash.

Elle l'attira vers elle, lui prenant délicatement la tête pour la poser contre son épaule. Il parut se détendre. Elle passa ses doigts dans sa blonde et épaisse chevelure, puis déposa un baiser sur sa nuque. Elle le sentit immobile. Il leva la tête, ses lèvres effleurèrent les siennes. Puis il se raidit soudain et recula.

— Iris...

— Cela est sans importance, dit-elle rapidement.

— Bien sûr que si, reprit-il en secouant la tête énergiquement. Je me suis déjà assez mal comporté hier soir. Je ne suis pas venu ici pour continuer de façon plus abominable.

— Mais...

Elle avait la bouche sèche et ressentit comme une soudaine appréhension. Cependant, face à la difficulté, elle n'était pas du genre à fléchir et dit donc rapidement :

— Je veux dire que si nous étions fiancés, cela n'aurait pas d'importance.

— Fiancés ? répéta-t-il en la regardant, l'air interdit.

— Serait-ce une perspective si affreuse ?

— Iris, je n'avais pas pensé...

— Quoi ? reprit-elle en le fixant des yeux. *Jamais* ? Allons, Ash.

— Jamais.

Il y avait quelque chose de définitif dans son ton. Elle sentit le froid l'envahir. Puis elle murmura :

— Mais cela a dû vous traverser l'esprit. Vous me rendiez visite si souvent, vous restiez si longtemps – et hier soir, nous avons dansé.

— *Vous* m'avez demandé de danser.

— C'est exact.

Sa voix se mit à flancher. En son for intérieur, quelque chose commençait à s'effondrer dans une longue et sombre chute. Elle s'entendit dire, incrédule :

— Mais vous avez bien dû vous soucier de moi...

— Oui. Je suis sincèrement attaché à vous.

— Mais pas de cette manière-là ?

— Voyons, Iris ! lança-t-il en levant les mains au ciel. De quoi parlerions-nous, vous et moi ? Je veux rendre les choses meilleures ! Je veux lire des livres, débattre de grands sujets, comprendre le monde !

— Et moi non ? dit-elle d'une voix faible.

— Vous n'êtes pas de ce bois-là, ne pensez-vous pas ?

Il secoua un peu la tête et reprit sur un ton plus doux.

— Il n'y a aucun mal à vouloir être admirée. Vous méritez de l'être, Iris, vous êtes une belle fille. De nombreux hommes seraient parfaitement heureux avec une fille qui est uniquement intéressée par la couleur de sa prochaine robe.

— Mais vous, non ?

— Je suis désolé, murmura-t-il en regardant au loin.

Sa tête tambourinait mais elle se ressaisit et dit avec fierté :

— Vous n'avez pas à être désolé. Je ne veux pas de pitié.

Il voulut parler ; elle l'interrompit.

— Je pense que vous devriez partir, maintenant, Ash.

— Iris…

— Partez. S'il vous plaît, partez.

Elle ne le regarda pas s'en aller. Elle se tourna sur le côté, fixant le jardin gagné par la pénombre, les ongles plantés dans la paume de ses mains pour éviter que ne jaillissent les larmes de l'humiliation. Une fois certaine qu'il était loin, elle les rouvrit et posa les yeux dessus : ses mains portaient la marque de petits croissants rouges et elle s'aperçut que, à l'endroit où, deux mois plus tôt, elle s'était arraché la peau en tombant de la bicyclette de Clémence, l'épiderme était encore taché de blanc, comme s'il s'était mal recousu.

Sa panique était telle, désormais, qu'elle crut perdre haleine. Que devait-elle faire ? Où devait-elle aller ? Ash ne la désirait pas, personne ne voulait d'elle. Marianne et Eva allaient quitter la maison et elle serait la seule fille adulte à Summerleigh. Elle allait gâcher le reste de sa jeunesse à s'occuper de la maison et à aller faire les courses pour sa mère.

C'est alors qu'elle songea à Charlotte lui disant : « Iris, toi aussi *tu devrais penser à l'idée de devenir infirmière…* »

*

Un matin, Clémence venait récupérer le courrier de sa mère pour l'emporter à la poste, quand Lilian lui dit :

— Évidemment, tout va être bien différent pour moi, avec trois de mes filles parties.

— Mais, chère mère, je serai toujours là, dit Clémence timidement.

— Le seras-tu, ma chérie ? Tu es une si gentille fille, Clem, et une aide si précieuse pour moi.

— Moi ? reprit Clémence en rougissant.

— Bien sûr ! Tu es tellement… reposante.

Clémence, qui avait toujours soupçonné être la fille préférée de Lilian après Marianne, fut à la fois flattée et émue. Spontanément, elle répondit :

— Je ferais tout pour vous, ma mère !

— Vraiment, mon cœur ? Tu ne m'abandonneras pas, alors ?

— Jamais.

— Je ne t'en voudrais pas du tout si tu le faisais. Je suis une vieille chose bien fatigante.

— Vous n'êtes pas fatigante du tout ! protesta Clémence.

— C'est si gentil de ta part de dire cela, ma chérie. Mais aucune jeune fille ne souhaite être coincée dans une chambre de malade alors qu'elle pourrait s'amuser dehors.

Lilian tripota les pots et les bocaux sur sa coiffeuse.

— Par ailleurs, je sens combien tu aimes l'école.

— L'école ?

Clémence était confuse. La main de Lilian agrippa son poignet.

— J'ai une chose terrible à te demander et je n'ai pas été assez courageuse jusqu'ici pour t'en parler. Mais que ferai-je, seule toute la journée, sans aucune de mes filles pour me tenir compagnie ?

La prise se resserra sur le poignet de Clémence, révélant une force surprenante.

— Je ne veux pas te contraindre à quoi que ce soit, ma chérie. Je comprendrais parfaitement que tu ne souhaites pas quitter l'école pour tenir compagnie à ta vieille mère malade.

— Quitter l'école…, murmura Clémence.

Lilian continua comme si elle n'avait rien entendu.

— Je suis certaine que je pourrai m'en sortir. Je ne veux surtout pas être un poids pour qui que ce soit. Et peut-être que Hannah…, continua-t-elle en fronçant les sourcils. Non, ce serait trop lui demander à son âge. Oh, mon Dieu, que j'ai honte. En être réduite à demander à sa fille de quitter l'école pour s'occuper de moi. Parfois, je pense…

Lilian s'arrêta net. Son regard s'assombrit. L'inquiétude gagna Clémence.

— Que se passe-t-il, mère ?

— Parfois, dit Lilian calmement, je pense qu'il serait préférable pour tout le monde que je sois morte.

À cet instant, Clémence se détesta pour le choc qu'elle avait ressenti en comprenant que sa mère souhaitait qu'elle abandonnât l'école. Elle éclata en sanglots.

— Vous ne pouvez pas dire cela, mère!

Et elle se jeta aux pieds de Lilian, lui prenant la main.

Celle-ci semblait si petite et fragile entre les larges paumes de Lilian, qui sentait le pouls de sa fille dans son poignet.

— Bien sûr que je resterai à la maison! pleura Clémence. Je ferai tout ce que je peux pour que vous vous sentiez mieux, je le promets! Je serais très heureuse de rester avec vous!

Lilian lui caressa le visage.

— Nous passerons du bon temps ensemble, n'est-ce pas, ma chérie? Ce seront des moments privilégiés.

Ce soir-là, assise dans le jardin, Clémence se sentit encore honteuse de son hésitation passagère. Toutes ses sœurs parties, elle voyait bien que sa mère n'avait pas eu d'autre choix que de lui demander de combler le vide. *Ce n'est pas si grave,* se consolat-elle. Ses amies lui rendraient visite l'après-midi en rentrant chez elles. Et le mercredi après-midi, elle pourrait peut-être aller voir un match de hockey.

Une voix cria son nom. James traversait le gazon, courant vers elle. Il avait l'air tout excité.

— Eh, Clem, t'as entendu les nouvelles? Il y a un gars qui a traversé la Manche en avion! Un Français. T'imagines? Pense un peu à ce que ça doit être de se trouver seul là-haut, avec personne sur le dos, filant où tu veux!

Clémence s'allongea sur l'herbe et regarda le ciel. Elle songea à l'aviateur de James en train de voler au-dessus de la Manche. Elle n'avait jamais vu la Manche et n'était jamais allée en France. «Pense un peu, être là-haut, toute seule.»

Toute seule. Avec une force renouvelée, elle fut frappée par les conséquences des changements soudains qui, au cours des dernières semaines, avaient chamboulé la maison Maclise. D'ici à la fin de l'année, Marianne serait mariée, Eva serait en train d'étudier à Londres, et Iris serait en formation pour devenir infirmière. En période scolaire, Aidan et Phil seraient en cours. Pendant la journée, James serait au travail et elle serait seule. Son cœur se serra. C'était comme si des murs se rapprochaient et que l'horizon s'abaissait, la prenant au piège. Elle eut envie de se lever et de courir, courir, courir, au-delà du jardin, au-delà de la rue, au-delà de la ville, courir jusqu'à être si loin que personne ne pourrait la rappeler.

3

L'amour, c'était la main d'Arthur écartant le rideau de ses cheveux car il ne pouvait supporter de la perdre de vue un instant. Le désir, c'était se réveiller en pleine nuit et se tourner l'un vers l'autre silencieusement car les mots étaient inutiles. Les draps de soie glissaient sur ses membres et sa peau semblait enfiévrée, brûlant à son toucher. Marianne pouvait sentir les battements du cœur d'Arthur, le souffle de sa respiration.

Lors de leur lune de miel, dans leur chambre au Gritti Palace, à Venise, les derniers feux d'un soleil d'hiver louvoyaient, comme piégés dans les miroirs gravés et les chandeliers en verre de Murano.

— Annie, dit-il, je crois que je vais t'appeler Annie. Ce sera mon nom pour toi. Personne d'autre ne pourra l'utiliser.

La Marianne plaintive, contrariée, semblait devenir une créature du passé. *Je suis Mme Leighton maintenant*, se disait-elle. *Cela fait trois bonnes semaines que je suis Mme Leighton.* Son nom de femme mariée était encore une étrangeté et une source de délice.

Après Venise, ils se rendirent à Paris, où Arthur lui acheta des vêtements chez Paul Poiret: de longues et amples robes tubulaires avec des manteaux cintrés, ornés de fourrures qui pendaient jusqu'au sol, un kimono aux manches brodées, et une robe du soir bleu nuit et argent, le bleu tendant vers le violet pour être assorti à ses yeux.

Libérée du carcan de ses corsets à baleines, son corps était devenu mince et souple, sa taille lui permettant de bien porter une ligne allongée et fluide. En se contemplant dans le miroir, Marianne nota avec mépris, et par habitude, la petitesse de ses seins, la forme masculine de ses hanches. Mais des courbes plus marquées auraient abîmé la robe Poiret. Son visage était anguleux, avec des pommettes saillantes, et le long et fin nez Maclise. Mais comme par miracle, son mariage paraissait avoir adouci ses traits, effaçant les traces de l'insatisfaction et de l'anxiété.

Arthur et elle discutaient sans fin, jusque tard dans la nuit, comme s'ils allaient manquer de temps pour se dire tout ce qu'ils voulaient. Leurs obligations sociales leur semblaient une interférence dans leur découverte mutuelle. Bien sûr, elle connaissait déjà certaines choses : son lieu de naissance (Surrey), son école et son université (Winchester et Oxford), son histoire familiale (la richesse des Leighton venait du commerce du sucre et du transport maritime). Il était l'un des associés d'un consortium de fret. Un après-midi, il emmena Marianne sur les docks et lui montra l'un de ses bateaux, le *Louise*, amarré fièrement sur la Tamise.

Elle apprit qu'il aimait la musique, l'art et le théâtre, et qu'il collectionnait des peintures modernes. Celles-ci étaient accrochées aux murs de leur maison de Norfolk Square : une œuvre d'Augustus John dans l'entrée, un Sickert au-dessus de la cheminée, et un sombre Whistler, une forme confuse noire, bleu marine et grise, au pouvoir évocateur, qui se trouvait dans le salon. Elle découvrit qu'il avait un cœur sensible, quittant toujours la maison avec quelques pièces dans ses poches pour les mendiants. Il aimait les animaux, surtout les chiens et les chevaux. La seule fois où elle le vit perdre son calme fut quand il croisa un cocher en train de fouetter sa monture affreusement maigre et galeuse.

Arthur lui raconta ses voyages. Après la rupture de ses fiançailles, il avait embarqué sur un bateau vers l'Orient. Il décrivit à Marianne le mois qu'il avait passé en Égypte, en route vers l'Inde *via* le canal de Suez, puis la ville de Bombay. Il était resté trois ans dans la région, traversant l'Inde et Ceylan. Le décès de son père l'avait fait retourner en Angleterre, où il avait investi l'essentiel de son héritage dans ce consortium de transport maritime.

Mi-février, ils revinrent à Londres. Une gadoue grisâtre bouchait les caniveaux et le verglas rendait les trottoirs dangereux. Le téléphone sonna et des amis d'Arthur passèrent, déposant leurs cartes de visite. Pendant leur absence, les invitations s'étaient amoncelées sur le plateau en argent dans l'entrée : dîners, danses, réceptions et concerts. Marianne en eut le vertige ; le monde s'agitait trop vite autour d'elle, lui rappelant qu'en devenant l'épouse d'Arthur Leighton, elle héritait d'obligations autres que celle de partager sa compagnie et son lit. Mais il devinait ce qu'elle ressentait avant même qu'elle ouvrît la bouche, car il l'éprouvait également. Il feuilleta les cartons d'invitation.

— C'est un peu trop tôt, n'est-ce pas ? dit-il. Où allons-nous ? Pas dans un autre hôtel... J'ai besoin de t'avoir pour moi. (Il fronça les sourcils.) Il y a ma maison dans le comté du Surrey. Je ne l'utilise pratiquement jamais. Ma chère Annie, cela t'ennuierait si nous allions la dépoussiérer un peu ?

Le soir même, ils roulèrent jusqu'au Surrey. Il était minuit quand ils arrivèrent. Gelée en dépit de sa fourrure, Marianne vit d'abord la demeure au clair de lune, figée dans la glace, blanche, étrange et surnaturelle. Son nom apparut sur le portail en fer forgé : Leighton Hall.

Le gardien les accueillit. Marianne ouvrit les portes et jeta un œil dans les pièces. La plupart des meubles étaient couverts de draps contre la poussière. Des formes pâles et sculpturales émergeaient de la pénombre, volumineuses et déconcertantes du fait de leur caractère méconnaissable. Une lumière au gaz sifflait sur le dessus de la cheminée. Une guirlande de feuilles de lierre en plâtre s'entortillait sur le haut plafond et de grandes fenêtres à battants donnaient sur un jardin rendu mystérieux sous la lumière de la lune. Le matin, Marianne explora les lieux. Un domestique et un homme à tout faire résidant dans le village voisin s'occupaient d'eux. La nuit, ils étaient seuls. Le gel blanchissait le gazon et une couche de glace cristalline enrobait les branches nues et noires des arbres. Se souriant à elle-même, elle imagina des enfants courant dans les couloirs, leurs rires se répercutant sur les plafonds.

Ils revinrent à Londres un mois plus tard. La résidence d'Arthur se trouvait à Norfolk Square. Il aimait se lever tôt le matin et se promener à cheval le long de Rotten Row. Marianne marchait en direction de Hyde Park pour le retrouver à la fin de son parcours. Le repérant dans la foule, elle voyait combien il était concentré en guidant son cheval au milieu des rues animées. Elle trouvait aussi qu'il était le plus bel homme.

La maison était spacieuse, claire et élégante. Elle disposait de lumières électriques, d'une cuisinière à gaz moderne et d'un téléphone. Au début, ce dernier, tapi dans l'entrée comme un crapaud noir menaçant, prêt à émettre soudainement un cri perçant, irrita Marianne. Mais elle comprit vite son utilité : il était si facile d'appeler Harrods ou Fortnum lorsque l'on se trouvait à court de quoi que ce soit.

Les domestiques semblaient deux fois plus efficaces que ceux de Summerleigh. Marianne n'avait pas à attraper un chiffon à poussière ou à couper une tranche de pain. Après avoir discuté du menu avec la cuisinière le matin, supervisé la liste des courses et le paiement des factures, il n'y avait guère plus à faire pour elle. Ses vêtements se retrouvaient dans sa garde-robe, propres et repassés, les boutons manquants et les accrocs à la dentelle ayant été recousus comme par magie.

Arthur la présenta à ses amis. Plus vieux que Marianne, dotés de cet indéfinissable vernis de brillance urbaine, ils la retrouvaient au théâtre et au ballet, ou ils l'invitaient aux réceptions et aux dîners. Les approchant d'abord comme une masse compacte – égaux par leur niveau social, leur confiance en eux et leur apparence soignée –, elle vit bientôt qu'ils se partageaient en deux groupes. Les *amis de théâtre*, comme elle les baptisa en privé, et les *amis d'affaires*.

Patricia Letherby, l'une des amies de théâtre, prit Marianne sous son aile. Elle était franche, gaie, peu diplomate et chaleureuse. Réalisant que Marianne jouait au piano, elle insista pour que celle-ci participe à l'association musicale qui se réunissait une fois tous les quinze jours dans son salon. Il y avait aussi les après-midi littéraires, pendant lesquels ils buvaient le thé et mangeaient des sandwichs tranchés si finement que l'on pouvait presque voir à travers, tout en écoutant un romancier lire des extraits de ses dernières œuvres. Certaines lectures étaient pleines de verve, sur des sujets dont on n'aurait jamais parlé à Summerleigh.

Les Meredith, eux, étaient des amis d'affaires. Edwin Meredith était membre du consortium. Laura Meredith était beaucoup plus jeune que son mari. Une ribambelle d'hommes en adoration devant elle l'accompagnait au théâtre ou à la danse. Ses yeux étaient gris, ses cheveux auburn, ses cils et sourcils de délicats traits de pinceau doré. Elle privilégiait le rose et l'abricot pour agrémenter son teint inhabituel. Ses manières avec sa cour étaient celles d'une propriétaire, avec cette façon de poser sa main gantée de blanc sur le bras d'un homme comme si elle en revendiquait la possession, ce talent à le garder à proximité, le rappelant à son devoir d'un coup d'œil ou d'un mouvement d'éventail s'il s'avisait à trop s'éloigner.

— Bien sûr, il s'agit d'un *mariage blanc*, murmura Patricia à Marianne, qui parut suffisamment confuse pour qu'elle lui en expliquât le sens: Laura et Edwin font chambre à part. Laura a besoin de l'argent d'Edwin et lui a besoin de son cachet en société. Comme il est rasoir, elle se divertit ailleurs. Eh bien, ma chère, ne soyez pas si choquée, c'est ainsi de nos jours, vous savez. (Patricia soupira.) Parfois j'envie Laura. Elle paraît avoir juste à les *regarder*.

Pour Marianne, c'était comme si elle avait atterri sur une terre étrangère où règles et coutumes différaient complètement. Un comportement qui aurait provoqué un scandale chez les industriels prospères de Sheffield était considéré comme parfaitement acceptable à Londres. Patricia Letherby ne trouvait pas inconvenant que Mme Meredith prît un amant; c'était amusant, intéressant et peut-être un peu rapide, mais ce n'était pas *mal*, ni *immoral*.

Ce printemps-là, Marianne organisa un grand dîner. Ce soir-là, Arthur rentra les bras chargés de violettes, ses fleurs préférées. Elle portait la robe bleu marine et argent qu'il lui avait achetée à Paris. En épinglant un petit bouquet sur son corsage, il se piqua le pouce. Fermant les yeux, Marianne posa un baiser sur la petite perle de sang qui s'était formée sur sa peau.

Le dîner se passa agréablement et les invités félicitèrent Marianne pour sa table et pour sa tenue. Pourtant, il lui traversa l'esprit – une pensée subite, entre le plat principal et le dessert – qu'elle préférerait être ailleurs et non parmi tous ces gens qu'elle ne connaissait guère. Elle aurait préféré être seule avec Arthur dans leur maison du Surrey, lieu d'ombres et de ruisseaux, ou au lit avec lui. L'imaginant en train de la toucher, elle ressentit un vif désir. Elle dut se reprendre un peu pour se concentrer sur le dîner. De telles pensées la perturbaient : elles lui paraissaient inappropriées et, pendant un bref instant, sa vieille angoisse de ne pas être comme les autres, d'être étrange, revint. Sans en être sûre, elle voulait croire que les autres femmes ressentaient les mêmes désirs, les mêmes pensées envahissantes et inopportunes.

En parcourant la table des yeux, elle se demanda si cette conversation polie et ces manières raffinées n'étaient pas qu'un vernis recouvrant une réalité plus terre à terre, plus crue. Et si ces couches de soie et de velours dissimulaient des corps animés des mêmes envies qu'elle ? Cherchant à se rassurer, elle regarda vers le bout de la table où était assis Arthur. Leurs regards se croisèrent et elle tendit les doigts sous la table, comme pour l'atteindre et le toucher.

*

L'hôpital Mandeville était à l'est de Londres. C'était une institution à but non lucratif qui accueillait les patients gravement atteints, victimes d'un accident ou d'une maladie soudaine, dont la plupart payaient une contribution pour leurs soins. Différentes ailes, financées par des organisations caritatives et des donations, avaient été ajoutées à l'hôpital au fil des ans, de sorte que le bâtiment original en brique rouge, construit au XVIIIe siècle, étendait désormais ses tentacules dans les allées exiguës de l'Est londonien.

Le premier jour où Iris arriva à l'hôpital, la vue de son nom, écrit avec soin, en italique, sur la porte de sa chambre dans le foyer des infirmières, lui fit pleinement réaliser le caractère irrévocable de ce qu'elle avait décidé. Elle eut le cœur très lourd et une vague de déprime si intense la submergea que, une fois dans sa chambre, elle courut vers la fenêtre et fit mine d'observer le paysage pour que son père, qui l'avait accompagnée, ne vît pas son expression. Il lui fallut quelques instants avant de pouvoir regarder autour d'elle et constater que, si sa chambre était petite, elle était néanmoins propre et bien aménagée, avec un lit, une armoire, une table de toilette, un bureau et une chaise. Et au moins, elle n'avait plus à la partager avec Marianne.

Au foyer, il y avait un réfectoire, un salon et un amphithéâtre. Le bâtiment était séparé de l'hôpital par un jardin où les infirmières se reposaient quand le temps le permettait. À l'intérieur de l'hôpital, l'atrium et les salles d'attente pour les patients en consultation externe résonnaient de multiples langues et dialectes, du pépiement d'oiseau d'un petit fabricant cockney de corsets au grondement sourd d'un docker polonais. Dans l'une des salles, un Écossais mourant demandait de l'eau et un Italien gémissant, propriétaire d'un établissement vendant des feuilletés à la morue, fit la sérénade à Iris, lui chantant son amour pour elle et ne redevenant silencieux que sous les réprimandes de Sœur Grant.

Iris avait l'impression d'avoir changé de monde. Sa vie d'avant, qui consistait à choisir entre une balade à vélo et une partie de tennis, lui paraissait avoir été celle d'une autre. Entre le moment où elle se traînait hors du lit, à 6 heures, et celui où elle s'y écroulait à nouveau, à 22 heures, elle n'avait pratiquement pas une minute à elle. Elle était constamment occupée et constamment fatiguée. Sa vie était réglée par les aiguilles de l'horloge et par les ordres donnés par la surveillante, Mlle Caroline Stanley, aux infirmières et aux infirmières en chef. Mlle Stanley portait des robes de soie noire avec des manches gigot et un collet monté. Contrairement aux infirmières, qui n'avaient pas le droit de porter de bijoux, Mlle Stanley portait des bagues et un grand camée en broche au milieu de son corsage. Les stagiaires devaient prendre le thé avec elle une fois par mois. Iris endura ce quart d'heure de conversation banale et polie, s'assurant de ne pas gigoter ou regarder l'horloge. Mais certaines des stagiaires moins résistantes quittaient la pièce en larmes, en ayant renversé du thé ou commis quelque autre faux pas.

Les six premières semaines de cette formation de deux ans comprenaient des cours élémentaires en anatomie, en hygiène, en physiologie et de soins pratiques. Ce n'était pas aussi ardu qu'Iris l'avait craint ; son orthographe et ses mathématiques étaient bien meilleures que celles d'autres filles. Elle était adroite pour les bandages et les attelles. À l'issue de ces six semaines, elle fut envoyée dans le pavillon général des hommes. Ses dernières illusions sur cette profession y furent vite détruites. Dès la fin de la matinée, elle avait découvert que Sœur Grant, qui supervisait cette section, était un tyran et qu'être infirmière était bien aussi épouvantable que prévu.

Fille aînée d'un industriel prospère de Sheffield, Iris avait eu une enfance très protégée. Le corps des hommes était un mystère pour elle ; désormais, rien ne lui était caché. Elle devait les laver entièrement et effectuer les tâches les plus intimes. Beaucoup d'hommes se sentaient aussi gênés qu'elle ; d'autres la taquinaient. À Summerleigh, les corvées ménagères les plus déplaisantes et les plus sales étaient réservées aux domestiques ; ici, on attendait d'elle qu'elle vidât les bassins hygiéniques, nettoyât les habits dégoûtants et les draps souillés. Elle s'était toujours enorgueillie de ne pas être bégueule ; dorénavant, elle devait lutter contre la nausée à la vue d'une affreuse blessure ou d'une maladie défigurante.

Mais le plus difficile, dans une certaine mesure, était de découvrir qu'elle, Iris Maclise, était incompétente. Elle se savait fainéante mais elle ne s'était jamais imaginée incapable. Tout ce qu'elle choisissait de faire, elle le faisait bien. C'est juste qu'elle choisissait d'en faire peu. Elle excellait à jouer au tennis, à danser et à flirter avec les garçons, laissant les plates obligations domestiques à Marianne. Or, désormais, c'était Marianne qui vivait dans le luxe et elle qui nettoyait les sols et brossait le fer des châlits. C'était Marianne qui était vêtue de soie et de diamants, tandis qu'elle portait un calicot bleu avec un tablier, des manchettes et une coiffe blancs, et qu'il lui était interdit de mettre des perles aux oreilles, aussi discrètes fussent-elles.

Il lui semblait souvent avoir été jetée et tourneboulée dans un kaléidoscope, toutes ses certitudes mélangées et remises dans

94

un autre ordre. Préparer à manger, laver le linge, garder une chambre propre et nette était beaucoup plus exigeant qu'elle l'avait pensé. Quoi qu'elle fît, Sœur Grant y trouvait à redire.

— La propreté du corps, disait-elle en montrant aux autres stagiaires les rebords sales des fenêtres d'Iris, est parente de la propreté de l'âme. Et la saleté répand les infections. Ne vous ont-ils pas enseigné cela dans vos belles écoles ?

Iris oubliait de nettoyer les coins des sols et laissait des marques sur les carreaux. Elle ne savait pas faire les lits au carré ; les coins refusaient de se plier correctement sous le matelas. Sœur Grant, inspectant la salle, visait les lits d'Iris de son œil d'aigle et la houspillait sur un ton dédaigneux.

Iris devait arriver dans sa section à 7 heures pour aider l'infirmière de nuit à laver les patients. Elle était toujours en retard – à sept heures moins cinq, elle était encore en train d'épingler sa coiffe. Si une infirmière arrivait plus de six fois en retard dans sa salle, elle perdait sa journée de repos. À 8 heures, Iris assistait à la prière avant de retourner dans sa salle où elle nettoyait, dépoussiérait, lavait les verres et les brocs, essuyait le dessus des casiers avec de l'eau de javel. À 9 h 15, elle aidait à préparer et à servir du pain et du lait aux patients. Puis elle nettoyait les salles de bains et rangeait le linge avant de quitter la salle pour aller prendre un thé au foyer. Parfois, les stagiaires y recevaient un cours ; sinon, elle avait le temps de courir aux magasins pour y retrouver Eva ou Charlotte pour un café. À 13 h 30, elle devait retourner en salle et la nettoyer à nouveau avant la tournée du Dr Hennessy. Ce dernier, un sémillant moustachu, était le médecin de la section. Tandis qu'il examinait les patients avec ses internes, les infirmières se rangeaient derrière Sœur Grant, dans un ordre basé sur l'ancienneté, les infirmières confirmées devant et Iris, la plus débutante des stagiaires, derrière tout le monde.

Les médecins partis, les patients inconscients ou fiévreux devaient être lavés et les bouilloires mises sur le feu. En fin d'après-midi, on leur donnait une nouvelle ration de pain, de beurre et de thé. Iris pouvait alors faire une pause et prendre un thé pendant une demi-heure, avant la dernière urgence :

laver verres et carafes, apporter le souper aux malades, faire leur lit avant l'arrivée de l'équipe de nuit, à 20 heures. Trois quarts d'heure plus tard, les infirmières de jour se rendaient à la prière. Elles dînaient alors, enfin, avant d'aller se coucher.

Au moins, se disait Iris, la pression de l'activité ne laissait pas beaucoup de temps pour réfléchir. Or, il y avait de nombreuses choses auxquelles elle ne voulait pas penser. Par exemple, elle ne voulait pas penser au mariage de Marianne et combien elle l'avait enviée en la voyant descendre l'allée au bras de père. Et elle ne voulait surtout pas penser à Ash. Elle n'avait plus entendu parler de lui depuis cette affreuse soirée. Aucun des Maclise ne l'avait revu. Avec un peu de chance, pria-t-elle, personne ne le reverrait jamais. Le fait qu'il l'eût rejetée avait entamé quelque chose en elle et, depuis cette soirée-là, elle ne se voyait plus sous le même jour. Elle ne doutait pas seulement de la mesure et du pouvoir de sa beauté, elle s'interrogeait sur sa propre valeur.

La plupart du temps, il lui semblait avoir glissé par erreur dans une autre vie. Bien qu'elle comprît la série d'événements qui lui avaient fait prendre une décision si radicale – les fiançailles de Marianne, la décision de Charlotte de devenir infirmière, le rejet de Ash –, elle ne pouvait s'empêcher de penser qu'un élément de choix fondamental avait manqué et qu'elle avait trébuché, animée par la peur, l'impulsivité et l'orgueil, chaque pas resserrant ensuite davantage le piège qu'elle s'était tendu. Bien sûr, elle avait failli parfois changer d'avis et admettre avoir commis une erreur. Au cours d'un entretien, Mlle Stanley l'avait cuisinée sur sa vocation. Père aussi avait tenté de la dissuader. Ses mots d'adieu, en la laissant avec sa malle et ses boîtes à chapeaux au foyer des infirmières, avaient été, sur un ton exaspéré:

— Je ne sais pas ce que tu essaies de prouver ici, mais tu devrais rentrer à la maison quand tu en auras assez, ma chérie. Cet endroit n'est pas pour toi.

Puis il avait insisté pour lui glisser l'argent du billet de retour en train pour Sheffield.

Les amis et relations d'Iris avaient réagi avec choc et incrédulité. Elle s'était à peine souciée d'en débattre avec eux: après tout, choc et incrédulité étaient également les émotions qui la submergeaient depuis quelque temps. Choc et incrédulité que ce fût Marianne qui eût fait un magnifique mariage, et pas elle. Choc et incrédulité que Ash n'eût pas voulu d'elle, sans compter une durable et épouvantable humiliation. Ce n'est pas qu'elle en avait été *amoureuse*, mais elle l'aimait bien et avait cru qu'il était son ami. Découvrir la douleur du rejet, réaliser qu'une telle souffrance était courante et qu'elle-même l'avait infligée de nombreuses fois, n'avait rien facilité.

Contrairement à son attente, la maison lui manquait. Elle languissait du confort tranquille et modeste de Summerleigh, de la compagnie de sa famille et de ses amis. Plus que tout, le sentiment de se sentir chez soi lui manquait, et celui de se sentir importante. Dans la salle d'hôpital, sa valeur se mesurait à sa capacité à border un lit, à prendre la température ou à préparer un plateau de pansements. Elle savait ne pas être particulièrement douée pour ces choses et être sans doute la stagiaire la moins compétente de Sœur Grant. L'hôpital Mandeville n'aurait pas souffert le moins du monde si Iris avait décidé de partir. Sœur Grant aurait peut-être même été soulagée. Ce qui était pour Iris une raison presque perverse de rester.

Elle masqua son malheur à ses sœurs. Convaincre Marianne de sa satisfaction était facile car celle-ci, revenue de sa lune de miel et embellie par l'amour, ne pensait à rien d'autre qu'à Arthur. Deux fois par semaine, Iris écrivait à Clémence. Sa conscience la taraudait en pensant à sa petite sœur: si elle était restée à la maison, elle aurait tenu compagnie à leur mère et Clémence aurait pu continuer l'école. Pourtant, même le travail d'infirmière était préférable à cela. Elle décida qu'elle endurerait la formation pendant un an. Tenir moins longtemps serait une humiliation et ses amis ou les membres de sa famille qui, comme son père, avaient parié qu'elle renoncerait au bout d'une semaine lui feraient rendre gorge. D'ici un an, Charlotte, qui avait été si heureuse de la voir la rejoindre à Mandeville, se serait fait d'autres amis. Quant à elle, elle aurait eu le temps de songer à une autre activité. La seule difficulté était qu'un an semblait impossiblement long. Ash le lui avait bien dit: «Tu préfères éviter les choses déplaisantes de la vie.» En nettoyant à grande eau les bassins hygiéniques, ou en lavant ces corps meurtris par des années de travail manuel, elle souriait avec amertume et se disait : *Si seulement tu pouvais me voir, Ash. Si seulement tu pouvais me voir...*

*

Aidan et Philip rentrèrent à la maison de Summerleigh pour les vacances de Pâques. Puis Eva, Marianne et Arthur débarquèrent, et Clémence parut soulagée. Summerleigh retrouvait son air de jadis, avec la famille rassemblée. Mais Marianne et Arthur retournèrent à Londres dès le lendemain du lundi de Pâques, emmenant Eva avec eux. Mère se replia dans sa chambre et tante Hannah, qui avait pris froid, se retira dans ses appartements, laissant seuls Joshua, Clémence et les trois garçons.

Le départ de Marianne et d'Eva rendit leur père triste et de mauvaise humeur. Comme d'habitude, les humeurs du père et la maladie de la mère influaient sur l'ambiance du foyer, et une certaine tension plomba Summerleigh. Clémence avait beau essayer d'arranger les choses, c'était comme si l'équilibre de la famille avait été cassé, et que, sans les filles aînées, le ferment familial ne parvenait plus à lever.

À la fin de la semaine, les choses se gâtèrent. Mère avait passé une mauvaise nuit et Clémence avait dû appeler le Dr Hazeldene. Le lendemain matin, alors que mère s'était enfin assoupie, Philip trébucha en descendant les escaliers. Il portait un plateau en étain avec ses soldats en plomb, et le plateau se fracassa sur le carrelage avec un bruit métallique qui réveilla mère et fit battre son cœur de façon alarmante. Tout le monde était furieux contre Philip, sauf Clémence qui pensait qu'il était tombé car il ne voyait pas bien où il mettait les pieds. Elle apporta un verre de vin à sa mère, avec quelques gouttes de laudanum, et s'assit à côté de son lit jusqu'à ce qu'elle retrouve le sommeil.

Quand père rentra du bureau, son humeur s'était détériorée. Au dîner, Clémence en perçut les signes – la forme déprimée de sa bouche, une aigreur dans sa voix, son regard errant et mécontent. Pour Clémence, l'humeur de son père était aussi transparente que celle d'un enfant, passant ouvertement d'un bonheur communicatif au désespoir morose. Elle ne comprenait pas comment James ne semblait jamais remarquer le tempérament versatile de leur père; il avait le don d'évoquer les sujets qui lui faisaient perdre son calme. Il est vrai que père était tout aussi doué pour mal interpréter James et lui chercher la petite bête.

Joshua parcourut la table des yeux.

— Ce n'était guère la peine de dresser cette grande table pour si peu d'entre nous, grommela-t-il. À l'église, les Maclise remplissaient deux bancs, en se serrant. Ce dimanche, on aura du mal à en occuper un seul.

— Je ne serai pas là dimanche, annonça James. Je pars à Londres.

— *Londres*? dit Joshua en fronçant les sourcils.

Clémence se raidit. Aux yeux de son père, Londres était surpeuplée, bruyante et remplie de criminels. Cette ville ne pouvait soutenir la comparaison, bien sûr, avec Sheffield.

— Je ne comprends pas pourquoi vous devez tous aller à Londres. Trois de mes filles m'ont quitté et maintenant tu m'annonces que toi aussi!

— Il ne s'agit que d'un jour ou deux, père.

— Ta maison ne te suffit pas? Que peux-tu vouloir faire à Londres que tu ne puisses pas faire ici?

— Il y a les restaurants, par exemple...

— Les *restaurants*! Pourquoi les gens veulent-ils aller manger au restaurant quand ils peuvent être mieux nourris chez eux?

— Et les théâtres, les cinémas...

— Les théâtres? Si ta sœur n'était pas là, nous aurions un petit mot, tous les deux, à propos des gens qui fréquentent ce genre d'endroits. Des voyous et des vauriens, pour la plupart.

James rougit et Clémence intervint rapidement:

— Un peu plus de pommes de terre, père?

— Lorsque j'avais ton âge, James, reprit Joshua en pointant le doigt vers son fils aîné, je travaillais six jours par semaine, de 7 heures à 19 heures. Je n'avais pas le temps de vadrouiller.

Puis il devint silencieux et se mit à dévorer son repas. Clémence respira à nouveau. Sur un ton innocent, Aidan dit alors :

— Les théâtres et les restaurants coûtent très cher, n'est-ce pas, père ? L'un de mes camarades d'école m'a dit qu'un festin à Londres leur coûtait cinq shillings par tête.

— Cinq shillings par personne ! s'écria Joshua. James ! Ne gaspille pas ton argent dans ce genre de luxe !

La mine renfrognée, James marmonna quelque chose dans sa barbe.

— Que dis-tu ? demanda Joshua en plissant les yeux.

Clémence supplia son frère du regard.

— Rien, père, grommela-t-il.

Mais Joshua, énervé, jeta sa serviette sur la table d'un geste agressif.

— Si tu as quelque chose à dire, dis-le !

— Très bien, père. Je disais que vous ne me donniez pas assez d'argent pour que je puisse en gaspiller.

— Oui, et c'est pour ton bien ! Dieu seul sait le pétrin dans lequel tu te mettrais si tu avais trop d'argent. Ne te débrouilles-tu pas déjà fort bien pour jeter ce que tu as par la fenêtre ?

— Je dépense mon argent comme je l'entends !

Le poing de Joshua s'écrasa sur la table.

— C'est mon argent ! Sans moi, tous autant que vous êtes, vous seriez en train de mourir de faim sur le trottoir ! Chaque centime vient de mon travail !

James se leva brusquement, faisant tomber sa serviette par terre. En quittant la pièce, il fit claquer la porte derrière lui. Le silence emplit la pièce, jusqu'à ce que Philip dise :

— Je n'arrive pas à manger ce chou. Il a un drôle de goût.

Clémence se tint immobile, dans l'attente d'une inévitable explosion.

— Tu vas finir ton assiette, mon garçon ! rugit Joshua. Jusqu'à la dernière bouchée ! Je ne veux pas d'un autre enfant gâté comme fils ! Et toi, mon petit, ajouta-t-il en se tournant vers Aidan, cesse immédiatement de prendre cet air suffisant ! Tu ne vaux pas mieux que les autres !

Aidan devint tout blanc. Philip se mit à pleurer. À l'issue du dîner, quand Philip eut fini par avaler tout son chou, les yeux embués et reniflant, Clémence prit son courage à deux mains et toqua à la porte du bureau de son père.

— Voudriez-vous quelque chose, père? Une tasse de thé?

— Non, rien du tout, ma fille, répondit-il en fumant derrière son bureau. Tu es une bonne fille, Clémence, continua-t-il alors qu'elle allait refermer la porte. J'imagine que tes sœurs te manquent à toi aussi.

— Oui, père.

Elle grimpa à l'étage et frappa à la porte de la chambre d'Aidan et Philip. Aidan était allongé par terre sur le ventre. Une rangée de pièces était assemblée devant lui en quelques colonnes impeccables.

— Que fais-tu? demanda Clémence.

— Je compte mes réserves.

— Ciel, Aidan, tu as dû sacrément économiser! Tout cet argent!

— Les gens gaspillent leur argent en bonbons, en jouets et autres choses inutiles. Moi, je ne gaspille *jamais* mon argent.

— Je ne sais pas où mon argent de poche disparaît.

— Tu devrais tenir tes comptes. Comme moi.

Se relevant, il se saisit d'un carnet de notes dans un tiroir et lui montra un tableau. «Plume à pointe fine, lut-elle, 2 centimes. Colle à papier, 6 centimes.»

— Mon Dieu! dit-elle en le regardant. Tu sais, père ne pense pas ce qu'il dit.

— Vraiment?

Dans la pénombre, les yeux d'Aidan, plus pâles que ceux des autres Maclise, semblaient aussi durs que du granit.

— J'essaie toujours de lui faire plaisir. Je ne le mets jamais en colère, comme James.

Clémence retrouva ce dernier dans la maison d'été. En la voyant, il eut un geste d'irritation avec sa cigarette.

— Pourquoi doit-il s'en prendre à nous?

— C'est sa façon d'être, dit-elle en allant s'asseoir à côté de lui.

Il faisait froid et elle frissonna. Il lui donna sa veste. Elle avait l'odeur agréable de James, une odeur de tabac, de savon Pears et de la fumée de l'usine. Elle le serra contre elle et reprit :

— Ce n'est plus pareil, n'est-ce pas, depuis que Marianne, Iris et Eva sont parties ? La famille semble se rapetisser. Que se passerait-il si tout le monde partait ? Que se passerait-il si je restais seule ?

— Cela n'arrivera pas, petite idiote, lui répondit-il en la serrant dans ses bras. Tu auras une famille à toi un jour, non ?

Elle se souvint du jour où Philip était né et de la sensation extraordinaire de glisser son doigt dans sa petite main.

— Ce serait bien d'avoir des enfants, dit-elle doucement, mais je ne pense pas à me marier.

— C'est un peu difficile d'avoir l'un sans l'autre.

— Ce n'est pas ce que je veux dire. Je ne vois pas pourquoi quelqu'un me choisirait, c'est tout.

— Encore quelques années et les prétendants feront la queue devant toi.

Elle songea combien James était gentil, fort et chaleureux.

— À qui vas-tu rendre visite à Londres ?

— De vieux amis, dit-il vaguement. Et toi, Clem ? Est-ce que tu vois un peu tes copines d'école ?

— Pas trop, murmura-t-elle en triturant ses lacets. Et quand je les vois, je n'ai pas l'impression d'avoir grand-chose d'intéressant à dire. Elles ont accompli tant de choses et moi rien. Je crains que ma compagnie soit fort ennuyeuse.

— Sottises ! Tu es une chic fille, Clem. On ne s'en sortirait pas sans toi.

— *James...*

— C'est la vérité, dit-il.

*

Eva adorait Londres. Elle en aimait l'activité, le mélange des langues, de cultures et de classes. Elle se figurait le cœur battant de la cité, puissant et vigoureux, son pouls résonnant dans les églises, les usines et les palais. Elle voulait *tout* voir. Elle marchait le long de la Tamise, du quai de l'Embankment jusqu'aux docks, et observait les bateaux-cargos et les ferry-boats mouillant dans l'eau couleur d'olivine. Les pubs sombres et exigus et les entrepôts qui longeaient la rivière gardaient leurs secrets, leurs fenêtres voilées par les toiles d'araignées et la poussière. Elle visita la National Gallery ainsi que les grands magasins et les parcs de l'ouest de la ville. Le soir, elle regardait hommes et femmes se rendre au théâtre sur Leicester Square. Les capes de satin des femmes luisaient et leurs diadèmes s'enflammaient à la lumière des lampadaires.

La ville l'enchantait et il lui était difficile de reconnaître que, à mi-parcours du deuxième trimestre à la Slade School of Fine Art, elle peinait encore à y trouver ses marques. D'élève prisée chez Mlle Garnett, elle se retrouvait pour la première fois entourée d'étudiants aussi talentueux qu'elle. Certains l'étaient même davantage : leurs réalisations faisaient paraître les siennes inanimées et maladroites. Elle ressentait de plus en plus qu'un pilier de son existence s'était dérobé. Eva était douée en art et l'avait toujours été. Au sein d'une famille sans talents particuliers, elle en avait conçu de la fierté. Mais ses œuvres étaient désormais démontées sans pitié, leurs défauts mis en relief et la moindre de ses faiblesses soumise à la critique.

Le cours de dessin d'après modèle l'avait également secouée. «J'ai besoin d'apprendre à dessiner d'après nature, père !», avait-elle déclaré un peu facilement, quelques mois plus tôt. Mais à son premier cours, elle avait été plongée dans la confusion. Elle n'avait jamais vu une femme d'âge mûr nue. Les femmes de sa connaissance cachaient leur corps sous des jupes et des jupons, n'enlevant une couche qu'après s'être assurée que l'autre était en place. Les seuls nus qu'Eva ait vus étaient en peinture et les femmes qui posaient pour la Slade ressemblaient peu aux nus pâles et parfaits de l'art classique. Elles étaient issues des classes populaires et les robes dont elles se dépouillaient avant de s'asseoir sur le podium étaient rapiécées, usées par les ans comme ces femmes elles-mêmes. La chair faisait des bourrelets autour des seins et du ventre, la peau pendait sous les avant-bras et des poils surgissaient de certaines rides. Était-ce *cela* le corps d'une femme, ou ce qu'il en advenait? Eva trouva troublant de dessiner ces femmes, comme si en mettant leurs imperfections sur papier, elle les rabaissait.

Elle habitait avec Sarah Wilde. Fine et frêle, son dos courbé par l'âge, celle-ci possédait un perroquet, appelé Perdita, qui avait l'habitude de s'échapper. Mme Wilde étant désormais trop handicapée pour courir après Perdita, l'une des tâches d'Eva était d'aller chercher l'oiseau en train de piailler sur un laurier ou sur une grille. Eva pensait que ce chaperonnage excentrique était dû au fait que Mme Wilde n'avait pas eu d'enfant. La vieille dame acceptait sans explication qu'Eva eût à rendre visite à des amis ou à aller à un cours du soir, et c'est avec une pointe de culpabilité qu'Eva profitait de sa naïveté.

Elle assista à des réunions de l'Union politique et sociale des femmes, l'Union nationale des sociétés de suffragettes, la Ligue pour la liberté des femmes et la Ligue travailliste des femmes. Ne sachant pas laquelle choisir, elle s'inscrivit à toutes. Elle participa à des manifestations et fit le pied de grue au coin de rues balayées par le vent, emmitouflée dans un manteau, portant un chapeau et des gants, demandant aux passants de signer une pétition ou d'acheter un exemplaire de *Le vote pour les femmes*. Elle applaudit aux discours d'autres suffragettes et écrivit des lettres aux membres du Parlement.

Avant qu'Eva quitte Sheffield, Mlle Garnett lui avait donné l'adresse de Lydia Bowen. Dans l'appartement de cette dernière, Eva rencontra des artistes, des acteurs, des écrivains et des originaux dont Lydia ne pouvait jamais se passer : un médium, une princesse russe qui prétendait avoir été la confidente de la tsarine, et une femme qui avait marché (« Oui, marché, ma chère ! ») jusqu'à Nice, dormant dans les meules de foin et gagnant son pain et ses repas en chantant dans les bars et les cafés.

Un soir, Lydia invita Eva à une réception privée dans sa galerie de Charlotte Street. Les lieux étaient bondés quand Eva arriva. Elle scruta l'assistance. Les femmes étaient soignées et élégantes dans de longues robes serrées. Tous les hommes étaient en tenue de soirée. Eva portait une robe en laine à carreaux verts et rouges qu'elle avait cousue elle-même. Il pleuvait et ses collants avaient des traces de boue. Ses cheveux, impeccables en quittant la maison de Mme Wilde à Bloomsbury, s'étaient transformés en une jungle de boucles sauvages.

Les œuvres exposées étaient un mélange de paysages et de portraits. Eva était en train d'observer un tableau représentant un enfant et son chiot lorsqu'elle entendit quelqu'un dire :

— N'avez-vous pas le sentiment que la détestation de l'artiste pour les chiens et les enfants se reflète dans son traitement du sujet ?

Elle leva les yeux. L'homme qui se tenait debout à côté d'elle portait un long pardessus noir sur une chemise d'ouvrier bleu marine. Une écharpe vert émeraude faisait plusieurs fois le tour de son cou. Eva étudia à nouveau la peinture.

— Le visage de la petite fille est un peu jaunâtre.

— Elle a clairement la jaunisse, oui. Quant au chien, il a manifestement la rage. Puis-je vous montrer mon tableau favori ?

Il l'emmena devant un grand tableau, à l'autre extrémité de la pièce. La légende disait : *Les Champs d'Avebury*, par Gabriel Bellamy. Le paysage était strié de bandes ocres, vertes, jaunes et blanches.

— Vous aimez ? demanda-t-il.

— Je crois que oui, répondit-elle lentement. C'est tellement... *paisible*.

— *Paisible*... C'est une façon intéressante de le voir. Connaissez-vous la région du Wiltshire ?

— Pas du tout.

— C'est l'un des lieux que je préfère. Il respire l'Histoire. J'aime la manière dont la craie jaillit de l'herbe, comme des os. Et vous ? dit-il en se détournant du tableau. D'où venez-vous ?

— De Sheffield.

— Le pays des moulins sataniques ?

— Celui des tôleries, en réalité.

— Depuis combien de temps vivez-vous à Londres ?

— Six mois. J'étudie à la Slade School of Art, dit-elle fièrement.

— Je vous aurais pris pour une gitane. Ou une danseuse, peut-être. Les couleurs que vous portez... et cette façon de se mouvoir.

Elle se sentit rougir.

— Comment connaissez-vous Lydia?

— Mon professeur d'art à Sheffield, Mlle Garnett, m'a présentée à Mlle Bowen. Ce sont des amies.

— Et des compagnes d'armes?

Le bout de ses doigts frôla le ruban violet, blanc et vert qu'Eva portait au revers de sa veste. Elle rougit à nouveau, à cause de sa proximité. Il était large d'épaules et de très grande taille, la dépassant de plus de trente centimètres. Il semblait presque l'envelopper. Elle avait l'impression d'être une petite lune aspirée dans l'orbite d'une grande planète.

— Mlle Bowen et moi participons à des réunions à l'Union des femmes. Je trouve affligeant d'être au début du XXᵉ siècle et que les femmes n'aient toujours pas le droit de voter. Il est répugnant que des lois puissent être votées qui décident de notre avenir sans que nous ayons notre mot à dire. Je pense que…

— Bien sûr. C'est totalement absurde.

Sa fougue l'abandonna et elle le suivit à travers la pièce, tandis qu'il passait rapidement d'un tableau à l'autre.

— Vous le pensez vraiment?

— Naturellement. Les femmes sont bien plus raisonnables que les hommes. Les hommes sont prisonniers de leurs désirs. Les femmes se contrôlent davantage. Je ne doute pas qu'elles gouverneraient ce pays beaucoup mieux.

Il observa une pause dans ses déambulations et scruta le portrait d'une femme aux cheveux noirs et aux lèvres charnues et sensuelles. Sa robe rouge foncé, serrée dans la partie supérieure, était d'une étoffe chatoyante.

— Bien entendu, reprit-il, les hommes ne veulent pas que les femmes votent car ils craignent les conséquences. Ils disent avoir peur que l'implication des femmes dans la politique fasse perdre à celles-ci leur unique charme. Mais ce dont ils ont réellement peur est que les femmes ne soient plus soumises et qu'elles puissent leur imposer des critères de moralité qu'ils jugent beaucoup trop élevés. En d'autres termes, les hommes craignent que ce qu'ils exigent des femmes s'applique à eux-mêmes, précisa-t-il en regardant par-dessus son épaule. Voici Lydia. Chère Lydia, venez-vous me gronder?

— Vous devriez vous mêler aux invités, mon chéri, répondit-elle en lui baisant la joue.

— Lydia, je vous en prie, vous attendez trop de moi.

— Ne soyez pas ridicule. Eva, je vous prie de nous excuser, dit-elle en l'emmenant par le bras.

Eva était en train d'enfiler son manteau et se préparait à partir quand Lydia réapparut.

— J'ai présenté Gabriel aux Stockbury. S'il est aimable avec eux, ils lui achèteront peut-être un tableau ou deux.

— Un tableau ? répondit Eva, interloquée et se rappelant la légende en dessous du paysage. *Gabriel...*, répéta-t-elle. C'était Gabriel Bellamy ?

— Bien sûr. Ne l'aviez-vous pas compris ?

Elle secoua la tête et se sentie morte de honte.

— Les paysages sont de lui. Il peint surtout des portraits, mais ses paysages sont assez beaux, non ? Je me suis donc jetée dessus, déclara Lydia en allumant une cigarette. Gabriel est en train de percer. Je ne suis pas sûre que ma petite galerie sera encore longtemps assez importante pour lui.

Elle laissa échapper un fin filet de fumée bleue, tout en scrutant Eva du regard.

— Il m'a semblé que je devais venir à votre secours. Qu'avez-vous pensé de lui ?

— Il m'a semblé très aimable.

— Assurément. Il est adorable. Et terriblement intéressant et attrayant. Il a eu une ribambelle de maîtresses et, selon la rumeur, un ou deux enfants naturels. Il ne sait pas se tenir, dit Lydia en tapota Eva sur l'épaule. Gabriel est un amour, vraiment. Mais on ne peut lui faire confiance, Eva. Il n'est absolument pas fiable.

Quelques jours plus tard, un après-midi, Eva aperçut Gabriel Bellamy alors qu'elle sortait des Beaux-Arts. Il se tenait debout sous un lampadaire, dans le même manteau noir et avec la même écharpe émeraude qui flottait au vent. Elle voulut partir précipitamment. Mais elle poussait sa bicyclette en même temps qu'elle tenait des rouleaux de papier contre sa poitrine et, dans sa hâte, ceux-ci s'éparpillèrent sur le sol.

Tandis qu'elle s'abaissait pour les ramasser, elle le vit approcher dans sa direction.

— Quelle chance, lança-t-il en ramassant l'un de ses croquis par terre. J'étais juste en train de reprendre contact avec de vieux amis. Quelle joie de vous revoir. Je n'ai jamais su votre nom.

— Lydia Bowen m'a donné le vôtre, monsieur Bellamy.

— M'en voulez-vous ?

— Vous auriez pu me dire qui vous étiez !

— Mais cela aurait été infiniment moins divertissant, assura-t-il avec un sourire plein de malice. Vous vous seriez sentie obligée de me faire quelques commentaires falots sur ma peinture. Vous auriez même peut-être refusé de me parler. Cela arrive à certains. À cause de ma réputation, vous savez...

Avec horreur, elle le vit dérouler l'un de ses croquis.

— S'il vous plaît, non...

Mais il regardait déjà son travail.

— L'art antique, dit-il en soufflant. Toutes ces heures que nous avons passées à dessiner ces malheureuses statues et bas-reliefs. Me laisseriez-vous regarder les autres ?

— Non.

— Pourquoi pas ?

— Parce qu'ils ne sont pas très bons, dit-elle en rassemblant ses papiers dans le panier de son vélo.

— Où allez-vous ?

Elle lui répondit et il reprit :

— Je vous accompagne. Je vais à Russell Square.

Il lui prit la bicyclette des mains et se mit à la pousser le long du trottoir. Elle allait protester mais il avait déjà pris de l'avance et marchait d'un bon pas.

— Vous devriez vraiment vous présenter, lança-t-il alors qu'elle le rattrapait. Il est bien mal élevé de ne pas le faire.

Elle allait répondre avec colère quand elle vit le rire dans ses yeux.

— Mon nom est Eva Maclise, répliqua-t-elle sur ton sec.

— Eva Maclise, répéta-t-il. Eva Maclise de... où était-ce déjà ? Ah, je me souviens : Sheffield. Je suis enchanté de faire votre connaissance, mademoiselle Maclise, dit-il en lui tendant une main large et chaude qui recouvrit entièrement la sienne. Et qu'est-ce qui vous a amenée à Londres, Eva Maclise? J'imagine que vous auriez pu étudier l'art à Sheffield.

— Mais Londres est si passionnant!

— Vous pensez?

— Bien sûr. J'adore. Pas vous?

— Parfois j'aime, parfois je déteste. Je suis revenu il y a environ deux mois et, en ce moment, je rêverais de m'enfuir. Je pense donc aller chez moi à la campagne. Là-bas, je me sentirai parfaitement heureux au début et jurerai d'y rester éternellement. Puis, les semaines passant, je commencerai à m'agiter et, après un certain temps – six ou huit semaines –, je réaliserai que Londres me manque. Et le même scénario se répétera à nouveau. Je me dis souvent que ces deux endroits répondent à différentes facettes de mon caractère, le bon et le mauvais. À la campagne, je cultive mes propres légumes et m'occupe de mes animaux, tandis qu'en ville...

Il s'interrompit, en la regardant.

— Plaît-il?

— Cultivez-vous *vraiment* vos légumes?

Elle avait du mal à imaginer le sulfureux Gabriel Bellamy en train de creuser et de désherber.

— Absolument. L'année dernière, j'ai obtenu une magnifique récolte de pois. J'ai semé des pois de senteur au milieu des petits pois pour le plaisir des yeux aussi bien que celui du palais. N'avez-vous jamais cultivé des légumes, mademoiselle Maclise?

Elle fit non de la tête.

— Mais je sais coudre. Je fabrique tous mes vêtements.

— Vous avez le sens des couleurs, dit-il en la dévisageant des pieds à la tête, au point qu'elle eut à détourner le regard.

— Mon épouse Sadie fabrique tous ses habits, ainsi que ceux des enfants. Elle file et tisse la laine de nos moutons.

Mon épouse Sadie. Eva dut encore une fois rectifier l'image qu'elle avait de Gabriel Bellamy, d'un ringard à un père de famille.

— Sadie et moi souhaitions élever nos enfants à la campagne. Je ne crois pas au fait d'enfermer les enfants, de les faire se tenir droit sur leur chaise et de n'ouvrir la bouche que lorsqu'ils y sont invités, ce genre de sottises. Les enfants doivent avoir le droit de courir librement.

109

— Combien d'enfants avez-vous, monsieur Bellamy?

— Quatre, et un cinquième en route. Orlando a huit ans, Lysander six et Ptolemy cinq. Hero en a juste trois.

— Que des garçons?

— Hero est une fille. Son nom vient évidemment de *Beaucoup de bruit pour rien*. Nous espérons avoir une seconde fille. Histoire de rendre les choses un peu plus égales. Cela m'exaspère de voir ce que certains font subir à leurs enfants. Ils prétendent aimer ces pauvres petits diables, mais en fait ils les tourmentent. Gamin, j'étais envoyé au lit tous les soirs à 19 heures tapantes. Je restais éveillé pendant des heures. Cela a fait de moi un insomniaque. C'est pourquoi ma petite tribu va se coucher quand elle le veut et se lève quand elle veut.

— Mais… et l'école?

— Je n'ai aucune intention de les envoyer se faire persécuter et taper dessus. Je ne sais pas combien de fois j'ai été battu à l'école. On tolère trop facilement la violence dans ce pays. On pousse les enfants à s'y habituer. Je ne veux rien de cela pour mes quatre enfants. Sadie est leur enseignante et certains de mes amis contribuent à leur éducation. À mes yeux, leur faire apprendre les tables de multiplication et la liste des rois et des reines n'a aucun sens. Il est beaucoup plus important qu'ils sachent traire une vache ou naviguer. Pensez-vous que je dise n'importe quoi, Eva Maclise?

— Non, pas du tout. Certains aiment l'école, d'autres non. Mon frère Philip pleure toute la nuit avant de retourner à l'internat. En revanche, ma sœur Clémence adorait l'école. J'ai une foule de frères et sœurs. Il m'est arrivé de penser que ma mère ne remarquerait même pas l'absence de l'un d'entre nous – surtout la mienne, car je suis en milieu de fratrie.

— Oh, je doute de cela. J'en doute très fortement, reprit-il avec ce même regard qui la faisait frissonner. Il y a quelque chose chez vous que j'ai remarqué à la seconde où je vous ai vue. Vous me semblez être une fille qui se connaît fort bien. L'école et tout ce bazar de la bureaucratie bourgeoise est là pour écraser l'esprit des gens comme nous. Son but est de nous mettre au pas, de nous faire taire et de nous faire supporter les idées reçues et l'hypocrisie qui nous entourent.

Il s'arrêta brutalement et, se tournant vers elle, lui dit avec force :

— Les gens médisent sur moi mais je ne fais que ce qu'ils rêvent de faire — et que certains, à la vérité, font réellement. Selon eux, tout est tolérable dans la mesure où l'on sauve les apparences. Maquillez je ne sais quel péché avec une attitude pieuse et conventionnelle et tout le monde s'en fichera. Dites ce que vous pensez, assumez vos défauts avec honnêteté et on vous dépeindra comme le diable en personne. Je méprise tout cela.

Eva pensa à son père grimpant dans le fiacre et se penchant pour embrasser Mme Carver, puis à son père à la maison, l'homme de famille droit, l'entrepreneur respectable, pilier du monde des affaires à Sheffield. Elle se mordit les lèvres et entendit Gabriel Bellamy dire gentiment :

— Je suis désolé. Je n'avais pas l'intention de vous effrayer. Sadie me dit que je parle trop fort, que je fais peur aux enfants.

— Je ne suis pas effrayée. Et je pense que vous avez raison. Je déteste aussi cette hypocrisie.

Il était 18 heures. Les employés de bureau se pressaient pour rentrer chez eux, leur parapluie plié, leur faux col fripé à l'issue d'une longue journée.

— Avant, comme tout le monde, je faisais comme on m'a dit, à l'instar de ces pauvres fourmis qui vivotent dans leur bureau. Et un jour, je me suis dit : pourquoi ne pas vivre ma vie comme je l'entends ? Au diable l'opinion des autres. Après tout, on n'a qu'une vie, non ? Et voilà, je vous ai encore choquée. Est-ce mon langage ou ma faible croyance en l'au-delà ?

— Ni l'un ni l'autre.

— Vous devriez venir à Greenstones, ma demeure dans le Wiltshire. Comment ? Je vous choque encore ? Vous inviter dans ma famille alors que l'on se parle depuis seulement une demi-heure ?

4

Le 6 mai 1910, le roi Édouard VII mourut. Les théâtres fermèrent et la Bourse cessa les transactions. Le jour des funérailles, la foule envahit les trottoirs avant l'aube pour glaner un coup d'œil sur le cercueil, en route vers Windsor. À l'hôpital Mandeville, les pensées d'Iris se détachèrent momentanément de la mort du roi (toutes ces années d'attente pour ne régner que neuf ans!). Puis elle revint à ses préoccupations habituelles: son pied endolori, ses mains ridées.

À Summerleigh, Clémence lut à haute voix le journal à Lilian.

— «Le président Armand Fallières a envoyé à la reine Alexandra un télégramme de condoléances. La Chambre des rep...» – Clémence hésita sur le mot.

— Des représentants, reprit Lilian sur un ton impatient, la Chambre des représentants, Clémence, bien entendu.

Une lettre de Gabriel Bellamy parvint à Eva, l'invitant à sa maison du Wiltshire. Pendant que Mme Wilde évoquait la mort du roi avec désespoir, Eva sentit un frisson d'excitation: *Il s'en est souvenu. Je pensais qu'il oublierait, qu'il avait juste été poli, mais il s'en est souvenu.*

Introduite depuis peu dans la société londonienne, Marianne eu vent de l'inquiétude qui bruissait en ville. «Les classes supérieures de la société se mettent au diapason du roi, lui avait expliqué l'un des amis d'Arthur, et Édouard était l'emblème de la bonhommie, c'était un bon vivant. George est une tout autre espèce d'oiseau; les temps vont changer.»

Iris avait des ampoules aux pieds à cause des kilomètres qu'elle parcourait chaque jour dans la salle d'hôpital ; ses mains étaient rouges et gonflées par la soude et la javel. Elle ne tressait plus ses cheveux et le mieux qu'elle pouvait accomplir, le matin, était de les relever proprement avec des épingles et de les glisser sous sa coiffe. Sans les patients, qui étaient ses alliés, elle aurait eu encore plus de problèmes : lorsque Sœur Grant regardait ailleurs, les hommes faisaient signe à Iris d'approcher et lui rappelaient que c'était l'heure de faire chauffer les bouilloires pour leur Bovril, ou lui indiquaient un plateau de pansements usagés qu'elle avait laissé sur le rebord de la fenêtre. Il semblait ne jamais y avoir assez de temps pour la charge de travail demandée. Les commentaires caustiques de Sœur Grant lui faisaient parfois monter les larmes aux yeux. Seul son orgueil, cet orgueil blessé qui lui avait fait choisir cet affreux travail, lui permettait de garder la tête haute. Si Charlotte n'avait pas frappé tous les matins à sa porte pour la réveiller, elle aurait été en retard tous les jours. Elle ne comptait plus le nombre de fois où elle avait décidé de remettre sa démission ou de tout simplement quitter la salle de Sœur Grant – si seulement elle en avait trouvé le temps ou la force !

Elle languissait de ses journées de congé. Un jour, elle partait flâner dans les magasins de l'ouest londonien ; l'autre, elle rendait visite à Marianne dans sa maison claire et fraîche. Même sa jalousie à l'égard de sa sœur avait diminué au cours de ces derniers mois. Elle n'avait plus l'énergie d'être envieuse. Passer une journée dans un endroit civilisé qui ne sentait pas l'hôpital était bien agréable.

Ainsi le temps s'écoula et, sans s'en apercevoir, le métier d'infirmière devint plus facile. Plus compétente, elle se fatiguait moins, n'ayant pas à faire les choses deux fois. Étant moins fatiguée, elle apprenait de nouvelles techniques plus rapidement. Elle accomplissait désormais automatiquement certaines tâches sur lesquelles elle s'échinait auparavant, et se souvenait avec embarras de ses premiers essais maladroits pour border un lit ou préparer un simple dîner.

Au Mandeville, certaines salles d'isolement étaient réservées aux cas de scarlatine, diphtérie, variole et aux maladies vénériennes. D'autres étaient consacrées au traitement de l'os-téomyélite et de la fièvre puerpérale. Il y avait une salle pour les enfants, une pour les maladies mentales, et une autre pour les maladies oculaires. La salle de Sœur Grant accueillait des hommes souffrant d'une large variété de maux. Les plus com-muns étaient les septicémies, les infections pulmonaires et les douleurs abdominales aiguës. Des travailleurs dans la force de l'âge mouraient en une journée de pneumonie lobaire ; de jeunes hommes entrant dans l'âge adulte succombaient à des maladies cardiovasculaires liées à un rhumatisme articulaire aigu contracté pendant leur enfance.

Le samedi soir et les jours fériés étaient marqués par une recrudescence de blessures dues à des bagarres de rue. Iris soi-gnait des hommes qui s'étaient fait trancher la gorge dans les ruelles de Whitechapel, ou des victimes de rixes dans des pubs, qui gisaient immobiles et livides, leur crâne fracassé entouré de bandages. Enfin, il y avait les blessures industrielles : des travail-leurs admis avec un membre écrasé par la chute d'une poutre, ou la colonne vertébrale brisée après qu'une corde eut lâché ou qu'une échelle se fut dérobée sous leurs pieds. Les jambes d'Alfred Turner avaient ainsi été broyées dans un accident sur les docks. Âgé de vingt ans, il avait une crinière brune et bouclée et le nez retroussé. Il appela Iris alors qu'elle passait devant son lit :

— Eh, blondinette !

— Oui, monsieur Turner ?

— Alfie, appelle-moi Alfie, blondinette. J'ai soif. Une bière serait très bien. Ou un petit verre de rhum.

— Je vais vous chercher de l'eau.

Elle trouva une tasse et une paille. Il l'avala en quelques gor-gées, s'écrasa à nouveau sur son oreiller et sourit à Iris.

— Qu'est-ce tu fais le soir, blondinette ?

— Je reprise mes bas et j'écris mon courrier.

— Tu n'as pas d'amoureux ? Eh, blondinette n'a pas d'amou-reux ! cria-t-il aux autres hommes.

— Quel dommage... répondit le chœur de la chambrée.

— Ça n'a pas de sens, mon chou...

— Je veux bien être ton amoureux, ma chérie...

Ce soir-là, elles étaient moins nombreuses dans la pièce commune des stagiaires. Elsie Steele avait été emmenée au dispensaire des infirmières pour une angine. «Elsie ne va pas bien du tout, leur avait rapporté Charlotte, qui travaillait dans la même salle qu'elle. Sœur Matthews dit qu'elle a une forte fièvre.» Le lendemain, Alfie Turner paraissait s'être toqué d'Iris. Pendant que celle-ci travaillait, il la poursuivait de sollicitations à boire ou à fumer.

— Monsieur Turner, lui souffla-t-elle un après-midi, vous êtes casse-pieds!

— J'ai juste besoin que mon oreiller soit battu. On dirait que quelqu'un y a mis des pierres.

— C'est la dernière fois. Ensuite, vous me laissez tranquille.

— Je voulais juste…

— Quoi?

— Voir ton visage.

— Monsieur Turner…

— Ne sois pas énervée contre moi, blondinette. Tu as un beau visage. J'comprends pas c'que tu fais ici. Tu pourrais être sur une scène. T'es aussi jolie que n'importe laquelle de ces filles au Gaiety Theatre.

— Le seul problème est que je ne sais pas chanter, dit Iris en cognant du poing l'oreiller.

— Allons! Je parie que si! Chante-nous quelque chose, mon amour.

— Si je le faisais, vous auriez assurément une rechute, répliqua-t-elle avec le sourire, remettant l'oreiller sous sa tête.

— Je parie que tu peux danser. Je suis un sacré danseur. Tu sais, quand je sors d'ici, je t'emmène au Palais.

Ce soir-là, Iris était assise dans la chambre de Charlotte, en train de manger des biscuits que la mère de cette dernière avait envoyés. Elsie Steele était toujours très malade. La fièvre ne retombait pas aussi vite que les docteurs l'avaient espéré.

Le jour suivant, le Dr Hennessy ouvrit la blessure sur la jambe d'Alfie Turner. Depuis la cuisine où elle faisait chauffer les bouilloires, Iris l'entendit crier. Mais à l'heure du thé, il s'était rétabli et la harcelait de nouveau.

— Dis-nous ton nom, blondinette.

— Vous le connaissez : c'est Infirmière Maclise.

— Je parle de ton nom de baptême. Nous avons un p'tit pari avec les gars : tu es une Florrie ou une Ethel. Allez, dis-nous, blondinette. Je pense que tu t'appelles Gertie. Ou Marie, peut-être.

— Rien de cela, dit-elle en ne pouvant s'empêcher de sourire.

— Comment pouvons-nous aller danser si je ne connais pas ton nom ?

Sa voix la poursuivit alors qu'elle poussait le chariot hors de la salle.

— Ou alors Lise, ou Sal…

L'état d'Elsie Steele se détériora pendant la journée. Les médecins craignaient que l'infection ne se fût propagée aux poumons ; la surveillante avait fait prévenir ses parents. Ce soir-là, la salle des stagiaires était calme et silencieuse. Le lendemain matin, des prières furent prononcées dans la chapelle pour le rétablissement d'Elsie. Iris ressentait une forme d'incrédulité. Les patients mourraient chaque jour, d'un accident ou de maladie. Mais certainement pas la mince, guillerette et pressée Elsie, vingt-deux ans, un mètre cinquante pieds nus, avec ses longs cheveux et son accent des Midlands !

Ce matin-là, quand Iris entra dans la salle, un rideau entourait le lit d'Alfie. Sa température était montée, lui annonça l'infirmière de service. Il était agité et les yeux grands ouverts quand elle fit rouler le chariot à l'intérieur des rideaux.

— J'espère que t'as pas oublié, dit-il d'une voix rauque.

— Oublié quoi ?

— Ben, notre sortie. Toi et moi, mon coquelicot. Pour aller danser.

— Mon coquelicot ?

— L'infirmière de nuit m'a dit que tu portais le nom d'une fleur.

Son regard se porta nerveusement sur le chariot.

— C'est quoi, ça ?

— C'est un cataplasme. La chaleur aspire les toxines de la blessure et l'empêche d'enfler.

— Ras-le-bol de ces médecins qui me charcutent comme un morceau de viande. On ira dîner après être allés au bal, dit-il avec une voix marquée par la douleur. Je t'inviterai à manger un poisson-frites.

Iris vit que les parties non bandées de sa jambe portaient de noirs hématomes.

— Une aussière sur la grue a lâché, grogna-t-il. Tous les sacs de blé me sont tombés dessus. On croirait pas qu'un peu de blé puisse faire de tels dégâts, hein?

Pour son jour de congé, Iris partit faire des courses. Vers 17 heures, chargée de paquets et de colis, elle retrouva James, qui était en ville pour le week-end, au Lyons Corner House, sur Coventry Street. Il l'embrassa.

— C'est pour moi, lança-t-il à la serveuse qui leur indiquait une table. J'ai gagné un peu au tiercé.

James commanda le dîner et donna à Iris les dernières nouvelles de la famille. Elle était distraite. Toujours ce sentiment étrange d'être coupée de ce qui avait jadis été toute sa vie, les danses, les pique-niques et le train-train de la maison.

— Souris! reprit-il après un moment. On dirait que tu as le cafard.

— Ça va, dit-elle. Juste un peu fatiguée. Mais bon, je suis tout le temps fatiguée, alors...

Elle parla d'Elsie, en ajoutant:

— Charlotte m'a dit qu'Elsie était imprudente en salle des patients, qu'elle bâclait le ménage et ne se lavait pas toujours les mains après avoir nettoyé une blessure.

La voix de Sœur Grant retentit dans la tête d'Iris: «La propreté est la seule défense que nous ayons contre les infections.» Puis elle dit doucement:

— Elsie va peut-être mourir. Le prix est assez lourd à payer pour un peu de négligence, non?

— Est-ce qu'elle est une amie à toi?

— Pas particulièrement.

— C'est triste quand même. Pauvre gamine.

— Eh mince! Je ne voulais pas du tout parler de cet horrible hôpital! Je voulais passer une journée sans y penser une seconde.

Elle baissa les yeux sur son toast au fromage.

— Comment diable ai-je pu croire que je pourrais endurer ce travail?

— Parfois, je t'envie.

— Ne sois pas ridicule, James. Si seulement tu savais...

— Venir ici t'a permis de quitter la maison, n'est-ce pas? Peut-être es-tu chanceuse: tu es libre maintenant.

Iris voulut éclater de rire. Elle songea à la douleur de se tirer hors du lit le matin, à ses mains meurtries et à ses pieds couverts d'ampoules. Il était complètement ridicule de dire qu'elle était libre quand chaque instant de sa journée était accaparé par une tâche ou une autre.

— Comment vont-ils, à la maison? demanda-t-elle. Comment va mère? Est-ce qu'elle est à nouveau mal?

— Mère est égale à elle-même.

— Et père? Vous êtes-vous querellés?

— Pas plus que d'habitude. Je ne veux pas le fâcher mais ça arrive quand même.

— Si tu essayais de ne pas faire les choses qui l'énervent – tu sais comment il est avec l'argent...

— Mais il est tellement avare...

— Je parlais des jeux d'argent, James! cria-t-elle, exaspérée. Si père savait!

— Mais j'ai gagné! dit-il avec les yeux étincelants.

— Et combien de fois as-tu perdu?

— Une ou deux fois, admit-il. C'est drôle, Iris, c'est excitant, voilà pourquoi je joue. Tout le reste est si ordinaire. Parfois j'ai peur que tout soit éternellement la même chose. Dans cinquante ans, je vivrai toujours à Sheffield et je travaillerai chez Maclise.

— Est-ce si triste?

— J'aimerais accomplir quelque chose de glorieux, d'héroïque. Quelque chose dont les gens se souviendront. J'aimerais rejoindre le pôle Sud. Ou voler à travers l'océan Atlantique. Mais je n'ai pas même mis le pied hors d'Angleterre!

— Je n'ai jamais compris pourquoi les hommes sont si obsédés par la gloire. Ou par l'héroïsme. J'imagine que les deux sont aussi inconfortables que d'être infirmière.

— Je pourrais me marier, dit-il en souriant. Cela me permettrait de m'échapper du foyer familial, non ? Mais c'est encore une chose sur laquelle père et moi ne sommes pas d'accord. Il souhaite que je me lie à n'importe quel vieux sac d'os un peu fortuné et issu d'une famille respectable. Mais j'aime les filles douces et gentilles, rondes et avec une jolie frimousse.

— *James.*

*

Le lendemain, les chirurgiens opérèrent la jambe d'Alfie Turner, extrayant les os morts et comblant la plaie avec de la gaze. Quand Iris le regarda, Alfie était blanc et faible.

— On dirait qu'ils m'ont cogné au marteau.

Il regarda par la fenêtre où des nuages gris filaient dans le ciel.

— Il faudra peut-être une semaine ou deux avant que je t'emmène danser, coquelicot.

Les nouvelles d'Elsie Steele étaient meilleures. Elle se rétablissait, selon Charlotte qui avait eu le droit de la voir quelques minutes. À cause de la fièvre, on lui avait coupé les cheveux.

— Elle ressemble à un garçon, un drôle de petit garçon maigre, raconta Charlotte. Elsie m'a dit que, une fois rétablie, elle rentrera chez elle. Elle a décidé qu'elle ne voulait plus être infirmière. Cela fait une de moins parmi nous.

La première chose qu'Iris vit en entrant dans la salle des patients, le lendemain matin, était que les paravents autour du lit d'Alfie Turner avaient été enlevés. En une seconde, elle réalisa que le lit était vide, et que draps et couvertures avaient été ôtés. L'infirmière de nuit était penchée sur le casier.

— Décédé dans la nuit, le pauvre enfant, murmura-t-elle en rassemblant les quelques affaires d'Alfie dans une pochette en papier marron. Tant mieux, en fait – ce dont j'ai horreur est quand ils traînent à mourir. Vous feriez mieux de faire le lit pour le prochain patient.

Mais il ne peut pas être mort, eut envie de protester Iris. *Je lui ai encore parlé hier soir.* Elle se rendit pourtant à la blanchisserie, où elle regarda fixement les piles de linge. C'était tellement idiot de se sentir soudainement peinée, se dit-elle. Des hommes mouraient tous les jours dans la salle, de jeunes hommes forts comme Alfie. Elle devrait y être accoutumée maintenant. Les piles de draps et de taies d'oreiller devinrent floues et elle dut presser ses mains sur son front pour empêcher les larmes de couler. Elle respira profondément puis, les bras chargés de draps, elle retourna en salle.

À la station de train sur la ligne de Salisbury, un poney harnaché à une charrette anglaise attendait pour emmener Eva à la maison des Bellamy.

— Gabriel est sorti, annonça le jeune homme conduisant le cabriolet alors qu'il lui prenait son nécessaire de voyage et l'aidait à monter sur le siège à côté de lui. Et Sadie est enceinte, comme vous le savez. Quant à Nerissa, Dieu seul sait où elle est, et ces maudits Max et Bobbin sont probablement encore en train de dormir. Voici pourquoi je suis là. Mon nom est Val Crozier. Certains pensent que Val est le diminutif de Valentin, mais je vais vous dire la vérité car vous avez un charmant visage : mes parents – que Dieu les pende – m'ont baptisé Percival.

— Eva Maclise, dit-elle en lui serrant la main.

Il cravacha le poney et ils quittèrent la station.

— Maclise ? Vous n'êtes pas écossaise, n'est-ce pas ?

— Non. Mon arrière-grand-père…

— Fort bien. Morne pays, l'Écosse. Encore plus maussade que ce foutu Wiltshire.

Ils trottaient le long de routes étroites longées de hauts accotements où le chèvrefeuille débordait des haies, et l'aubépine resplendissait de fleurs roses et crème.

— Je trouve ça plutôt très joli, reprit Eva.

— Cela fait trois mois que je réside chez Gabriel et Sadie et, croyez-moi, c'est très monotone. Je déteste la campagne. Et j'ai constamment un rhume, dit-il en reniflant.

— Comment connaissez-vous M. Bellamy ?

— Je l'ai rencontré dans quelque cabaret, à Paddington.

— Êtes-vous artiste ?

— Mon Dieu, non! À la vérité, cela fait un certain temps que je n'ai pas accompli grand-chose. J'ai voulu passer l'examen du service civil aux Indes et j'ai échoué lamentablement. Puis j'ai rencontré Gabriel et il m'a offert de venir ici. J'aide ici et là, à aller chercher de l'eau ou à nourrir les bêtes.

— Les bêtes?

— Les porcs répugnants de Gabriel. Je déteste les cochons presque autant que les enfants. Je suis censé enseigner le grec ancien à ces petits monstres. Aux enfants, pas aux cochons. Selon Gabriel, les enfants peuvent tout apprendre s'ils commencent suffisamment tôt. Ils seraient des sortes d'éponges.

— Et qu'en dites-vous?

— Je ne crois pas être fait pour l'enseignement. Une profession de plus à éviter pour Val Crozier. Voici Greenstones, dit-il en indiquant les collines devant eux.

Eva aperçut un pâté de maisons. Le paysage de collines, de ruisseaux et de forêts respirait la grandeur et l'isolement. Ils quittèrent la route pour emprunter un chemin qui s'écartait à travers des champs de boutons d'or. Comme ils approchaient de la ferme, Eva vit qu'elle était construite à partir de pierre, de brique et de silex, et que plusieurs granges et autres bâtiments étaient regroupés autour d'elle. Val dirigea le poney et la charrette vers la cour intérieure. Un gamin aux cheveux noirs emmêlés, vêtu de haillons colorés, se précipita hors d'une grange attenante.

— Devine ce que j'ai, lança-t-il à Eva.

— Je n'en ai aucune idée.

— Regarde, dit l'enfant en tendant vers elle ses deux mains closes.

— Si j'étais vous, je n'en ferais rien, conseilla Val. File, Lysander, s'il te plaît. Où est Sadie?

Lysander ouvrit les mains et découvrit un grand scarabée noir.

— Il est très joli, dit Eva poliment. Je vais l'appeler Percival, ajouta-t-elle avec un regard narquois en direction de Val. Percival le scarabée.

Val se saisit des affaires d'Eva et marcha vers la maison.

— Quelle horrible petite créature, grommela-t-il dans sa barbe.

À l'intérieur de Greenstones, chaque étagère et chaque surface était en pagaille. Une collection de silex, dont certains étaient sur le point d'être fixés à des haches, était éparpillée dans l'âtre. Des jouets d'enfant, morceaux de bois et moteurs miniatures, jonchaient les tapis comme s'ils avaient été projetés par une rafale de vent. Les pièces, à plafond bas, étaient de forme inégale, les meubles usés mais d'allure confortable et il y avait des tableaux partout – croquis à la sanguine et à la craie blanche, dessins au crayon, estampes et, au-dessus d'une cheminée, une grande peinture à l'huile représentant le visage calme et saisissant d'une femme aux cheveux foncés abondants.

Val conduisit Eva dans la cuisine où flottait une odeur de café et de pain frais. Un autre gosse aux cheveux noirs était juché sur l'égouttoir, en train de manger un petit gâteau tandis qu'un chat lapait du lait dans une soucoupe posée sur le sol. Un grand pot en fonte bouillait sur le fourneau. L'évier débordait de moules à cuire et de casseroles sales.

Eva reconnut la femme debout devant la grande table en pin sur la peinture : elle était en train de préparer des pâtisseries. Son tablier prenait la forme de son ventre plein. Une petite fille – Hero, devina Eva – était enroulée autour d'une de ses jambes. Les yeux et la chevelure noirs comme ses frères, Hero portait une blouse fabriquée à partir d'une sorte de toile à sac rouge et verte.

— Salut Sadie, dit Val.

— Val, Dieu soit loué. Est-ce que Orlando est avec toi ?

— Non, désolé.

— Je pensais qu'il serait avec toi, reprit Sadie, l'air inquiet. Je ne l'ai pas vu de toute la matinée.

— Peut-être est-il parti avec Gabriel.

— Voudrais-tu bien le trouver ? Tu sais comme il est…

— Bien sûr. Au fait, voici Eva.

Val repartit dans un couloir. Sadie essuya sur son tablier sa main enfarinée et la tendit à Eva.

— Heureuse de faire votre connaissance, Eva. Je m'excuse si tout est… dit-elle en balayant du regard autour d'elle.

— C'est tellement aimable à vous de m'inviter, madame Bellamy.

— Appelez-moi Sadie, s'il vous plaît. Les amis de Gabriel sont... mais vous devez être très fatiguée et affamée après ce voyage. Café ?

— Avec plaisir.

— Asseyez-vous, si vous trouvez de la place.

Sadie versa du café dans une grande tasse qu'elle tendit à Eva.

— Je ne bois jamais de café quand je suis enceinte, dit-elle avec regret. C'est terrible comme les enfants vous dépouillent de tant de plaisirs de la vie. En revanche, j'ai l'impression d'avoir tout le temps faim. Tenez, servez-vous, Eva, dit-elle après avoir coupé quelques tranches de pain. Et voici un peu de miel de Gabriel...

Elle attrapa un pot sur une étagère.

— M. Bellamy élève-t-il des abeilles ?

— Hélas. L'année dernière, elles sont entrées dans la maison par la cheminée, noires de suie et vrombissant dans les chambres des enfants comme des morceaux de charbon en furie.

— Quel pain délicieux.

— C'est gentil à vous. Bon, je dois vraiment y aller maintenant, excusez-moi.

Sadie se leva. Elle s'était assise moins de cinq minutes. Il y avait une différence entre la Sadie en peinture et la femme qui roulait des gâteaux. Cette dernière était plus pâle et avait les traits tirés par la fatigue.

— Puis-je aider ? proposa Eva. Je ne suis pas très bonne cuisinière, mais je peux faire la vaisselle.

— Vous êtes sûre ? Nerissa a dit qu'elle le ferait mais elle a mal à la tête et est couchée. Tous nos autres invités sont des hommes. Et les hommes, n'est-ce pas, pensent que faire la vaisselle est indigne d'eux.

Eva mit les plats sur l'égouttoir. Le petit garçon perché à côté lui tira la langue.

— Ptolemy ! dit Sadie sèchement.

— Maman, répondit Ptolemy en tendant les bras vers sa mère.

— Maman ne peut pas te prendre. Tu es trop lourd.

— Mais maman…

— Finis ton gâteau, Tolly. L'eau chaude est sur le feu, Eva. Vous devriez remplir les bouilloires et les faire chauffer au fur et à mesure, sinon vous allez être à court. Si vous manquez d'eau froide, l'un des hommes devra aller en chercher au puits. Et pendant que vous faites la vaisselle, parlez-moi, je vous prie. Arrivez-vous de Londres ? La ville me manque tellement. Vous devez me raconter ce que l'on trouve dans les magasins. Je veux tout savoir. Surtout les vêtements. Comment les femmes s'habillent-elles de nos jours ?

Eva décrivit à Sadie les tenues que Marianne avait achetées chez Selfridge. Puis elle narra la pièce de théâtre qu'elle avait vue au Haymarket ainsi qu'un ballet à l'Empire. Sadie parut nostalgique.

— J'adore le ballet. Petite fille, je voulais être ballerine. (Elle ouvrit le four.) Hero, s'il te plaît, ne t'agrippe pas ainsi !

Elle décrocha la petite de son genou. Hero se mit à pleurer. N'y prêtant pas attention, Sadie se pencha avec difficulté pour enfiler les tartes dans le four.

— Maintenant, parlez-moi un peu de vous, Eva. Que faites-vous ?

— J'étudie à la Slade School of Art.

— J'y ai également étudié, dit-elle en se redressant, se massant d'une main le dos et regardant de ses grands yeux noirs en forme d'amande la pile de vaisselle et l'enfant en pleurs. Il y a des années de cela, dans une autre vie, j'ai étudié à la Slade.

Eva ne fit connaissance avec les autres invités qu'au dîner. Une fois la vaisselle finie, Sadie lui montra sa chambre. Eva défit ses affaires, prit un bain et enfila sa robe du soir. À 18 heures, elle descendit. Le son des voix la conduisit dans la cuisine, où la table était mise pour dîner. Une jeune femme y était assise. Elle portait une robe ajustée d'un rouge sombre et ses cheveux foncés et brillants s'enroulaient autour des oreilles, donnant à son visage une forme longue et ovale. Un très bel homme – cheveux frisés châtains, veste de tweed rapiécée aux coudes – était appuyé à l'évier. Dans un coin de la pièce, Lysander et Ptolemy se chamaillaient en jouant au valet. Sadie, debout devant le fourneau, touillait un ragoût. Elle présenta Eva aux autres invités. Le jeune homme en tweed s'appelait Max Potter et la femme en robe rouge Nerissa Jellicoe. Max servit un verre de vin rouge à Eva.

— Gabriel avait l'habitude de faire du vin à partir de cosses de pois et d'orties mais, Dieu merci, il a depuis abandonné. Désormais, il se fournit en France. C'est infiniment mieux, dit Nerissa d'une voix chaude et traînante.

D'autres personnes emplirent la cuisine. Val portait Hero sur ses épaules ; il y avait un homme de petite taille et au visage rond que Max avait présenté sous le nom de Bobbin, et un garçon dégingandé de neuf ans qui, à ses cheveux foncés et ses yeux en amande, était assurément un autre enfant de Sadie.

— Orlando, dit Sadie, tu devrais monter te laver. Et où se trouve Gabriel ? Les légumes vont être froids.

— On dirait que tu t'es roulé dans le foin, lança Max à Orlando, qui avait de la paille dans les cheveux et des traces de boue sur le visage.

— J'essayais de tuer des rats, répondit Orlando en brandissant un lance-pierres.

— En as-tu attrapés ? demanda Lysander.

— Non, mais j'ai piégé une grenouille dans mon filet de pêche. Elle fait des sauts formidables. Elle est dans une boîte dans ma chambre.

— Tu devrais te laver les mains, Orlando, répéta Sadie.

À cet instant, la porte de derrière s'ouvrit en grand. Gabriel Bellamy se tenait dans la cour, un fusil ouvert sur son bras et une demi-douzaine de lapins pendant à son épaule.

— Je t'apporte un cadeau, Sadie, annonça-t-il en déposant les lapins sur l'égouttoir.

— Gabriel, pas si près des gâteaux…

— J'ai passé une journée merveilleuse, dit-il en enlaçant Sadie, l'attirant vers lui pour l'embrasser.

— Le dîner est prêt. Et va mettre ces lapins dans le garde-manger.

— Tu ne veux pas que je te raconte ma journée ?

— Les légumes…

— À l'aube, alors que les prés étaient encore couverts par la rosée…

— Gabriel, interrompit Sadie, la voix légèrement tremblante avant de retrouver un ton retenu. Tu dois aller mettre ces lapins dans le garde-manger et venir à table. Et toi, Orlando, va te laver les mains, tout de suite.

Gabriel ramassa les lapins et Orlando s'éclipsa de la pièce.

— Puis-je faire quelque chose, ma chère ? demanda Nerissa.

— Si tu pouvais juste attraper les assiettes pour moi, je n'y arrive pas, répondit Sadie en se tenant le ventre.

— J'y vais, dit Val en se dirigeant vers l'étagère.

— Moi, je m'occupe de la petite Hero, proposa Nerissa en prenant sur ses genoux l'enfant récalcitrante.

Sadie servit le ragoût. Gabriel, revenu du garde-manger, vit Eva, poussa un cri de joie, tendit les bras autour de son cou et l'embrassa sur la joue.

— Laisse cette jeune fille tranquille, intima Nerissa. Tu lui ébouriffes les cheveux.

— J'ai bien peur que mes cheveux soient tout le temps ébouriffés, s'excusa Eva. Ils sont ainsi.

— Vous devriez les brosser cent fois par jour, reprit Nerissa. C'est ce que je fais.

Elle passa sa main dans ses boucles soyeuses. Hero plongea un doigt dans son verre de vin et le suça.

— Ne fais pas ça, ma chérie, dit Nerissa sur un ton sec. Petite vilaine !

Hero se renfrogna et se mit à pleurer. Gabriel la souleva dans ses bras et la fit tourner dans les airs. Les larmes disparurent et elle se mit à rire d'allégresse. À table, il y avait beaucoup de chassés-croisés. Si les Bellamy voulaient davantage de pommes de terre et que le plat était trop loin, ils se levaient tout simplement, contournaient la table et prenaient le plat. Les calmes appels de Sadie – «Demandez que l'on vous passe les plats, ne parlez pas la bouche pleine» – étaient ignorés. Au milieu du premier plat, Gabriel quitta la table pour aller chercher des fleurs qu'il avait cueillies le matin, puis Bobbin disparut pour revenir avec un énorme manuel permettant d'identifier ces pauvres plantes trempées. Ensuite, ce fut au tour d'Orlando de partir chercher la grenouille, qui s'échappa de sa boîte et sauta sur le sol, sous les cris stridents des Bellamy et de leurs invités. Lorsque la grenouille eut retrouvé la liberté en sautant par la porte de derrière, Hero, contrariée par cette perte, éclata en sanglots et dut être réconfortée jusqu'à ce qu'elle s'endormît sur les genoux de Sadie. Val l'emmena alors au lit. Et au milieu de tous ces incidents, Gabriel et Max programmèrent une croisière à Bilbao, tandis que Nerissa leur parla de son projet d'acheter une roulotte de gitan pour voyager à travers le pays.

— Je pense porter une robe verte et le plus mignon des chapeaux de paille, avec un ruban sous le menton, comme une bergère.

Sadie servait la tarte aux pommes quand Gabriel fixa son regard sur Eva et dit :

— Eh bien, Eva Maclise, vous amusez-vous bien ? Vous a-t-on fait visiter ma ferme ? Non ? Alors je m'en chargerai personnellement demain.

Sadie lui offrit une part de tarte.

— Je vous présenterai aux cochons. De splendides cochons, n'est-ce pas Val ? Aimez-vous les cochons, Eva ? Ce sont de charmants animaux. Je songe, par ailleurs, à construire un barrage sur le ruisseau pour avoir un étang. Nous pourrions y élever des carpes. (Il sourit à Eva.) Vous pourriez m'aider à creuser l'étang, si vous le voulez. Vous pouvez rester deux semaines, un mois, aussi longtemps que vous le désirez.

— Gabriel, Eva doit retourner à Londres, aux Beaux-Arts.

— C'est vrai, bien sûr. Dommage. J'aime avoir de la compagnie.

— Tu ne manques pas de compagnie, Gabriel.

— Mais plus on est de fous, plus on rit.

— Crème fraîche ou crème anglaise ? proposa Sadie en lui passant deux pots.

— Alors, que pensez-vous de nous, Eva ? J'espère que nous ne sommes pas trop bruyants. Certains de nos invités sont repartis en hurlant vers la gare ferroviaire après quelques heures chez les Bellamy.

— Gabriel, il n'y en eut qu'une, vraiment...

— Et elle était folle.

— Assez cinglée, oui.

— Eva est faite d'un autre bois, n'est-ce pas Eva ? déclara Gabriel en versant les deux crèmes sur sa tarte. Vous venez d'une famille nombreuse, non ? Une *ribambelle*, m'avez-vous dit.

— J'ai six frères et sœurs.

— Ah ! dit Nerissa en souriant, voici de quoi t'inspirer, Sadie. Plus que deux après la naissance du prochain.

— Mon Dieu, j'espère que non, grommela Sadie. Je crois que je me suiciderais.

— Sadie, dit Gabriel.

Sadie se tenait debout près de l'évier, le plat à tarte vide entre les mains.

— Je suis juste très fatiguée, murmura-t-elle, le visage tout blanc. Et nous n'avons plus de cuillères propres.

— Pour l'amour du ciel, Sadie, assieds-toi, dit Gabriel en guidant sa femme vers une chaise. Il faut toujours que tu cherches la perfection. On peut utiliser les cuillères à thé, non ?

Il alla en chercher une demi-douzaine dans un tiroir.

— Tu sais quoi, demain, tu ne fais rien. Tu dois te reposer. Tu peux rester au lit toute la journée. Je préparerai le dîner. Je ferai cuire les lapins sur un feu dans le champ et nous dînerons comme des gitans, sous les étoiles.

Gabriel s'assit à côté de Sadie, lui embrassa la main et elle lui sourit.

Le lendemain matin, Gabriel emmena Eva faire le tour de la ferme. Il lui montra le potager, le pré pour les foins, les ruches et les porcheries.

— Je n'ai acheté ces cochons que l'année dernière, expliqua-t-il. Il s'agit donc un peu d'une expérimentation. Ils mangent les pelures de pommes de terre et devraient fournir un merveilleux jambon pour l'automne. Je songe à acquérir une ou deux vaches.

— Cela ne prend-il pas beaucoup de temps, demanda Eva, du temps que vous pourriez consacrer à la peinture ?

— Je pars à Londres quand j'ai besoin d'un peu de temps pour moi. J'ai un studio à Paddington. De plus… je traverse plutôt une période, disons, de jachère. Je n'ai pas produit grand-chose depuis les paysages. Vous n'avez pas encore connu cela, j'imagine.

— Pas vraiment.

— Quel âge avez-vous, Eva ?

— Dix-neuf ans.

— *Dix-neuf.*

Ils se dirigeaient vers l'aire herbeuse où Gabriel songeait à construire une mare à poissons.

— Quand j'avais dix-neuf ans, dit-il, je n'avais pas le temps de peindre tous les tableaux que j'avais en tête. Je pensais qu'il en serait toujours ainsi. Aujourd'hui, j'en ai trente et… je découvre qu'il en est autrement.

Après avoir ramassé une branche morte, il se mit à fouetter les herbes hautes et les orties. Atteignant le bord de la cuvette, il fit une pause.

— Vous connaissez cette sensation en commençant une peinture, Eva. Quand vous êtes certain que cela va être la plus belle chose que vous ayez réalisée. C'est comme une… démangeaison de l'esprit. Un sentiment d'excitation bouillonnante qu'il faut saisir et exprimer. Ce fut ainsi lorsque j'ai acheté ce lieu : au cours du premier hiver, j'ai peint une demi-douzaine de paysages. Ou lorsque j'ai rencontré Sadie pour la première fois : je n'ai jamais rien peint de mieux que les portraits de Sadie. Ou encore Nerissa. Les tableaux de *La fille en robe rouge*. J'ai besoin de quelque chose… ou de quelqu'un… pour me stimuler. C'est alors que tout sort d'ici, dit-il en se tapotant le front. Laissez-moi vous montrer la raison pour laquelle j'ai acquis cet endroit, pourquoi je l'aime autant.

Ils s'éloignèrent de la ferme et gravirent la colline. De chaque côté d'eux, des alouettes s'envolèrent, piaillant en s'éparpillant dans le ciel bleu. En contrebas, les tuiles de la ferme et de ses dépendances brillaient dans la lumière du soleil. Au sommet de la colline, la forme ovale d'une longue voiture d'attelage émergeait de l'herbe, ornée d'aubépine.

— Pas d'ossements de roi défunt ni de trésor caché à l'intérieur, dit Gabriel. Les pilleurs de tombe l'ont depuis longtemps visitée. (Il grimpa dessus.) Et pourtant, ici, j'ai toujours l'impression d'enfreindre un domaine privé. Étrange, non ? Comme si c'était la propriété de quelqu'un d'autre. Regardez. Qu'en dites-vous ?

Le paysage s'étendait autour d'Eva, la colline, la forêt et les prés, traversés par des ruisseaux argentés. La brise souleva ses cheveux et fit trembler les feuilles de l'aubépine.

— C'est beau, dit-elle. Tellement beau.

Il descendit de la voiturette pour se tenir debout dans le pré, fronçant les sourcils en la regardant d'en dessous. Elle se demanda si elle avait dit quelque chose d'inapproprié. « C'est beau, tellement beau. » *Pour l'amour de Dieu, Eva*, se dit-elle, en colère contre elle-même, *quelle banalité !*

— Allons, ce doit être l'heure du déjeuner, dit-il en lui tendant la main pour descendre la pente.

Dans l'après-midi, Hero s'endormit dans un fauteuil, les hommes disparurent pour construire un feu de joie, Eva et Sadie prirent un thé dans la pièce aux silex et aux jouets d'enfants.

— Cette pièce est censée être mon salon mais elle est toujours envahie, dit Sadie avant de déplacer un puzzle et une boîte à peinture afin qu'Eva puisse poser son plateau. Mais c'est tellement délicieux de prendre un thé avec une amie.

Une amie, pensa Eva avec un frisson de plaisir. Les Bellamy allaient peut-être devenir ses amis. Il y aurait peut-être d'autres week-ends comme celui-ci, d'autres vendredis où ses camarades de classe à Slade lui demanderaient quels étaient ses plans et qu'elle répondrait : « Je vais passer le week-end chez les Bellamy — vous savez, Gabriel Bellamy, l'artiste, et son épouse. » Elle ferait peut-être partie du cercle des amis intéressants et non conventionnels des Bellamy. Un jour, elle connaîtrait peut-être aussi bien le fascinant Greenstones que le vieux et quelconque Summerleigh.

— Dites-moi donc, Eva, vous plaisez-vous à la Slade ? Est-ce qu'Henry Tonks est toujours là ? Et ces femmes ratatinées qui posent pour les cours d'après nature, où diable les trouvent-ils ? Au bordel, m'a dit Gabriel un jour, mais je pense qu'il se voulait provocant.

131

Eva raconta à Sadie le départ en larmes de certaines étudiantes du cours de Tonks, et les longs après-midi à dessiner des statues grecques et des bas-reliefs étrusques.

— Oh, vous me faites réaliser combien la compagnie féminine me manque, soupira Sadie. Il y a toujours tellement d'hommes à Greenstones. J'imagine qu'un jour Hero pourra me servir d'amie mais, pour l'heure, elle est bien jeune pour la conversation.

— Mais il y a Nerissa, suggéra Eva.

— Son seul sujet de conversation est elle-même, ce qui est un peu limité. Je finis par me parler à moi-même, parfois. Si seulement je pouvais trouver une cuisinière qui soit capable de parler de toutes ces choses qui intéressent les femmes. Mais, bien entendu, aucune bonne âme ne veut venir jusqu'ici. On doit donc faire avec les gourdes et les bécasses. En semaine, une fille du village vient mais elle ne peut guère aligner deux mots à la suite – cela se réduit à « Oui, madame, non madame » et un regard de niaise si j'essaie de lui parler d'autre chose que de l'eau de javel ou des féculents. J'ignore le nombre de filles que nous avons eues. Certaines partent car elles ont peur de Gabriel – il peut parler fort, c'est vrai, et il a un regard de pirate. D'autres s'en vont car elles sont choquées par Nerissa. Nerissa croit au contact avec la nature. Elle ne porte pas toujours beaucoup d'habits. Une fille a fui en hurlant après être tombée sur Gabriel en train de peindre Nerissa dans le verger.

Eva gloussa.

— Oui, je sais, dit Sadie avec le sourire, c'était assez drôle. Et je reconnais que certains amis de Gabriel sont plutôt originaux. Et puis, il y a les enfants, bien sûr.

— Ils sont adorables.

— Vraiment ? fit Sadie, un doute dans la voix. J'imagine que oui. Ou ils le seraient s'ils se brossaient un peu les cheveux et se savonnaient le visage. Si j'étais une meilleure mère, je le leur imposerais. Oh, je m'excuse, me voici encore à grincher. Ne faites pas attention, je ne suis pas sérieuse. C'est juste ça, dit-elle en passant la main sur son gros ventre. Je suis toujours un peu déprimée en fin de grossesse.

— Ce doit être épuisant.

— Encore plus après la naissance, croyez-moi. Au cinquième, on sait à quoi s'attendre. Il y a l'accouchement, toute cette partie effroyable. Puis il y a les nuits sans sommeil. Je me sens misérable à l'idée même d'être exténuée pour les six mois qui viennent et de n'avoir, au mieux, qu'une demi-heure par jour pour moi pendant des mois et des mois. Veuillez m'excuser, Eva, si je ne fais pas attention, je vais vous dégoûter du mariage et de la maternité.

Un pleurnichement provint d'une autre pièce.

— Hero, souffla Sadie.

Elle se leva, puis, en arrivant à la porte, se retourna pour dire à Eva sur un ton plus calme :

— Ne croyez pas que je n'aime pas vivre ici. En fait, si. Parfois même beaucoup. Et Gabriel adore. Gabriel est heureux ici et c'est tout ce qui compte pour moi.

Ils organisèrent un feu de joie dans le pré, derrière la maison. À la nuit tombante, ils firent un cercle autour du feu, le regardant consumer feuilles mortes et bois sec. Le reflet de la lumière rendaient leurs visages noir et or, comme des masques aztèques. Un léger vent attisait et étirait les flammes ; des étincelles orange crépitaient comme de la poudre dans un ciel gris lavande. Sur la colline qu'Eva et Gabriel avaient gravie le matin, le tumulus était comme un grumeau d'encre noire sur fond de nuages filants. Lorsque les flammes faiblirent, Gabriel posa sur la braise les lapins qu'il avait tués la veille. Eva pensa aux petits pique-niques guindés de son enfance, les classiques virées sur les collines en char à bancs ou en voiture à moteur, avec domestiques, paniers d'osier et chaises pliantes. Ici, ils étaient assis sur l'herbe et réchauffés par le feu ; ici, à la place de sandwichs au concombre et de petits pains, ils mangeaient du lapin, des petites carottes et des choux précoces, cueillis directement dans le potager.

Max servit le vin. Après le dîner, Bobbin sortit sa guitare et joua. Nerissa dansa, faisant des cercles autour du feu et se balançant dans sa robe rouge au gré de la musique. Avec un éventail en papier blanc, elle dessinait des figures dans l'air.

— C'est une vraie garce mais on peut comprendre ce que Gabriel lui trouve, murmura Max à l'oreille d'Eva.

Les mouvements de Nerissa étaient fluides, hypnotiques.

— Nerissa pose pour Gabriel, n'est-ce pas? interrogea Eva.

— Oui, c'est exact, elle pose pour lui, répondit Max avant de disparaître dans l'obscurité.

La danse prit fin sur une vague d'applaudissements. Eva entendit une voix nasillarde derrière elle. En se retournant, elle vit Ptolemy.

— Qu'y a-t-il, Tolly?

— Je veux un éventail, dit-il, le visage marqué par les larmes et tendant un morceau de papier froissé. Je veux un éventail, comme Nissa.

Eva prit le bout de papier et le plia en forme d'éventail. Ptolemy se glissa sur ses genoux, l'éventail coincé entre ses doigts potelés. Eva réalisa qu'il était, comme elle, en milieu de fratrie. Ni le plus âgé, ni le plus jeune, sans importance particulière. Elle l'entoura de ses bras et il appuya son petit corps chaud contre elle. Bobbin était en train de chanter. La nuit était tombée et seule sa voix résonnait, hantant l'obscurité, chantant l'amour et le sentiment de perte.

Je pars ce jour pour un pays lointain
Où aucun ne me connaîtra et je n'en connaîtrai aucun.

Eva songea: *Même si je ne reviens jamais ici, même si je ne revois jamais les Bellamy, je me rappellerai que ce week-end était parfait. Je me souviendrai de la nuit, du feu, du chant, de la chaleur et du poids de l'enfant sur mes genoux.*

Une forme apparut dans la pénombre: Gabriel. Il s'assit à côté d'elle. Pour un homme de forte corpulence, ses mouvements étaient souples et gracieux.

— Ce cher vieux Bobbin collectionne les chansons, dit-il. Il a le visage d'un percepteur et l'âme d'un poète. N'est-ce pas étrange, la musique? Comment une chanson si simple, si ordinaire, peut-elle me toucher autant? Même la musique religieuse... surtout la musique religieuse. Comment puis-je être athée, considérer toute cette histoire de Dieu repoussante, et être ému aux larmes par certaines musiques religieuses – des cantiques de Noël de surcroît!

— Êtes-vous athée?

— Par raison. Peut-être pas dans mon cœur, précisa-t-il en se frappant la poitrine avec le poing. L'êtes-vous?

— Je ne sais pas. Dans ma famille, tout le monde va à l'église. Ce ferait une énorme histoire si l'un d'entre nous refusait d'y aller. Mais nous ne pratiquons pas tout ce que l'on nous dit à l'église. On ne fait que prononcer les mots, dit-elle sur un ton amer.

— Il y a toujours un grand écart entre ce que quelqu'un entend faire et ce qu'il fait vraiment.

— Mais ce n'est pas votre cas! Dans cet endroit merveilleux, vous parvenez à vivre selon vos principes, non? Si Sadie et vous pouvez le faire, pourquoi d'autres n'y parviendraient-ils pas?

— Chère Eva, ne changez jamais, s'il vous plaît. Je dois aller mettre ce garçon au lit, ou il sera affreusement ronchon demain matin.

Il prit Tolly sur les genoux d'Eva et partit. Peu de temps après minuit, chacun rentra à la maison en bâillant. Dans sa chambre, Eva ôta son manteau et passa une brosse dans ses cheveux. Puis elle s'assit un moment à la fenêtre pour contempler la nuit.

On frappa à la porte. Elle ouvrit. Gabriel se tenait debout dans le couloir.

— Impossible de dormir, marmonna-t-il.

Il avait indiqué qu'il était insomniaque. Elle se sentit flattée qu'il vienne à elle en cette circonstance.

— Que diriez-vous d'aller vous promener? suggéra-t-elle.

— Si vous voulez.

Ils sortirent. Dans le pré, une lueur rougeâtre signalait les restes du feu de joie. La nuit était claire, le ciel très étoilé. Eva frissonna.

— Ma pauvre, vous avez froid, dit Gabriel, l'entourant de ses bras d'une manière qui, dans un premier temps, lui parut amicale, avant qu'elle réalise, choquée, qu'elle ne l'était pas tant. Il la pressait contre lui, plongeant ses mains dans ses cheveux.

— Monsieur Bellamy…

— Oh, pour l'amour de Dieu, dites *Gabriel*.

Il lui souleva le visage et lui baisa le front. Puis les lèvres. En sursaut, elle se souvint, de façon un peu ridicule, du seul conseil que Lilian eût jamais donné à ses filles à propos des hommes : « Si un homme essaie de vous forcer, écrasez avec force sa botte avec votre talon. » Avec Gabriel, ce serait comme si une fourmi piétinait le pied d'un éléphant. Au lieu de cela, elle mit donc ses deux mains contre sa poitrine, le repoussa aussi durement qu'elle le put et dit sur un ton froid et clair :

— Monsieur Bellamy, il me semble que vous vous égarez.

— Eva… murmura-t-il, les bras ballants.

— J'ignore à quoi vous songez. Je retourne à ma chambre.

— Mais vous auriez dû savoir… dit-il, abasourdi.

— Savoir quoi ?

— Mes sentiments envers vous.

— Si j'avais su, siffla-t-elle avec colère, si j'avais su un instant que vous alliez faire ça, je ne serais jamais venue ici !

Elle s'enfuit vers la maison, ferma à clé sa chambre et plaça une chaise contre la porte. Puis elle jeta toutes ses affaires dans son sac et resta assise sur son lit, toute habillée, le cœur battant, fixant la porte du regard. Il ne revint pas. À 5 heures, elle se leva et s'immisça hors de la maison, laissant une note sur la table de la cuisine pour Sadie, expliquant qu'elle s'était souvenue avoir un cours tôt le matin. Puis elle marcha à travers champs, suivant le trajet qu'avait pris Val deux jours plus tôt. Dans le train la ramenant à Londres, elle fut submergée par la grande confusion de ses sentiments. La honte, le désenchantement et le choc dominaient. Mais lorsqu'elle fermait les yeux et s'assoupissait, la tête tombant contre la fenêtre, son baiser lui revenait à la mémoire. La force et la chaleur de ses bras autour d'elle, et son baiser.

La semaine suivante, en sortant de l'école, Eva vit Gabriel Bellamy à l'autre bout de la rue, appuyé contre un lampadaire, une cigarette à la main. Le moindre espoir qu'il fût en train d'attendre quelqu'un d'autre, ou qu'elle pût s'éloigner à vélo avant qu'il ne l'eût vue, s'évanouit à l'instant où il jeta son mégot et traversa la rue.

— Eva, je dois vous parler.

— Je ne crois pas que nous ayons grand-chose à nous dire, monsieur Bellamy.

— Ce soir-là, à Greenstones...

— Je ne souhaite pas en parler.

— Eva...

— Vraiment, monsieur Bellamy, nous n'avons rien à nous dire.

— Oh, pour l'amour de Dieu! J'étais ivre! Je suis venu m'excuser.

— Eh bien, j'accepte vos excuses.

Elle monta sur sa selle et se mit à pédaler. Mais il se mit à courir à côté d'elle, ses longues jambes tenant le rythme de la bicyclette.

— Alors, quand vous verra-t-on à nouveau?

— Je ne crois pas que ce soit une bonne idée.

— *Eva*, reprit-il en se saisissant des poignées du vélo et en l'arrêtant. Je vous l'ai dit: j'avais trop bu. Je ne savais pas ce que je faisais. Combien de temps allez-vous me punir?

— Je ne cherche pas à vous punir, monsieur Bellamy.

— Alors venez à Greenstones.

Sa voix se fit cajoleuse. Eva ressentit la nostalgie soudaine des collines de craie et de la liberté.

— Tout ça pour un baiser! Un idiot de baiser qui ne signifie rien!

Mais elle n'avait pas oublié ce baiser – son premier baiser, son seul baiser. Elle était perturbée par le fait que, aussi inapproprié fût-il, ce baiser avait signifié quelque chose pour elle.

— Venez à Greenstones samedi. Nous avons presque achevé la mare aux carpes.

— Je crains que cela ne me soit pas possible, dit-elle sèchement. Je suis assez occupée en ce moment et j'ai un rendez-vous. Si vous voulez bien me laisser aller...

Ses bras en tombèrent. Gabriel apparut soudain très triste. Tandis qu'elle s'éloignait, il cria:

— Par pitié. Je voulais juste vous peindre!

Surprise, elle regarda par-dessus son épaule.

— Me peindre?

— Oui! Je suis désolé. Je m'y suis très mal pris. La fois où je vous ai découverte, à la galerie de Lydia, vous aviez un air si sauvage. Eva, c'était la première fois que j'avais envie de peindre depuis des mois!

Il sortit alors son joker.

— Et vous manquez à Sadie. Elle ne cesse de demander pourquoi vous ne venez pas.

— Je ne suis pas sûre que vous devriez lui en donner la raison, n'est-ce pas, monsieur Bellamy? D'autre part, je dois aller voir ma famille. C'est la fin du trimestre.

— Je voulais juste vous peindre. C'est tout, Eva, dit-il d'une voix qui faiblissait au fur et à mesure qu'elle s'éloignait de lui.

*

Cet été-là parut à Marianne comme un festival de couleurs. Il y eut les tons criards des costumes des Ballets russes alors qu'on dansait sur *L'Oiseau de feu* et *Shéhérazade*, sur une musique de Stravinsky et Rimski-Korsakov, dans un théâtre de Paris. Il y eut la noire clameur des cols ascot, lorsqu'on porta le deuil en hommage au roi défunt. Il y eut les blancs, les gris et les roses fanés de la maison d'Arthur dans le Surrey, et la lente imprégnation des couleurs lorsqu'on commença à redécorer les chambres.

En août, ils furent invités à Rawdon Hall, la maison de campagne des Meredith. Marianne établit des listes. Elle devait prendre des robes de jour, des tenues pour le thé et d'autres pour les soirées. Et elle devait avoir une domestique: il aurait paru curieux, lui dit Arthur, qu'elle ne fût pas accompagnée par une servante. Rawdon Hall se situait dans le Yorkshire. La façade en pierre grise donnait sur un lac rond au-delà duquel s'étendait une vaste étendue de gazon parsemée de chênes et de marronniers. Des espaces verts à perte de vue entouraient la maison. Un chauffeur gara la voiture d'Arthur et un majordome les accueillit. Dans le hall d'entrée, leurs voix étaient absorbées par le sol en marbre et l'imposante montée d'escaliers. Des arrangements floraux massifs et colorés jaillissaient de vases géants posés sur des tables latérales. Des armures vides lorgnaient depuis leurs alcôves. La demeure paraissait avoir été dessinée pour intimider et vous faire sentir tout petit.

Au petit-déjeuner, il y avait des pêches et des ananas élevés en serre, des framboises et des fraises. Des noisettes de beurre nichaient au milieu de petits cercles de glace, alors que du porridge et de la crème, des œufs pochés, du haddock et du bacon étaient tenus au chaud sur un buffet. Rognons et saucisses bien dodus luisaient et frémissaient, comme prêts à éclater. Viandes froides et gibier, galantines et faisans, langue et *grouses*, formaient d'époustouflants cercles concentriques servis sur des assiettes en argent.

À 13 h 30, ils s'assirent dans le parc, sous un auvent en toile, pour un repas à huit plats. À 16 heures, ils se réunirent dans le salon de réception pour un thé avec des brioches et des sandwichs, des petits pains au lait et des gâteaux aux fruits. Laura Meredith présidait, faisant un théâtre des minuscules lampes à alcool, des bouilloires et du service à thé en argent. Entre les repas ou collations, chaque moment était programmé, fixé. Marianne devait marcher dans le parc, puis jouer au tennis, puis prendre part à une partie de bridge. Elle devait changer de robe trois ou quatre fois, sa domestique devait la coiffer de manière toujours plus élaborée au fur et à mesure que la journée avançait, et elle devait se couvrir de colliers, bracelets et autres boucles d'oreilles. Elle ne devait pas demeurer silencieuse mais devait se joindre aux conversations, éclairées et creuses, où l'on parlait beaucoup pour ne rien dire.

Pourtant, aimant observer, elle nota la façon dont certains couples mariés se séparaient et se reformaient différemment. Elle vit que telle épouse appréciait le mari d'une autre, et que telle autre séduisait un jeune célibataire. Elle remarqua quels couples ne se parlaient plus et prononçaient quelques phrases polies avec une sorte de froide détestation, pour préserver les apparences. Des mains se nouaient dans les recoins de la pièce, des têtes se penchaient et murmuraient aux oreilles ornées de bijoux. Retournant à sa chambre pour chercher une paire de gants oubliée, Marianne entendit le rire d'une femme derrière une porte close.

Elle fut séparée d'Arthur l'essentiel de la journée. Dans le tunnel vert de charmes bien taillés, elle s'assit sur un banc. Un homme s'arrêta devant elle ; les feuilles formaient des taches d'ombre sur son beau visage.

— Mme Leighton, n'est-ce pas ? dit-il en souriant. Mon nom est Fiske, Edward Fiske. Puis-je vous aider ?

Marianne avait enlevé une de ses chaussures. Elle vit qu'il regardait son pied nu.

— Merci, M. Fiske, tout va bien. Il y avait juste un caillou dans ma chaussure.

— Teddy. Vous pouvez m'appeler Teddy.

Elle remit sa chaussure. Il lui offrit sa main pour se relever, ses doigts traînant un peu trop longtemps. Tandis qu'elle se pressait pour rejoindre les autres, elle l'entendit derrière elle.

— Jeune mariée, n'est-ce pas ? Vieux chanceux de Leighton ! Dommage pour moi. Mais je peux attendre.

La journée passant, un sentiment de vacuité parut se répandre dans l'assistance. Les bâillements étaient dissimulés derrière des mains gantées ; au thé, on voyait des pyramides de miettes de gâteau se former près des tasses. On jouait à des jeux sans le vouloir et on mangeait sans le désirer. Dehors, il avait commencé à pleuvoir et la pluie trempa la montagne de gibier, tombant sur des yeux vides et des plumes ensanglantées.

Le soir, à l'issue d'un repas de dix plats, les hommes restèrent dans la salle à manger pour un cigare et un porto, pendant que l'on servait le café aux dames au salon. Lorsque les hommes rejoignirent ces dernières, Marianne essaya de trouver Arthur. Elle n'y parvint pas et ressentit un soudain accès de solitude.

— Ma chère Mme Leighton, encore seule ?

En se retournant, elle vit Teddy Fiske. Il souriait.

— Votre mari devrait vraiment mieux s'occuper de vous.

Marmonnant quelque excuse, Marianne se rendit à l'étage. Dans la chambre, elle tira les rideaux mais n'alluma pas la lumière. Des rayons de lune faisaient briller les bandes argentées du corsage de sa robe violette. Regardant au dehors, il lui sembla que les espaces verts, le lac et les arbres avaient désormais une apparence dure et assoupie, comme les illustrations laquées d'une boîte chinoise. Pour la première fois, l'enthousiasme et l'optimisme qui l'avaient animée depuis son mariage parurent vaciller. Arthur et elle pourraient-ils s'éloigner peu à peu l'un de l'autre comme tous ces couples ? Aurait-elle jamais l'enfant de ses rêves ?

La porte s'ouvrit. En se retournant, elle vit Arthur. Elle émit un léger cri de soulagement.

— Je suis tellement désolé, dit-il. Quelle soirée interminable.

Il traversa la pièce en se dirigeant vers elle.

— Ma pauvre chérie, tu as l'air épuisée.

— La journée fut si longue, dit-elle en lui prenant la main et en la pressant contre son épaule, fermant les yeux. Tu m'as manqué.

— Et toi aussi, mon Annie.

— Je n'avais jamais réalisé que se divertir pouvait être une si lourde tâche.

— Ils en font pratiquement une carrière, n'est-ce pas ? dit-il en retirant sa cravate. À part Edwin, qui s'entête à parler d'affaires à des heures impossibles. Il est 2 heures, tout le monde souffre d'indigestion après un aussi effrayant dîner et il veut quand même parler de transport maritime ! Tu as l'air triste. Ne sois pas triste, chérie.

— Je crois que c'est l'endroit. C'est trop. Trop de tout. Ce petit-déjeuner...

— Écrasant, n'est-ce pas ?

— Je n'arrivais pas à savoir ce que j'allais encore découvrir.

— Tu veux dire : soulever un autre couvercle et y trouver un cochon de lait, peut-être, ou quelque oiseau chanteur – quatre ou vingt merles cuits en tarte ?

Elle sourit et il l'embrassa.

— C'est mieux, dit-il.

— Quelle horreur si nous devions finir comme ces gens !

— Être affreusement riche et manger des merles au petit-déjeuner ?

— *Chéri*, reprit-elle en lui tapotant le visage. Je voulais dire… si distants l'un de l'autre.

— Cela n'arrivera pas. Aucune chance.

— Mais ils ont dû être comme nous avant, non ? Quand ils se sont mariés, ils ont dû s'aimer.

Elle enleva ses boucles d'oreilles et les rangea dans une boîte couverte de velours.

— Ces mariages sans amour sont tellement vains. Et la moitié des maris semblent avoir une maîtresse !

Il fronça les sourcils.

— Je les ai vus, Arthur !

— Ainsi fonctionne le monde, ma chérie, j'en ai peur.

— Pas le mien. Quel est ce genre de monde où un homme peut faire l'amour à la femme d'un autre sans que cela dérange personne ?

— Ce n'est pas que ça ne les dérange pas, mais plutôt qu'ils préfèrent ne pas le voir, me semble-t-il. Ou peut-être ne le voient-ils même pas. Laura organise toujours les chambres avec beaucoup de tact. Les plus débauchés seraient très contrariés d'avoir leur chambre entourée de couples heureux. Laura met toujours les amants de longue date assez près l'un de l'autre. Il n'est pas souhaitable que trop d'invités se promènent la nuit dans les couloirs en frappant aux portes.

Il décrocha les perles de Marianne et les lui donna. Elles glissèrent dans la paume de sa main, fraîches, presque liquides.

— Cela te préoccupe, chérie ? Es-tu contrariée ?

Elle pensa à Teddy Fiske, un charmeur professionnel, avec ses moustaches et son œil sévère.

— Je ne serais pas tant préoccupée, je crois, s'ils se souciaient l'un de l'autre. Si au moins ils s'aimaient.

— L'amour qui domine tout ? interrogea Arthur en déboutonnant le dos de la robe de Marianne. Ou l'amour excuse tout ? Y compris l'adultère ?

— Cela le rend plus excusable, peut-être.

— Certains maris cocus et certaines épouses négligées ne sont peut-être pas d'accord avec toi. Une grande passion peut être davantage une menace pour le mariage qu'un simple divertissement, comme le sont la plupart de ces aventures.

— Cela rend la chose triviale, dit-elle sur ton irrité. L'amour n'est pas trivial.

— Bien sûr que non. Sans doute devons-nous les plaindre. Après tout, nous sommes chanceux de nous être trouvés. Tu te trompes sur un point, ma chérie : ils n'ont jamais été comme toi et moi. Je doute que beaucoup d'entre eux se soient mariés par amour. Certains se sont mariés pour réaliser des alliances familiales ; d'autres, comme Laura elle-même, pour l'argent.

Elle s'assit sur ses genoux.

— On trouve probablement peu à la mode d'être amoureuse de son mari, déclara-t-elle.

— J'imagine que l'on nous trouve de très mauvais goût.

Il lui caressa le creux de l'épaule. Mais quelque chose la tenaillait.

— Ces hommes et leurs maîtresses ne s'aiment donc pas. Et pourtant, ils partagent un lit.

— Chère Annie, on peut goûter aux relations sexuelles sans amour.

— Je ne pourrais pas.

— Bien sûr que non. En parlant de lit, maintenant...

Elle s'allongea sur les draps en lin et regarda la lumière de la lune, qui perçait à travers le lierre couvrant la moitié des carreaux de la fenêtre et jouait sur le plafond. Pendant toutes ces longues années, songea-t-elle, entre les premières fiançailles d'Arthur et leur mariage, comment s'était-il occupé ? Comment avait-il passé le temps ? Dans la pénombre, elle demanda :

— Pourrais-tu partager un lit avec quelqu'un que tu n'aimes pas ?

— Il n'y a qu'une femme avec qui je veuille partager mon lit.

— Mais avant de me rencontrer...

— J'avais trente-huit ans quand je t'ai épousée. Je ne suis pas un moine, Annie, lui dit-il en passant le plat de la main sur son ventre.

Elle sentit une pointe de jalousie, noire et vénéneuse.

— *Qui* ? murmura-t-elle, l'image de ses amis et de leurs épouses se bousculant dans sa tête.

— Personne d'important.

— Patricia Letherby ? Laura Meredith ?

Elle l'entendit rire.

— Certainement pas ! Patricia est très heureuse dans son mariage. Et Laura est possessive. Tu dois l'avoir remarqué. S'il y a une chose que je n'aime pas, c'est le fait d'être possessif.

Elle se tourna de son côté pour lui faire face, glissant sa main sous sa chemise de soirée et touchant sa peau chaude. Si ce n'était pas Laura, se dit-elle, il y en avait eu d'autres.

— Je n'aime pas facilement, Annie. Certains disent que c'est un défaut. Une des choses que j'adore chez toi est que tu as l'air d'aimer beaucoup de gens. Tous ces frères et sœurs...

Il la prit dans ses bras et elle se sentit en sécurité.

— Et si je te disais que j'ai connu d'autres hommes avant de me marier avec toi ?

— Vraiment ?

— Non. Mais si c'était le cas, cela te gênerait-il ?

Dans le silence, elle entendit le souffle de sa respiration.

— Oui, dit-il. Oui, ça me gênerait. Bien sûr. C'est différent pour les femmes, non ? On attend davantage de vous. Les hommes sont trop facilement soumis à leurs instincts animaux. Nous attendons des femmes qu'elles donnent l'exemple.

Elle pensa à nouveau à Teddy Fiske, rôdant et cherchant sa proie. Que dire des femmes qui lui cédaient : dépassaient-elles les limites de l'acceptable ? Leurs péchés étaient-ils plus grands que le sien à lui ?

Les doigts d'Arthur suivirent la courbe de sa hanche et de sa taille, et l'abattement de Marianne disparut, remplacé par une montée d'excitation. Tandis qu'il l'attirait vers lui, elle se dit néanmoins que si, un an plus tôt, elle n'était pas allée au bal des Hutchinson – ou si, comme Eva, elle avait eu un rhume et n'avait pu s'y rendre –, elle et Arthur ne se seraient jamais rencontrés. Est-ce qu'elle aurait alors passé le restant de ses jours sans connaître la passion ou l'amour ? Ou aurait-elle su qu'elle ratait quelque chose et, du coup, l'aurait-elle cherché sans fin, comme les gens dans cette demeure ?

5

Quelques jours après le début du trimestre d'automne, Perdita, la perruche de Mme Wilde, disparut. Courant d'une rue à l'autre, Eva aperçut enfin un point vert émeraude en haut d'un lilas. Grimpant sur la grille en fer d'un jardin, elle se pencha dangereusement pour l'attraper. Mais en donnant un coup de bec hargneux, le volatile se hissa sur la branche supérieure.

— Laissez-moi…

Eva s'immobilisa en reconnaissant la voix de Gabriel Bellamy.

— Vous allez vous empaler, dit-il.

Il mit ses bras autour de sa taille et l'aida à descendre. Trop surprise pour protester, elle le regarda tendre le bras et glisser ses doigts sous le ventre de Perdita. La perruche s'avança d'elle-même dans sa main.

— Elle mord, prévint Eva.

— Tu ne vas pas me mordre, hein ? dit Gabriel à Perdita en lui grattant les plumes du cou.

Les yeux de la perruche se retournèrent de plaisir et, au grand dam d'Eva, elle pencha la tête en signe de soumission.

— Quelle heureuse surprise de tomber sur vous, continua-t-il en abritant l'oiseau sous son manteau. Est-elle à vous ?

— Elle appartient à ma propriétaire.

Ils se mirent en marche vers la résidence d'Eva.

— Comment s'est déroulé votre été ? demanda-t-il. Est-ce que votre famille va bien ?

Elle n'avait passé que deux semaines à Summerleigh, deux semaines pénibles qui n'avaient fait que confirmer ce qu'elle savait déjà : qu'elle n'y était plus chez elle. Elle s'était sentie coincée, coupée du monde qu'elle avait découvert, et était vite repartie pour Londres.

— Oui, merci, répondit-elle. Je n'y suis pas restée longtemps.

— Était-ce si pénible ? Des disputes ou juste de sombres silences ? C'était la spécialité de ma famille, les silences… Nous sommes partis en Espagne, Max et moi. On a pris le bateau. C'était merveilleux.

— Chanceux !

— Vous auriez dû venir avec nous. Êtes-vous bon marin ?

— Je ne sais pas. Je n'ai jamais vraiment navigué.

Il parla de l'Espagne pendant un moment. Eva eut l'impression qu'il avait oublié leur baiser. Après tout, il avait bu ce soir-là et il lui avait dit clairement que cet incident était sans aucune importance pour lui. Qu'il était ridicule, simpliste et provincial de faire tant d'histoires pour si peu, s'était-elle dit pendant l'été.

— Comment va Sadie ? demanda-t-elle.

— En pleine forme. Et le bébé aussi.

— Le bébé…

— Un autre garçon, je le crains. On l'appelle Rowan. Il pèse quatre kilos et demi. Il a l'air d'un boxeur professionnel. Vous devriez venir le voir. Sadie a demandé de vos nouvelles. Vous viendrez, n'est-ce pas ?

— Eh bien, je…

— Parfait, c'est d'accord, donc.

Ils avaient atteint la maison de Mme Wilde ; Gabriel rendit la perruche. Tandis qu'elle entrait la clé dans la serrure, il cria du bout de la rue :

— Et vous devez me laisser vous peindre ! Je vous rendrai immortelle !

— Je n'ai aucune envie d'être immortelle !

Mais elle sourit en entrant chez elle.

Le bébé était drôle, petite chose fripée avec des yeux noirs comme des raisins et de fins cheveux qui poussaient n'importe comment. Depuis la naissance, les traits de Sadie semblaient

146

avoir perdu de leurs angles; le ton sec avait disparu, mais elle parlait moins, souriait rarement et portait peu d'attention aux autres enfants.

Eva se coula facilement dans la vie à Greenstones. Elle s'attela à des montagnes de vaisselle, promena le bébé dans sa poussette quand il pleurait trop. Tolly prit l'habitude de la suivre partout, comme un petit chien mal lavé. Max l'emmena sur sa moto. Le soir, assis autour de la grande table en pin, elle se promit: *Je veux vivre ainsi; un jour, je vivrai ainsi.*

«Vous devez me laisser vous peindre», avait dit Gabriel. Dans un premier temps, Eva résista, rechignant à l'idée de se mettre sur l'estrade comme les modèles à Slade, se soumettant au jugement des regards mâles. Il interpréta mal sa réticence.

— Que vous pouvez être diablement bourgeoise! s'exclamat-il une fois. Faire tout ce tapage sur l'inconvenance!

Elle abdiqua donc. Elle ne voulait pas qu'il pense à elle comme à une prude; et elle était curieuse.

L'atelier de Gabriel était dans l'arrière-cour de Greenstones. Les murs de brique avaient été blanchis à la chaux et le sol était en dalles. Eva était assise sur un tabouret haut. La lumière du soleil entrait franchement et tombait sur la robe rouge et verte que Gabriel lui avait demandé de porter – celle dont elle était vêtue la première fois où il l'avait vue, à la galerie de Lydia Bowen.

Être assise dans cet atelier paraissait à Eva comme fouler un sol enchanté. Elle finit par connaître la salle par cœur. Elle pouvait fermer les yeux et en décrire les éléments: le vieux manteau et le chapeau pendant à la poignée de la porte; le tas de chevalets, de toiles, de mannequins, de croquis à moitié achevés, et les couleurs de la palette de Gabriel, un drôle de mélange d'écarlate et d'émeraude.

Lui aussi paraissait imprimé sur sa rétine, comme un coup de soleil. Sa concentration était totale; il ignorait tous les bruits de la maison – l'aboiement des chiens, les cris des enfants et les pleurs du bébé. Elle se demanda si c'était la clé de son accomplissement: sa détermination. Pendant des heures, il n'y avait qu'elle, Gabriel, et le son léger de son pinceau sur la toile.

Beaucoup plus tard, elle pensa que si elle n'avait pas été un enfant de milieu de fratrie, elle ne serait pas tombée amoureuse de lui. Personne ne l'avait regardée aussi longtemps et avec une telle attention. Il y avait une intimité dans son regard qui la remuait et la réveillait. Quand il lui laissa regarder sa peinture et qu'elle se vit à travers son regard, elle fut troublée, comme s'il avait pris une part d'elle dont elle ignorait l'existence, la lui avait révélée et, de ce fait, l'avait transformée pour toujours.

*

L'amie de Clémence, Vera, s'arrêta un jour après l'école.

— Je dois te dire une nouvelle, déclara-elle. J'ai rencontré le plus adorable des hommes. Son nom est Ivor Godwin et j'avais hâte de t'en parler. (Elle rougit.) Oh, ce n'est pas ce que tu penses. Nous sommes juste de formidables amis. Ivor est marié. Sa femme s'appelle Rosalie, elle est invalide. Pauvre Ivor.

Clémence remarqua que Vera avait dit « pauvre Ivor » et non « pauvre Rosalie ».

— Où l'as-tu rencontré ?

— À un récital de musique. Il jouait au clavecin. Il est tellement intelligent et talentueux. Il vivait à Londres mais ils ont dû venir ici à cause de la santé de Rosalie. Pour l'air, tu vois – ils vivent dans les Peaks. Londres lui manque horriblement. Il est si gentil. Il m'a laissé annoncer le programme lors de son dernier concert ! Tu dois le rencontrer.

Vera invita Clémence au récital suivant d'Ivor. Lorsque Clémence en parla à sa mère, Lilian la regarda avec un air vague et lui dit :

— Bien sûr, tu dois te divertir, ma chérie. J'irai très bien toute seule.

Et Clémence fut parcourue par un sentiment de culpabilité à l'idée de laisser sa pauvre mère, livrée à elle-même dans ses appartements.

Le jour du récital arriva. Après le déjeuner, Clémence revêtit sa plus belle robe et alla dire au revoir à sa mère. Lilian était assise devant sa coiffeuse.

— Grands dieux, Clémence, te voilà sur ton trente et un. Tu es très élégante. Je suis sûre que le Dr Roberts sera très flatté.

— Dr Roberts ?

— Le spécialiste de Londres. Tu n'as pas oublié que le Dr Roberts vient me voir ?

— Je ne crois pas que vous me l'ayez dit, mère.

— Je suis bien certaine que si. Si tu as oublié le Dr Roberts, pourquoi donc portes-tu ta robe de tussor ?

— Vera et moi allons au concert.

— Je crains que ce ne soit pas possible, dit Lilian en ouvrant une bouteille de parfum. Comment pourrais-je recevoir le Dr Roberts toute seule ?

— Nul doute qu'Edith...

— Tu sais qu'Edith ne fera pas cela. Elle est bien trop négligente. Si tu avais pu trouver une servante fiable...

— Mais je vous ai parlé de ce concert, mère, repartit Clémence avec désespoir.

— S'il te plaît, ne te mets pas en colère. Tu sais combien cela m'affecte. Et je ne suis pas sûre du tout que tu m'en aies parlé.

— Mais Vera m'attend.

— Nul doute que Vera comprendra que l'on a besoin de toi ici. Tu peux sortir avec tes amies une autre fois, non ?

À cet instant-là, Clémence sentit une telle rage l'envahir qu'elle dut planter ses ongles dans la paume de ses mains pour ne pas hurler ou balayer les parfums de sa mère et ses flacons médicinaux. Mais Lilian parut parfaitement inconsciente de sa colère.

— Oh ciel, murmura-t-elle, je me sens bien nerveuse. (Sa petite main faible farfouilla son col en dentelle.) Je ne dois pas me mettre dans tous mes états, n'est-ce pas ? Ce n'est jamais bon. Peut-être devrais-tu me faire un peu la lecture, Clémence. Tennyson, par exemple.

La rage de Clémence l'abandonna aussi vite qu'elle était venue. Elle se sentit fatiguée et honteuse d'elle-même. Elle s'assit, les jambes tremblantes. Du coin de l'œil, elle pouvait voir l'horloge sur le chambranle. Alors que les aiguilles tournaient inexorablement, elle eut un sentiment de panique si aigu qu'elle dut serrer le livre très fort pour se contrôler.

— « Les hommes aux champs, les femmes au foyer », lut Clémence assez fébrilement. « Lui armé de l'épée, elle de l'aiguille. Lui avec une tête, elle avec un cœur : l'homme pour commander et la femme pour obéir. » Lilian grogna légèrement.

*

Eva aperçut Gabriel de l'autre côté de la rue et son cœur eut un battement étrange. Il paraissait déprimé, abattu.

— J'ai dû m'enfuir, expliqua-t-il. Je n'arrivais à rien faire. Trop d'enfants, toujours en train de brailler et de se bagarrer. Sadie est d'une humeur massacrante, elle me parle à peine, et l'endroit est si atrocement *ennuyeux*. Nous n'avons pas eu de visiteurs depuis des mois. Croyez-moi, Eva, la vie idyllique à la campagne, c'est en juin mais quand vient l'hiver, eh bien, c'est presque à se trancher la gorge. J'avais besoin d'être dans un lieu civilisé pendant quelques mois. Vous pouvez donc poser pour moi à nouveau.

— Gabriel...

— Quoi ? Toujours inquiète pour votre vertu ?

— Bien sûr que non, dit-elle en rougissant.

— Vous n'avez pas à l'être. Je sais où ces choses me mènent. Six bouches à nourrir, voici la raison pour laquelle je dois travailler un peu convenablement pour payer le loyer.

Il marchait d'un pas rapide sur les trottoirs balayés ; elle devait presque courir pour tenir son rythme.

— Ou êtes-vous trop occupée pour voir un vieil ami ? La Slade est-elle si merveilleuse que vous ne puissiez me consacrer une heure ou deux ?

— Certainement pas. Ce n'est pas merveilleux du tout.

— La première fois que nous nous sommes rencontrés, vous m'avez dit combien vous aimiez Londres. A-t-elle commencé à perdre son charme ?

— Ce n'est pas à cause de Londres...

— C'est quoi alors ?

— C'est l'école, avoua-t-elle en donnant un coup de botte dans les feuilles mortes. Je ne pensais pas que ce serait si dur. Je me croyais douée en art. Maintenant, je me trouve tellement médiocre.

— Apportez votre portfolio à mon atelier demain soir, que j'y jette un coup d'œil. Ce n'est peut-être pas aussi mauvais que vous le dites. À moins, bien sûr, que vous soyez davantage préoccupée par les convenances que par la peinture.

L'atelier de Gabriel se trouvait à Paddington, coincé entre un fabricant de montres et un autre de boîtes en carton. En ouvrant son portfolio, Eva eut l'impression de se dévoiler autant qu'en posant pour lui. Il étudia ses croquis et ses peintures l'un après l'autre.

— C'est mieux, dit-il après une longue attente pendant laquelle Eva retint sa respiration. Les couleurs sont bonnes. Je vous ai déjà dit que vous aviez l'œil pour les couleurs. Et ceci, déclara-t-il en brandissant un dessin, est prometteur.

De mémoire, elle avait dessiné les enfants en train de danser dans la rue sur l'air d'un orgue de Barbarie. Elle avait saisi leurs expressions intenses et sérieuses, le tourbillon de leurs jupes et de leurs blouses en lambeaux.

— Vous peignez mieux quand le sujet vous importe. C'est vrai de chacun de nous, je crois.

Ce soir-là, il la peignit debout devant la fenêtre, ses mains posées sur le rebord. Elle pouvait voir la gare ferroviaire et le grand nuage de vapeur et de fumée la surplombant; derrière elle, elle entendait le son râpeux de la mine sur le papier. En travaillant, il lui parlait. Il lui raconta sa famille. Fils d'un pasteur baptiste, il avait été élevé à Christchurch, sur la côte méridionale de l'Angleterre. De son éducation, il avait retenu un amour pour la mer et une détestation de la religion.

— Mes parents ont toujours essayé d'ôter toute couleur à notre vie. L'aventure, les voyages, les fêtes : ils désapprouvaient tout. Ils en avaient peur, je suppose. Les pièces mêmes de notre maison étaient couvertes de papier aux couleurs mornes – marron, chamois ou eau du Nil. Un jour, quand j'avais seize ans, j'ai jeté quelques affaires dans un sac à dos et je suis parti. Je n'y suis jamais retourné.

151

— Comment vous êtes-vous nourri ? Où avez-vous vécu ?

— De-ci et de-là. J'ai toujours eu le talent de dessiner les portraits. Je posais mon chevalet sur une place de marché et je demandais six centimes le croquis. Je travaillais aussi sur des chantiers de construction et j'aidais aux récoltes dans une ferme. Lorsque j'étais sans toit, je dormais dans une étable ou dans un fossé. Le froid ne me dérange pas.

Elle avait remarqué qu'il portait souvent les mêmes habits – des pantalons en velours côtelé, une chemise bleue d'ouvrier et un pardessus – quel que soit le temps. Alors qu'elle grelottait dans l'atelier non chauffé, il retirait son manteau et retroussait les manches avant de se mettre au travail.

— Je n'ai pas coûté un centime à ma famille depuis que j'ai quitté le foyer. Quand on n'a pas une haute opinion de la façon dont certains vivent, on ne doit pas recevoir d'argent d'eux. En tout cas, c'est ce que je crois.

— Ma sœur qui est mariée, Marianne, m'a demandé de décorer quelques dessus de cheminée et têtes de lit pour elle. J'essaie de la convaincre de me laisser réaliser une peinture murale. Si seulement vous pouviez voir la maison de campagne de Marianne et d'Arthur. C'est beau. Il y a quelque chose de magique dans cet endroit. On a l'impression que dans chaque coin on va découvrir quelque chose d'inattendu, de merveilleux.

— *Là*. Ne bougez pas. Voici l'expression que je veux. Ce regard, cette *passion*.

Parfois, Clémence avait l'impression que sa vie avait gelé sur place, comme si elle avait posé ses pieds dans une flaque et que la glace s'était figée autour d'eux. Elle pouvait voir ses amis s'éloigner d'elle. Leurs vies avançaient, tandis que la sienne ne changeait pas. Un après-midi, Mme Catherwood leur rendit visite. Après s'être assise avec mère pendant une heure, Clémence la raccompagna sur le perron.

— Il me semble que Lilian était un peu plus radieuse aujourd'hui, ma chère Clémence. Le nouveau traitement est peut-être bénéfique, dit Mme Catherwood devant la porte d'entrée. Mais tu n'as pas très bonne mine. L'automne est toujours une période misérable. Ronnie et Gerald ont également un terrible rhume. J'espère que tu n'en couves pas un, Clémence.

— Je vais bien. J'ai juste mal à la tête.

— Une petite promenade à vive allure, voici un bon remède pour le mal de tête. Bien que sous cette pluie..., dit-elle en se battant pour ouvrir son parapluie. Ce doit être difficile pour toi, Clémence, depuis que tes sœurs sont parties. J'organise un petit thé, jeudi, avec quelques amis. Viendrais-tu?

— Je ne suis pas sûre de pouvoir. Mère peut avoir besoin de moi.

— Lilian peut bien se passer de toi un après-midi.

Clémence ne répondit pas. Mme Catherwood s'inquiéta.

— Tu n'as vraiment pas l'air dans ton assiette. Et tu as toujours été une fille gaie. As-tu souvent mal à la tête, ma chérie?

— Oui, souvent.

— Es-tu en souci à propos de quelque chose? De ta mère, par exemple?

Clémence répondit sur ton bref et rude, comme si elle devait éviter d'avoir à penser.

— Je crois que je suis malade. J'ai peur d'avoir attrapé la maladie de mère!

Mme Catherwood ne rit pas.

— Pourquoi n'enfiles-tu pas un manteau, proposa-t-elle, pour m'accompagner un bout de chemin? Je serais heureuse d'avoir ta compagnie. Et si tu pouvais m'aider avec ce malheureux parapluie...

Clémence mit son manteau, déploya le parapluie de Mme Catherwood et elles s'en allèrent.

— Dis-moi ce qui te fait croire que tu es malade, Clémence.

— Mon cœur bat trop vite. Et j'ai ces maux de tête. Je n'en avais jamais avant.

Elles marchèrent en silence. La semaine précédente, un orage avait dépouillé les arbres de leurs feuilles et ces dernières traînaient, sales et meurtries, dans les caniveaux.

— Est-ce que tu peux sortir de temps en temps? demanda Mme Catherwood.

— Pas vraiment. Vera m'a invitée à un concert, il y a quelques semaines, mais je n'ai pas pu y aller.

— À cause de ta mère ?

— Oui.

— Je ne pense pas que la maladie de Lilian soit contagieuse. Ce n'est pas comme la scarlatine ou la grippe. J'ai toujours beaucoup cru au bon air et au sport. Je suis convaincue qu'ils font plus de bien que tout médicament. Quand au repos au lit, eh bien, les médecins nous disent toujours de nous reposer, n'est-ce pas ? Mais je ne peux m'empêcher de me demander de combien de repos a-t-on besoin ? Je n'ai pas beaucoup vu Lilian ces derniers temps. Si je venais passer un moment avec elle, deux après-midi par semaine ? Le mercredi et le vendredi, par exemple, si cela te va. Tu pourrais alors aller voir tes amies, tandis que Lilian aurait de la compagnie. Cela te plairait-il, Clémence ?

Un mercredi après-midi du début du mois de novembre, Mme Catherwood vint donc tenir compagnie à Lilian pendant que Clémence voyait Vera et Erica. Ivor Godwin donnait un récital dans le salon de réception d'une demeure sur Oakholme Road. Des chaises avaient été disposées en cercle autour d'un instrument qui ressemblait, aux yeux de Clémence, à un minuscule piano. Il avait le son de la pluie dans une piscine. La musique était calme et très élaborée, et toutes les dames dans l'assistance – il n'y avait que des dames, pour la plupart nettement plus âgées que Clémence – demeurèrent très silencieuses et immobiles. De grands soupirs accueillaient la fin de chaque morceau.

Ivor Godwin était petit et brun. Il se courbait au-dessus du clavier, les épaules enfoncées et la tête penchée. Son visage était expressif et changeant. Clémence nota la façon dont il fermait parfois les yeux en jouant et esquissait souvent un sourire à la fin d'un morceau. La fin du récital fut accueillie par une vague d'applaudissements.

— N'était-il pas *merveilleux* ? murmura Vera aux oreilles de Clémence.

La musique avait emmenée Clémence dans d'autres lieux. Tandis qu'Ivor Godwin jouait, elle s'était imaginée des collines, des ruisseaux et des bois. Elle fut secouée du retour à la réalité du salon, ses fauteuils surchargés, ses rideaux lourds et vert foncé.

— Merveilleux, acquiesça-t-elle, tandis qu'Ivor Godwin se trouvait emporté par un essaim de dames qui le pressaient avec du thé, des gâteaux, s'agitait autour de lui quand il évoqua doucement des douleurs aux mains.

— Et bien sûr, dit Erica sur un ton narquois, il est aussi très beau, n'est-ce pas?

— Chut! Erica! coupa Vera, le teint rouge. Il va t'entendre!

Après le thé, tandis que les autres dames s'éclipsaient sous la bruine, toutes trois revinrent dans le salon de réception, où Godwin rangeait ses partitions. Vera lui présenta Erica et Clémence.

— C'est tellement épuisant, se plaignit Ivor Godwin. Et on est obligé de manger même si l'on n'a pas faim du tout.

— Pauvre Ivor, dit Vera. Mme Hurstborne peut être si étouffante.

— Vous parlez de notre hôtesse? reprit Ivor en jetant un coup d'œil sur la pièce adjacente. Vous ne m'avez guère secouru, Vera…

Vera gloussa et Ivor prit un étui à cigarettes.

— Je suis toujours tellement tendu après un concert. Cela ne vous dérange pas si je fume, mesdames?

Vera offrit de ranger son matériel. Tandis qu'elle s'y consacrait, ramassant les feuillets de partitions, Ivor Godwin, appuyé contre le chambranle et fumant, demanda:

— Êtes-vous versée dans la musique, mademoiselle Maclise?

— Pas le moins du monde, je le crains.

— Il n'y a pas à s'excuser. Le talent peut être une malédiction.

— Mais ce doit être merveilleux d'exceller dans quelque chose!

— Parfois, c'est un fardeau. On a des devoirs par rapport à son talent, en plus de toutes les autres obligations.

— Vera m'a dit que votre épouse était souffrante, monsieur Godwin.

— Rosalie est malade depuis des années. C'est la raison pour laquelle nous habitons en pleine brousse. Les collines, les rochers escarpés et les bois : je sais que les poètes adorent mais cela ne me convient guère.

Elle pensa qu'il avait plutôt l'allure d'un poète, avec son nez aquilin et ses cheveux en bataille.

— Je préfère Londres, dit-il. J'avais un si formidable cercle d'amis là-bas. Et la musique – les concerts, les récitals – y étaient exaltants.

— Cela a dû être très dur pour vous d'abandonner tout cela.

— Le talent doit parfois céder la place au devoir, répliqua-t-il sur un ton amer.

— Donnez-vous beaucoup de concerts ?

— Un par mois, environ. Rosalie n'aime pas que je m'éloigne de la maison. Je dois donc me restreindre. J'enseigne, le piano surtout. Les mères ambitieuses traînent leurs pauvres enfants vers ma maison, à Hathersage, dans l'espoir qu'un jour ils deviennent des concertistes. Je crains qu'aucun d'entre eux n'ait le moindre talent, mais je n'ai pas le cœur de le leur dire. On ne peut pas tuer l'espoir, n'est-ce pas ? Le problème de l'enseignement est l'énergie que cela exige. Mes élèves sont comme des sangsues, me suçant toute mon inspiration. Alors que je devrais travailler ou composer, j'écoute ces pauvres diables bûcher leurs gammes et leurs arpèges.

— Quelle horreur pour vous !

Il lui sourit. Ses yeux était marron très foncé, chauds et empathiques.

— C'est si merveilleux de parler à quelqu'un qui ait une oreille compréhensive. Rosalie ne montre jamais la moindre compassion. Elle ne comprend tout simplement pas combien c'est difficile. Mais vous comprenez, vous, n'est-ce pas ?

Clémence comprit que les personnes invalides ne voient jamais plus loin qu'elles-mêmes. Ivor ajouta :

— Je pourrais être à moitié mort de fatigue et Rosalie ne me porterait pas la moindre attention – parce qu'elle est malade, je suppose.

Elle fut frappée de voir combien il faisait écho à ses pensées.

Vera apparut alors entre eux, les partitions rassemblées dans ses mains, déclarant haut et fort:

— Voilà, Ivor! C'est fait! Et j'ai également replié votre écharpe et vos gants.

— Chère Vera, murmura-t-il en rougissant, quelle aide précieuse. Comment me débrouillerais-je sans vous?

*

La plupart des soirs, après ses cours à la Slade, Eva se rendait à l'atelier de Gabriel Bellamy et posait pour lui. Parfois, ils discutaient. D'autres jours, il était silencieux, absorbé par son travail. Depuis ce premier et unique baiser, il ne lui avait donné aucun signe de vouloir davantage que son amitié. «Je voulais juste vous peindre», avait-il dit et, les semaines passant, elle se demanda s'il avait littéralement dit la vérité. Il ne la touchait que pour ajuster l'angle d'un membre ou de sa tête. Elle se dit que cela lui était égal. Elle se méfiait de l'amour, qui entraînait des comportements inhabituels chez les gens. Cependant, quand il lui semblait que Gabriel la voyait comme de la pâte plutôt que comme une femme, quelque chose à presser ou à tirer pour tel ou tel effet artistique, elle se sentait déçue. Elle avait dix-neuf ans et un seul homme l'avait jamais embrassée. Peut-être était-elle trop petite, trop grassouillette, trop brune. Elle qui n'avait jamais fait attention à son apparence se mit à se regarder dans le miroir, s'inquiétant de ses cheveux en désordre, tirant et pinçant les revers de sa robe.

Gabriel lui raconta sa première rencontre avec Sadie.

— J'avais quitté la Slade, dit-il. Sadie venait de commencer à étudier là-bas; j'étais parti rendre visite à Tonks, ou à Wilson Steer, ou je ne sais qui, et je l'ai croisée dans le couloir. Elle était avec ses amies et elle riait. À cette époque-là, elle était toujours accompagnée de ses amies et elle riait tout le temps. Il y avait quatre filles – deux brunes, une blonde, une rousse. On ne pouvait les séparer l'une de l'autre. À l'instant où je l'ai vue, j'ai su que devais l'avoir.

Eva se demanda ce que l'on pouvait ressentir en aimant ainsi quelqu'un, sans y penser et sans scrupule. Elle se demanda si elle était capable d'un tel amour.

— Elle m'a laissé lui courir après pendant un an. Elle ne m'a pas rendu les choses faciles. Une fois, elle est partie à Édimbourg. Cela m'a pris du temps pour la trouver. Elle et ses amies étaient hébergées près du château. Je me suis donc acheté une mandoline à un marché aux puces et je suis resté toute une nuit sur le trottoir à lui faire la sérénade. Elle a quand même dû sortir pour me parler.

Son humeur changea brusquement, ses sourcils s'abaissant.

— Trois mois plus tard, nous étions mariés. Je n'ai jamais cru au mariage. Mais la mère de Sadie insistait. C'est une épouvantable vieille bique, vivant à Saint John's Wood, dans l'une de ces maisons informes et hideuses qui ressemblent un peu à des mausolées, avec un carrelage rouge et noir dans l'entrée et d'inutiles morceaux de verre fumé aux fenêtres.

— Summerleigh est comme ça.

— Alors je comprends fort bien pourquoi vous avez dû vous échapper. La première fois où j'ai rencontré la mère de Sadie, j'ai dû endurer une consternante demi-heure autour d'un thé avec elle. Elle haïssait cela autant que moi – je le sais – mais aucun de nous n'en a rien dit et nous avons juste suivi le rituel. En me levant, j'ai pu voir le soulagement dans ses yeux. Je savais que dès que j'aurais mis les pieds dehors, elle taperait les coussins et nettoierait le moindre fil sur le divan pour essayer d'effacer toute trace de moi. Ces gens-là font tellement attention à leurs biens. Même Sadie, dit-il avec irritation, même Sadie se soucie des servantes et du ménage, toutes ces idioties. C'est ça le mariage, Eva, voilà ce que ça fait. Sadie n'était pas ainsi avant que l'on se marie. Le mariage change les femmes. Pour le pire, j'en ai peur.

*

Marianne et Arthur redonnaient vie à la maison du Surrey. Une armée de décorateurs avait commencé à détacher le papier peint vieilli et à réparer le plâtre abîmé. Marianne voyait déjà ce à quoi la maison ressemblerait une fois finie. Le salon de réception serait crème et or, la chambre pour la musique vert pâle. Ils recouvriraient l'entrée et les escaliers d'un tapis bordeaux et peindraient les rampes en blanc, avec leurs torsades en sucre d'orge. Pour la chambre, elle avait choisi une couleur prune et des lumières murales en verre coloré qui lui rappelaient les chandeliers du palais Gritti, à Venise.

— Et celle-ci? demanda Arthur.

Au second étage, il y avait une grande chambre claire et aérée. De hautes fenêtres donnaient sur le jardin envahi par l'herbe. Des grains de poussière étaient en suspension dans le soleil falot d'automne, au-dessus d'un parquet ciré.

— Je me disais que ce serait la chambre d'enfants.

Il mit ses bras autour d'elle.

— Es-tu...?

Elle pouvait entendre l'espoir dans sa voix. Elle secoua la tête.

— Je pensais l'être, mais non. Mais cela arrivera bientôt, n'est-ce pas, Arthur? C'est certain.

Il la serra encore une fois.

— Nous avons tout le temps. Te sens-tu indisposée?

— Très, répondit-elle – elle avait toujours eu des douleurs mensuelles et le médecin avait dit qu'elle se sentirait mieux après la naissance du premier enfant.

— Ma pauvre chérie. Nous avons tout le temps, Annie. Et cela veut dire que je t'ai pour moi seul un peu plus longtemps.

— Deux garçons et une fille me plairait.

— Ou deux de chaque. Les garçons peuvent être si grossiers. Ils ont besoin de sœurs pour les mater un peu.

— Tu n'as pas eu de sœur.

— Je n'ai qu'un vernis de civilité. Au fond, je suis un homme des cavernes.

Il la souleva dans ses bras et émit des bruits de singe. Prise de rires, elle ne protesta que faiblement quand il la transporta de la chambre d'enfants à la leur, où il la déposa délicatement sur le lit.

— Cette maison a besoin d'enfants, dit-elle. Je peux les *voir*.

159

Elle posa ses mains à plat sur son ventre. *Le mois prochain*, se promit-elle en silence. *Le mois prochain*.

Cette nuit-là, elle dormit mal. Aux premières heures, elle se rendit dans l'arrière-cuisine pour faire chauffer de l'eau et se préparer un thé. Lorsqu'elle se rendormit enfin, elle eut des rêves pénétrants et confus, et ne se réveilla pas quand Arthur se leva pour sa promenade à cheval matinale. Le son de sa voix et sa main lui secouant gentiment l'épaule la réveillèrent enfin.

— Annie, tu dois te réveiller : il y a eu un incendie au chantier naval où ils construisent le *Caroline*. Edwin Meredith m'a envoyé un télégramme. Je dois aller à Londres pour constater les dégâts.

— Je ferais mieux de m'habiller, dit-elle en se redressant.

— Ce n'est peut-être rien. Quelques traces de roussi, et quelques journées de travail perdues. Tu peux rester ici, si tu préfères. Tu peux garder un œil sur la décoration.

Il lui dit de demander à Mme Sheldon, la gardienne, de rester la nuit. Il serait de retour dans un jour ou deux. Il se dirigera vers la penderie ; fixant les rangées de chemises et de vestes, il frappa avec colère son poing contre sa paume.

— On n'a pas de chance avec ce bateau. On est déjà en retard sur le calendrier.

— Arthur, tes pieds ! dit-elle.

Il était pieds nus. Des marques écarlates imprimaient maintenant le tapis blanc, du lit à l'armoire. Il baissa les yeux.

— J'ai marché sur un clou en changeant de chaussures après la balade. Le sol là-bas est plein de clous.

— Laisse-moi le nettoyer et le bander.

— C'est rien, Annie. Juste une petite piqûre.

— Chéri…

— Vraiment, ce n'est rien. Et je suis pressé.

Arthur quitta la maison et Marianne se rendit dans la pièce où l'on se déchaussait. Elle vit le clou sortant du parquet, pointu et rouillé. Elle fit rogner tous les clous qui dépassaient. En écrivant son courrier dans le salon, elle entendait l'écho des coups de marteau.

Le vendredi 18 novembre, trois cents femmes marchèrent de Caxton Hall à la Chambre des communes pour protester contre l'abandon par le gouvernement du projet de loi de Conciliation, qui aurait légiféré sur un accès limité au vote pour les femmes. Tandis qu'elles approchaient de la Chambre, la police chargea. Restant derrière la mêlée, Eva dessina des policiers en train de frapper des femmes au visage, leur donnant des coups de pied alors qu'elles étaient à terre, et un autre arrachant une touffe de cheveux à une femme à la tête ensanglantée. Elle dessina jusqu'à ce que son carnet lui soit arraché des mains et jeté par terre, tout comme elle. Puis elle rassembla ses affaires et se rendit à Paddington. Alors qu'elle entrait dans l'atelier, elle l'entendit dire :

— Vous êtes en retard.

Il était devant son chevalet et semblait irrité. Elle se tint debout dans l'entrée, ses affaires serrées contre sa poitrine, hésitant à partir. À cet instant-là, elle ne supportait pas qu'il soit en colère contre elle.

— Vous savez que c'est fichu quand la lumière est partie... Mon Dieu, que vous est-il arrivé ? Eva, vous tremblez... et vous êtes blessée.

L'enveloppant de son manteau, il l'aida à s'asseoir. Puis il prépara un feu, faisant quelques boules de papier et courant chez le marchand de charbon pour lui en acheter un sac qu'il monta au troisième étage. Il versa un doigt d'alcool dans un verre qu'il lui tendit.

— Eva, que s'est-il passé ? Qui vous a attaquée ? Dites qui c'est et je vais le tuer, lança-t-il d'un air féroce.

— La police.

— La police ?

— Nous marchions sur la Chambre des communes. J'étais avec Lydia, dit-elle en lui saisissant la manche. Lydia ! Je ne sais pas ce qui lui est arrivé !

— Lydia s'en sortira. Cela fait des années qu'elle sait s'en sortir.

— Ils frappaient tout le monde, les vieilles femmes, les jeunes filles. Ils ne nous ont laissé aucune chance, Gabriel. Nous ne faisions que marcher!

Elle avait mis ses mains égratignées sur son visage, couvrant ses yeux. Elle respira profondément pour se calmer, puis reprit plus doucement.

— J'ai cru que j'allais m'évanouir, donc j'ai couru. Je me suis alors souvenue que j'avais mon carnet de dessin et je me suis dit que, si je n'étais pas assez courageuse pour être debout et me battre, je pouvais au moins dessiner ce qui se passait, pour que les gens sachent à propos de ces brutes. Mais un policier m'a vue. J'ai donc perdu mes dessins.

Il mit ses bras autour d'elle et elle enfonça sa tête dans sa poitrine. Elle l'entendit murmurer:

— Les *salauds*. Quelle bande de salauds.

Elle s'essuya le visage sur sa manche.

— Ils voulaient nous humilier, dit-elle. Et ils y ont réussi. Ils étaient plus forts que nous. Ce sont peut-être des brutes ignares mais ils pouvaient faire ce qu'ils voulaient de nous car ils étaient plus forts. (Elle regarda ses mains qui tremblaient.) J'ai entendu quelqu'un dire que ces policiers venaient de l'est de la ville et que cela expliquait leur extrême dureté. Ils nous traitaient comme ils auraient traité les femmes de l'East End, dont tout le monde se fiche.

En regardant par la fenêtre, elle vit que le ciel était devenu noir. Il était tard. Elle devait rentrer chez elle sinon Mme Wilde s'inquiéterait. Il y avait un miroir sur le chambranle. Sur sa surface craquelée et poussiéreuse, elle vit son visage sale et contusionné. Elle se nettoya au mieux mais ses doigts tremblaient trop pour épingler ses cheveux. Gabriel lui prit les épingles et elle le sentit tordre ses cheveux en un nœud. Elle était soulagée que la lumière soit faible et qu'il ne puisse voir ses yeux clos tandis qu'il lui faisait un chignon. Ils descendirent dans la rue. Dans Praed Street, il héla un taxi. Elle le regarda à la dérobée, imprimant ses traits dans sa mémoire et se souvenant du dangereux et merveilleux toucher de ses doigts frottant sur sa nuque.

Arthur avait quitté Leighton Hall le jeudi matin. Dans l'après-midi du lundi, Marianne entendit sa voiture s'approcher dans l'allée. Elle le regarda se garer et descendre du véhicule. La pluie avait foncé les manches de son imperméable. Elle nota qu'il boitait un peu.

— Ce foutu clou, dit-il après l'avoir embrassée. Qui pourrait croire qu'un petit clou puisse provoquer une telle gêne ?

Il lui raconta la virulence de l'incendie, qui avait démarré dans un dépôt de bois et s'était répandu de manière incontrôlable.

— Et le *Caroline* ?

— Gravement endommagé. C'est tellement bon d'être de retour et de te retrouver, Annie.

— Tu devrais te reposer. Tu as fait un long trajet.

— Oui, je crois que je vais me reposer.

— Et mets ce pied au bain. Je vais chercher de l'iode.

Ils repartirent à Londres le lendemain. Cet après-midi-là et tout le mercredi, Arthur resta au chantier naval. Le jeudi, quand elle se réveilla, il était allongé à côté d'elle. Elle lui caressa le visage et ses paupières s'ouvrirent.

— Tu n'es pas allé faire ta balade.

— Je me sens un peu fatigué. Et le temps est si exécrable. Je ne veux pas bouger, dit-il en lui prenant les mains. Nous pouvons rester au lit toute la journée.

— Nous pourrions dire que nous sommes malades.

— Que diraient les domestiques ?

— Le seul problème est que j'ai promis à Patricia que je vendrais des insignes pour elle, répondit-elle en posant sa tête contre sa poitrine.

— Des insignes ?

— Pour l'une de ses œuvres caritatives. L'association Perce-Neige. C'est pour les pauvres veuves, je crois.

— Et pour les pauvres maris ?

— Oh, les maris sont toujours chouchoutés. Ils sont terriblement gâtés, repartit-elle en l'embrassant. Je déteste ce genre de choses mais Pat a été tellement gentille avec moi que je ne peux pas la laisser tomber. Je ne serai pas longue. Tu es bien chaud, mon chéri, dit-elle en posant le dos de sa main sur son visage. Es-tu sûr d'aller bien ?

— J'ai peut-être attrapé froid en restant debout sous la pluie au chantier.

— Je vais téléphoner à Patricia pour annuler.

— Pas du tout. J'ai juste besoin de quelques heures de repos. Va !

Il lui donna une tape sur le derrière alors qu'elle descendait du lit.

— Et vends bien des dizaines d'insignes !

Marianne était debout devant l'entrée d'un magasin sur Oxford Street, se protégeant de la pluie et portant un panier de fleurs en papier et un jeu de badges. Ne supportant pas d'approcher des étrangers, elle ne vendait d'insigne que lorsque les passants la remarquaient et la prenaient en pitié. À midi, elle n'en avait vendu que deux dizaines. Elle vida donc le contenu de son porte-monnaie dans la tirelire et jeta le reste des badges discrètement dans une poubelle. Puis elle déjeuna avec Patricia chez Fortnum. De retour à la maison, elle trouva Arthur dans la bibliothèque, assis près du feu. Elle mit sa main sur son front. Sa peau était brûlante. Pour la première fois, elle s'inquiéta.

— Chéri, tu as de la fièvre.

— Cela me rend furieux. Alors qu'il y a tant à faire.

Malgré le feu, il tremblait.

— Je vais appeler le Dr Fleming, décida-t-elle.

— Pas besoin, Annie, dit-il en la retenant par la main. Tu sais que je déteste en faire tout un plat. Je ne veux pas voir ces malheureux charcutiers penchés au-dessus de moi. Demain matin, je serai remis.

Elle avait noté qu'il détestait les médecins, les hôpitaux, tout ce qui avait un lien avec le monde médical. Lorsque Iris leur rendait visite et qu'elle parlait de son travail, il quittait la pièce. Lui qui était si sûr de lui physiquement et si peu craintif, il avait ses propres peurs, ses aversions.

— Si tu n'es pas bien demain…

— Promis. Tu pourras appeler les sangsues.

Cette nuit-là, elle ne dormit que par à-coups, vérifiant comment il allait. Pourtant, le lendemain matin, sa fièvre semblait être retombée. Marianne avait un essayage chez sa couturière à 10 heures. Quand elle quitta la maison, une brume s'était installée sur la ville, brouillant les contours des bâtiments et perlant d'humidité les branches et les feuilles des arbres. Quand sa robe fut à sa mesure, Marianne regarda le tissu bordeaux. Elle ne l'aimait plus ; trop dense, trop foncé, trop lourd. Il donnait un peu la nausée. C'était la couleur du sang et elle aurait préféré en avoir choisi un autre. Son inconfort ne la quittait pas et la rendait nerveuse. Elle pensa à Arthur se retournant dans son sommeil et à la chaleur de sa peau qui était devenue comme du papier sous sa main. Chaque fois que la couturière plantait une épingle dans le tissu, elle se mordait les lèvres pour ne pas tressaillir. *C'est juste un coup de froid*, se dit-elle. *Quand je rentrerai, il sera rétabli.* Mais une fois l'essayage terminé, elle ne passa pas par les autres magasins, comme elle en avait eu l'intention. Elle retourna vite à Norfolk Square.

Le brouillard s'était épaissi et Marianne pouvait à peine voir l'autre côté de la rue. Les sons étaient étouffés, annihilés par la brume. À l'intérieur de la maison, ses pas faisaient un bruit sourd dans le couloir. Arthur n'était pas dans la bibliothèque, ni dans le salon. Marianne grimpa les escaliers. Il était allongé sur le lit, sa tête tournée de l'autre côté.

— Arthur ? demanda-t-elle. Chéri ?

Au son de sa voix, Arthur se retourna. Ses yeux scintillèrent et elle vit que quelque chose avait changé depuis qu'elle l'avait quitté le matin.

— Arthur ?

Quand elle toucha son visage, il recula.

— Arthur, mon amour ?

— Annie. Où étais-tu ? Tu es partie depuis si longtemps.

— J'étais chez la couturière. Je te l'ai dit, mon chéri.

— Je t'ai attendue pendant des heures. J'ai mal à la tête, reprit-il en grimaçant.

Un gant de toilette et une bassine d'eau froide étaient posés à côté du lit. Elle plongea le gant dans l'eau, l'égoutta et le mit sur son front.

— Est-ce que ça fait du bien?

Il ferma les yeux.

— J'ai soif, murmura-t-il. Tellement soif.

Il ne pouvait boire sans assistance. L'inquiétude de Marianne tourna à l'alarme. Arthur, qui trottait comme un prince dans Hyde Park, qui était si à l'aise avec les gondoliers vénitiens et les chauffeurs de taxis parisiens, ne pouvait soudain pas boire sans aide.

— Je vais appeler le docteur. Je crois que tu n'es pas bien du tout.

Alors qu'elle s'en allait, il lui attrapa la main.

— Ne me laisse pas, Annie. Tu ne dois pas me laisser.

Gentiment, elle répondit:

— Je reviens dès que j'ai appelé le Dr Fleming. Je serai partie une minute ou deux, je te le promets. Bien sûr que je ne vais pas te quitter. Pour toujours et à jamais, tu te souviens? Pour toujours et à jamais.

Elle dévala les escaliers. Elle vit la servante dans l'entrée, en train d'arranger le courrier de la mi-journée sur la petite table. Elle avait toujours été un peu craintive à l'égard des domestiques d'Arthur. *Les serviteurs d'Arthur*, pensait-elle, n'étaient pas les *siens*.

Mais à cet instant, elle interpella la fille:

— Pourquoi ne m'avez-vous pas avertie? Pourquoi personne ne m'a appelée? Pourquoi personne n'a appelé le médecin?

Et lorsque la servante la regarda d'un air blême, elle cria:

— M. Leighton est malade! N'avez-vous rien vu? M. Leighton est gravement malade!

Ses mains tremblaient en soulevant le combiné téléphonique. Elle entendit l'opérateur demander le numéro et l'assistante du médecin, distante et désincarnée. Puis sa propre voix, décrivant les symptômes d'Arthur. Et le Dr Fleming, sur un ton doux:

— Je suis sûr qu'il ne faut pas s'alarmer, Mme Leighton. Sans doute un refroidissement. Avec ce temps, vous savez…

Une partie de la tension diminua. Le Dr Fleming saurait que faire. Il guérirait Arthur. Elle retourna à la chambre et tira une chaise pour s'asseoir près du lit. Arthur lui murmurait quelque chose mais elle ne pouvait saisir ses mots et elle se pencha vers lui.

— Ça fait mal, tellement mal.

La peur lui remonta à la gorge. Elle pouvait en sentir le goût.

— Où cela fait-il mal?

— Partout, dit-il avec un air apeuré. Qu'est-ce qui m'arrive, Annie?

— Tu es malade, chéri. Tu iras mieux bientôt. C'est juste une fièvre.

— Mon pied. Il fait tellement mal. Ce foutu pied.

Marianne se souvint du clou rouillé et de ces petites empreintes de sang sur le tapis. Elle défit les couvertures. Et ce qu'elle vit lui fit joindre les mains devant sa bouche pour éviter de crier de terreur. La peau autour de la blessure sur la plante du pied d'Arthur était noire et enflée. Une décoloration noirâtre marbrait sa cheville et sa jambe, formant de méchants hématomes violets sous la peau, où les veines avaient éclaté et saignaient. Elle fit ce qu'elle put en sachant parfaitement que rien ne suffisait. Elle lava le pied avec du savon au crésol et le passa à l'iode tout en le soulevant sur un coussin pour alléger la douleur. Elle savait qu'elle devait faire chuter sa température et elle l'épongea tout en lui faisant aspirer de l'eau. Elle ne comprenait pas pourquoi le médecin prenait autant de temps pour arriver. Il lui semblait l'avoir appelé depuis des heures. Sa peur était insupportable, nauséeuse, comme une boule solide et vivante coincée dans sa gorge.

Par la fenêtre, elle vit que le brouillard s'était encore épaissi. On ne pouvait pratiquement pas voir les mouvements dans la rue, furtivement saisis par les phares et les lanternes. Deux voix luttaient dans sa tête. L'une, impatiente et en colère: *Dépêchez-vous donc! Qu'est-ce qui vous fait traîner? Ce foutu brouillard, bien sûr. Ne me laissez pas seule. Dépêchez-vous.* Et cette autre voix, terrifiée et implorante: *Faites que rien d'affreux n'arrive. Je vous en prie, mon Dieu, faites que rien d'affreux n'arrive à Arthur. Je vous en prie, je vous en prie.*

Le Dr Fleming était un homme carré, au visage rose et à l'air condescendant.

— Empoisonnement sanguin, dit-il à Marianne. M. Leighton souffre d'un empoisonnement sanguin. Septicémie, ajouta-t-il en toussant légèrement, mais ne vous embarrassez pas avec les noms savants, madame Leighton.

La blessure du clou rouillé était petite mais elle avait atteint le fond de la chair, envoyant une cargaison de microbes dans le sang. Le Dr Fleming suggéra de percer la plaie. Arthur était jeune et fort, et ils devaient espérer et prier pour qu'il lutte contre l'infection. Marianne nota le mot *prier*. Il y avait là un manque de certitude. Elle attrapa le bras du docteur, ses doigts s'enfonçant dans la manche de son manteau.

— *Vous devez le guérir*, siffla-t-elle. *Vous le devez.*

Elle se tint à côté de lui en lui tenant la main pendant que le Dr Fleming perçait la plaie. Arthur lui avait demandé de ne pas le quitter. Le médecin essaya de la faire sortir, mais elle refusa. Une fois l'incision faite, elle s'imagina le poison en train de s'écouler et de quitter veines et vaisseaux. Quand le bistouri s'enfonça plus profondément et qu'Arthur cria, elle se mordit la lèvre jusqu'au sang. Elle ne se détourna pas quand le Dr Fleming nettoya la plaie au peroxyde, ni quand il la remplit de gaze et la banda. Puis elle s'assit au bord du lit et attendit. Les voix dans sa tête continuaient, l'une implorant, l'autre jacassant. *Bien sûr qu'il va bientôt guérir. La fièvre devrait retomber – Pourquoi ne tombe-t-elle pas? Pourquoi n'ouvre-t-il pas les yeux pour me parler? Je vous en prie, mon Dieu, faites qu'il guérisse et je ferai tout ce que vous voulez. Même si je ne dois jamais avoir d'enfant.*

Dehors, le brouillard était si épais qu'il semblait se presser contre les carreaux. La couleur grisâtre de l'air était le seul signe que la nuit tombait. Le Dr Fleming attira Marianne sur le côté.

— J'ai demandé à ce qu'une infirmière vienne pour vous relayer, madame Leighton.

— Je resterai avec mon mari, dit-elle avec entêtement.

— Nous pouvons très bien nous en occuper, ma chère. Vous devriez vous reposer.

— Je ne le laisserai pas! répéta-t-elle, sa voix s'élevant contre son gré. Je ne le laisserai pas!

— Très bien, très bien, ma chère. Si c'est ce que vous préférez, lui répondit-il en lui posant la main sur l'épaule.

Un peu plus d'un an auparavant, dans le jardin d'hiver de Summerleigh, Arthur lui avait promis de ne jamais la quitter. Maintenant, en fermant les yeux, elle se souvenait de la pluie sur la verrière et de la lourde odeur terrienne des palmiers et des fougères. Arthur était le genre d'homme à tenir ses promesses. Elle devait tenir les siennes. Elle lui murmura à l'oreille:

— Je suis là. Je serai toujours là. Tu dois guérir pour moi, chéri.

Mais il se tourna sur l'oreiller et dit:

— Le canon. N'entends-tu pas le canon?

Son cœur se serra d'angoisse.

— Il n'y a rien, Arthur. Pas le moindre canon. Juste les klaxons des voitures dans le brouillard. Ou l'une des domestiques qui a laissé tomber quelque chose, peut-être.

Ses yeux étaient comme ceux d'un somnambule, lointains et mal assurés. Elle n'était pas sûre qu'il la voyait ni l'entendait. Elle lui caressa le visage.

— Silence maintenant, tu ne dois pas t'inquiéter. Je suis là.

Ses paupières se refermèrent. L'infirmière arriva. Son tablier amidonné crissait; elle prit le pouls d'Arthur après avoir donné une brève et efficace chiquenaude à la montre qui pendait sur sa poitrine. Un moment de soulagement et de confiance fugace revenait; avec son visage pâteux et ses doigts rouges et potelés, l'infirmière Saunders saurait comment rétablir Arthur.

À l'aube, assise au bord du lit, Marianne s'assoupissait et se réveillait en sursaut, sans savoir si elle avait dormi une minute ou une heure. Elle avait rêvé de la maison du Surrey. Arthur était debout dans le couloir et elle marchait vers lui. C'était l'été et la lumière du soleil inondait la pièce à travers les grandes fenêtres. Ses mouvements étaient lents, comme si elle était retenue par une barrière invisible. Il semblait disparaître plutôt que se rapprocher. Au réveil, il y eut le choc de l'étrangeté qui avait gagné la chambre au cours des douze dernières heures : l'infirmière assise sous une lampe, le plateau de bouteilles et de bandages, l'odeur du désinfectant et, derrière elle, celle du pourrissement. Un moment de panique l'envahit et, pour la première fois, elle pensa à faire appeler Iris ou Eva. Pour ne pas se sentir seule.

Mais elle n'en fit rien. Elle avait encore la conviction qu'en clignant fort des yeux et en se secouant énergiquement, toute cette horreur se dissoudrait, une machine se mettrait à grincer et à vrombir, et tout redeviendrait normal. Faire venir ses sœurs signifiait admettre que quelque chose de terrible était en train de se passer. Admettre la possibilité qu'Arthur puisse…

Elle écarta cette pensée. Elle le regarda, concentrant sa force pour la lui transmettre. Il devait guérir. Il devait guérir vite car elle ne voyait pas comment elle supporterait une autre nuit comme celle-ci. Les hommes d'Église ne disent-ils pas que Dieu requiert que vous enduriez seulement ce que vous êtes capable d'endurer ? Or, ceci était insupportable. Au petit jour, il se réveilla en haletant.

— Je vois… dit-il en s'asseyant sur son lit, le regard scrutant la chambre.

— Qu'est-ce, chéri ?

— Là. Là-bas.

Il fixait l'obscurité. Elle pouvait voir l'horreur dans ses yeux.

— Il y en a tellement ! chuchota-t-il.

— Tellement de quoi, Arthur ?

— De dieux indiens. Il y en a des multitudes. Des centaines. Des *milliers*.

— Chut, mon cœur, c'est juste un rêve.

— Le dieu éléphant. C'est quoi son nom déjà ? J'ai vu une procession. Tous ces gens. Tellement de monde. Et le bruit. La musique. Une musique tellement étrange. Je n'arrive pas à me rappeler… *Ganesh*. C'est ça. Et le dieu à la peau bleue, Krishna.

Il parlait très vite. Quand il saisit son bras, ses doigts s'enfoncèrent dans sa chair et il dit en grinçant :

— Et s'ils avaient raison et que nous avions tort ?

L'infirmière s'était levée de sa chaise. Arthur fixa Marianne, le regard affolé.

— Nous pensons toujours que nous avons raison, n'est-ce pas ? Notre façon de faire est forcément la bonne et la seule. Notre Dieu, pas les leurs. Mais si c'était eux qui avaient raison, et pas nous ? Si c'étaient leurs dieux qui régnaient sur le paradis, pas les nôtres ? Il se frotta le front. Ou sur l'enfer.

Sa voix faiblit. Il se retirait dans un endroit où elle ne pouvait pas le suivre. Elle voulait lui crier quelque chose, le secouer, le ramener de force. L'infirmière compta des gouttes dans une cuillère. Après qu'il les eut prises, Arthur retomba sur l'oreiller. L'infirmière souleva les draps pour observer son pied. Marianne lui prit à nouveau la main. Ses paupières tremblèrent, la peau autour de ses yeux et de ses pommettes était tirée.

L'infirmière Saunders ôta les bandages et Arthur grogna. Marianne pria : *Dites-moi que ça va mieux. Dites-moi que la blessure a dégonflé et que l'hématome a diminué.* Mais l'infirmière dit :

— Je crois que je devrais appeler le Dr Fleming, madame Leighton.

Et elle quitta la chambre.

Le temps passa. Le Dr Fleming revint à la maison. Après avoir examiné Arthur, il emmena Marianne dans une pièce attenante. La fièvre ne diminuait pas, lui dit-il. Le cœur d'Arthur donnait des signes d'épuisement et ne tiendrait pas très longtemps.

— Son cœur, répéta-t-elle, assommée, abasourdie, son propre cœur se resserrant douloureusement.

Le Dr Fleming fronça le sourcil. L'incision n'était pas parvenue à enrayer l'infection et il y avait des signes que la gangrène gagnait. Il toussota. Son regard évitait celui de Marianne. Il était désolé de lui annoncer qu'il avait décidé de prendre des mesures plus radicales.

— Je ne sais pas ce que vous attendez si vous avez un médicament qui peut le soigner, repartit-elle furieusement.

— Il n'y a pas de médicament, répliqua-t-il sèchement. Si l'infection n'est pas stoppée, la circulation sanguine de M. Leighton sera réduite et ses organes vitaux – le cœur et le cerveau, vous comprenez, madame Leighton – seront privés d'oxygène.

Il lui parla alors de l'opération qu'il envisageait. Elle devint silencieuse et ne dit plus un mot tandis qu'il lui tapotait la main et retournait dans la chambre.

Une fois seule, elle alla à la fenêtre. Dehors, les volutes de brouillard jaunâtre masquaient tout le reste. Elle pressa sa main sur le carreau et vit les gouttes d'eau se former autour et glisser sur le verre. Mais au-delà, il n'y avait que le brouillard. Si le soleil s'était levé, elle n'aurait pu le voir. Seul le reflet de son visage apparaissait dans la vitre. Son visage blême, ses vêtements fripés, ses cheveux en désordre. Elle se mit à les recoiffer mais ses mains tombèrent. À quoi bon les épingler s'il ne pouvait les voir? Pourquoi changer d'habits ou se laver le visage quand ils allaient lui faire *ça*?

*

Une infirmière stoppa Iris alors qu'elle se rendait au réfectoire.

— La surveillante te fait appeler, Maclise. Elle veut te voir tout de suite. Dans son bureau. (L'infirmière eut un petit sourire narquois.) Tu as dû faire la vilaine, Maclise.

En marchant, Iris pensa à la liste de ses erreurs récentes. Il n'y en avait pas tant – beaucoup moins qu'il y a quelques mois. Hier, elle avait fait tomber un plateau de pansements usagés. Ils ne la congédieraient pas pour ça. Seule Sœur Grant l'enverrait plier ses bagages pour une faute si légère. Mais elle ne se laisserait pas faire. Elle quitterait l'hôpital au moment qu'elle choisirait. Elle ne serait pas remerciée de façon ignominieuse.

Au seuil du bureau de la surveillante, elle s'arrêta, remit ses cheveux en place, redressa sa coiffe, brossa rapidement ses chaussures sur le derrière de ses bas. Puis elle frappa à la porte. Mlle Stanley lui intima d'entrer.

— Infirmière Maclise, veuillez vous asseoir.

Elle fut surprise. On se fait toujours rabrouer debout.

— Je suis désolée d'avoir de mauvaises nouvelles à vous apporter. J'ai reçu un coup de téléphone de votre sœur, dit Mlle Stanley.

Sœur, entendit Iris. Ses pensées se réorganisèrent rapidement. *Clémence. Mère.*

— Mme Leighton m'a demandé de vous informer que son mari est très gravement malade. Elle demande à ce que vous la rejoigniez. Je n'aime pas que mes infirmières prennent du temps libre pendant les heures de travail mais, en de telles circonstances, vous avez ma permission pour aller chez votre sœur. Vous rattraperez vos heures sur vos jours de congé.

En traversant Londres, Iris eut le sentiment que la surveillante devait avoir commis une erreur. Arthur ne pouvait pas être malade. Arthur était dans la force de l'âge, beau, fort et viril. Mais elle savait aussi que des hommes dans la fleur de l'âge mouraient chaque jour à l'hôpital. Elle les avait vus, leur avait tenu la main à l'instant où le souffle les quittait.

À la station Paddington, elle monta les escaliers quatre à quatre et se fraya un chemin dans la foule. La fumée des machines se mélangeait au brouillard. Les silhouettes s'évanouissaient dans l'air grisâtre. Une fille munie d'un panier de branches de houx, des travailleurs se pressant autour d'un brasier ; tous les bruits étaient étouffés : le son des fers des chevaux, les appels de la vendeuse de fleurs. Il était si facile de perdre ses repères. Au plus épais du brouillard, pour se guider, elle devait faire glisser sa main sur les grilles extérieures des maisons.

Il y avait la peur de se perdre dans la brume, puis, en approchant de la maison de Marianne, une peur beaucoup plus vive. Avec le mépris de l'aînée, elle avait toujours trouvé Marianne assez idiote, avec sa timidité, ses romans à l'eau de rose et sa médiocrité dans tout ce qui requérait une performance physique. Puis il y avait eu ce formidable renversement de positions, le mariage de Marianne, et le mépris avait laissé la place à l'envie. Maintenant, pour la première fois de sa vie, elle songeait à Marianne avec objectivité. Humblement, elle se disait qu'elle n'était pas capable d'aimer aussi profondément que Marianne. Et que celle-ci aimait peut-être trop imprudemment. Et si Arthur venait à mourir ? Elle se sentit inquiète pour sa sœur.

Un domestique répondit à la sonnette. À l'intérieur, on l'emmena à l'étage. Marianne était debout à la fenêtre, dos à la porte. Quand la domestique annonça Iris, Marianne se retourna. Son visage était de pierre, sa robe froissée et tachée. Des mèches de cheveux pendaient mollement dans son cou. Iris se dit que Marianne, si embellie depuis le jour où elle avait rencontré Arthur Leighton, était redevenue ordinaire.

*

La maison des Leighton à Norfolk Square n'était pas loin de l'atelier de Gabriel Bellamy, à Paddington. Quelques carrefours et tournants, quelques rues à traverser et une grande avenue qui se rétrécissait. Eva courait dans l'allée, passait devant le marchand de charbon, devant le fabricant de montres et celui de boîtes en carton. Et c'est alors qu'elle le vit. Cela ne lui avait pas traversé l'esprit qu'il pourrait ne pas être seul. Mais il était tard, bien sûr – 21 heures – bien plus tard que ses visites habituelles. Et il était là, à quelques mètres d'elle, sortant du bâtiment dans lequel il louait son atelier, entouré d'une demi-douzaine d'amis.

— Eva, dit-il en la voyant, ma belle petite Eva.

En voyant le visage empourpré et les sourires convenus de ses amis, elle se demanda si elle avait commis une erreur de venir le voir. Peut-être n'y avait-il aucun réconfort à trouver ici. Peut-être n'y en avait-il aucun à trouver nulle part. Mais il s'avança vers elle et, observant son visage, cria par-dessus son épaule à ses amis :

— Vous partez devant, d'accord ?

Ils se plaignirent puis se mirent à remonter la rue.

— Il s'est passé quelque chose, reprit-il. Dites-moi, Eva.

Mais elle ne pouvait parler. Elle n'arrivait pas encore à le formuler.

— Montez à l'atelier, vous vous sentirez mieux là-haut.

— Non, je veux aller ailleurs. Je veux voir quelque chose de différent.

Il appela un fiacre et l'emmena au Café Royal. La large salle était remplie de tables où des hommes et quelques femmes étaient assis. Des colonnes richement décorées jaillissaient du sol et montaient jusqu'à un plafond de lambris et de dorures. Eva regarda fixement ces colonnes. Certaines étaient entourées de vignes dorées disposées en vrille, lourdement chargées de raisin. Elle remarqua que tous les personnages étaient des femmes pâles, nues et à forte poitrine.

Gabriel commanda à boire. Puis il alluma deux cigarettes et en mit une entre les doigts d'Eva. Les boissons arrivèrent : un verre de vin pour Eva et quelque chose de clair et jaune-vert pour Gabriel.

— C'est quoi ? demanda-t-elle.

— De l'absinthe.

— Je peux essayer ?

— Vous n'aimerez probablement pas.

— Je veux *tout* essayer.

— Eva… coupa-t-il. Mon Dieu, je commence à réagir comme mon père. Comme n'importe quel père.

Il poussa le verre vers elle. Elle en avala une pleine gorgée. C'était amer. Elle grimaça. Il sourit et dit :

— Infect, n'est-ce pas ? C'est la boisson des poètes et des névrosés.

— Êtes-vous l'un ou l'autre, Gabriel ?

— J'aime croire que je fais partie des premiers mais parfois je crains d'être l'un des seconds. Et que pensez-vous de la salle Domino ? demanda-t-il en regardant autour de lui. Tout le monde vient ici. Orpen et William Nicholson, Augustus John…

— On dirait une grotte. On pourrait s'y cacher.

— Eva, ma chérie, pourquoi ne me dites-vous pas de quoi vous voulez vous cacher ?

Sa tête lui faisait mal et ses yeux étaient gonflés par les larmes qu'elle avait versées. Elle but la moitié de son vin, posa son verre et joignit les deux mains devant son visage. Puis elle murmura :

— Mon beau-frère, Arthur, est mort.

— Le mari de votre sœur aînée ?

— Le mari de Marianne. Cela ne faisait qu'un an qu'ils étaient mariés, Gabriel ! Pas même un an – onze mois !

— Mon Dieu… Les pauvres.

— J'étais avec Marianne. Un jour seulement mais on aurait dit des mois. Dans cette maison, avec Arthur si malade, si pitoyable…, confia-t-elle en finissant son verre, alors que Gabriel en recommandait deux autres. Pauvre Marianne, je ne sais pas comment elle va le supporter. Elle l'aimait tellement, Gabriel. On aurait dit que tout était en train de mourir là-bas. Je devais m'enfuir. Mon père est là-bas, James et Iris également, Marianne n'est pas seule… Je leur ai dit que j'allais chez Mme Wilde. Ils savaient que j'étais fatiguée et bouleversée. Mais je ne voulais pas seulement m'enfuir. Je voulais aller dans un endroit où je me sentirais vivante. Je voulais être avec *quelqu'un* avec qui je me sens vivante.

Il mit ses mains sur les siennes ; quand son pouce caressa sa paume, elle trembla.

— Et vous vous sentez vivante avec moi ?

— Oui. Même si ce n'est pas bien.

— Il n'y a pas de mal. Aimer n'est jamais mal.

— Vraiment ? Et Sadie ? Et vos enfants ?

— J'aime Sadie. J'aimerai toujours Sadie. Rien ne peut m'arrêter d'aimer Sadie. Et il en est de même pour mes enfants, bien sûr. Je donnerais ma vie pour chacun d'entre eux.

Elle pensa à son père entrant dans le fiacre.

— Je hais la tromperie ! Je hais le manque d'honnêteté !

— N'est-il pas malhonnête de prétendre ne pas aimer ? Selon ma façon de voir les choses, ma chère Eva, je ne prétends pas être un autre. J'ai mauvaise réputation et, aux yeux du monde, bien entendu, je suis mauvais. Je ne respecte pas les règles, mais au moins je ne prétends pas les respecter. J'ai mes propres règles. Je crois qu'aimer est bien. Et je ne crois pas que l'amour soit exclusif. Je ne prétends pas n'avoir aimé qu'une femme dans ma vie. J'ai l'honnêteté d'admettre que j'en ai déjà aimé deux ou trois de plus.

Il leva ses mains vers ses lèvres et embrassa l'intérieur de ses poignets.

— Je vous ai déjà dit que je ne croyais pas au mariage. Je me suis marié avec Sadie uniquement parce qu'elle – et sa mère – ne voulaient rien d'autre. Si c'est un mariage que vous cherchez,

Eva, alors éloignez-vous de moi. Et cette fois-ci, je vous le promets, je ne viendrai pas vous chercher.

— Je ne veux pas me marier. Le mariage enferme les femmes!

— Alors nous sommes d'accord sur ce point.

— Je devrais sortir d'ici et ne jamais vous revoir. Mais...

— Mais quoi?

— Arthur, murmura-t-elle. Le pauvre Arthur. Que serait-il arrivé si Marianne avait attendu? Ils ne s'étaient rencontrés que quelques fois avant de se fiancer et leurs fiançailles furent courtes. Et si elle avait insisté pour qu'elles soient plus longues? Ils n'auraient *rien* eu. Ils pensaient avoir des années devant eux. Ce n'était pas le cas. Qui sait ce qu'il adviendra de moi – ou de vous – demain, ou dans une semaine, dans un an ou dans deux?

— *Carpe diem*, vous voulez dire?

— On doit jouir de chaque jour, n'est-ce pas? Ne rien perdre.

— Cela a toujours été ma philosophie. Vous avez dit que vous vouliez tout essayer. Que voulez-vous essayer, Eva?

— Je veux peindre. Je veux peindre des tableaux qui laisseront les gens pantois. Ou les feront pleurer. Ou rire. Et puis...

Elle fit une pause, le regarda droit dans les yeux et, sur un ton de défi, reprit:

— Et puis il y a l'amour, n'est-ce pas?

— Oui, je suppose que oui.

Du vin s'était renversé sur la table. Elle dessina des formes avec le bout de son doigt et continua:

— Le médecin a amputé le pied d'Arthur. Ils espéraient que l'opération lui sauverait la vie. Mais le choc a été trop brutal pour lui et il est mort – un souvenir qui restera à jamais gravé en moi. Marianne ne l'a pas quitté. Même après son dernier souffle, je veux dire. Elle est restée assise à côté de lui pendant des heures. Finalement, père, Iris et moi l'avons pratiquement traînée à l'écart... Je sais que l'on ne peut attendre l'amour. Ce n'est pas prudent.

— Je ne cesse de penser à vous. Je rêve de vous.

Elle pensa à Sadie en train de préparer ses pâtisseries sur la table de la cuisine de Greenstones. Elle pensa à Marianne, dont les yeux étaient comme deux noires empreintes de pouces au milieu d'un visage dont toute couleur avait disparu.

Une vague de fatigue l'envahit, emportant ses derniers scrupules. Quand il leva sa main vers sa bouche pour en sucer les gouttes de vin, elle ne résista plus.

6

Dans les semaines et les mois qui suivirent la mort d'Arthur, Marianne revécut mille fois les événements l'ayant précédée. À haute voix devant ses amis et ses sœurs ; plus silencieusement, dans sa tête. L'accident d'Arthur, sa maladie, son opération, sa mort. Et si elle avait insisté pour nettoyer sa blessure avant qu'il parte à Londres ? pensait-elle. Si elle n'avait pas confondu un coup de froid avec une infection du sang. Si elle avait appelé le Dr Fleming plus tôt. Si elle avait annulé son essayage. S'il n'y avait pas eu de brouillard. Ses interlocuteurs la réconfortaient mais ce petit nœud de culpabilité demeurait, dur et noir, scellé dans son cœur.

La nuit, elle rêvait de ce clou sortant du sol de la maison du Surrey. Dans son rêve, il grossissait, traversant les planchers comme une épée. Quand elle passait la main dessus, le sang perlait de la coupure. Parfois, elle rêvait de petites empreintes de pieds ensanglantés sur un tapis blanc. Un jour, elle rêva être dans une maison inconnue, en train de suivre des empreintes rouges le long d'un grand couloir ; elle choisissait une porte parmi beaucoup d'autres, au hasard ; à l'intérieur, la pièce était vide, à part le lit sur lequel Arthur était allongé, malade, pâle et bandé ; elle réalisait qu'ils avaient tous commis une terrible erreur, qu'il n'était pas mort du tout, qu'il avait survécu et qu'il souffrait dans un endroit oublié, dans un tourment constant, seul et négligé. Lorsqu'elle se réveillait, cherchant son souffle, sa peau était glacée de terreur et ses mains se tendaient dans l'obscurité.

Elle avait fait teindre ses habits en noir. Dans sa tête, elle voyait la tache grappiller sur les couleurs bleu, cerise et violet, comme une brume noire. Il lui paraissait vivre dans ce sombre brouillard, comme si celui qui avait enveloppé la maison au cours des derniers jours de la vie d'Arthur ne s'était jamais dissipé.

Aux funérailles, elle dispersa des violettes dans sa tombe. Ces violettes étaient sèches comme du papier, fantômes des fleurs qu'il lui avait offertes avant leur première fête, pressées par ses soins entre les pages de son journal intime. Alors qu'elles s'effritaient dans ses doigts, elle en respirait l'essence. Puis elle regarda le vent violent les attraper et les projeter en l'air avant qu'elles fussent avalées par la terre.

Le notaire d'Arthur, M. Marshall, vint lui rendre visite. Père était assis à côté de Marianne dans le bureau d'Arthur tandis que M. Marshall lut le testament. Elle avait beau essayer de se concentrer sur ce que disait M. Marshall, elle n'y arrivait pas. Pendant ces journées-là, elle semblait incapable de fixer sa pensée plus d'une seconde ou deux, ou même d'en avoir une. La boucle continue de la maladie et de la mort d'Arthur tournait et retournait. Tandis que M. Marshall parlait, elle pensait aux fourneaux de l'usine de son père consumant de grands tas de charbon et les transformant en feu et en cendres. Il lui semblait que tous ses souvenirs, toutes ses pensées s'étaient muées en horreur, en culpabilité, en feu et en cendres. Sa première rencontre avec Arthur, la période où ils sortaient ensemble, leur mariage, tout ce qu'ils avaient partagé s'était terminé ainsi.

M. Marshall lui dit que, dans la mesure où la maison du Surrey était un bien inaliénable et que le mariage d'Arthur et de Marianne était sans descendance, elle irait au plus proche héritier mâle, un cousin éloigné qu'elle n'avait jamais rencontré. La maison de Norfolk Square, en revanche, était désormais la sienne. La perte de la maison du Surrey lui procura un soupçon de soulagement. Même si elle l'avait jadis aimée, elle la trouvait complice de la mort d'Arthur.

M. Marshall évoqua des fonds en fidéicommis, des valeurs et des actions. Il cita une somme. Après son départ, père la serra dans ses bras et dit :

— Tu es très bien pourvue, ma chérie, c'est une source de réconfort, non ?

Marianne eut une réponse de convenance. Depuis la mort d'Arthur, elle était devenue adepte de ces réponses. Elle savait que si sa famille réalisait comment, à l'intérieur, elle se sentait évidée et lacérée, ils ne la laisseraient pas seule. Or, c'est tout ce qu'elle voulait.

Un matin, elle tria les affaires d'Arthur. Collant ses manteaux et ses chemises contre son visage, elle sentit son parfum, encore prisonnier du tweed rêche et de la batiste blanche. Enfilant ses mains dans ses gants, elle essaya de croire que ses doigts étaient noués aux siens. Elle serra sa veste autour de ses épaules, l'enroula autour d'elle, fermant les yeux, enveloppée dans son souvenir.

Au milieu de ses mouchoirs et de ses cravates, elle trouva un ruban blanc à cheveux qu'elle reconnut comme étant le sien et qu'elle avait cru avoir perdu lors de la soirée chez les Hutchinson. Il avait dû le préserver comme un trésor. Elle trouva des lettres qu'elle lui avait écrites pendant leurs fiançailles, mais elle ne supporta pas de les relire et le papier avait déjà commencé à jaunir. Elle tomba sur le reçu d'un hôtel à Venise, un programme de l'Opéra de Paris et le vieux billet abîmé d'un voyage en bateau qu'ils avaient fait sur la Tamise. Avec précaution, elle déplia le billet, aplatissant les plis avec son pouce et le plaçant en haut de la pile de biens qu'elle entendait conserver.

D'autres découvertes la perturbèrent. Une lourde montre à répétition en or qu'elle n'avait jamais vue avant : était-ce celle de son père, ou de son grand-père ? Elle trouva une écharpe en cachemire gris qui était aussi douce qu'un nuage et se demanda pourquoi il ne l'avait jamais portée et qui la lui avait offerte. Au fond du tiroir du bas de son bureau, elle découvrit une poignée de cartes postales. Elles venaient de France et étaient toutes des images de femmes. Elles étaient déshabillées, leur sourire affecté entouré de frisettes et leur corps bien en chair et bien galbé. Leurs seins, leurs épaules et leurs hanches paraissaient à Marianne comme de nombreux coussins blancs et soyeux.

Assise au bord du lit qu'elle et Arthur avaient partagé, étudiant les femmes sur les cartes postales, elle ressentit l'ombre d'une jalousie. Elles avaient l'air si satisfait. Leur regard était sans expression et sans trouble. Si seulement son cerveau pouvait être aussi vide que le leur, pensa-t-elle avec férocité; si seulement elle pouvait apprendre d'elles le don de ne pas penser.

Elle était reconnaissante que les conventions en matière de deuil l'autorisent à rester chez elle derrière des rideaux fermés. Au lit, elle serrait contre elle la vieille veste de tweed d'Arthur. Ses nuits étaient courtes et hachées. Réveillée avant le jour, elle se découvrait toujours accrochée à la veste, les paupières mouillées de larmes. Le médecin lui offrit du laudanum pour l'aider à dormir; pensant à sa mère et craignant que cela ne fasse qu'épaissir le brouillard, elle n'en prit point.

Certains domestiques partirent. Elle les entendit murmurer que cette maison avait la poisse. Elle était soulagée de les voir s'en aller. Elle préférait le vide et le silence. Elle ne les remplaça pas et ceux qui étaient restés, se sachant sans surveillance, devinrent fainéants. Le temps passa et la maison de Norfolk Square prit une allure négligée qu'elle n'avait jamais eue. La poussière s'accumulait dans les coins et le parquet n'était plus ciré.

Sa vie semblait se vider; bientôt, se dit-elle, elle le serait complètement. Elle ne se souciait plus de sa coiffure et oubliait de se changer. Certains amis partirent, déconfits ou rebutés par son silence, sa froideur. Ses sœurs insistèrent; il lui était plus difficile de demeurer de marbre devant elles. Elle pensa vaguement, mais de plus en plus souvent, à se suicider. Et se demanda de quelle manière: en se tranchant le poignet, peut-être, ou en tombant d'un haut balcon. Elle en avait assez d'avoir à traverser les jours.

Iris vint lui rendre visite. Elle passa un doigt sur le rebord de la fenêtre, fronçant le nez devant tant de poussière. Elle houspilla les domestiques, qui se mirent à parcourir la maison dans tous les sens, un balai et une pelle en main, avec un mélange de honte et de ressentiment dans le regard. Elle brossa les cheveux de Marianne, dont les traits se tirèrent quand la brosse accrocha son cuir chevelu. Elle la fit se laver et revêtir une robe propre et repassée, lui annonça qu'elles allaient se promener dans Hyde Park, et l'avertit clairement que si elle refusait elle en informerait père. Celui-ci la ferait revenir à Summerleigh. Loin de Norfolk Square et de tous les souvenirs d'Arthur, l'inexorable processus de perte, qui avait débuté avec sa maladie, serait alors achevé.

Marianne dressa une autre liste. De toutes les choses qu'elle avait perdues avec la mort d'Arthur. Elle avait perdu la foi en un monde juste. Elle savait désormais que les gens bons pouvaient mourir affreusement. Qu'il n'y avait pas de justice, uniquement de la chance ou de la malchance. Il y avait la perte de sa compagnie, de son amitié, d'une vieillesse ensemble. La perte de son ancien goût pour la musique car celle-ci, par-dessus tout, rouvrait la fine cicatrice qui couvrait à peine sa blessure. La perte des possibles : les endroits qu'ils auraient visités ensemble, la famille qu'ils auraient fondée. Elle regretta le bébé qu'elle n'avait pas eu.

Elle avait perdu la personne qu'elle avait été. Si elle devait continuer à vivre, elle devina qu'elle aurait, un jour, à se reconstruire entièrement. Mais avec quels ingrédients ! Sans espoir et avec peu de foi. Sans désir de plaire. Sans souhaiter trouver sa place. Juste avec du feu et des cendres : que ferait-elle de cela ? Elle avait perdu l'amour.

Six mois après la mort d'Arthur, ses rêves changèrent. Il était à nouveau là dans son intégrité et il la prenait dans ses bras. Elle sentait son corps se fondre en elle, la chaleur de sa peau se mêler à la sienne. Quand elle se réveillait, elle était en feu. Elle fermait les yeux et imaginait que sa main était celle d'Arthur.

*

Depuis le début de l'année, Eva travaillait tous les samedis à la galerie de Lydia Bowen. Elle l'aidait à programmer des expositions, à envoyer des invitations pour des présentations privées, et à tenir le bureau quand Lydia était occupée. Celle-ci la pressa aussi d'apprendre à taper à la machine et à tenir les comptes. « Car on ne sait jamais, cela pourrait vous être utile. Ce n'est pas facile de gagner sa vie en tant qu'artiste, surtout pour une femme. » Eva aimait travailler à la galerie. Quand, de temps en temps, quelqu'un achetait une œuvre, elle se sentait presque aussi fière que si elle avait vendu l'une de ses toiles. De plus, travailler à la galerie et étudier à la Slade lui permettaient de garder la tête froide. Elle se disait parfois que, sans cela, elle n'aurait fait que dériver, maintenue à flot par quelque excitation ou allégresse.

Elle et Gabriel étaient amants depuis six mois et elle avait découvert la force brute du désir physique. Jusque-là, tous ses plaisirs avaient été intellectuels ou créatifs. Elle n'avait jamais aimé le sport comme Clémence, ni la danse comme Iris. Elle était la petite et débraillée Eva, que la maladresse ne quittait qu'un crayon à la main. Elle fut surprise de découvrir que son corps savait par instinct ce qu'il fallait faire, et que l'union des corps la transformait autant.

Elle avait néanmoins ses règles. Elle ne permettait jamais à Gabriel de la toucher quand ils étaient à Greenstones. Eva savait qu'elle aimait Sadie autant qu'elle aimait Gabriel, bien que d'une autre façon. Gabriel avait beau lui assurer que son mariage était différent, que Sadie savait et comprenait qu'il avait besoin d'une vie à lui et qu'il ne saurait être enchaîné, elle n'était pas pleinement convaincue. Désormais, son amitié avec Sadie ne serait jamais simple, éternellement teintée par la culpabilité et le secret. Tant que ce qu'ils faisaient n'affectait pas le mariage de Gabriel et de Sadie, se disait-elle, il n'y avait aucun mal. Sans pitié, elle aménagea sa vie en compartiments. À Londres, elle était la maîtresse de Gabriel; à Greenstones, ils étaient amis, rien de plus. À Greenstones, elle avait un faible pour Tolly et poussait à travers champs le nouveau bébé, aux yeux cassis. Aimer Greenstones, c'était aimer Gabriel. Elle l'aimait en toutes saisons: en hiver, quand un vent glacial balayait les collines de craie, et en été, quand les fleurs formaient des taches de couleur au-dessus des haies.

Dans une frénésie d'activité, Gabriel avait achevé trois grandes peintures à l'huile la représentant. Sur la première, peinte à Greenstones, Eva portait la robe à carreaux vert et rouge dans laquelle Gabriel l'avait vue la première fois, à la galerie de Lydia. Sur la deuxième, elle portait un manteau et un chapeau, les mains posées sur le rebord de la fenêtre alors qu'elle regardait au dehors. Sur la troisième, elle était vêtue d'une jupe en haillons ornée de ganse en zigzag, avec une large capeline qui ombrait son visage. Les trois peintures lui paraissaient parfois être trois femmes différentes : l'étudiante guindée, la jeune femme curieuse de découvrir le monde, et la va-nu-pieds.

Au travail, Gabriel était calme et précis. Toute son énergie et sa pensée se concentraient sur la peinture. Il parlait ou bougeait peu, sauf pour réajuster le pli d'une robe, une boucle de cheveux. Si elle essayait de détendre subrepticement un membre atteint de crampe, il s'irritait.

— Comment puis-je travailler si tu ne restes pas immobile ? criait-il. C'est impossible !

Beaucoup plus tard, en y repensant, elle se dit qu'elle avait appris la patience et l'endurance au cours de ces longues et silencieuses heures dans l'atelier de Gabriel. Ce n'étaient pas des qualités qu'elle possédait auparavant. Elle qui passait toujours d'une chose à une autre devait maintenant demeurer immobile pendant des heures, avec comme seule distraction le tournoiement du pinceau sur la toile et le grondement de la circulation dans la rue.

Elle s'en accommodait car Gabriel était avec elle. Ce n'est que durant ces heures à l'atelier qu'elle pouvait en être sûre. Avec lui, il y avait toujours de l'excitation, de la surprise, et de l'impulsivité. Elle s'en nourrissait. Elle se sentait plus vivante qu'elle ne l'avait jamais été ; c'était l'antithèse de la routine et du conformisme de son éducation. Sur l'impulsion du moment, Gabriel partait en Hollande avec Max pour faire des croquis du plat pays et de vastes ciels. Il partait pour un mois, réapparaissant sans prévenir, un matin, suppliant Eva de tout laisser tomber, d'arrêter l'école et de passer la journée avec lui. Ce qu'elle faisait. Il lui offrait un steak et du champagne au Simpson's-in-the-Strand.

185

Puis, à l'atelier, dans une lumière coulant comme du miel dans la pièce nue et blanchie à la chaux, ils faisaient l'amour, son corps se fondant dans le sien, ses bras musclés autour d'elle et le battement de son cœur contre le sien.

Par un chaud après-midi de juin, elle s'endormit dans son atelier. Quand elle se réveilla, elle le vit perché sur le rebord de la fenêtre, en train de la dessiner. Elle se couvrit rapidement.

— Eva, pourquoi ne me laisses-tu pas te peindre correctement?

Il lança sa craie par terre.

— Toujours aussi prude. Tu as un corps magnifique. Tu ne devrais pas en avoir honte. Il n'y a rien de plus beau dans cette pièce – rien de plus beau dans tout Londres, nom de Dieu! Alors pourquoi ne me laisses-tu pas te dessiner?

— Je te laisse me dessiner. Mais pas comme ça.

Il vint s'asseoir à côté d'elle.

— Tu es un drôle de personnage, dit-il avec indulgence.

Son irritation s'évanouit.

— Que dirais-tu si je t'interdisais de peindre toutes ces femmes et ces clochardes hideuses?

— Elles ne sont pas hideuses, s'indigna-t-elle. Je les trouve belles. Que préférerais-tu que je peigne, Gabriel? Les beautés de la bonne société?

— Certainement pas. Tu as raison, Eva. Reste avec tes vieilles biques et ne vend pas ton âme.

Elle avait dessiné une série d'études sur des gens ordinaires en train de travailler ou de partir en soirée. Elle les avait montrées à Gabriel et il s'était montré encourageant. Ses carnets contenaient des croquis de couturières, de dockers et de fabricants de fleurs artificielles. Les grandes beautés de l'art classique l'ennuyaient le plus souvent, avec leur passivité. Dans tant de ces portraits, les sujets féminins semblaient vivre leur vie à attendre, attendre, attendre.

Elle avait en commun avec Gabriel d'aimer les nuits de Londres. Elle aimait le vacillement des lumières au gaz dans l'obscurité, le chatoiement d'un reflet sur les pavés humides. Un soir, elle était en train de dessiner la foule se rendant au Théâtre de l'Empire, à Hackney, quand elle aperçut un visage familier. Elle dut regarder deux fois pour s'assurer que c'était bien James. Elle était sur le point de l'appeler quand elle vit qu'il était accompagné d'une femme. Il avait le bras autour de son épaule, la protégeant de la pression de la foule. Elle était mince et jeune, portait une veste de marin par-dessus une robe étroite couleur crème; des boucles blondes sortaient de son chapeau de paille noir. Quand elle leva la tête pour que James l'embrasse, Eva découvrit un joli et délicat visage. *Eh bien*, songea-t-elle, *je ne suis pas sûre que tu l'aies présentée à père, n'est-ce pas James?*

Elle aussi avait ses secrets. Le secret de l'aventure de son père avec Mme Carver, et Gabriel bien sûr. Elle n'avait parlé de cela à personne, bien qu'elle sentît parfois qu'Iris soupçonnait quelque chose. Elle savait que James ne lui parlerait jamais de cette midinette, comme elle ne lui révélerait jamais Gabriel. *Les secrets*, pensa-t-elle en repartant sur son vélo, *les secrets*. En prenant de l'âge, ils semblaient en accumuler de plus en plus.

*

Joshua Maclise avait acheté une voiture à moteur et James avait appris à la conduire. Il emmena Clémence faire un tour en ville. La voiture était grosse, lourde et encombrante. La peinture bordeaux brillait comme du satin et James avait lustré les cuivres jusqu'à ce que Clémence puisse se voir dedans. Elle l'observa avec assiduité, notant chaque pression de levier, chaque mouvement du volant, posant des questions.

— Qu'est-ce que ce levier fait?
— Il change les vitesses.
— Les vitesses?
— Tu veux essayer?
— Puis-je?
— Pourquoi pas? Tu sauras très bien le faire, Clem, j'en suis sûr.

Ils se trouvaient dans une calme rue transversale. Clémence s'assit à la place du chauffeur et James activa le starter. Il lui montra comment débrayer et passer les vitesses. Quand le véhicule se mit à avancer doucement, elle sentit un frisson d'excitation. Ils cahotèrent le long de la route. James se montrait patient et encourageant.

— Tu es une conductrice née, lui dit-il après qu'elle eut, lentement mais sûrement, négocié un virage. Encore une leçon ou deux et tu fileras dans Sheffield mieux que n'importe qui.

Clémence parla de la voiture à Ivor.

— C'était merveilleux. Cela m'a rappelé quand je jouais au hockey, la sensation que l'on a quand on marque un beau but. Quand tout se déroule comme on l'a voulu.

Ils se trouvaient dans les Jardins botaniques. Cet après-midi-là, Ivor avait donné un récital dans une maison à Rutland Park. Clémence avait assisté à plusieurs de ses concerts au cours des six derniers mois. S'il faisait beau temps, il aimait aller se promener après, cela diminuait sa tension, disait-il. Vera et Clémence l'accompagnaient souvent.

Aujourd'hui, pour la première fois, seule Clémence était là car Vera devait aider sa mère au magasin. Ils étaient assis sur un banc, en train de fumer les cigarettes noires et âcres d'Ivor.

— Si seulement j'avais les moyens d'acheter une voiture, confia-t-il. C'est un tel effort de lutter, ici, au milieu de cette campagne. Parfois, je me demande si ça vaut le coup. Et si qui que ce soit le remarquerait, si je ne me donnais pas ce mal.

— Moi, je le remarquerais.

— C'est gentil, Clémence.

Quand il la regardait ainsi, avec un tel air d'appréciation et d'affection, elle rougissait.

— Ce sont des gens comme vous qui me donnent la force de continuer.

— Comment va votre épouse?

— Oh, Rosalie, toujours la même chose. Votre mère est également invalide, n'est-ce pas? Vera me l'a dit.

— C'est la raison pour laquelle j'ai quitté l'école. Pour prendre soin d'elle.

— Nous avons beaucoup de choses en commun, n'est-ce pas? C'est pourquoi vous me comprenez. Rosalie paraît toujours ni tout à fait malade, ni tout à fait bien. Nous sommes venus ici pour sa santé mais cela ne semble avoir rien changé. Le pire est qu'elle ne veut pas que j'aie une vie à moi. Elle est fâchée si je rentre une demi-heure en retard. J'imagine qu'elle se sent seule, mais c'est un tel fardeau. Parfois, je rêve d'avoir une semaine de vacances. Croyez-vous que c'est méchant de ma part?

— Pas du tout. Je ressens souvent la même chose. C'est la raison pour laquelle j'aime venir à vos concerts, Ivor. Ils m'offrent comme de petites vacances.

— Ma chère Clémence...

— N'avez-vous pas de relations qui pourraient vous aider? Ivor secoua la tête.

— J'ai un frère qui vit à Winchester mais je le vois très rarement. Je l'ai invité à venir mais il trouve toujours une excuse – sa famille, ses affaires. Rosalie n'a qu'un oncle et un cousin. Elle ne s'entend pas avec le cousin et son oncle est vieux et plutôt handicapé. Il vit dans le Hertfordshire et nous allons le voir une fois par an. C'est un vrai supplice : Rosalie se sent toujours mal aux plus mauvais moments. C'est comme s'il n'y avait jamais de porteurs, à la gare. La dernière fois, j'ai dû descendre les bagages de la voiture et je me suis foulé le poignet. Je n'ai pas pu jouer pendant deux semaines.

— Pauvre Ivor.

— Entre nous, Clémence, nous faisons en sorte de demeurer dans les bons papiers de l'oncle de Rosalie parce qu'il est assez riche et qu'il a promis de tout lui léguer. Je sais que ce n'est pas une belle façon de parler d'argent, mais quand on n'en a pas assez, on a tendance à y penser beaucoup. Cela changerait tellement les choses pour moi si je n'avais pas à économiser sur tout. Je pourrais arrêter d'enseigner. Quel plaisir ce serait...

— Cela ne vous manquerait pas?

— Pas du tout! Ils sont tellement ennuyeux, pour la plupart, et les mères sont encore pires!

— Que feriez-vous d'autre?

— Je composerais un concerto. Je l'ai toujours voulu mais je me demande parfois si j'en aurai jamais le temps.

*

L'été 1911 fut chaud et sec. À Londres, l'air des rues était âcre à cause des gaz d'échappement et de la suie. À l'heure du déjeuner, garçons de bureau et vendeuses s'asseyaient sur l'herbe brûlée des parcs, ouvrant leurs cols et retroussant leurs manches.

Les esprits aussi s'échauffaient. Des bagarres éclataient dans les pubs où les travailleurs étanchaient leur soif en sortant de leur chantier de construction ou de leur usine. Au Parlement, le président fut contraint d'ajourner les débats à la Chambre des communes quand le Premier ministre fut hué par les membres de l'opposition, au cours d'une séance sur la réforme de la Chambre des lords. Sur les docks, les ouvriers se mirent en grève pour obtenir de meilleurs salaires et conditions de travail, et le gouvernement dut envoyer l'armée dans le port de Londres pour assurer le ravitaillement en biens essentiels. À Liverpool et dans le sud du Pays de Galles, des grévistes furent tués par des soldats qui avaient reçu l'ordre de tirer.

L'atmosphère de l'atelier de Gabriel était chaude et pesante. Gabriel fit poser Eva assise à une table, les bras croisés devant elle, habillée d'un chemisier en soie bleue, les cheveux détachés, tombant en lourdes boucles sur ses épaules. Sur la table était posé un bol de cerises. Il travailla de l'aube au crépuscule. Il devait terminer ce portrait, disait-il, avant d'emmener Sadie et les enfants en Bretagne, pour les vacances d'été. Il ne supportait pas d'être interrompu au milieu d'une œuvre. Cela le frustrait et le rendait de mauvaise humeur, sachant qu'il ne retrouverait jamais exactement son inspiration d'origine et que quelque chose serait perdu. Il sauta les repas et parut surpris quand Eva, rongée par la faim, réclama, suppliante, un sandwich ou une pomme. Il ne répondit pas aux lettres quotidiennes de Sadie mais les parcourut rapidement, les jetant dans un tiroir avant de reprendre son pinceau.

Il acheva le tableau la veille du jour où il devait retrouver Sadie à Greenstones. Comme toujours après avoir terminé une œuvre importante, il était à la fois ravi et épuisé. Il emmena Eva au Café Royal, où il commanda des huîtres et du champagne. Elle regarda à nouveau les colonnes de la salle Domino, avec leurs feuilles de vigne enlacées et leurs cariatides sculptées.

Elle se souvint de la première fois où Gabriel l'avait emmenée ici. Tant de choses avaient changé depuis. *Elle* avait changé. Le changement semblait dans l'air comme une brume de chaleur, altérant tout ce qu'elle avait jusqu'ici considéré comme acquis.

Pour la première fois, ils passèrent une nuit entière ensemble. Eva avait dit à Mme Wilde qu'elle partait pour Sheffield un jour plus tôt. Quand elle ouvrit les yeux, le matin, Gabriel était déjà debout, habillé, en train de jeter des vêtements dans un sac. Il accompagna Eva au train, où il l'aida à grimper dans la voiture, l'embrassa et lui dit :

— Je ne supporte pas les longs au revoir, pas toi ?

Puis il disparut dans la fumée et la foule.

Comme le train quittait Londres, Eva s'assit sur le siège côté fenêtre. Elle s'était demandée si elle pleurerait à l'idée de ne pas voir Gabriel pendant un mois. Mais au contraire, elle fut surprise de ressentir un léger soulagement. C'était le soleil, se dit-elle, et cette façon dont ce ciel bleu intense semblait plomber Londres, qui suscitait en elle ce sentiment troublant que tout ce qui était normal, quotidien et attendu, commençait à se dissoudre, à se craqueler et à éclater dans la chaleur.

Au début du mois d'août, un vendredi, Eva se rendit avec son père à son bureau. Là, elle dessina les filles qui travaillaient dans l'atelier d'emballage, enveloppant couteaux et faux dans du papier paraffiné. Plus tard, assise dans le bureau de son père, elle dessina par la fenêtre les charretiers qui chargeaient caisses et cartons à destination des docks. Une fois son père sorti, elle se glissa à l'extérieur et, traversant la cour en courant, atteignit la pièce aux fourneaux. S'abritant dans un coin, elle dessina les hommes qui y travaillaient, soulevant avec des pinces en fer les creusets contenant l'acier fondu, leurs muscles tordus par le poids, la silhouette de leurs corps noircie par les rouges et les orange vifs des fourneaux. Une goutte de sueur coula le long du dos d'Eva et son crayon glissa entre ses doigts humides. Prise de vertige, elle évacua les lieux. Les yeux plissés à cause de la lumière, elle aperçut M. Foley qui traversait la cour dans sa direction.

— Vous ne devez pas dire à mon père que j'étais dans la salle des fourneaux, monsieur Foley.

— Seulement si vous promettez de ne pas y retourner. C'est dangereux et, en plus, un jour comme aujourd'hui, vous y prendriez un coup de chaleur.

— Je ne sais pas comment ils peuvent y respirer.

— Ils ont l'habitude. Certains d'entre eux y travaillent depuis l'âge de douze ans. Puis-je vous offrir un verre d'eau, mademoiselle Eva ?

Ils allèrent dans son bureau. En désignant le carnet d'esquisses, il demanda :

— Puis-je y jeter un coup d'œil ?

— À une condition.

— Laquelle ?

— Que vous me laissiez vous dessiner.

— Je n'en vois pas la raison. Les sidérurgistes, eux, je comprends pourquoi vous voudriez les dessiner, même si vous n'auriez pas dû aller là-bas.

— Vous n'enfreignez jamais les règles, monsieur Foley ?

— Non. Non, jamais.

— Quel homme respectueux des lois vous êtes.

Mais elle remarqua qu'elle l'avait déconcerté et rectifia donc :

— Je suis désolée, je ne voulais pas causer de problèmes. Et je voudrais vous dessiner car vous avez un visage intéressant.

Pendant la semaine, Rob Foley habitait à Sheffield mais, tous les vendredis, il prenait le train pour rentrer chez lui passer le week-end avec sa mère et ses sœurs aînées, à Buxton. Il était familier des frémissements d'angoisse. Son père était mort dix ans plus tôt, quand il avait quinze ans, laissant derrière lui des dettes considérables. Une semaine après son décès, Rob avait quitté l'école et commencé à travailler chez J. Maclise & Fils. Il se savait chanceux d'avoir obtenu ce travail – Joshua Maclise était un employeur honnête et Rob avait vite appris à voir le bon cœur qui se cachait derrière ses humeurs et son caractère colériques. Il avait gravi les échelons jusqu'à devenir son assistant. Il avait remboursé l'essentiel des dettes de son père, même si l'emprunt sur la maison de Buxton prenait encore une large part de son salaire mensuel. Il aidait aussi sa mère et sa grande sœur,

Susan. Son autre sœur, Theresa, enseignait à l'école publique de Buxton, malgré la désapprobation de Susan. Lorsque Theresa avait confié à sa famille son intention de prendre ce poste, Susan s'était inquiétée qu'elle ne ramène à la maison d'innommables maladies. Rob soupçonnait que la véritable inquiétude de Susan relevait d'un mal plus insidieux : la perte supplémentaire d'un statut social auquel elle et Mme Foley s'étaient accrochées désespérément depuis la mort du père.

Rob pensait souvent que la vie de Susan et de leur mère était rendue affreusement difficile par leur obstination à garder leur pauvreté secrète auprès de leurs voisins. En semaine, elles observaient un régime afin de pouvoir offrir à leurs visiteurs – leurs voisins, un médecin retraité et sa femme, ou le vicaire, M. Andrews – un thé copieux. Rob leur avait fait des remontrances, soulignant qu'elles y risquaient leur santé, mais quand sa mère avait dit « Susan et moi sommes parfaitement heureuses avec une tranche de pain pour notre thé », et s'était ensuite effondrée en larmes, il avait abandonné cette lutte inégale. Il savait que sa mère ne s'était jamais remise de la disgrâce de la mort de son mari. Il soupçonnait parfois que cette volonté de vouloir sauver les apparences était tout ce qui lui restait pour ne pas s'écrouler complètement.

Mais le foyer paraissait souvent peser sur lui comme une chaîne en fer autour du cou. Au rez-de-chaussée, là où les visiteurs pouvaient entrer, tout était de bon ton, avec un niveau de confort assez modeste mais respectable. Mais en montant à l'étage, on ressentait le frisson des régions arctiques. En hiver, Winifred Foley n'allumait jamais de feu dans les chambres, pas même lors des nuits les plus froides. Un jour, au cours d'un mois de janvier particulièrement épouvantable, alors qu'une tempête de neige avait recouvert la ville de blanc, Rob était arrivé à la maison plus tard, le train ayant été retardé. Il avait trouvé sa mère et Susan blotties l'une contre l'autre pour se réchauffer, et Theresa revêtue de son manteau par-dessus sa robe de nuit, recroquevillée sous plusieurs épaisseurs de couvertures, sur le tapis du salon, près des braises mourantes du feu de cheminée.

Il savait que sa mère économisait en partie pour lui. Le week-end, si la nourriture était souvent simple et fade, il mangeait toujours à satiété. On lui donnait les meilleurs morceaux de viande, la plus grosse part de gâteau. Il ne protestait pas car il savait que cela aurait rendu sa mère malheureuse. Il aimait profondément sa mère et ses sœurs, y compris Susan, dont la nature passionnée résistait aux solutions satisfaisantes et la conduisait à des diversions extravagantes. Pourtant, la constante gratitude de sa mère envers lui, alliée à sa propre peur de ne jamais être capable de sortir sa famille de la digne pauvreté qu'elle avait endurée depuis la mort de son père, l'oppressaient. D'où cette appréhension qui l'envahissait chaque fois qu'il prenait le train le vendredi pour rentrer à la maison.

Des années plus tôt, il avait suggéré à sa mère de vendre la maison de Buxton et d'acheter quelque chose de plus petit, dans un autre coin du pays. Ils pourraient alors s'arrêter de prétendre être ce qu'ils n'étaient plus. Sa mère avait été horrifiée par cette proposition. Elle était venue à Buxton pour se marier. Comment pourrait-elle tout recommencer ailleurs? Rob avait senti ses chaînes devenir plus longues et plus lourdes.

En arrivant à la maison, il vit les rideaux bouger et sut que sa mère l'attendait. Il fut accueilli par des embrassades.

— Tu as l'air fatigué, Rob. Susan, tu ne trouves pas?

Rob trouvait que c'était sa mère qui avait l'air fatiguée et tendue. Winifred Foley ne mesurait qu'un mètre cinquante. De fins cheveux blancs bouclés enveloppaient son visage qui, s'il était encore joli, était tiré et ridé.

— Je vais bien, dit-il avec assurance. Et je suis ravi d'être en vacances.

J. Maclise & Fils avait fermé cet après-midi-là pour une quinzaine de jours, le congé d'été annuel.

— Quelle chance pour nous tous de t'avoir à la maison pendant quinze jours! s'exclama Winifred. Mais tu as l'air amaigri. Es-tu certain que ta propriétaire s'occupe bien de toi?

— Elle s'occupe suffisamment de moi, mère. Ah, voici Hetty, le dîner doit donc être prêt.

Les Foley n'avaient qu'une seule domestique, une fille à l'esprit lent nommée Hetty, qui faisait une attaque quand elle devait penser à plus d'une chose à la fois. Faisant preuve du plus grand enthousiasme, Rob avala son repas de morue bouillie, de patates et de carottes bouillies, suivi par un sagou au lait. Puis ils retournèrent au salon. Theresa lut un livre, tandis que Susan et Winifred racontèrent à Rob les événements de la semaine. Finalement, avec l'air de quelqu'un qui divulgue une information excitante, Winifred annonça :

— Et Mme Clements nous a invités à un pique-nique !

— Je déteste les pique-niques, dit Susan. La dernière fois que je suis allée à un pique-nique, j'ai été piquée par une guêpe. La piqûre a terriblement enflé et je me suis sentie très mal.

— Rob éloignera les guêpes, n'est-ce pas Rob ?

— Je ne comprends pas pourquoi les gens décident d'organiser des pique-niques, reprit Susan amèrement. Je n'aime pas manger à l'extérieur. Je trouve ça vulgaire.

— Les Clements ne sont pas vulgaires, rétorqua Winifred, qui commençait à s'énerver. C'est l'une des meilleures familles de Buxton, n'est-ce pas Theresa ?

— Oui, mère, répondit Theresa en levant les yeux par-dessus son livre.

— Par cette chaleur, mes maux de tête vont reprendre, continua Susan.

— Mais j'ai déjà dit aux Clements que nous venions ! gémit Winifred.

— Et nous irons ! assura sèchement Theresa en fermant brutalement son livre. En te couvrant d'un chapeau, Susie, tu devrais éviter les maux de tête. Et tu peux prendre une bouteille de vinaigre, au cas où il y aurait des guêpes. Bien. Maintenant, n'est-ce pas l'heure de notre séance ? enchaîna-t-elle en regardant l'horloge.

— Une séance ? demanda Rob.

— La semaine dernière, poursuivit Susan, le cousin de Mme Healey a essayé de nous contacter. Enfin, je suis presque certaine que c'était lui. Tu te joins à nous, Rob, n'est-ce pas ?

— Je dois défaire mes bagages, dit-il précipitamment. La prochaine fois peut-être…

Il quitta la pièce, suivi par Theresa.

— Sage décision, murmura-t-elle quand ils furent seuls.

— Une séance? répéta Rob. Grands dieux!

Ils allèrent dans la cuisine. Hetty s'était retirée dans sa soupente. Theresa plia des torchons et rangea quelques casseroles.

— Mère n'est pas sûre que ces séances soient parfaitement respectables, reprit-elle. Elles doivent donc être gardées secrètes vis-à-vis de M. Andrews. Susan croit qu'elle a un guide spirituel, vois-tu.

— Un guide spirituel?

— C'est un guerrier peau-rouge du nom de Chevreuil Rapide. Theresa ouvrit une boîte de conserve.

— Un cacao, Rob? Chevreuil Rapide guide la main de Susan sur la planchette Ouija. Il épelle les lettres des noms des morts qui essaient de la contacter. J'ai remarqué que Chevreuil Rapide épelle presque aussi mal que Susan elle-même...

Ils sourirent tous les deux. Puis Theresa soupira et continua:

— Pauvre Susie. Si seulement elle pouvait trouver une occupation raisonnable. Elle fait tout un plat de petites choses car elle n'a que cela à quoi penser. Si seulement elle se mariait.

Il y avait plusieurs années, Susan avait été fiancée à un vicaire, qui avait rompu son engagement juste après le décès de M. Foley.

— Père a bien choisi son moment, n'est-ce pas? dit Rob sur un ton sévère.

— Il n'y a plus d'espoir que Susan se marie. Elle a trente-trois ans et n'a pas d'argent. Aucune de nous deux ne se mariera jamais.

Il n'y avait pas d'amertume dans la voix de Theresa, juste de la résignation. Rob mit sa main sur son épaule.

— Theresa...

— Je ne joue pas les malheureuses, je suis simplement réaliste. Il est inutile d'espérer quand la situation est sans espoir. Et puis, de toute façon, j'aime mon travail, vraiment. Il me manquerait si je me mariais.

Theresa versa du lait bouillant dans deux tasses et remua. Alors qu'elle posait une tasse de cacao devant son frère, elle ajouta:

— Pour toi, c'est différent, Rob. Tu as un bon travail et ta situation va encore s'améliorer.

— Tu sais que je ne peux pas envisager le mariage, Tess. Il me serait impossible de soutenir deux familles.

— Tu dois trouver un moyen. Je peux supporter que Susan et moi demeurions célibataires. Mais pas qu'aucun de nous ne se marie. Cela paraîtrait si… aride. Si desséché.

Elle eut l'air soucieuse. Il lui pressa la main et dit avec douceur :

— Ne nous inquiétons pas de cela maintenant. Ce sont mes vacances d'été.

— L'un d'entre nous doit s'échapper, lança-t-elle avec force. Tu dois aller à la rencontre des filles de Sheffield, Rob. N'y en a-t-il pas une pour qui tu aies le béguin ?

Theresa et lui avaient toujours été proches. Dix-huit mois seulement les séparaient et, pendant le cataclysme qui avait secoué la famille au moment de la mort de leur père, ils avaient été des alliés, comprenant, contrairement à Susan et Winifred, la gravité et la réalité de leur situation. Il ne pouvait donc guère lui mentir.

— Il y a quelqu'un, dit-il.

Ses yeux se mirent à briller mais il ajouta rapidement :

— C'est sans espoir, Tess. Une folie complète de ma part. Il est totalement impensable que quoi que ce soit arrive.

— Les circonstances changent, parfois.

— J'aurais besoin de gagner dix fois ce que je gagne aujourd'hui pour avoir la moindre chance. Et même si ce n'était pas une question d'argent et de statut, il y aurait cette autre chose.

— Les médecins ne s'accordent pas…

— Il y en a suffisamment qui s'accordent, dit-il avec dureté. Comment pourrais-je donc prendre le risque ?

Plus tard, seul dans sa chambre, il se rappela encore une fois sa rencontre avec Eva Maclise, plus tôt dans la journée. Il avait regardé par la fenêtre de son bureau et l'avait vue sortir de la pièce aux fourneaux. Elle portait une étroite jupe à fleurs bleues et un corsage blanc. Sa veste, qu'elle avait dû ôter à cause de la chaleur, pendait à son bras. Des boucles de cheveux noirs s'étaient accrochées à son visage rougi. Il l'avait regardée sans rien en perdre, puis était descendu à sa rencontre.

Le souvenir de leur conversation lui faisait serrer les poings et frapper le mur avec colère. « N'enfreignez-vous jamais les règles, monsieur Foley ? », lui avait-elle demandé, et il avait répondu : « Non, non, jamais ». Ce qui était la vérité. Son père avait violé les règles et tous les quatre en payaient encore le prix et le paieraient sans doute pour le restant de leurs jours. Mais il avait vu dans les yeux d'Eva Maclise qu'elle le trouvait vieux jeu, conventionnel, terne. Il desserra les poings et s'assit sur le bord du lit. Tomber amoureux de la fille du patron, ce n'était pas si vieux jeu. Juste ridicule.

*

Philip avait quitté l'école primaire à la fin du trimestre d'été et, à l'automne, il était entré en secondaire dans le privé. Le trimestre du printemps avait démarré depuis un mois quand ils reçurent un télégramme du directeur de l'école les informant que Philip avait disparu. Joshua rugit de mécontentement et sauta dans un train pour York, où se trouvait l'école du jeune garçon. Quand il revint le lendemain soir, Clémence espérait le voir arriver avec Philip. Mais Joshua était seul : dans l'entrée, alors qu'il ôtait son chapeau et son écharpe pour les remettre à Edith, Clémence remarqua que les traits de son visage étaient profondément tirés. Lorsqu'il s'assit près du feu, un verre de whisky à la main et une cigarette dans l'autre, elle dit :

— L'ont-ils retrouvé, père ?

— Non, hélas. Ne sois pas trop inquiète, Clemmie, enjoignit-il en lui prenant la main. Il réapparaîtra sain et sauf, je te le promets.

— Père… il a peut-être été enlevé !

— Non, mon amour, il n'a pas été enlevé, dit-il avec un sourire forcé. Nous savons au moins cela, à défaut d'en savoir beaucoup plus. Je doute que ses ravisseurs aient pris ses vêtements de sport, son argent de poche, son canif et la nourriture de sa boîte à provisions. Non, ce petit imbécile s'est enfui.

— Enfui...

— Oui. Il a mis les bouts, lança Joshua en tirant sur sa cigarette. L'école m'a dit que, le soir, les garçons ont le droit de pratiquer leur hobby – construire des maquettes, jouer au piano, ce genre de choses. Quand Philip n'est pas apparu, ses enseignants ont présumé qu'il se trouvait simplement ailleurs – tu imagines, bien sûr, que je leur ai dit ce que j'en pensais, à ces maudits minables! Pardonne mon langage, Clemmie, mais ce sont de maudits minables. Ils ont d'abord fouillé l'école. Quand ils ont compris qu'il était parti, il devait déjà être à des kilomètres. Un abruti de médecin m'a dit que je devrais boire moins, poursuit-il sur un ton irrité. Cela ne risque pas d'arriver, avec une telle famille. Je ne parle pas de toi, Clémence, tu es une gentille fille. Enfin, bref, ce type, le directeur, le Dr Gibson, un triste sire qui aime vous regarder de haut, a dit que Philip était *difficile*... lâcha Joshua en écrasant furieusement sa cigarette à moitié fumée dans le cendrier, mettant des cendres sur le tapis. Phil, *difficile*! C'est ridicule! Ce garçon ne ferait pas peur à un oiseau!

— Croyez-vous qu'il va rentrer à la maison, père?

— Difficile d'imaginer où il pourrait aller. Le directeur a dit que c'était un solitaire, qu'il ne trouvait pas sa place. Mais je croyais que c'était précisément la raison pour laquelle il était dans cet établissement! Pour qu'on lui apprenne à trouver sa place!

— Mais à coup sûr, Aidan...

— *Aidan*! Aidan a prêté de l'argent à Phil. Pour son billet de train, apparemment, même s'il dit ne pas le savoir. Avec des intérêts, cet avare de scélérat! Et maintenant, poursuivit Joshua en se levant de son fauteuil, je dois aller parler à ta mère. J'espère seulement que cela ne va pas la chambouler encore une fois.

Au milieu de la nuit, Clémence se réveilla, incertaine de ce qui la perturbait. Elle se leva et alla voir à la fenêtre. Au premier coup d'œil, tout semblait normal: le verger, les branches nues des arbres scintillant à cause du gel, et les plates-bandes avec leurs restes flétris de chrysanthèmes et d'asters d'automne.

Puis son attention fut attirée par une lumière dans la maison d'été. Enfilant un pull sur sa robe de nuit, et serrant celle-ci autour de sa taille, elle mit ses chaussures et sortit, respirant avec vigueur dans le froid. À l'approche de la maison, elle se demanda si elle faisait bien de se risquer ainsi. Et si c'était un vagabond, voire un voleur, qui se cachait là? Poussant la porte, elle réprima un cri en voyant une tête blottie dans le coin le plus reculé de la pièce.

— Phil! cria-t-elle.

— Salut Clemmie, sourit-il.

— Phil, Dieu merci tu es sain et sauf! dit-elle en le serrant dans ses bras. Mais que fais-tu ici? Pourquoi n'es-tu pas venu à l'intérieur? Tu dois avoir tellement froid!

— Je m'en fiche. Ce n'est pas si dur, franchement.

Philip portait son pardessus et son uniforme scolaire, son écharpe était enroulée plusieurs fois autour de son cou. Il avait les cheveux ébouriffés et une allure crasseuse. Dans un vieux plateau en métal, il avait préparé un feu avec des brindilles et des feuilles séchées. Sur une caisse à thé, il y avait une bougie, une poignée de papiers de caramels et les restes d'un petit pain aux raisins.

— Phil, dit-elle avec douceur, viens à l'intérieur, s'il te plaît.

Il secoua la tête. Clémence s'assit par terre à côté de lui.

— Les dortoirs de l'école sont aussi froids qu'ici, Clemmie.

— Phil, tout le monde était si inquiet!

— Je ne voulais pas vous causer du souci. Est-ce que père est fâché?

— Il est toujours fâché quand il est inquiet, tu sais bien.

— C'est juste que j'en pouvais plus de l'école.

— Tu détestes à ce point? Est-ce les leçons? Tu n'arrives pas à suivre?

— Oh, les leçons, ça va. Et de toute façon, ils ne t'aiment pas si tu es bon en cours. Ils te traitent de fayot.

— Ils...?

— Les autres garçons. Les grands.

Clémence se souvint de la maladresse foncière de Philip, son incapacité à attraper un ballon.

— Est-ce le sport ? Tu n'es pas bon en sport ?

— Plutôt lamentable, oui, admit-il en haussant les épaules. Surtout à la boxe.

— La boxe ?

— C'est tellement crétin de taper sur les autres.

— Et... et les autres garçons, ils se moquent de toi ?

— Oh oui, murmura-t-il en tripotant ses lacets. Ils disent que je ne suis pas patriote.

— Pas patriote ? répéta Clémence, d'un air stupéfait.

— Parce que je disais que se battre était stupide. Je veux dire faire la guerre. Mais je le pense vraiment, Clemmie, dit-il avec une passion nouvelle. C'est aussi idiot que la boxe, sauf que plus de gens meurent. Si personne ne se battait, il n'y aurait pas de guerre, n'est-ce pas ? Ils disaient que j'étais un lâche, reprit-il en baissant le regard. Le fait est que je suis un lâche. Je déteste même regarder les autres se battre. Tous les autres aiment se battre. Je dois donc être un lâche, non ?

— Et donc tu t'es enfui ?

— J'avais juste assez d'argent pour un billet de train jusqu'à Doncaster. J'ai donc chanté quelques chansons pour gagner un peu plus d'argent.

— Tu as chanté ?

— Surtout des cantiques. Les gens déposaient de l'argent dans ma casquette. Mais un policier est arrivé et j'ai pensé qu'il valait mieux que je décampe. J'ai pris un bus pour Rotherham et j'ai marché pendant des heures. Je suis couvert d'ampoules, dit-il fièrement, descendant ses chaussettes et montrant ses pieds à Clémence. Puis un homme m'a pris sur sa charrette, j'ai marché quelques kilomètres de plus et je suis arrivé ici.

— Mais où as-tu dormi ?

— Le premier soir, dans une salle d'attente à la gare ferroviaire. Je leur ai dit que ma tante était morte et que je devais rentrer à la maison pour les funérailles. Ils m'ont donc laissé dormir là. J'imagine que c'était un vilain mensonge.

— Phil, comment peux-tu croire que tu es un lâche après un tel voyage, tout seul ?

— Je fuyais, non ? Ils diront que c'est de la lâcheté, je le sais.

Le feu n'était plus qu'un petit tas de braises. Sous sa robe de nuit, les jambes nues, Clémence avait la chair de poule.

— Si l'on rentrait et que je te faisais un cacao ? C'est mieux que de se geler ici.

— Père va être en colère contre moi, non ?

— Je lui parlerai. Je te promets que ça ira.

— Père va me renvoyer à l'école, n'est-ce pas ?

— Je ne sais pas, Phil. Mais oui, probablement.

Après un moment, il se leva et la suivit à l'intérieur. Le matin, elle se leva tôt afin de pouvoir parler à son père au sujet de Philip, avant qu'il aille au travail. Il eut une prévisible colère suivie d'un soulagement, puis Clémence dit avec fermeté :

— Je crois qu'on devrait l'autoriser à rester quelques jours à la maison. Il est très fatigué et il a peut-être pris froid. De plus, il y a quelque chose que je dois faire.

Le lendemain, Clémence emmena Philip chez l'opticien au centre-ville. Celui-ci l'équipa d'une paire de lunettes, que Clémence paya de ses économies. Sur le chemin du retour, Philip colla le visage contre la fenêtre du tramway.

— Regarde un peu cette sensationnelle voiture à moteur – et celle-ci...

Elle parla de Philip à Ivor. Les yeux chocolat d'Ivor s'écarquillèrent.

— Pauvre garçon ! C'est effroyable ! Je *haïssais* l'école. Après un an, ma mère m'a autorisé à la quitter car j'étais trop sensible. Elle m'a instruit à la maison – et j'avais mes cours de musique, bien sûr.

Clémence prit des nouvelles de Rosalie. La bouche d'Ivor se raidit aux commissures.

— La pauvre Ro déteste l'hiver. Elle est convaincue qu'elle ne survivra pas à un autre hiver anglais. Elle veut que nous allions dans le sud de la France, l'année prochaine. Nous y sommes déjà allés et ce fut d'un tel ennui, Clémence, loin de tous mes amis, avec seulement un vieux et monotone piano droit pour m'exercer, dans cette pension. Je ne vois pas non plus comment on pourrait se le permettre. Je l'ai dit à Rosalie mais elle ne semble pas vouloir écouter.

Clémence n'avait jamais rencontré Rosalie mais elle se l'imaginait comme une femme égocentrique et gâtée, qui profitait du bon cœur d'Ivor. Rosalie avait ainsi privé Ivor de la carrière et de la reconnaissance qu'il aurait dû avoir. Rosalie la répugnait.

Au début, Lilian avait clairement exprimé sa réticence à voir Clémence aller au concert.

— Ce n'est pas que tu aies jamais été très mélomane, Clémence, avait-elle souligné. Marianne a toujours été celle qui avait l'oreille musicale.

Mais Clémence n'abandonnerait pas Ivor aussi facilement qu'elle avait abandonné l'école, ses amies et toute chance d'une vie loin de la maison. Quelque chose l'empêchait de faiblir quand Lilian, changeant de tactique, murmurait sur un ton pathétique :

— Tu laisses encore ta pauvre mère toute seule, chérie ? Ces temps-ci, j'ai l'impression d'être plus souvent seule qu'avec quelqu'un.

Clémence retapait les oreillers, s'assurait que gouttes et pilules étaient à portée de main, et rappelait à sa mère que Mme Catherwood allait venir lui rendre visite.

— Mais Lucy est tellement ennuyeuse, ma chérie, comparée à toi ! soupirait Lilian, alors que Clémence quittait la maison.

Il fallut pourtant une querelle avec Vera pour qu'elle pense à Ivor autrement qu'à un simple ami. Tout au long de l'hiver, elle n'avait vu Vera que de temps à autre et, à ces rares occasions, Vera s'était montrée très distante. Clémence décida de lui parler pour savoir ce qui n'allait pas. Un après-midi de la fin du mois de mars, elle rendit visite à Vera au magasin de sa mère, sur Bridge Street. Le magasin avait l'apparence morne et poussiéreuse d'un étalage de bibelots, se dit-elle. Des trépieds décorés de fleurs peintes se bousculaient contre des entourages de cheminée en faux marbre et des nappes à carreaux. Il semblait ne jamais y avoir de clients. Vera était assise dans un coin de la pièce, en train de préparer un étal pour les plantes.

— Tu m'as manquée, au dernier concert d'Ivor.

— Ah bon ?

Le ton froid de Vera déconcerta Clémence.

— Ivor se demandait où tu étais.

— J'imagine que tu t'es débrouillée pour l'empêcher de trop se soucier de cela !

— Vera…

— Je ne sais pas comment tu as le culot de venir ici.

Son expression avait changé. Elle frappa son pinceau sur la table et la peinture dorée éclaboussa le sol.

— La gentille petite Clemmie ! Mademoiselle Cœur-de-miel ! Eh bien moi, je vois la vraie Clémence !

— Vera, de quoi tu parles ?

— Je te parle du fait que tu me voles Ivor !

— Te le voler ? dit Clémence, le souffle coupé.

— « Oh Ivor, mima Vera sur un ton aigu, laissez-moi distribuer le programme ! », « Oh Ivor, laissez-moi écrire votre courrier ! » – alors que tu savais combien je désirais m'en occuper !

— Je pensais que tu ne pourrais pas le faire à cause du magasin.

— Bien pratique, n'est-ce pas, que maman ait besoin de moi ici, lança Vera en raclant la peinture dorée sur le plancher. Tu devrais te souvenir qu'Ivor est un homme marié, Clémence.

Il fallut quelques secondes à Clémence pour bien saisir les conséquences des paroles de Vera. Puis, sous le choc, elle put à peine y répondre.

— Rien de tout cela n'est vrai, tout simplement rien…

— Tu es follement amoureuse de lui. Tout le monde peut le voir.

— Non, ce n'est pas vrai, répliqua Clémence en luttant contre les larmes. Comment peux-tu dire une chose si affreuse ?

— Mme Braybrooke l'a vu. Je l'ai entendu dire à Mme Carter que tu suivais Ivor Godwin comme un petit chien. Tu as toujours été une sorte de carpette, Clémence.

— Ivor est mon ami.

— Oh, Clemmie, tu portes vraiment des œillères, hein ? Tu ne le quittes pas des yeux. Tu ferais n'importe quoi pour lui ! dit Vera en dévisageant Clémence avec mépris. Soit. Je ne me mettrai pas en travers de ta route. J'espère me fiancer bientôt et j'imagine que mon fiancé ne souhaite pas que je coure après un homme marié.

En rentrant chez elle, triste et secouée, Clémence avait du mal à rejeter les accusations de Vera. «Tu es follement amoureuse de lui.» Était-ce possible? Aimait-elle Ivor – et pas seulement comme un ami? Y avait-il quelque non-dit – même déplaisant – dans leur amitié? Elle n'avait pas parlé d'Ivor à sa mère. Pourquoi pas? Était-ce parce qu'elle avait besoin de protéger une partie de sa vie, ou savait-elle que sa mère, de façon plutôt appropriée, le désapprouverait? Elle ne savait pas vraiment ce qu'était l'amour. Elle aimait sa famille et il lui semblait que ses sentiments à l'égard d'Ivor étaient aussi forts que ceux qu'elle avait pour ses frères et sœurs. Mais l'aimait-elle comme on aime un amoureux? Si Rosalie n'avait pas existé, aurait-elle souhaité se marier avec lui? Pendant un instant, elle s'imagina vivre avec Ivor dans une jolie petite maison de campagne, s'occupant de lui, lui donnant l'amour et la compréhension qu'il méritait et dont elle pensait depuis longtemps que Rosalie le privait. Dans l'éventualité où Ivor et Rosalie partiraient pour le sud de la France, comment se sentirait-elle? Désespérée, s'avoua-t-elle. Sans Ivor, sa vie redeviendrait vide. Pouvait-elle donc être amoureuse de lui? Voulait-elle le toucher, l'embrasser? Elle n'avait jamais embrassé que sa famille et ses plus proches amies. Se souvenant que Vera l'avait une fois laissée lui coiffer ses longs cheveux châtains et déposer un baiser sur le sommet de son crâne, Clémence sentit les larmes lui monter aux yeux et elle dut se mordre les lèvres pour les empêcher de couler.

7

Après une année de deuil, les amis de Marianne l'invitèrent à nouveau à leurs petits dîners et à leurs week-ends à la campagne. Parfois, un célibataire, jeune ou veuf, était présent. Elle savait que ceux qui cherchaient à lui trouver un partenaire avaient de bonnes intentions ; ils pensaient qu'un nouvel amour était le seul remède à la perte d'un autre. Mais en son for intérieur, leur imbécillité la mettait en rage. Comment ne pouvaient-ils voir qu'elle n'aimerait jamais à nouveau ? Quel homme pourrait soutenir la comparaison avec Arthur ? Et si, par miracle, cet homme existait, comment pourrait-elle s'exposer encore une fois à tant de douleur ?

Elle pouvait le voir sur leurs visages : ils estimaient qu'elle devait se remettre, commencer à ne plus trop y penser. Elle les soupçonnait de devenir impatients ; cela l'insupportait de les imaginer en train de se dire que, après tout, ils n'étaient mariés que depuis un an.

Les mauvais jours, le brouillard de la perte et de la dépression pesait sur elle ; une couche obscure persistait en elle, comme une strie dans la roche. Elle ne sortait pas. Les jours les plus noirs, elle ne quittait pas sa chambre.

Mais, lentement, les mauvais jours s'espacèrent. Elle supervisait l'intendance de la maison, mangeait, discutait et était suffisamment sociable pour que ses sœurs cessent de s'inquiéter. Ce n'était que chez les dépossédés qu'elle trouvait ce quelque chose en commun, une affinité qu'elle devinait dans leurs yeux. Ceux qui n'avaient pas été touchés par le chagrin lui semblaient naïfs, privés d'une compréhension essentielle.

En avril 1912, les Meredith l'invitèrent à Rawdon Hall. «C'est juste une petite soirée tranquille», lui avait dit Laura Meredith. Mais en arrivant à la demeure, Marianne fut consternée de la trouver remplie de couples en vue, étincelants. S'habillant pour le dîner, regardant jardins et pelouses par la fenêtre, elle se souvint de sa dernière visite, des lèvres d'Arthur sur sa nuque. Elle ressentit une poussée de colère face au caractère si vivant et si douloureux de la mémoire. N'avait-elle pas assez enduré? N'avait-elle pas mérité un peu de clémence, la capacité d'oublier?

Elle demanda à sa domestique de l'aider à changer sa robe terne pour une autre en soie argentée, et à tresser sa chaîne de pierres de lune dans les boucles foncées de ses cheveux. Au dîner, un bel homme moustachu aux cheveux gominés attira son regard, lui sourit et leva son verre vers elle. Teddy Fiske, se dit-elle, en se souvenant de ce praticien de la débauche qu'elle avait rencontré dans le jardin lors de son précédent séjour, et de la façon dont sa main s'était trop longtemps attardée alors qu'il l'aidait à se relever de son siège.

Elle continua de laisser traîner son regard. Un autre visage apparut. Elle marqua une nouvelle pause. Beaucoup plus tard, elle eut du mal à se souvenir de cet instant. Avait-elle su? Avait-elle eu la moindre idée de la façon dont il façonnerait et *déformerait* sa vie?

Non. Elle l'avait remarqué parce que, dans le monde clos dans lequel elle vivait, c'était un inconnu. Elle l'avait remarqué parce qu'il y avait quelque chose de saisissant chez lui – quelque chose d'angélique, peut-être, dans la clarté de ses cheveux et de ses yeux sur une peau bronzée. Et une sensation de force et de puissance dans ses larges épaules, dans la manière dont il s'était assis, indépendant, calme, observateur.

À l'issue du dîner, l'assemblée se dispersa. Avec des cris d'excitation, deux ou trois convives allèrent dans la serre à la recherche d'ananas; d'autres lancèrent d'audacieux paris aux cartes; et les amoureux, bien sûr, s'éclipsèrent par deux dans les recoins sombres ou sur les divans en velours des pièces plus isolées. Marianne déambula seule dans la maison. Au coin d'un couloir, son regard fut attiré par un rayon de lumière blanche filtrant d'une porte. En entrant, elle aperçut la sculpture posée sur une petite table. La lumière de la lune tombait sur quatre danseuses en marbre. Dans un moment de joie et d'abandon, des évasements de tissus et des boucles de cheveux avaient été transformés en pierre, comme immobilisés par un regard de basilic. Entendant des pas, elle leva les yeux et vit Teddy Fiske.

— Madame Leighton, dit-il en penchant la tête tout en l'étudiant. Seule?

— Comme vous le constatez.

— Quel plaisir de vous voir ici, avança-t-il en fermant la porte derrière lui.

— Vraiment?

— Une cigarette?

Il présenta son étui, alluma leurs cigarettes et s'appuya contre le rebord de la table, regardant au-dehors. La fumée s'échappait dans la lumière de la lune; elle n'avait pas allumé les lumières électriques.

— Ces week-ends peuvent être fort monotones, n'est-ce pas? Mêmes gens, mêmes conversations.

— Alors pourquoi venez-vous?

— J'espère toujours une distraction.

Une distraction, pensa-t-elle. *C'est ce dont j'ai besoin.* Quelque chose de neuf pour recouvrir les souvenirs, comme on couvre un mur de papier peint. Quelque chose qui mette le cœur sous scellés.

— Quel genre de distraction? reprit-elle froidement.

— Oh, vous savez, le genre habituel.

— Y a-t-il un genre habituel?

— Ma foi, c'est une question de goût, je suppose. Mais il en est une qui me plaît plus que d'autres, lui dit-il en la regardant. Vous ne jouez pas, madame Leighton, et vous ne dansez pas. Je conclus donc que, comme moi, vous trouvez ces choses insatisfaisantes.

Elle ne répondit pas. Il poursuivit sur un ton doux :

— Puis-je suggérer quelque chose de différent?

Il laissa ses doigts longer le dos de sa main. Elle ne le repoussa pas mais demeura immobile, passive, en attente. La paume de sa main remonta le long de son bras, un doigt dessina la courbe de son épaule et de son cou. Elle se demanda si elle ressentait quoi que ce soit. Si la chair pourrait réveiller la chair, comme jadis.

La porte s'ouvrit. La lumière soudaine la surprit et elle s'écarta. L'homme aux yeux pâles qu'elle avait remarqué au repas prononça d'une voix traînante :

— Oh, désolé. Je croyais cette chambre vide.

— Melrose, grogna Teddy Fiske, vous ne pouvez pas tomber plus mal.

Murmurant une rapide excuse, Marianne sortit précipitamment de la pièce. À l'étage, elle ferma la porte de sa chambre à clé derrière elle. Elle ne fit pas appeler sa domestique, se déshabilla et enleva toute seule les épingles dans ses cheveux. Les pierres de lune roulèrent sur le tapis et elle s'assit, voûtée, sur le lit, en les fixant du regard. S'ils n'avaient pas été dérangés, qu'aurait-elle fait ? Serait-elle demeurée ainsi, debout, aussi insensible et impassible que ces filles de pierre, laissant Teddy Fiske la séduire ?

Elle entendit un tapotement sur la porte et une voix murmura son nom. Elle regarda la poignée de la porte bouger de haut en bas, en prenant soudain peur d'elle-même – peur que le chagrin et la colère qui bouillaient en elle se mettent à brûler au point qu'elle, Marianne, puisse enfreindre les règles, pour choquer, pour provoquer. Ce soir-là, elle avait failli se donner à un homme dont elle se fichait. Qui lui déplaisait, même. Quel désespoir, se dit-elle, avant de s'agenouiller pour ramasser les pierres de lune sur le sol tandis qu'elle entendait les pas s'éloigner de sa porte.

Sa punition fut un pénible jeu de cache-cache avec Teddy Fiske. Ayant mal à la tête et les nerfs en boule, elle se sentit fatiguée et pas dans son assiette. Le temps était assez bon pour jouer au tennis. Laura Meredith décida donc d'organiser des équipes. Marianne s'éclipsa, filant entre les buissons et les plates-bandes, se dirigeant vers le sanctuaire de l'allée des charmes. Quand elle vit M. Melrose debout au début de l'allée, il était trop tard pour l'éviter.

— Vous ne jouez pas ? demanda-t-il.

— Je déteste le tennis, répondit-elle en jetant un rapide regard derrière elle.

— Ne vous inquiétez pas, je ne crois pas que votre admirateur vous ait vue partir. À moins que vous désiriez qu'il vous suive.

— Certainement pas, dit-elle avec hésitation. Hier soir...

— Je m'excuse si j'ai interrompu quelque chose.

— Il n'en est rien. C'est un homme détestable.

— Et le genre à se sentir irrésistible en tenue de tennis. Sa vanité l'empêchera de vous poursuivre.

Les os de son visage étaient délicatement dessinés. Sa bouche, infléchie, était sensuelle. Elle nota que ses yeux n'étaient pas bleus comme elle l'avait cru, mais d'un gris pâle, la couleur des pierres de lune. Avec passion, elle dit brusquement :

— Cet endroit, cette maison, je les déteste !

— Pourquoi y restez-vous donc ?

— Cela tue le temps. Et voilà, je parle comme M. Fiske. Quelle horreur...

— Son ennui relève de l'entraînement – c'est une pose. Le vôtre est sincère.

— Je rentre chez moi demain. Je n'aurais jamais dû venir. Je vous prie de m'excuser.

Les charmes bien taillés se dressaient au-dessus d'elle, leurs nouvelles feuilles formant des murs jaune-vert. Des larmes lui remplirent les yeux ; elle les réprima en se pressant le long de l'allée. Son intention était de lui échapper, mais elle vit qu'il la suivait à la même allure.

— Je suis tellement désolé, dit-il. Quelle impolitesse de ma part : je ne me souviens pas de m'être présenté. Mon nom est Lucas Melrose.

Elle lui dit le sien.

— Vous êtes veuve, n'est-ce pas ? dit-il en jetant un coup d'œil sur elle.

— Oui, monsieur Melrose, vous pouvez être direct. Je préfère. Les gens tergiversent tellement sur ce sujet. Peut-être ont-ils peur de me contrarier ? Ou pensent-ils que je pourrais oublier la mort de mon mari s'ils ne me la rappelaient pas sans prendre de gants ?

Elle marqua une pause, agrippant son ombrelle des deux mains, à nouveau inquiète de se briser, de partir en morceaux, incapable de continuer de respecter les règles de la bonne société.

— Je n'aurais pas dû dire cela, murmura-t-elle. Je connais bien ces gens. Je devrais être reconnaissante de leur sollicitude.

— Le devriez-vous?

Elle fut troublée par sa question et son regard direct.

— Oui, bien sûr. Ce n'est pas leur faute si une chose affreuse m'est arrivée; pourquoi devrais-je être en colère contre eux? Le problème vient de moi et il est que je ne suis plus heureuse. Et que je trouve la compagnie des autres... insatisfaisante.

— Cette compagnie en particulier ou toute forme de compagnie?

Elle se mit à marcher plus vite, languissant de la solitude de sa chambre. Son visage changea.

— Vous devez m'excuser. Je vous ai importunée, dit-il.

— Ce n'est pas vous, monsieur Melrose. Mon mari, Arthur, est mort il y a presque dix-huit mois. Les gens me disent constamment de me remettre d'aplomb, de recoller les morceaux. Comme si ma vie pouvait être recollée comme un vase cassé. J'ai accepté l'invitation des Meredith parce que je pensais que je devais commencer à faire un effort. Mais je réalise que je ne suis pas encore prête pour leur compagnie.

— Peut-être ne recollez-vous pas les bons morceaux?

— Que voulez-vous dire?

— Peut-être essayez-vous de reconstruire votre vie passée, ce qui est impossible. Peut-être devriez-vous chercher quelque chose de différent, de nouveau.

Elle réfléchit. Ils étaient en train de traverser le gazon, en direction de la maison.

— Mais il est bien impertinent de ma part de vous offrir un conseil. Je vous assure que, habituellement, je ne suis pas aussi assommant, madame Leighton. Je crains de ne pas être tout à fait moi-même, en ce moment.

— Je suis désolée d'apprendre que vous n'allez pas bien, monsieur Melrose.

— Oh, je suis en parfaite santé. Mais j'ai le mal du pays, terriblement.

— De quel pays?

— Ceylan.

Elle le regarda, surprise, et il éclata de rire.

— Que vous attendiez-vous à ce que je dise? Hampshire? ou Surrey?

Ceylan... pensa-t-elle, cela expliquait sa différence et le sentiment qu'elle avait eu de voir en lui, comme elle, un étranger.

— Je possède une plantation de thé dans les régions montagneuses. Et tout ceci, dit-il en balayant du regard les pelouses, les plates-bandes, les chênes et les hêtres, tout ceci paraît bien pâle en comparaison.

— Avez-vous toujours vécu à Ceylan, monsieur Melrose?

— Je suis né là-bas. Je suis ici pour quelques mois, en partie pour des raisons d'affaires, en partie pour raisons personnelles.

— Avez-vous de la famille en Angleterre?

— En Écosse, corrigea-t-il. Ma famille vient d'Écosse, près d'Aberdeen. D'où venez-vous, madame Leigthon?

— Je suis née à Sheffield. Pas aussi romantique que Ceylan, je le crains.

Ils étaient parvenus à la terrasse. Devant la porte de la maison, ils se séparèrent. Il lui offrit sa main. Elle la prit brièvement: elle était fraîche et sèche, comme si la chaleur de la journée ne l'avait pas atteinte.

Quelques jours plus tard, revenue à Londres, Marianne entendit les premières nouvelles du naufrage du *Titanic*. Au cours des jours suivants, l'énormité de la tragédie fut dévoilée. Quand le grand navire, troué par un iceberg, avait sombré, plus de mille cinq cents personnes avaient péri noyées. Pour la première fois depuis la mort d'Arthur, une nouvelle du monde extérieur la touchait vraiment. Elle s'imagina l'horreur du moment où ceux qui étaient restés sur le bateau avaient réalisé que leur mort était imminente et inévitable. Avec ce choix ultime: quand et comment mourir? S'accrocher à la rambarde du bateau en train de couler alors qu'il entamait sa longue plongée vers le lit de l'océan, ou sauter dans les vagues depuis la proue ? Le dernier grand saut dans le vide. Puis le choc de l'eau glacée dans les yeux, le nez, la bouche. Puis plus rien.

*

Plus tôt cette année-là, Gabriel était parti sur le continent. Il n'avait pas demandé à Eva de l'accompagner. « Juste pour quelques jours – je pourrais venir jusqu'à Dieppe », s'était-elle entendue dire. Elle avait détesté le ton implorant de sa voix. « Une autre fois, mon chou, avait vaguement répondu Gabriel. J'ai promis au petit Max, tu sais. »

Val Crozier, l'ami de Gabriel et Sadie à Greenstones, avait envoyé un mot à Eva pour l'inviter à dîner. Elle l'avait retrouvé dans un petit café de Frith Street. À l'éclat de ses yeux et à la légère maladresse de son discours et de ses gestes, elle avait deviné qu'il avait bu plusieurs verres avant qu'elle arrive.

— Eva, lança-t-il en lui donnant un baiser bruyant sur la joue. Comment vas-tu ?

— Très bien. Et toi, Val ? Que fais-tu à Londres ?

— Pas grand-chose. Je flemmarde. Je n'en pouvais plus de Greenstones.

— Comment va Sadie ?

— Toujours la même.

— J'imagine que Gabriel lui manque.

— J'imagine. Et Max, peut-être. Mais pas Nerissa, en revanche, je ne crois pas.

— Nerissa ? Est-elle partie aussi ?

— Tu ne savais pas ?

— Savais quoi ?

— Que Nerissa est partie en Espagne avec Gabriel et Max.

— Non, non, tu as tort, Val, dit Eva, la main figée en l'air avec son verre de vin. Il n'y a que Gabriel et Max.

— Et Nerissa. Un vrai soulagement, d'ailleurs – on ne pouvait plus la voir, à Greenstones. Alors, tu ne savais pas ?

Elle secoua la tête, sans dire un mot. Il n'était pas possible que Gabriel eût pris Nerissa avec lui. Val devait se tromper. Gabriel

214

n'aurait pas pu refuser de la prendre, elle, et emmener Nerissa. Eva but un peu de vin et se calma. Même si Val avait raison et que Nerissa était partie avec Max et Gabriel en Espagne, il devait y avoir une explication parfaitement raisonnable. Nerissa avait dû persuader Gabriel de la prendre. Elle l'imaginait en train de l'amadouer avec la voix de petite fille qu'elle affectionnait : « Emmène-moi avec toi, Gabriel chéri. Je me tiendrai bien, je le promets. »

— J'imagine que Nerissa a asticoté Gabriel, dit-elle, heureuse que sa voix ne tremblât pas. Et elle aime vraiment voyager.

— Gabriel doit être content. Mais pas Max. Pas agréable de tenir la chandelle.

— Je ne comprends pas...

— C'est un ménage à trois plutôt épineux, déclara-t-il avec un profond dédain dans les yeux. Tu sais bien que Max est amoureux de Nerissa, n'est-ce pas ?

— Mais il est toujours si désagréable avec elle !

— Pour dissimuler son cœur brisé. Cette pauvre andouille est fou d'elle depuis des années. Tu vois donc ce que je veux dire.

— Non, pas vraiment.

Il avait à nouveau rempli leurs deux verres de vin et en avait versé à côté, faisant une tache rouge foncé sur la nappe. Elle eut la soudaine certitude qu'elle était sur le point d'entendre quelque chose de terrible. Elle aurait aimé se boucher les oreilles, ou quitter le café en courant. Un sourire apparut sur le visage de Val.

— Gabriel couche toujours avec ses modèles. Et avec ses ex-modèles. Tout le monde sait ça.

Elle le regarda fixement. Puis elle secoua énergiquement la tête.

— Non.

— Tu veux dire que j'ai tort ? Que toi et Gabriel ne couchez pas ensemble ?

Elle se sentit rougir mais répondit sur un ton froid.

— Ce sont mes oignons.

— Ah bon ? J'aurais pensé que c'était aussi ceux de Sadie.

Elle regarda au loin, serrant les poings sous la table.

— Je n'ai jamais eu l'intention de blesser Sadie, murmura-t-elle. Tu sais cela. Gabriel et moi, nous n'avons jamais…

Elle s'interrompit, incapable de finir sa phrase. « Gabriel couche toujours avec ses modèles. » Était-ce vrai ? Même si Gabriel avait aimé Nerissa dans le passé – et en se rappelant maintenant la séduisante beauté de la *Fille en robe rouge*, elle se rendit compte combien elle avait été sotte de ne pas l'avoir deviné – cela ne voulait pas dire qu'ils étaient amants aujourd'hui. L'amour incluait la confiance et elle devait avoir confiance en Gabriel.

Cependant, il lui avait confié avoir aimé plusieurs femmes. La fidélité n'avait pas d'importance pour lui ; pire, il la dédaignait. Ayant trahi son épouse, pourquoi ne pas trahir également ses maîtresses ? Elle réussit pourtant à dire :

— Pas *Nerissa*. Pas *maintenant*. C'est ce que je voulais dire.

— Oh, Eva… Je pensais que tu savais, ma chérie. Me voilà bien imprudent de l'avoir laissé échapper.

Sa voix se durcit alors.

— Et tu as été bien stupide de ne pas le comprendre.

— Ce n'est pas vrai…

— Demande à Max, ou à Bobbin, si tu ne me crois pas. Évidemment qu'ils sont toujours amants.

Il était possible que rien n'eût été comme elle l'avait cru, que Gabriel l'ait trahie comme tous deux avaient trahi Sadie. Elle se sentit envahie par une profonde vague de honte.

— Pourquoi me dis-tu tout cela ?

— Parce que je pensais que tu aimerais le savoir, dit-il en allumant une cigarette. Tu peux toujours demander à Sadie. Si tu as le cran de le faire, bien sûr. Sadie a été intelligente. Elle a été la seule des femmes de Gabriel à comprendre qu'il ne se marierait jamais avec elle si elle couchait avant avec lui. Elle a donc attendu d'avoir la bague au doigt.

Il y avait de l'amertume dans sa voix et Eva leva les yeux sur lui. C'est alors qu'elle comprit.

— Tu es amoureux d'elle. Tu es amoureux de Sadie.

— Bien sûr que je le suis, grimaça-t-il. Pourquoi crois-tu que je traîne là-bas ? Tu n'as pas cru que j'étais l'un des acolytes de Gabriel, n'est-ce pas? C'est amusant, non : tu es amoureuse de Gabriel, Max est amoureux de Nerissa et je suis amoureux de Sadie. C'est une de ces maudites danses folkloriques que Bobbin apprécie tant. Le malaise est que Nerissa laisse Max venir dans son lit assez souvent pour le tenir en laisse, tandis que Sadie ne veut nullement de moi. Ce bon vieux Val, qui donne à manger aux cochons et calme les enfants ; voilà tout ce que je suis.

— Et Sadie ?

— Oh, Sadie n'a jamais aimé que Gabriel. Je ne suis même pas sûr qu'elle se soucie tant que ça des gosses. Elle adore et a toujours adoré Gabriel. Elle fera tout pour le garder. Avoir une fournée d'enfants de lui, vivre au milieu de nulle part. Et même s'accommoder de recevoir ses maîtresses chez elle, dit-il en fermant les paupières, masquant à moitié la froideur et la cruauté de son expression. Parfois, je suis heureux qu'il la blesse. Parfois, je suis heureux qu'il l'humilie. Au moins éprouve-t-elle ce que c'est, n'est-ce pas, d'aimer quelqu'un qui se fiche comme d'une guigne de ton bonheur.

*

Marianne avait passé la matinée avec Patricia Letherby quand, en rentrant chez elle, elle vit Lucas Melrose au coin de la rue. L'apercevant, ses yeux s'écarquillèrent et il traversa la rue pour aller à sa rencontre.

— Madame Leighton, quelle extraordinaire – et agréable – coïncidence !

— Monsieur Melrose.

Elle était perturbée. On s'imagine les gens dans des lieux précis ; M. Melrose appartenait à Rawdon Hall et non à Norfolk Square.

— Avez-vous des affaires à Londres ? demanda-t-elle.

— Je viens de m'échapper d'une très longue matinée avec mes agents sur Mincing Lane. J'avais besoin d'un bol d'air frais et je me suis mis à explorer le quartier. Mais je crains d'être un lamentable et ignorant homme des colonies, car je me suis totalement perdu.

— Puis-je vous aider? Quelle rue cherchez-vous?

— Ce n'est pas une rue mais un parc. Je souhaitais voir Hyde Park. Serez-vous assez aimable de m'indiquer le chemin?

— Ce n'est pas loin du tout. Au bout de cette rue, vous devez tourner à droite – non, à gauche... non, c'est à droite, j'en suis sûre...

— Madame Leighton, dit-il avec un grand sourire. Étant un célibataire endurci, je ne peux prétendre en savoir beaucoup sur les femmes mais j'ai remarqué que le sexe faible a souvent des difficultés avec les directions.

— Mon mari se moquait souvent de moi, admit-elle. Quand il conduisait, je n'arrivais jamais à lire correctement la carte. On finissait totalement perdus.

— Alors j'ai une autre suggestion. Me feriez-vous l'honneur de m'accompagner au parc? Nous n'aurions pas à nous soucier de la droite ou de la gauche.

Elle hésita et il eut un geste rapide plein de modestie.

— Me voilà bien présomptueux, n'est-ce pas? J'espère que vous me pardonnerez, madame Leighton. Je ne suis qu'un vieux planteur un peu brusque qui doit apprendre les bonnes manières.

— Point du tout.

Elle avait honte de son manque de générosité. Faisant un effort, elle lui sourit.

— En fait, prendre l'air me ferait du bien aussi. J'ai passé les trois dernières heures dans une réunion à l'association Perce-Neige. Voici ce que nous, les veuves, faisons: participer à des commissions et subir d'interminables réunions pour programmer des journées de vente d'insignes ou l'organisation de petits concerts. J'écris les comptes-rendus. Mon amie, Mme Letherby, m'a persuadée d'être la secrétaire de la commission. Elle croit qu'une occupation me ferait du bien. Que cela me distrairait.

— Et cela vous distrait-il?

— Pas le moins du monde. Mon esprit divague dangereusement et je découvre, après coup, que mes notes sont presque illisibles. Avez-vous jamais essayé d'inventer le compte-rendu d'une réunion?

Il éclata de rire.

— Non, jamais, j'en ai peur. Je passe la plupart de mon temps dehors – il n'y a pas beaucoup de réunions et de commissions sur une plantation de thé.

— Alors vous avez de la chance.

— Si les œuvres caritatives ne vous intéressent pas, que préférez-vous faire ?

— J'appelle mes amis et ma famille, je gère ma maison et je vais à l'église tous les dimanches. Je devrais être satisfaite de ma vie. Je suis consciente qu'elle est infiniment plus facile que celle de la plupart des gens.

— Et pourtant vous n'êtes pas satisfaite, n'est-ce pas ?

— Non, monsieur Melrose, je ne le suis pas.

Elle regretta sa confidence immédiatement. Elle voulut se rétracter, prendre ses distances avec lui. Admettre son malheur auprès d'un homme qu'elle connaissait à peine paraissait inapproprié, beaucoup trop intime.

— Peut-être avez-vous besoin de changement, suggéra-t-il simplement.

— Il n'en est peut-être pas ainsi à Ceylan, monsieur Melrose, mais en Angleterre, une femme comme moi n'a pas un choix immense dans la façon de passer son temps. Je n'ai aucun talent particulier. Je jouais du piano mais je n'y ai pas touché depuis plus d'un an. Et comme je l'ai dit, les bonnes œuvres m'ennuient. C'est sans doute très égoïste de ma part, mais c'est la vérité.

— Je ne parlais pas de passe-temps. Je voulais dire : qu'aimeriez-vous faire si vous le pouviez ?

J'effacerais le passé et j'aurais Arthur ici, à mes côtés, se dit-elle avec une pointe de nostalgie. Mais elle répondit :

— Personne n'agit selon ses souhaits, n'est-ce pas ? D'autres facteurs – les devoirs, les obligations, les infortunes – nous en empêchent.

— Pour ma part, je fais ce que je souhaite.

— Alors vous avez de la chance.

— Je n'ai jamais cru à la chance, lança-t-il, avec un air sauvage dans ses yeux gris. On doit décider ce que l'on veut et le prendre.

— Cela semble… impitoyable.

— Vraiment?

À Rawdon Hall, elle avait noté ses soudains changements d'humeur. Son expression s'éclairait maintenant et son sourire devint doux et encourageant.

— Je ne veux pas être dur. Seulement souligner que la vie est courte et que, dans la mesure du possible, on devrait se faire plaisir. Alors, madame Leighton, si vous pouviez faire quoi que ce soit, n'importe quoi, qu'est-ce que ce serait?

Ce regard gris opaque se posa sur elle, exigeant une réponse. Elle en saisit une au hasard, pour le satisfaire, mettre fin à ses questions et lui cacher le vide qui s'était installé en elle depuis la mort d'Arthur.

— J'imagine que j'aimerais voyager.

— Voyager jusqu'au Lake District ou un peu plus loin?

— Je n'y ai pas pensé.

— Vous devriez. Peut-être devriez-vous aller découvrir le monde, madame Leighton.

— Je ne pourrais pas…

— Pourquoi pas? Il n'y a qu'à payer le bateau. À moins…

— Oui, monsieur Melrose?

— Vous allez dire que je suis impertinent, encore une fois.

— Je vous promets de ne pas me sentir offensée.

— J'étais sur le point de dire : à moins que votre mari vous ait laissée trop dépourvue.

— Arthur m'a laissée fort bien pourvue.

— Alors vous avez de la chance, madame Leighton.

— En ai-je vraiment? dit-elle en sentant une bouffée de colère. J'échangerais avec joie tout ce que j'ai pour une seule journée de plus avec Arthur!

— Je m'excuse. Je vous ai à nouveau irritée.

— Non, soupira-t-elle. Pas du tout. Nombreux sont ceux qui trouvent l'argent très intéressant et passent le plus clair de leur temps à en amasser. Mais cela me semble… sans importance. Voilà tout.

Il ne répondit pas. Elle reprit :

— Vous pensez que je suis gâtée – capricieuse – de dédaigner ainsi la richesse quand tant de gens sont dans le besoin.

— Je pense que vous oubliez ce que l'argent permet de faire. Ou peut-être n'avez-vous pas eu l'occasion de le découvrir. L'argent vous donne le choix. Il vous permet d'accomplir des choses qui, sans lui, seraient impossibles. Là est son importance. Et je ne veux pas remuer le couteau dans la plaie, mais j'aurais tendance à croire que parcourir le monde est plus intéressant que siéger dans des commissions.

Ils flânaient le long de chemins de gravier où elle s'était souvent promenée avec Arthur.

— Je ne suis pas sûre d'en avoir le courage, déclara Marianne d'une voix lente.

— De voyager seule ?

Elle avait voulu dire : « Je ne suis pas sûre d'avoir le courage de recommencer, de quitter ma maison, de me remettre en question. Tout cela demande un entrain, une énergie que je semble avoir perdus et que je ne suis pas sûre d'avoir jamais eus en grande quantité. »

— Vous m'avez dit avoir une grande famille, continua-t-il. Est-ce que l'un de ses membres pourrait voyager avec vous ?

— Tous mes frères et sœurs ont une vie bien remplie.

— Mme Meredith voyage énormément, me semble-t-il. J'imagine que vous ne la considérez pas comme une amie proche ? Effectivement, il y a un côté superficiel chez Laura Meredith qui, je présume, ne vous attire guère.

— Laura est une hôtesse généreuse. Et elle a été très gentille avec moi après la mort de mon mari. C'est juste qu'elle n'est pas – que *je* ne suis pas… Comme je vous l'ai déjà dit, monsieur Melrose, le problème vient de moi. Je ne recherche pas la proximité des autres.

— Très bien. Vous aimeriez voyager, donc. Y a-t-il autre chose que vous aimeriez, madame Leighton ?

Deux petites filles jouaient au cerceau près de Round Pond. De petits voiliers flottaient sur l'eau et des garçonnets en tenue de marin étaient accroupis au bord de l'étang, applaudissant avec enthousiasme. En les regardant, Marianne fut submergée par une vague de nostalgie si intense qu'elle ferma les yeux un instant, presque prise de vertige. Puis elle eut un petit rire.

— Je n'en ai vraiment aucune idée! Et il me semble avoir beaucoup parlé de moi. Je préférerais de loin entendre parler de vous. Et de Ceylan. Parlez-moi de Ceylan, monsieur Melrose.

*

En décembre 1911, Iris termina sa période de stage et devint une infirmière pleinement qualifiée. Plusieurs des filles de son groupe avaient quitté l'hôpital peu de temps après leur diplôme. Charlotte prit un travail d'infirmière privée en Belgique. En voyant son amie dans le train à la station Victoria, Iris la serra fort dans ses bras, sachant combien elle lui manquerait. Sous un chapeau malheureusement peu flatteur, le visage simple de Charlotte était couvert de larmes.

— Tu m'écriras, hein? Tu dois me promettre de m'écrire!

Iris, elle, restait à Mandeville. Les infirmières nouvellement diplômées avaient droit à quatre semaines de vacances. En janvier, elle était rentrée chez elle à Summerleigh, où elle avait revu ses vieux amis et avait participé à des danses, des dîners, et à une succession de fêtes. C'était un délice de ne plus marcher au doigt et à l'œil et un plaisir inhabituel, presque honteux, de dormir le matin aussi longtemps qu'elle le voulait. Pourtant, après une quinzaine de jours, cela commença à lui taper sur les nerfs. Les matinées passées à parer des chapeaux et à aider Clémence à la maison lui parurent péniblement longs. Elle se sentit régresser, enchaînée à nouveau à cette surveillance bienveillante qui était le lot de toute fille de la classe moyenne. Mandeville lui manquait et elle se demanda si elle était en train de devenir cette triste créature, l'infirmière d'hôpital, avec ses oignons et ses mains dures et rouges, son sourire rapide et raisonnable.

Elle n'arrivait pas à identifier le moment où elle avait commencé à aimer le métier d'infirmière. Cela s'était fait progressivement, au gré d'étranges circonstances, puis en réalisant qu'une heure, une matinée et enfin une journée entière avait défilé sans qu'elle s'en rendît compte. Et puis Arthur était mort. L'importance de la propreté, de l'asepsie, martelée dans la tête de chaque stagiaire par chaque responsable de salle au Mandeville, s'était trouvée affreusement justifiée par la tragédie et la futilité de la mort d'Arthur. Si le métier d'infirmière était parfois détestable, il était rarement ennuyeux. Elle avait découvert qu'elle détestait s'ennuyer. Sa vie précédente lui semblait si confinée, si dénuée d'incident. La camaraderie des autres infirmières, les plaisanteries avec les patients lui manquaient, tout comme l'agitation et la diversité de la vie d'une salle d'hôpital. Ainsi que d'être utile et que l'on eût besoin d'elle.

Vers la fin du mois d'avril, Eva vint lui rendre visite. Le temps gris et pluvieux allait de pair avec l'expression morose d'Eva. Celle-ci avait oublié son parapluie et les boucles de ses cheveux pendaient sur son visage comme des queues de souris trempées. Elle s'assit sur le lit d'Iris au foyer des infirmières, séchant sans enthousiasme ses cheveux tandis qu'une lumière trouble filtrait par la fenêtre et que la pluie fouettait les carreaux.

Le contenu de la trousse à couture d'Iris était éparpillé sur le lit : des bouts de ruban et de dentelle, des épingles à bout nacré, un dé à coudre en argent. Choisissant une bobine de fil, Iris dit :

— Dis-moi ce qui ne va pas.

— Tout va bien.

— Eva, dit Iris en retirant un chapeau de sa boîte.

— C'est ma peinture. J'ai travaillé jusqu'à minuit ces derniers soirs mais tout ce que je réalise est sans intérêt.

Iris n'en crut pas un mot. Eva n'était pas du genre à se rendre aussi malheureuse pour le travail.

— Peut-être devrais-tu t'arrêter un moment, proposa-t-elle néanmoins.

— Comment le pourrais-je ? dit Eva avec colère. C'est la dernière chose que je puisse faire !

Eva avait très sale mine, le visage blanc, les paupières rougies, comme si elle avait pleuré pendant des jours.

— Pourquoi ne rentres-tu pas à la maison pour un temps ?

— À la maison ?

— Oui, pourquoi pas ? C'est peut-être monotone mais au moins, tu as le repas et le lit tout prêts. Et tu aimes bien voir James et Clemmie.

— Oui, mais père…

— Je ne comprends pas pourquoi tu es toujours aussi dure avec père.

— Parce que je sais…

Eva se pinça les lèvres.

— Tu sais? Que sais-tu, Eva?

— C'est un menteur et un tricheur, souffla-t-elle en étouffant ses mots dans une serviette. Voilà pourquoi je suis dure avec lui.

— Eva.

— C'est vrai. Je l'ai *vu*.

— Tu l'as vu quoi?

Il y eut un long silence. Eva se tortilla les cheveux en un chignon serré. Puis elle dit sur ton morne:

— J'ai vu père avec Mme Carver.

— Mme Carver? La veuve aux beaux cheveux et aux deux filles quelconques avec des taches de rousseur?

— Je les ai vus s'embrasser. Deux fois, d'ailleurs.

— Oh.

— C'est tout ce que tu dis: « *Oh* »?

— Et tu penses qu'ils avaient une liaison amoureuse?

— Bien sûr! Et j'imagine qu'ils l'ont toujours!

— Un baiser n'est pas nécessairement une liaison. J'ai embrassé beaucoup de garçons mais je n'ai eu de liaison avec aucun. C'était juste des baisers. Juste pour s'amuser. Cela ne signifiait rien du tout.

— Mais il y avait la façon dont ils s'embrassaient.

— Quand cela est-il arrivé?

— L'été où nous avons fait la connaissance de Ash.

Ash. Le jardin de Summerleigh après la pluie. Elle l'avait embrassé, puis il avait dit: «Oh, Iris, de quoi parlerions-nous, toi et moi?»

— N'es-tu pas choquée, Iris? s'exclama Eva. Ne trouves-tu pas cela affreux?

Elle réfléchit un instant, réalisa que non, pas vraiment. Peut-être aurait-elle dû penser le contraire, mais tel n'était pas le cas. Avec tact, elle répondit:

— Affreux pour toi, bien sûr.

— Et pour mère! Si elle le découvrait? Cela la tuerait!

— Le crois-tu? dit Iris en pensant à la pâle, fragile et intouchable Lilian. Père et mère sont dans un mariage purement formel depuis des années. Depuis que Philip est né.

— Je ne vois pas en quoi cela justifie...

— Non. Mais cela le rend peut-être plus compréhensible.

Iris posa deux rubans sur le chapeau bleu marine.

— Le rose pâle ou le fuchsia? Qu'en penses-tu?

— Ça alors, Iris! lança Eva avec rage. Tu exagères vraiment parfois!

— Sans doute. Mais quand même... Et maintenant, aide-moi: tu es meilleure que moi pour les couleurs, et j'ai dépensé une fortune sur ce chapeau; le bleu marine peut être si difficile à accommoder.

— Le fuchsia, grogna Eva.

— Père aime avoir des gens autour de lui, n'est-ce pas? Il déteste être tout seul. Et mère ne lui a guère offert de compagnie depuis des années.

— Ce n'est pas sa faute! Elle est malade!

Iris marqua une longue pause, puis reprit:

— Évidemment.

— Parfois, j'ai l'impression que tu fais exprès de ne pas être d'accord avec moi.

— Eva, songes-y un peu. Quels sont les symptômes de mère? De l'urticaire? Des vomissements? De la fièvre? Rien de tout cela.

— Tu penses qu'elle fait semblant...

— Non, pas du tout. Mère croit qu'elle est malade et donc, d'une certaine façon, elle l'est.

— Personne ne choisirait d'être comme elle!

— Personne? Ce n'est pas une vie si misérable. La maladie de mère signifie que tout le monde est à son entière disposition. Nous faisons les plus grands efforts pour ne pas la contrarier. Elle est déchargée de toutes les tâches domestiques. Je peux parfaitement comprendre que rédiger la liste des courses pour une famille de dix personnes peut commencer à lasser au bout d'un moment. Mère est une femme intelligente mais a-t-elle pu jamais l'exploiter? Elle n'a pas pu aller à l'université comme toi, ni apprendre un métier comme moi.

— Tu ne penses pas sérieusement que mère a choisi de s'aliter au cours des douze dernières années parce que... parce qu'elle en avait assez ou par ennui?

— Ça va un peu loin, n'est-ce pas? Mais n'aimons-nous pas, dans cette famille, aller un peu loin? Peut-être ne faisons-nous que prétendre être conventionnels. Peut-être que chacun d'entre nous a ses secrets.

Eva rougit et regarda ailleurs. Iris se mit à coudre la rosette sur le chapeau.

— De nous tous, Eva, j'aurais cru que tu aurais pu le mieux comprendre jusqu'où une femme pourrait devoir aller pour avoir la maîtrise de sa vie. Tu me serines constamment que nous sommes impuissantes car nous n'avons pas le droit de vote.

— Eh bien! Ne le sommes-nous pas?

— La maladie de mère lui a donné du pouvoir sur sa famille. Aucun d'entre nous – pas même père – n'ose lui désobéir ouvertement. On prend tous des pincettes et si le moindre d'entre nous la met en colère, elle se sent mal et nous nous sentons tous coupables. Enfin, il y a Clémence. Elle aimait l'école; pourtant, elle l'a quittée sans mot dire parce que mère avait besoin d'elle.

— Ce n'est pas déraisonnable. Pourquoi notre pauvre mère se retrouverait-elle seule?

— Et si Clémence n'avait pas été d'accord? Et si nous n'avions été que trois filles? Qui aurait abandonné les Beaux-Arts ou toute chance de carrière pour s'occuper de mère?

— Tu penses que je suis égoïste... dit Eva en rougissant.

— Tu ne l'es pas plus que moi. Bonté divine! N'ai-je pas choisi de devenir infirmière pour échapper à mère? Pour échapper au pire, en somme. La dernière fois que j'étais à la maison, je lui ai parlé. Elle a suivi le même traitement depuis dix ans: lit, repos, isolement, un seul visiteur à la fois. Rien n'a amélioré son état. Je lui ai suggéré de changer de traitement. Je l'ai fait très gentiment, avec le plus grand tact. La chambre était un véritable four, je lui ai soumis qu'elle se sentirait peut-être mieux si elle prenait l'air et faisait de l'exercice. Rien d'excessif pour commencer – une simple promenade dans le jardin au début, et un peu plus chaque jour pour reconstruire ses forces.

— Qu'a-t-elle dit?

— Elle m'a dit que j'étais sans cœur. Soit: elle n'est pas la première personne à me le dire. Mère prend du laudanum et du porto tous les jours. Ce sont des traitements passés de mode, où les patients ont besoin de doses toujours plus fortes pour en apprécier l'effet. Si elle pouvait arrêter de les prendre, elle ne se sentirait pas dans un tel brouillard tout le temps. Elle aurait les idées plus claires et se sentirait plus forte. Mais quand je lui ai expliqué cela, mère m'a dit qu'elle avait des palpitations et qu'elle allait s'évanouir. Elle ne m'a pas laissée lui prendre le pouls et la pauvre Clémence a dû passer le reste de la matinée à la calmer. Après cela, j'ai laissé tomber.

— Je continue de penser que cela n'excuse pas père, s'entêta Eva.

— Loin de moi l'idée de suggérer cela. Mais la maladie convient à mère. Par ailleurs, cela lui permet de ne pas avoir d'autre enfant.

— Pardon?

— La pauvre! Nous avons été sept en combien d'années? Quatorze? Un bébé tous les deux ans. Et je suis pratiquement sûre qu'elle a eu quelques fausses couches en plus. Je vois ces femmes à l'hôpital. Elles font un bébé après l'autre et elles ne se sentent jamais bien car soit elles sont enceintes, soit elles viennent d'accoucher, soit elles allaitent. Il n'y a pas longtemps, je m'occupais d'une femme qui était à l'hôpital pour son dixième enfant. L'accouchement fut difficile et, après la naissance, elle ne voulait même pas le voir. Oh Eva... Père n'est pas parfait – je n'ai encore jamais rencontré d'homme qui le soit. Tu croyais qu'il était parfait quand tu étais une petite fille et, tout d'un coup, d'une manière assez horrible, tu apprends qu'il ne l'est pas. Mais ce n'est pas un mauvais homme. Il a simplement des défauts, comme chacun de nous.

Elle tira un peu sur le chapeau puis, debout devant le miroir, l'essaya.

— L'as-tu raconté aux autres, ce que tu sais à propos de père et de Mme Carver ?

— Bien sûr que non, dit-elle en secouant vigoureusement la tête. Je n'avais pas l'intention de te le dire non plus.

— Très bien. Abstiens-toi alors. Qu'en penses-tu ? Plutôt chic ou dirait-on un seau à charbon ?

*

La plantation de thé de Lucas Melrose à Ceylan s'appelait Blackwater.

— Blackwater était le nom du hameau écossais dont était originaire mon père, expliqua-t-il à Marianne.

Le grand-père de Lucas, Archibald Melrose, avait quatre autres frères. La ferme où il était né, dans l'Aberdeenshire, était trop petite pour nourrir une si grande famille. Archibald décida donc d'aller chercher fortune ailleurs. Il arriva à Ceylan dans les années 1830.

— Je crois qu'il est tombé amoureux de cette île, raconta Lucas. Il avait pensé rester quelques années, faire fortune et rentrer en Écosse. Finalement, il n'est jamais rentré. Il existe une magie, un enchantement à Ceylan. Les commerçants musulmans qui y sont arrivés il y a plusieurs siècles l'appelaient Serendib, l'île aux bijoux.

Archibald avait travaillé six mois dans une scierie à Colombo avant de rejoindre une usine à moudre le café, à Kandy. Au bout du compte, il économisa suffisamment d'argent pour acheter des terres sur les collines. Il planta du café et prospéra, comme beaucoup d'autres Européens, grâce au boom du café dans les années 1850. Archibald se maria et eut un fils, George. Grâce à des investissements et à une gestion précautionneuse, Blackwater s'agrandit et, à la mort d'Archibald, les Melrose possédaient plus de cent cinquante hectares de terres.

Après que la rouille du café eut frappé l'île dans les années 1870, de nombreux domaines firent faillite. Blackwater, non. George Melrose s'accrocha et survécut, à force de ténacité et de travail, et parce qu'il avait eu la prévoyance de passer assez vite du café au thé.

— J'avais vingt ans quand mon père est mort, dit Lucas Melrose à Marianne. Il venait d'avoir cinquante ans. Il avait travaillé de l'aube jusqu'à la nuit pendant des décennies – en somme, il s'était tué à la tâche. Il avait coupé des arbres et débroussaillé des sous-bois à mains nues ; il avait tué des éléphants solitaires qui piétinaient les plantations de thé et il avait construit le bungalow dans lequel je vis aujourd'hui. Il pouvait tout faire. C'est grâce à lui que je possède encore mon domaine, alors que tant d'autres ont été rachetés par les compagnies de thé après la rouille. Car mon père avait refusé laisser quiconque prendre ce qui lui appartenait.

Il sortit de la poche de sa veste un portefeuille en cuir.

— Voudriez-vous voir ma maison, madame Leighton ?

Il lui montra la photographie d'une bâtisse à un étage, blanchie à la chaux et située au milieu de jardins. Devant le bungalow se dressait un porche hexagonal ; à travers ses battants ouverts, Marianne aperçut un intérieur frais et sombre, avec des palmiers, des meubles en rotin et des serviteurs en habits blancs.

— Vous aimeriez mon jardin, poursuivit-il. Ma mère y a planté les roses et je crains qu'elles ne soient gravement négligées aujourd'hui. Je sais m'y prendre avec le thé mais pas avec les roses. Quand ma mère était en vie, les roses étaient splendides.

— Votre mère est-elle décédée récemment ?

— Non, je l'ai perdue il y a longtemps.

— Je suis désolée.

— Blackwater se trouve à huit kilomètres de la ville la plus proche. À la vérité, je ne crois pas que vous diriez que cela mérite le terme de « ville ». Il y a une gare ferroviaire et un bazar, avec un bureau de poste et quelques magasins. À part ma maison, les seules autres habitations sur la plantation sont les bungalows de mes directeurs et les quartiers des coolies. Parfois, au beau milieu de la journée, la seule chose que vous entendez est le chant des oiseaux et le murmure des feuilles dans les arbres.

— On dirait, susurra-t-elle, le paradis.

— Oh ça l'est, dit-il avec de la nostalgie dans le regard. Je possède plus de deux cent cinquante hectares de thé et une autre vingtaine environ qui sont laissés intacts car la pente est trop raide ou trop rocheuse pour être plantée, ou parce que la forêt est trop dense. Oui, c'est le paradis. J'ai toujours pensé que Blackwater était mon paradis.

*

Les mains de la bonne, Edith, étaient désormais si déformées par les rhumatismes que Clémence avait pris le relais pour aider tante Hannah à s'habiller le matin. La vieille dame était en jupons et en corset quand Clémence frappait à sa porte, à 7 h 30. Clémence se demandait parfois si tante Hannah enlevait jamais son corset ou si elle dormait avec. Clémence lui boutonnait sa robe, faite d'un tissu verdâtre si ancien que les coutures commençaient à se déchirer ou à s'effilocher. Puis elle l'aidait à enfiler ses bas et ses chaussures. Une fois habillée, tante Hannah parlait de choses et d'autres. Du fait qu'elle ne savait pas toujours qui était Clémence exactement, la confondant avec Marianne et Eva, voire avec ses propres sœurs décédées depuis longtemps. Clémence devait se concentrer pour suivre la conversation, parce qu'elle parlait d'événements qui pouvaient être survenus la veille ou il y a quatre-vingts ans. Après que Hannah avait été habillée, Clémence devait lui trouver son mouchoir, ses cachous, ses gants en dentelle, avant de la faire asseoir sur sa chaise devant la fenêtre. Hannah entamait alors souvent un petit somme pendant que Clémence se précipitait à la cuisine pour vérifier que le plateau du petit-déjeuner de mère était prêt.

En mai, c'était l'anniversaire d'Hannah. Personne ne savait quel âge elle avait – elle-même n'en était pas sûre – et Clémence ne savait pas quel cadeau offrir à une personne d'un âge aussi inestimable. Elle s'ouvrit de son problème à Ivor, qui revenait juste d'un mois en Suisse avec sa femme. Ils se trouvaient encore dans ce salon de thé qu'ils finissaient par prendre pour le leur.

— Habituellement, nous offrons à tante Hannah des mouchoirs ou du savon. Mais elle a des tiroirs de mouchoirs et des piles de savon. Eva lui achète toujours du papier à lettres et j'ai acheté une nouvelle laisse pour Winnie l'année dernière – et ce n'est pas que Winnie sorte beaucoup car elle est tellement grasse...

— Pourquoi pas une gâterie plutôt qu'un cadeau? J'ai toujours adoré les gâteries.

— Moi aussi, dit-elle en souriant.

— C'est une vraie gâterie d'être ici avec vous.

Il glissa sa main par-dessus la table et leurs doigts se joignirent. Il avait de beaux doigts longs et fins – des doigts de musicien, pensa-t-elle.

— Vous m'avez manqué, avoua-t-elle.

— Et vous m'avez manqué terriblement. Je déteste la Suisse. C'est si indiciblement ennuyeux.

— J'ai toujours cru que c'était plutôt agréable. Je n'ai jamais vraiment vu de montagnes. Le Derbyshire, ça ne compte pas, n'est-ce pas?

La serveuse approcha de la table; Ivor retira sa main et dit vaguement:

— Les montagnes sont assez splendides. Mais l'hôtel était si sinistre et il n'y avait personne à qui parler.

— Vous aviez Rosalie.

— Rosalie et moi ne parlons pas. Pas vraiment. Pas comme nous.

Clémence aimait lorsqu'il disait *nous*. Elle se sentait importante à ses yeux. Ivor était si intelligent et si talentueux, il avait tant d'amis, du cénacle de femmes qui assistaient régulièrement à ses concerts aux amis de Londres à qui il rendait visite, les rares fois où Rosalie pouvait se passer de lui un jour ou deux. Depuis sa dispute avec Vera, Clémence savait qu'elle aimait Ivor. Mais, dans un premier temps, elle n'avait pas été certaine de ses sentiments à lui. Puis, un jour, alors qu'ils marchaient dans les Jardins botaniques, il avait porté sa main à sa bouche et l'avait embrassée.

— Cela vous gêne-t-il? avait-il demandé.

Elle avait fait «non» de la tête. Ivor avait paru soulagé.

— Cela fait très longtemps que j'ai envie de vous embrasser mais je me demandais si cela vous gênerait.

Depuis lors, il l'avait embrassée plusieurs fois sur la bouche, un bref effleurement des lèvres, comme le frôlement d'une plume. Du fait de leurs responsabilités respectives, ils ne pouvaient jamais passer beaucoup de temps ensemble – une demi-heure, peut-être, une ou deux fois par mois. Mais ces demi-heures semblaient parfaites à Clémence. S'il faisait beau, ils se promenaient dans les Jardins botaniques ; s'il pleuvait, ils se rendaient au petit salon de thé sur Ecclesall Road. L'endroit était miteux, avec des tables recouvertes de toile cirée et de la porcelaine couleur crème et ébréchée. Personne de leur connaissance n'allait là-bas. Clémence aurait pu se sentir coupable d'être assise dans un salon de thé avec un homme marié qui lui tenait la main sous la table. Mais en réalité, non.

Un jour, Ivor la regarda intensément et lui dit :

— Si Rosalie n'existait pas…

Il ne finit jamais sa phrase. Petit à petit, l'antipathie de Clémence pour Rosalie se transformait en détestation. Auparavant, elle n'aurait jamais pensé que l'on pouvait détester quelqu'un que l'on ne connaissait pas. De temps en temps, Ivor suggérait vaguement qu'elle vienne prendre un thé chez lui et rencontrer Rosalie, mais l'invitation ne venait jamais. À défaut de la rencontrer, Clémence en créa sa propre image, l'imaginant jolie par sa blondeur et sa fragilité, et passant le plus clair de son temps allongée sur un divan ou sur une chaise longue, entourée de flacons médicinaux.

Quand Clémence pensait à la façon dont Rosalie exigeait constamment le temps et l'attention d'Ivor, combien elle en épuisait l'énergie et la disponibilité au lieu de lui permettre de développer son talent, elle était prise de rage. Elle s'imaginait disant à Rosalie ce qu'elle pensait d'elle, l'admonestant pour son égoïsme. Les mots lui venaient avec une fluidité qu'elle n'avait pas dans la vraie vie et elle voyait Rosalie pleurer, s'excuser et promettre d'être moins égocentrique dans l'avenir. Mais de plus en plus souvent, ce fantasme était remplacé par un autre, où cette pénible Rosalie souffrait d'une toux particulièrement mauvaise ou d'une fièvre soudaine. Clémence se voyait en train de réconforter Ivor qui, pauvre amour, serait abattu si Rosalie venait à mourir. Elle mettait ses bras autour de lui, lui caressait les cheveux et, bien entendu, ils s'embrassaient. Puis (le déroulé des événements demeurait vague), ils se mariaient et vivaient dans la maison d'Ivor à Hathersage, elle s'occupait de lui et il pouvait enfin écrire son concerto. En temps voulu, ils avaient un enfant ou deux. Si Ivor le préférait, ils déménageraient à Londres où ils vivraient dans une charmante petite maison aménagée dans une écurie. Elle s'occuperait de la maison tandis qu'il donnerait des concerts. Tout serait parfait.

Ses fantasmes étaient agréables et satisfaisants mais, après s'y être complue, Clémence se sentait coupable et honteuse. Elle savait qu'il était mal d'imaginer la mort de quelqu'un et encore plus méchant de la souhaiter. Les jours où Ivor paraissait particulièrement fatigué et découragé, son antipathie pour Rosalie devenait pourtant si ardente qu'elle aurait presque pu l'étrangler elle-même. La profondeur de sa détestation lui faisait peur. C'était comme si, au cours des années qui avaient suivi son départ de l'école, elle n'avait vécu qu'une demi-vie, ressentant peu de choses avec intensité. Avant de rencontrer Ivor, ses émotions les plus fortes avaient été pour ses ami(e)s proches, envers Vera notamment. Mais elle n'avait pas vu Vera depuis des mois ; celle-ci ne l'avait pas invitée à son mariage. Et si cette négligence ne la blessait pas autant qu'elle l'aurait fait jadis, Clémence savait que c'était à cause d'Ivor.

Suivant le conseil de ce dernier, elle décida d'offrir à tante Hannah, comme cadeau d'anniversaire, une petite sortie en automobile. Père et James durent porter la vieille dame à l'intérieur de la voiture et Clémence conduisit lentement, avec beaucoup de prudence. Elles se trouvaient au milieu de la pente quand Hannah dit :

— Quelle formidable machine ! Cela me rappelle la première fois où j'ai pris le train. C'était si extraordinaire de voir les arbres et les maisons défiler si vite.

À travers son voile, Clémence pouvait voir les yeux d'Hannah briller de bonheur.

*

233

Marianne se mit à languir des visites de Lucas Melrose. Elle n'avait pas réalisé à quel point ses journées étaient devenues routinières et combien elle avait besoin de distraction. Elle ne savait pas trop pourquoi il lui rendait visite. Elle conclut qu'il se sentait seul, étant loin de chez lui, sans famille et sans amis en Angleterre. Bien sûr, elle pensa aussi qu'il était peut-être attiré par elle. Mais il n'en donnait guère de signe. Il était toujours formel, ne flirtait jamais, s'adressait à elle comme « madame Leighton » et ne demandait pas à pouvoir l'appeler Marianne. Il ne la touchait jamais, sauf pour lui prendre la main en la saluant, ou en l'aidant à grimper dans un fiacre. Ses visites étaient courtes et suffisamment espacées pour ne pas être fatigantes.

Il lui parlait surtout de Ceylan.

— À l'instant où votre bateau accoste à Colombo, lui racontait-il, vous êtes assailli par la différence. L'air même que vous respirez est différent. Il est chaud, bien entendu, car Ceylan est une île tropicale qui se trouve juste au nord de l'équateur, mais ce n'est pas la chaleur d'un été anglais. C'est une chaleur douce et grisante. L'air a le parfum du thé et on dirait qu'il baigne dans les épices. Et puis il y a tous les sons étranges, le jacassement des mainates et des singes, le cri des démarcheurs vendant leurs marchandises, les mendiants vous implorant de leur donner une pièce ou deux. En ville, voitures, bicyclettes et chars à bœufs se bousculent. Et si vous êtes chanceuse, vous verrez passer un éléphant.

— Un éléphant! s'exclama-t-elle.

— Je les utilise sur la plantation pour tirer de lourdes charges. Avez-vous jamais vu un éléphant, madame Leighton?

— Oui, au zoo.

— Êtes-vous montée sur l'un d'entre eux?

— Jamais. L'avez-vous fait?

— De nombreuses fois. Je ne le recommande pas après un repas copieux. Cela secoue davantage qu'un petit bateau.

Elle rit.

— Et il y a les couleurs…

— Je me souviens vous avoir entendu dire que l'Angleterre paraissait blafarde.

— L'Angleterre a une beauté propre, bien entendu.

— Je vous sens poli, monsieur Melrose, mais votre cœur est à Ceylan.

— Me voilà démasqué. Eh bien, il y a les couleurs des étals de vendeurs de fruits au bord de la route – les énormes jacquiers verts, les bananes jaunes et les noix de coco dorées. Les rues sont toujours parées de drapeaux ; les statues à l'extérieur des temples hindous sont si magnifiquement peintes qu'elles font pâlir vos églises anglaises, dit-il en souriant. Le pays des montagnes est différent des plaines. Les premiers planteurs s'établirent là-bas car cela leur rappelait l'Écosse. Il y a des forêts de conifères et des fourrés d'azalées et de rhododendrons. Une brume entoure toujours la cime des arbres et, de loin, les collines sont bleues. L'air devient plus frais au fur et à mesure que la ligne de chemin de fer grimpe dans les hauteurs, à travers la forêt ennuagée. La ligne suit des courbes si brusques et si abruptes qu'en regardant par la fenêtre, vous auriez le vertige. Mais les garçons du coin adorent être pendus aux portes ouvertes des wagons au moment où ils passent au-dessus des abîmes. Eux n'ont pas peur. À moins qu'ils aiment défier leur peur pour mieux l'aiguiser. Seuls les étrangers, les Européens, craignent que le train perde son adhérence et tombe.

— Et vous, monsieur Melrose, avez-vous peur de regarder par la fenêtre ?

— Aucunement. J'aime observer le monde à la marge.

Un après-midi, ils allèrent visiter la Tate Gallery. Marianne avait passé une nuit éprouvante (les marques rouges sur le tapis blanc, l'affreux lit vide au réveil) et, en déambulant dans le musée, elle s'était sentie épuisée et désespérée. Les tableaux lui semblaient être le fruit de cauchemars, les portraits défigurés et coloriés de manière criarde, les paysages arides et laids. Après avoir quitté les lieux, ils marchèrent le long de l'Embankment. Elle n'avait jamais pu se souvenir, après coup, la façon dont la conversation avait débuté, ni comment elle avait bifurqué, par étapes, sur un partage de confidences. Elle était malheureuse et fatiguée, et ses défenses étaient faibles. Remarquant peut-être sa pâleur, il avait posé quelques questions et murmuré quelque bonne intention pour la réconforter. Il reste qu'une porte avait été ouverte, une vanne avait cédé et un flot de paroles était sorti de sa bouche. Elle lui parla d'Arthur. Leur période de séduction, leur mariage, sa mort.

— Je ne suis pas sûre de ressentir du chagrin. Si tel est le cas, alors le chagrin n'est pas ce que je pensais. Je me sens surtout en colère.

— En colère? Contre qui?

— Contre tout le monde.

— J'ai du mal à y croire. Pas vous.

— La mort d'Arthur n'avait aucun sens, elle était la conséquence d'un accident stupide. S'il était mort pour une grande cause – s'il était mort pour son pays ou pour les gens qu'il aimait – alors j'aurais pu y trouver quelque réconfort. Mais il est mort pour rien. Je suis souvent en colère contre Dieu, ou du moins je le serais si je croyais encore qu'Il existe. Des amis essaient de m'apaiser en me disant qu'Arthur est désormais aux côtés de Dieu; tout ce que j'en pense est que, si cela est vrai, alors Dieu est bien cruel et égoïste. Est-ce que je vous choque, monsieur Melrose?

— Je ne suis pas facilement choqué. Et je ne suis pas non plus très versé dans certaines platitudes comme semblent l'être quelques-uns de vos amis.

— Parfois, je suis même en colère contre Arthur. Je suis en colère contre lui pour m'avoir quittée alors qu'il m'avait promis qu'il ne le ferait pas. Il m'a invitée à l'aimer, puis il m'a quittée. Je suis aussi en colère contre lui pour ne pas m'avoir laissée appeler le médecin plus tôt. Il ne voulait pas admettre que quelque chose n'allait pas. Il croyait que demander de l'aide était un signe de faiblesse.

— C'est un défaut des hommes. Et de notre peuple peut-être.

— Le flegme britannique, dit-elle avec amertume. Oh certes, Arthur était un vrai gentleman anglais. Et ça l'a tué, monsieur Melrose, ça l'a tué. Mais par-dessus tout, reprit-elle plus calmement après une pause, je suis en colère contre moi-même. À cause de ma faiblesse, de mon manque de qualités utiles. Rien, dans ma formidable éducation, ne m'a préparée à la mort d'Arthur. J'étais faite pour être décorative, pas pour être utile. D'autres auraient pu le sauver, pas *moi*.

— Vous êtes trop dure avec vous-même, madame Leighton. Vous avez de nombreuses qualités admirables. La première fois où nous nous sommes parlés, à Rawdon Hall, j'ai remarqué votre gentillesse, votre douceur.

Plus tard, seule dans la maison de Norfolk Square, Marianne se sentit embarrassée d'avoir été si loquace. Elle se demanda si Lucas Melrose viendrait encore lui rendre visite. Choqué et rebuté par son athéisme et son apitoiement sur elle-même, il allait repartir vers son île paradisiaque, secouant avec soulagement la poussière anglaise de la semelle de ses chaussures.

La clémence du temps disparut dans la nuit. Le lendemain matin, Marianne se réveilla au bruit de la pluie fouettant les carreaux de sa fenêtre. Quand Lucas Melrose lui rendit visite, dans l'après-midi, elle sentit une différence. Il paraissait tendu, nerveux. La tasse et sa soucoupe tremblèrent quand il les prit et quelques gouttes de thé se renversèrent.

Ils parlèrent du temps, de leurs connaissances communes et de sa sortie au théâtre, la veille au soir. Puis, sur un ton abrupt, il dit :

— Je suis venu aujourd'hui pour vous demander…

S'interrompant, il se leva et se dirigea vers la fenêtre.

— Que voulez-vous me demander, monsieur Melrose ?

Les nuages descendaient en force du ciel, piégeant les ruelles dans une poche grise de brume et de pluie. La jointure de ses doigts était blanche lorsqu'il agrippa le rebord de la fenêtre.

— Je suis venu vous demander, madame Leighton, si vous accepteriez de m'épouser.

8

Eva attendait le retour de Gabriel avec impatience. Si seulement elle pouvait le voir, lui parler, savoir la vérité. Mais il demeurait absent, hormis une carte postale rapidement griffonnée. «Demande à Max, ou à Bobbin», lui avait dit Val. Mais Max était avec Gabriel et elle ne savait pas où Bobbin habitait. «Demande à Sadie, avait-il aussi dit, si tu en as le cran.» Elle n'aurait jamais osé parler à Sadie de Nerissa, bien sûr. Difficile, au milieu de la nuit, de décider ce qui était le pire: que Gabriel puisse être l'amant de Nerissa, ou que Sadie sache qu'elle, Eva, était la maîtresse de Gabriel. Dans un cas, elle ressentait rage et désespoir, dans l'autre, une honte débordante.

À l'école, sa concentration faiblit. Dans ses dessins, des plis de tissus gonflaient de manière inhabituellement raide, les mains pendaient, les doigts étaient dénués d'os et de forme. Elle gommait parfois si rudement la feuille que celle-ci n'était plus que trous et lambeaux. Gabriel lui avait dit qu'il n'arrêtait pas de penser à elle. Il lui avait dit qu'il l'aimait, qu'il l'adorait. En se souvenant de cela, elle le croyait. Mais sa certitude s'évaporait quand elle constatait que Gabriel aimait tout le monde. Il aimait Sadie, ses enfants et les amis qui leur rendaient visite à Greenstones. Il aimait les artistes louches qui buvaient avec lui au Café Royal et à la Tour Eiffel. Il aimait la vendeuse de fleurs au coin de la rue et le chien errant qui courait vers lui dans le parc.

Sadie lui écrivit. Au milieu d'anecdotes sur les enfants et de questions sur elle, sur la Slade et sur Londres, figuraient les lignes suivantes : « Gabriel est revenu d'Espagne il y a quinze jours. Il est aussi bronzé qu'un gitan et a décidé de porter une boucle d'oreille en or. Il est à nouveau agité et entend retourner à Londres d'ici peu. » Quelques jours plus tard, Eva se rendit à l'atelier de Gabriel. La porte était ouverte ; en la poussant, elle le vit, sa grande silhouette sombre se dessinant dans la fenêtre.

— Eva ! cria-t-il en lui ouvrant les bras.

— Je ne savais pas que tu étais rentré.

— Je viens d'arriver, dit-il en allant défaire son sac. J'allais t'envoyer un mot.

— C'était comment, l'Espagne ?

— Formidable. Quel pays extraordinaire !

— Est-ce que Nerissa a aimé ?

— Je crois que oui. Elle y était déjà allée. Elle s'est plaint du froid lorsque nous étions dans les montagnes.

La douleur dans le ventre revenait, cette sensation qu'on a quand son pied glisse sur une marche et qu'on se sent tomber.

— Je ne savais pas que Nerissa partait avec toi, dit-elle.

— Cela s'est décidé à la dernière minute. Tu connais Nerissa. C'est une impulsive.

Eva s'assit sur le bras du fauteuil. Dans le tas d'habits froissés posés à côté du sac, Gabriel retira un collier de coquilles de cauri et l'attacha autour du cou d'Eva.

— Tu l'aimes ?

Les coquillages étaient couleur crème, or, et rose vif. Eva fit « oui » de la tête.

— Je l'ai acheté à un garçon, à Almeria. Si tu lui donnais une peseta, il plongeait dans la mer pour aller chercher des coquillages. Des dizaines de garçons se jetaient dans l'eau comme des petits cailloux.

Son visage s'illumina.

— Allons boire un verre. Je n'ai pas vu la bande du Café Royal depuis des mois.

— Nerissa, jeta Eva comme on crache du poison. Val m'a dit que toi et Nerissa...

— Qu'y a-t-il avec Nerissa ?

— Val m'a dit que toi et Nerissa étiez amants.

Il nouait un cache-col écarlate autour de son cou.

— Cela remonte à des années, Nerissa et moi. Tu sais bien cela, Eva.

Elle aurait pu en rester là – mieux valait ne pas savoir – mais le besoin de mettre fin à l'incertitude la poussa à demander :

— Et êtes-vous encore amants, Gabriel ?

— Parfois. Oui.

Elle resta muette et respira profondément comme si elle était en train de se noyer, et cherchait de l'air. Il la regarda subrepticement.

— Cela ne change rien pour nous.

— Mais tu ne me l'as pas dit !

— Tu ne me l'as pas demandé.

— Je pensais que tu m'aimais, souffla-t-elle.

— C'est le cas, assura-t-il en dessinant avec son doigt le contour de sa pommette et de sa mâchoire. Je t'aime vraiment, Eva. Alors mets ton chapeau et partons en ville.

— Tu ne peux pas t'attendre à ce que je m'en fiche !

— Pourquoi pas ?

— Parce que je me sens...

— Quoi ? Tu te sens comment ?

— Trahie, murmura-t-elle.

— C'est absurde.

Il enfila son manteau. Des larmes lui montèrent aux yeux.

— Ce n'est pas absurde. C'est vrai.

— Je ne peux croire – et ne croirai jamais – que l'amour consiste à avoir des droits exclusifs. Tu sais que cela ne me va pas, Eva.

— Et moi ?

Son expression s'adoucit. Il lui prit les mains.

— J'ai été honnête avec toi depuis le début, ma très chère. Tu ne peux pas dire que je t'ai trompée. Je ne rationne pas l'amour.

Mais elle se détacha de lui et dit sur un ton froid :

— Tu attends donc de moi que je te partage ?

— Si c'est ainsi que tu veux le formuler, soupira-t-il.

— Comment devrais-je le dire?

— Il me semble que tu te comportes comme tout le monde, divisant les gens en petites tranches que tu attribues au compte-gouttes comme des bouts de propriété. Je ne te croyais pas ainsi.

— Mais je ne savais pas! Que crois-tu que j'aie ressenti en entendant ça de la part de Val? Et il se délectait, Gabriel – il se délectait de me le dire!

— Je suis désolé s'il t'a blessée. Il a un côté cruel. Val n'est pas assez intelligent pour être vraiment apte à quoi que ce soit, mais il l'est assez pour savoir qu'il ne l'est pas – et suffisamment humain pour s'en soucier. Telle est sa tragédie. Mais allons, Eva, tu as toujours su que tu devais me partager.

— Avec Sadie...

— Que dis-tu donc? Que cela te va de me partager avec Sadie mais pas avec Nerissa?

Elle regarda ailleurs, soudainement prise de honte. Et entendit Gabriel dire doucement:

— Eva, ma chère Eva, je n'ai jamais voulu te faire mal. Mais je ne mets pas de limite à ceux que j'aime. Que j'aime Sadie et que j'aime Nerissa ne signifie pas que je t'aime moins.

Le désir de pleurer ou d'enrager s'éteignit. Il était difficile de poser la question mais elle savait que c'était nécessaire.

— Et Sadie? Sait-elle à propos de Nerissa? Sait-elle à propos de moi?

— Sadie l'a toujours compris.

— Oh.

Elle pensa à Sadie dans la cuisine de Greenstones, cuisant le pain et coupant les légumes pour nourrir les maîtresses de son mari. Elle se demanda ce que Sadie recevait pour sa compréhension. Comme elle se levait, elle entendit Gabriel dire:

— Viens, Eva, tu m'as manqué, viens prendre un verre avec moi.

Mais elle secoua la tête. Elle saisit son sac et son chapeau. Alors qu'elle ouvrait la porte, il reprit:

— Je ne me serais jamais marié si Sadie n'avait pas posé clairement qu'elle n'accepterait pas cela. Je me connais et je sais que je ne suis pas le genre d'homme à se marier. La dernière chose que je souhaite, continua-t-il sur un ton plus dur, est d'avoir une autre épouse. Je pensais que tu l'avais compris.

— Je le croyais aussi, dit-elle en le regardant et en se forçant à sourire. Je le croyais aussi, Gabriel.

— Eva...

Elle dévala les escaliers et sa voix la suivit, blessée et exaspérée :

— Eva ! Tu es ridicule ! Pour l'amour du ciel, Eva !

Elle pensait qu'il lui écrirait, qu'il s'expliquerait, s'excuserait, et arrangerait les choses à nouveau. Elle pensait que, en quittant la Slade en fin d'après-midi, elle le trouverait en train de l'attendre, comme la première fois où ils s'étaient rencontrés. Sa persévérance l'avait alors apeurée et enchantée. Chaque matin, quand le postier frappait à la porte, elle se ruait donc dans les escaliers pour s'emparer du courrier. Mais il n'y avait aucune lettre de Gabriel et, plus tard, battant le quartier autour de la Slade sans le trouver, son cœur parut se rétrécir jusqu'à former une petite boule dure.

Ses trois années à la Slade touchaient presque à leur fin. Feuilletant son portfolio, elle sentit un frisson de panique. Il avait l'air clairsemé, avec trop de peintures inachevées, et trop d'autres qui offraient des promesses mais ne les tenaient pas. Pas de quoi pavaner, pour trois ans de travail. Elle se mit à compter le nombre d'heures passées à poser pour Gabriel. Et se demanda à quel point son travail se serait amélioré s'il avait bénéficié de ces heures. Elle se souvint des matins où Gabriel l'avait arrêtée sur la route de l'école, la suppliant d'oublier l'université et de passer la journée avec lui. Elle ne lui avait jamais dit « non ». Elle avait monté des excuses, inventé des rhumes et des parents malades, afin de rester avec lui. Aurait-elle été une meilleure artiste si elle n'était pas tombée amoureuse de Gabriel Bellamy ? Aurait-elle mieux justifié l'espoir mis en elle par Mlle Garnett et tante Hannah ?

Finalement, avec retard, elle suivit le conseil d'Iris et prit le train pour Sheffield. Il ne lui était pas agréable de reconnaître qu'Iris avait raison. Elle n'avait pas réalisé combien elle désirait être à la maison. Au point de se mettre à courir de temps en temps, entre l'arrêt de tram et Summerleigh.

Là, des portes claquaient et des voix criaient. Dans le feu de la dispute, son arrivée inattendue fut à peine remarquée. Joshua était rouge de colère et Clémence était en train d'essayer de pacifier les choses. Ce soir-là, James partit en ville attraper le train de Londres, tante Hannah se retira de l'échauffourée pour aller somnoler dans sa chaise au salon, une lourde bible noire et Winnie sur les genoux. Seule mère demeura indifférente à la tempête autour d'elle, sereine et protégée dans son chaud et sombre nid. Eva se souvint d'Iris disant : « De nous tous, Eva, j'aurais cru que c'était toi qui aurait pu comprendre jusqu'où une femme pourrait devoir aller pour avoir la maîtrise de sa vie. »

Dans le sanctuaire du jardin d'hiver, les derniers rayons de soleil perçant à travers la verrière, Aidan expliqua à Eva les événements des derniers jours. Au milieu du trimestre, il avait refusé de retourner à l'école. La veille au matin, Philip avait repris le train pour York et Aidan ne l'avait pas accompagné. Père avait insisté, mais Aidan était demeuré inflexible. D'où la colère de père. Il n'avait aucune raison de rester à l'école, expliqua Aidan à Eva. Il avait toujours eu l'intention de partir à l'âge de seize ans. Il travaillerait dans l'entreprise familiale, la seule chose qui l'intéressait. Père l'accepterait ; une fois sa colère apaisée, il s'en réjouirait.

Elle était ébranlée par sa certitude. Elle avait toujours pensé à Aidan comme à un garçon tranquille, jamais comme à un dissident. Pour la première fois, elle réalisa qu'il était bien le fils de sa mère, tant dans son apparence – sa minceur, le teint fragile de sa peau blanche, ses cheveux entre le blond et le roux – que dans son entêtement. Elle commençait à se dire qu'elle s'était trompée sur tout : sa famille, Greenstones, Gabriel. Elle n'avait rien su de Nerissa parce qu'elle s'était voilée la face et avait refusé de lire les signes. Elle n'avait pas su que Sadie savait à propos d'elle et Gabriel car elle n'avait pas voulu le savoir. Gabriel ne lui avait rien caché. Elle n'avait qu'à demander, et à regarder. Elle était blessée mais ne pouvait s'en prendre qu'à elle-même.

Quant à sa famille, en quittant Summerleigh trois ans auparavant, elle l'avait regardée de haut, la trouvant ringarde et hypocrite. Mais de quel droit jugeait-elle ? Il n'y avait guère de différence entre elle et son père ; ils avaient tous deux péché, prenant le risque d'offenser ceux qu'ils aimaient. L'aveuglement avec lequel elle avait justifié sa liaison avec Gabriel lui semblait maintenant méprisable. Évidemment qu'elle causait du mal ; on ne pouvait pas compartimenter sa vie, tout était mêlé, sang et couleurs se mélangeaient inévitablement.

Elle évita son père, voyant dans son impulsivité et dans la transparence de ses émotions ses propres défauts. Elle répondait par monosyllabes à ses questions sur sa vie londonienne, de crainte de révéler son chagrin. Elle était irritable avec Clémence et Aidan, et les heures passées avec sa mère dans ses appartements surchauffés lui donnaient mal à la tête. Un matin, elle descendait les escaliers après avoir fait la lecture à sa mère quand on sonna à la porte. Edith n'apparaissant pas, Eva alla ouvrir elle-même. M. Foley se tenait debout sur le palier. Il ôta son chapeau.

— Mademoiselle Eva, je ne savais pas que vous étiez à la maison. J'ai un télégramme pour votre père.

Elle le fit entrer. Le soleil jaillit à travers les carreaux fumés.

— Vous sentez-vous bien, mademoiselle Eva ? dit-il.

Il avait le don, se dit-elle, de tomber sur elle dans ses pires moments – transpirante en sortant de la salle aux fourneaux, trempée et en larmes après s'être perdue parmi les taudis de Sheffield.

— Ça va, monsieur Foley.

— Vous avez l'air... contrariée.

— Je vous assure, monsieur Foley, je vais très bien. Vous dites que vous venez à propos d'une course pour mon père ?

Il rougit et recula. Puis Edith arriva et l'escorta vers le bureau de Joshua ; Eva s'enfuit dans le salon et ferma la porte derrière elle.

Une fois seule, sa colère diminua, la laissant malheureuse et épuisée. Elle se vit dans le miroir au-dessus de la cheminée, le visage blanc avec des cernes autour des yeux, les paupières rougies et gonflées à cause du poème qu'elle avait lu à sa mère et qui l'avait fait pleurer («Viens à moi dans le silence de la nuit; viens dans le silence parlant d'un rêve…»)

Elle entendit la porte d'entrée se refermer et les pas de M. Foley sur le gravier. Elle entendit sa propre voix et son rejet hautain de lui, marquant clairement la différence de leur condition sociale. Elle était la fille du patron, lui son employé. L'ampleur de son malheur n'excusait pas son comportement. Elle savait que M. Foley était né gentleman et que sa famille avait périclité pour des raisons que père n'avait jamais clairement expliquées. On lui avait toujours appris à être aimable avec ceux qui avaient eu moins de chance qu'elle. Pourtant, elle qui méprisait les questions de rang s'était servie de sa position pour humilier M. Foley. Tout cela parce qu'il avait remarqué qu'elle avait pleuré et avait eu la témérité de se soucier d'elle.

Le lendemain matin, elle partit en vélo chez Maclise & Fils. Les fourneaux grondaient dans une odeur de métal chaud. M. Foley ouvrit quand elle frappa à la porte de son bureau. En la voyant, ses lèvres rétrécirent et son regard s'égara.

— Votre père est dans la salle d'emballage, mademoiselle Maclise.

— Je ne suis pas venue voir père. C'est vous que je suis venue voir.

— Je crains de devoir aller sur l'autre site, dit-il en ramassant ses papiers et en les enfilant dans une sacoche en cuir.

— Puis-je vous accompagner?

Un instant, elle crut qu'il allait refuser puis il répondit d'un ton cassant:

— Si vous le désirez.

Elle attendit d'avoir franchi le portail de l'usine pour dire:

— Je suis venue m'excuser auprès de vous, monsieur Foley.

— Ce n'est pas nécessaire.

— Je pense que si.

Il la regarda enfin vraiment. Elle lut dans ses yeux noirs un mélange de fierté, de colère et de douleur.

— Je n'aurais pas dû dire cela hier, déclara-t-il. Vous aviez le droit d'exprimer votre mécontentement.

— Non. Je me suis très mal conduite avec vous car j'étais contrariée. Cela n'avait rien à voir avec vous. Vous êtes juste tombé à un mauvais moment.

Elle le vit en train de chercher ses mots et ajouta rapidement :

— Rien ne peut excuser mon comportement désagréable. Je vous demande pardon, monsieur Foley.

— Il n'y a rien à pardonner.

Ils étaient en train de traverser la rivière. La surface huileuse de l'eau luisait par irisation ; les épaves flottantes, les rejets des docks baignaient dans des nappes d'huile.

— J'ignorais qu'il y avait un nouveau site, reprit-elle.

— Votre père l'a acheté il y a six mois. La société qui le possédait a fait faillite. C'est M. James qui la gère désormais.

— Qu'y fabriquez-vous ?

— Des disques d'embrayage pour les voitures.

— Ma sœur Clémence conduit la voiture de mon père.

— Je sais. Je l'ai vue l'attendre devant l'usine.

— Tout change, dit-elle en regardant au hasard autour d'elle. Tout est différent.

— Je le suppose, oui. Cela s'appelle le progrès.

— J'aimerais que tout reste pareil !

— Je crains que cela ne soit pas possible.

— Mais ma famille... commença-t-elle en retrouvant ce tremblement insidieux dans la voix. Je pensais qu'elle ne changerait jamais.

— La famille ? Nous pensons tous connaître notre famille, dit-il sur un ton amer. Mais souvent, nous ne la connaissons pas du tout.

— Clémence conduit une voiture et Aidan va quitter l'école. Je n'ai pas vu James depuis des lustres – il paraît toujours en train de s'enfuir à Londres. Tante Hannah continue de m'appeler Frances, qui est le nom de sa sœur morte il y a des décennies. Et même père a l'air si vieilli !

— Vous avez cette impression parce que vous êtes partie. Les gens ont souvent l'air d'avoir changé quand on ne les a pas vus depuis un certain temps. Ouvrir une nouvelle usine a été très fatigant pour votre père. Nous avons rencontré des difficultés

247

au départ, des conflits avec les ouvriers qui nous ont fait perdre des journées de travail à cause d'une grève sur les salaires et, au bout du compte, nous ont fait perdre des commandes. L'année a été difficile.

Cela constituait un ajustement de plus : que l'affaire familiale, qu'elle avait toujours crue imprenable, se développant tranquillement par elle-même, puisse connaître des difficultés, cela la troublait.

— Mais aujourd'hui, tout va bien ?

— Il n'y a rien que nous ne surmonterons pas. Mais cela a beaucoup pesé sur votre père.

Elle réalisa que, si M. Foley lui était familier depuis qu'elle était gamine, elle ne savait presque rien de lui.

— Avez-vous une famille, monsieur Foley ?

— Que croyez-vous ? Que je suis né quelque part dans une usine ? Pieds et jambes réglementaires, traits et cerveau standards...

— Je ne voulais pas dire ça.

— J'ai une mère et deux sœurs. Ils vivent à Buxton.

— Et votre père ?

— Il est mort. Il y a environ onze ans.

— Je suis désolée.

Il s'arrêta brusquement et le flot de la foule les contourna en se divisant.

— Je ne le suis pas. C'était un alcoolique et un parieur, il a ruiné la vie de ma mère et a gâché celle de mes sœurs et la mienne.

Au beau milieu du bruit de la rue et des ateliers métallurgiques, Eva eut l'impression d'un silence. Ils se remirent à marcher.

— Pardonnez-moi.

— Qu'y a-t-il à pardonner ?

— Ma sordide histoire familiale. Il n'y a guère à en être fier.

— Vous n'êtes pas responsable du comportement de votre père, monsieur Foley. Je détesterais être tenue responsable du comportement de ma famille. Ne serait-ce que parce que nous sommes trop nombreux.

Ils avaient atteint un bâtiment en brique rouge. M. Foley s'arrêta. Eva lui tendit la main.

— J'ai été heureuse de discuter avec vous, monsieur Foley. Sommes-nous amis, maintenant?

Il sourit et son visage sombre s'éclaira, devenant soudainement beau.

— Bien entendu, dit-il en lui serrant la main.

*

Marianne avait éconduit Lucas Melrose, bien sûr. Sous le choc, elle était parvenue à bégayer la formule suivante:

— Je suis bien consciente de l'honneur que vous me faites mais je crains de ne pouvoir accepter votre demande.

Mais il continua de lui rendre visite et ne l'abandonna pas à elle-même comme elle s'y était attendue.

«Ce n'est pas possible, lui avait-elle dit, et ce ne le sera jamais.»

— Pourquoi n'est-ce pas possible? avait-il demandé. Pensez à ce que je peux vous offrir. Vous m'avez dit que vous vouliez voyager. Sous ma protection, vous pourrez découvrir le monde. Je peux vous montrer des lieux dont vous ne pourriez pas même rêver, une beauté à vous couper le souffle. Je peux vous montrer des forêts de nuages et des mines de pierres de lune et des flamboyants. Vous pourriez plonger vos mains dans l'océan Indien et respirer l'air des tropiques. Vous apprendriez à vivre au sommet des montagnes, à marcher jusqu'au fond de votre jardin et à voir des kilomètres et des kilomètres de collines et de vallées emportées vers la mer. Qu'avez-vous à perdre à m'épouser, sinon la solitude et l'ennui d'une existence dont vous admettez qu'elle vous lasse? Qu'avez-vous à perdre à prendre un nouveau départ?

Elle objecta que le mariage n'était pas une affaire logique, un équilibre de gains et de pertes. Il écarta ses objections l'une après l'autre. Elle ne savait rien de la vie d'une épouse de planteur, lui répondit-elle.

— Vous pouvez apprendre. C'est assez facile. Votre seule tâche est l'intendance de la maison. Vous n'aurez pas à vous soucier de la plantation ou de l'usine. J'en prends la responsabilité. Vous aurez beaucoup plus de domestiques qu'ici ; vous n'aurez pas à bouger le petit doigt. Je vis suffisamment bien ; vous n'aurez besoin de rien.

— Et le climat ? Les fièvres, les serpents, les tigres…

Il prit du papier sur le secrétaire et un stylo dans sa poche. En quelques traits appuyés et décidés, il dessina l'île en forme de larme.

— Voici Blackwater, indiqua-t-il en appuyant du doigt au milieu de la partie large de la larme. Et voici les marais impaludés, à des kilomètres, dans les plaines près de la côte. Le climat dans les montagnes est connu pour être sain. Oh, il y a des fièvres, bien sûr mais n'y en a-t-il pas à Londres ? Quant aux serpents, mes hommes savent s'en occuper. Et vous ne serez pas dérangée par les tigres : en général, ils restent dans la forêt et si l'un d'entre eux s'aventure dehors, je suis bon tireur.

— Et la famille ? Elle me manquerait tellement. Ceylan est si loin.

— Un paquebot moderne vous emmène de Colombo à Londres en quelques semaines. Certaines épouses partent à Londres tous les deux ans. Et si vous avez le mal du pays, eh bien, il y a la correspondance, bien sûr. Vous ne serez pas seule : nous sommes une communauté sociable et nous nous retrouvons la plupart des week-ends au club.

Un jour, il s'assit à côté d'elle et lui prit la main. Quand il la regarda avec ses lumineux yeux pâles, elle fut incapable de s'en détacher.

— Vous dites que votre famille vous manquera, madame Leighton, mais vous m'avez aussi dit que vos sœurs étaient fort occupées. Elles le seront de plus en plus. Elles se marieront, auront des enfants et la charge d'un foyer. Vous voulez regarder la vie des autres se remplir tandis que la vôtre demeurerait vide ? Voulez-vous être une tante sans être jamais une mère ?

Un autre jour, il pleuvait et les rafales de vent tiraient fort sur les fleurs des cerisiers.

— Quel temps, dit-il en frissonnant. Ce froid… Je ne sais pas comment vous le supportez, année après année. Je rentrerais volontiers à la maison demain si ce n'était cette solitude, parfois… ma maison vide. Je n'y avais jamais autant pensé auparavant. Être seul était une chose acquise. J'imagine que j'ai passé trop de temps en votre compagnie. Cela m'a fait réaliser ce qui me manquait. Je comprends assez bien la raison pour laquelle vous ne me voulez pas, madame Leighton. Je peux vanter le confort de ma demeure et me tuer à vous parler de mon petit cercle d'amis, cela ne peut se comparer à ici. À cette maison. À la société londonienne.

— Ce n'est pas cela. Je n'ai cure de la société. Elle ne me manquerait pas un instant.

— Vous êtes bien aimable, madame Leighton. Vous êtes généreuse de m'avoir supporté pendant toutes ces semaines. Je n'aurais jamais dû venir ici. Je n'aurais jamais dû vous rencontrer. Cela m'a rendu… insatisfait. Peut-être devrais-je adopter le mode de vie indigène. Ou me mettre à boire. J'en connais plusieurs qui ont fini ainsi.

Un voile de peur dans ses yeux la prit pas surprise. La peur n'était pas un sentiment caractéristique de Lucas Melrose. Sa voix faiblit, de sorte qu'elle eût à écouter attentivement.

— Mon père est mort il y a douze ans mais, de temps en temps, je sens sa présence dans la pièce attenante. Je me réveille au milieu de la nuit et j'ai l'impression d'entendre ses pas.

Il se secoua un peu et il se produisit à nouveau ce changement brusque d'apparence ; il dissimulait son côté sombre de manière délibérée.

— Je suis désolé, me voilà bien morbide, n'est-ce pas ?

— Nous avons tous des pensées sombres, monsieur Melrose, après la perte d'un être cher.

Il resta devant la fenêtre, regardant en contrebas les gens en train de se presser sur le trottoir, leurs parapluies s'entrechoquant comme autant d'étoiles noires.

— J'ai habité en Angleterre suffisamment longtemps pour savoir que mes manières ne sont pas celles de Londres. À Ceylan, je ne passe pas beaucoup de temps en compagnie des femmes. J'imagine que vous me trouvez plutôt brutal. Et puis il y a mes origines. Il y a deux générations, les Melrose étaient de simples paysans.

— Et il y a trois générations, les miens étaient forgerons. Il n'y a guère de différence.

Il se retourna vers elle.

— Si ce ne sont pas mes origines, mes manières ou mon mode de vie qui vous empêche de m'épouser, alors peut-être est-ce ma personne ? J'avais espéré ne pas vous répugner complètement, mais…

— Ce n'est pas ça. Vous n'êtes pas du tout repoussant.

— Alors ?

Elle essaya de le dire le plus simplement possible.

— Ne pouvez-vous voir, monsieur Melrose, que je ne suis pas faite pour vous épouser ni aucun autre ? J'ai perdu le meilleur de moi-même quand Arthur est mort. Si vous m'aviez connue plus longtemps, vous n'aimeriez sans doute pas ce qu'il reste.

— Oh, je pense que je vous connais assez bien. Aujourd'hui, je crois que je vous connais plutôt bien, sourit-il.

Il traversa la pièce.

— Je ne vous demande pas de m'aimer comme vous avez aimé votre mari, dit-il avec douceur. Je sais que vous en êtes incapable. Mais mon respect et mon amour pour vous pourront peut-être valoir pour nous deux. Ou peut-être me contenterai-je de l'amitié et de l'affection. Il y a autre chose que vous pouvez considérer : votre mari n'aurait-il pas souhaité vous voir heureuse ? S'il vous a aimée autant que vous le dites, aurait-il donc souhaité que vous passiez le restant de vos jours à le pleurer ?

*

Le samedi soir, au Mandeville, la section des patients en externe était toujours grouillante d'activité. Le type de maux dont souffraient ces patients changeait au fil des heures. Au début de la soirée, une jeune femme déboula dans la clinique en pleurant, le crâne brûlé par un fer à friser trop chaud. Puis ce fut les doigts coupés, les fièvres et les os brisés à cause d'une chute. Plus tard, une famille entière, des enfants aux grands-parents, débarqua en vomissant après avoir ingurgité des sandwichs de rillettes de viande avariées. Une petite fille de douze ans, gravement brûlée en s'étant tenue trop près d'un feu avec sa plus belle robe, mourut peu de temps après que son père l'eut amenée à l'hôpital.

Puis il y eut les ivrognes. Certains arrivèrent accompagnés de leurs amis, le sang coulant de leurs blessures à la tête, marmonnant les paroles de «The Rose of Tralee[1]». D'autres étaient récupérés dans le caniveau par la police, couverts d'hématomes et les poches vidées. Ils étaient querelleurs ou affectueux, comateux ou joyeux. Iris découpait les habits de ces hommes et femmes inconscients, bandait leurs blessures et préparait des écharpes pour les foulures. Elle repoussait les avances d'hommes ivres de bière qui l'imploraient d'un baiser, un seul, et elle retirait les poux dans les cheveux d'une vieille femme qui l'inondait d'injures.

Vers 20 heures, il y eut un creux et elles s'échappèrent toutes vers le réfectoire. L'une des infirmières titulaires fêtait son anniversaire et avait apporté un gâteau avec un glaçage rose. Iris souffla de soulagement en retirant ses pieds des solides chaussures à lacets qu'elle portait à l'hôpital et détendit ses orteils. Elle était un congé le lendemain et avait prévu d'aller pique-niquer avec Rose Dennison, une autre infirmière, et ses deux frères Lionel et Tommy. Elle ferma les yeux et songea au délice de porter une belle robe et un beau chapeau, au lieu de cet uniforme et de cette coiffe. Elle regarda sa montre : encore quinze minutes à tirer. Un quart d'heure et elle était libre.

Un rugissement en chœur au son de «Rule Britannia!» leur parvint du service de consultation externe. Elles eurent toutes un soupir, ajustèrent leurs tabliers et repartirent au travail. Dans la salle, une demi-douzaine de gars hurlaient ensemble *«Britannia rules the waves! Britons never never* never *shall be slaves[2]!»* tout en soutenant leur camarade qui saignait abondamment d'une entaille à la jambe. D'autres patients se pressèrent : une vieille dame, coinçant une serviette autour de sa main ébouillantée, et une jeune femme enceinte avec son jeune et pâle mari.

---

1. Ballade irlandaise du XIXe siècle.
2. «Britannia règne sur les eaux! Jamais, jamais, jamais, les Britanniques ne seront des vassaux!»

Ainsi que deux hommes. Le plus jeune soutenait l'autre. Le plus vieux, vêtu d'une veste rapiécée avec une casquette d'ouvrier sur la tête, était courbé, toussant dans le mouchoir qu'il tenait contre son visage. Iris vit des traces de sang sur le mouchoir.

Le plus jeune des deux hommes, blond et la tête nue, scrutait la salle, cherchant de l'aide. Lorsqu'il se tourna vers Iris, celle-ci, le reconnaissant, resta figée. Elle regarda partout autour d'elle, espérant une échappatoire, puis, réalisant que toutes les autres infirmières étaient occupées et qu'elle n'avait pas d'autre choix, traversa la salle dans sa direction.

— Ash, dit-elle.

— Grands dieux, s'exclama-t-il, les yeux écarquillés, Iris!

Il y eut un moment immobile et silencieux au cours duquel la bousculade et le bruit dans le service parut se résorber. Puis le compagnon de Ash toussa à nouveau.

— Si vous voulez bien vous asseoir, Ash, je vais chercher un médecin pour s'occuper de votre ami.

Une fois certaine qu'il ne pouvait la voir, elle pressa son visage contre ses mains pour essayer de refroidir ses joues. *Ash, ici,* se dit-elle. Le seul homme en Angleterre qu'elle voulait ne plus jamais revoir – ici. Ce n'était vraiment pas juste.

Elle vérifia avec l'infirmière en chef quand le médecin serait disponible, puis elle emmena l'ami de Ash dans un box entouré de rideaux, nota son nom, son adresse, et le nom d'un parent. Il lui semblait entendre dans un coin de sa tête la conversation entière qu'elle avait eue avec Ash dans le jardin de Summerleigh, comme un disque joué et rejoué sur le gramophone. «Si nous étions fiancés», avait-elle dit après l'avoir embrassé. Et puis la voix de Ash, s'écrasant comme un coup de poing: «Oh, Iris, de quoi parlerions-nous, vous et moi?» Retournant à l'endroit où Ash était assis, il se leva pour la saluer.

— Est-ce que M. Reynolds est un ami proche? demanda-t-elle sèchement.

— Pas proche mais je connais sa famille depuis six mois. Comment va-t-il?

— On le garde pour la nuit. M. Reynolds m'a dit qu'il avait une famille.

— Eric a une femme et quatre enfants.

Elle attira Ash vers un coin plus calme de la salle.

— J'imagine que vous réalisez que M. Reynolds a la tuberculose. La maladie en est au stade terminal. Tout ce que nous pouvons faire est d'essayer de lui épargner la douleur. Je suis désolée.

Comme elle s'en allait, il dit « Iris » et elle marqua une pause, se pinçant les lèvres.

— Je dois m'en aller.

Elle eut horreur du petit tremblement dans sa voix.

— J'ai d'autres patients. Vous devez aller parler à sa famille. Vous devez les préparer. Je crains que M. Reynolds ne survive pas plus d'une semaine.

*

Marianne rendit visite à Patricia Letherby. Après le déjeuner, elles s'assirent dans le jardin, regardant les enfants de Patricia jouer.

— Molly insiste à vouloir marcher, dit Patricia.

La petite fille, âgée de treize mois, examinait cailloux, gazon et fleurs avec un vif intérêt. Ses progrès étaient entravés par ses couches et par l'instabilité de ses jambes potelées.

— La nourrice le désapprouve furieusement. Elle ne croit pas que les bébés doivent marcher avant dix-huit mois. Je me sens terriblement coupable – elle va sans doute grandir avec les jambes arquées, la pauvre chérie. Mais elle est si mignonne, n'est-ce pas, et elle est mieux à traînasser dans le jardin qu'à demeurer dans son landau.

Molly tituba vers sa mère.

— C'est pour moi ? Merci, ma chérie.

Patricia tendit la main pour recevoir une feuille en cadeau de la part de Molly.

— Hier, elle m'a donné un ver.

— J'espère que tu as été reconnaissante.

— Immensément.

On entendit un braillement.

255

— Oh, John! cria Patricia en se précipitant à travers le jardin pour porter secours à son fils tombé dans le bassin à poissons.

Alors que Patricia emmenait John se changer dans la maison, Molly s'avança vers Marianne, souriant abondamment et tendant la main. Marianne aligna ses cadeaux sur l'herbe : un caillou, une coquille d'escargot et les restes mutilés d'une fleur.

Après un moment, Molly sembla faire des signes. Marianne la souleva donc dans ses bras. Quand Patricia revint, la petite fille s'était endormie, sa tête pesant sur l'épaule de Marianne.

— Oh, la pauvre chérie! s'exclama Patricia. Est-elle trop lourde pour toi? C'est un tel patapouf.

— Elle n'est pas lourde du tout. Elle est adorable.

Alors qu'elle prenait la petite fille des bras de Marianne, Patricia dit :

— Quelle pitié que toi et Arthur n'aient jamais…

Elle s'interrompit.

— Pardonne-moi. Je suis une idiote, totalement dépourvue de tact. Je parle et c'est un torrent de sottises.

Rentrant chez elle à pied, Marianne remarqua que les branches étaient lourdes de feuilles vertes qui grimpaient le long des grilles extérieures de la maison et que les abeilles sortaient toutes poudrées de pollen jaune du butinage des lis. Quand la circulation s'interrompait, elle entendait le rythme de l'été, mélange de chants d'oiseaux et de bourdonnement d'insectes, une ronde qui célébrait le retour de la chaleur et de la vie.

Assise sur un banc dans le parc et regardant les enfants jouer, sa colère et son désespoir resurgirent. Le fait qu'elle ne pouvait pas prendre part à cette vie affamée et vorace. Le fait qu'elle devait en demeurer la spectatrice.

Combien de fois était-elle venue ici saluer Arthur alors qu'il descendait à cheval en direction de Rotten Row? Elle se souvenait qu'il était le plus bel homme du parc et les larmes lui piquèrent les yeux. Un an et demi après sa mort, elle cherchait encore son visage aimé parmi la foule. Chaque fois, elle subissait l'indicible douleur de son absence. Pouvait-elle décider de quitter tous ces souvenirs de lui?

Elle le devait, se dit-elle, car l'alternative était une vie entière à attendre un homme qu'elle ne reverrait jamais. Elle se rappelait du jour de sa mort. Après l'opération par le Dr Fleming, elle s'était assise au bord de son lit. Sa respiration s'était raréfiée et, dans le temps terrible qui séparait chaque souffle, elle l'avait supplié de vivre. Après son dernier souffle, elle était restée avec lui. Elle n'était pas incapable d'accepter son départ, comme ses sœurs l'avaient cru. Elle était incapable de savoir que faire après. Ce souffle éteint avait dérobé le sens de sa vie. Tous les petits gestes quotidiens qui constituent la vie quotidienne – manger, dormir, s'habiller, parler – étaient depuis, pour elle, remis en question.

Arthur était mort en souffrant le martyre à cause d'une petite négligence. L'accepter avait été d'une cruauté au-delà du supportable. Et pourtant, elle l'avait supporté. Il y a un an, elle avait songé à se suicider. En ne le faisant pas, elle avait opéré un choix, se dit-elle. Elle devait maintenant faire d'autres choix. Elle devait se décider sur *quelque chose*. Elle devait se divertir, ou être utile, ou trouver le courage de rechercher l'amour à nouveau. Il lui semblait que le mariage était la seule chose qu'elle avait su bien faire. Le mariage lui convenait et révélait le meilleur en elle. Non mariée, elle demeurerait toujours la proie d'hommes comme Teddy Fiske. Elle-même dépourvue de certitudes, elle avait besoin de tirer sa force de quelqu'un de plus vigoureux et de plus résistant. La force et la conviction l'attiraient car c'étaient des qualités qu'elle n'avait pas.

Elle retraversa le parc. De temps en temps, elle s'arrêtait pour regarder les roses. Elle en coupa une qu'elle accrocha à son revers de veste. Sur tout le chemin qui la ramenait à la maison, elle sentit le parfum capiteux de cette rose et, la prenant dans ses doigts, en détacha les pétales rouges.

Revoir Ash avait rappelé à Iris l'humiliation de leur dernière rencontre. Elle se demanda s'il avait oublié ce qui s'était passé entre eux, mais écarta cette hypothèse immédiatement. Personne n'oublie ce genre de choses, aussi détaché du monde que l'on puisse être. De telles rencontres marquent votre mémoire au fer rouge et y restent collées.

Les jours suivants, elle fut tendue et mal à l'aise. Elle ne pouvait totalement croire qu'il ne réapparaîtrait pas. N'importe quel autre homme aurait le tact de ne plus l'approcher. Mais le tact n'avait jamais été le fort de Ash. Elle était en train de courir faire les magasins au cours de sa pause du samedi matin quand elle l'entendit l'appeler. En se retournant vers lui, elle leva le menton avec défi. Cette fois-ci, se promit-elle à elle-même, elle ne trahirait ni choc ni trouble. Elle garderait le dessus.

— Qu'y a-t-il, Ash ? D'autres patients pour le Mandeville ?

— Non, pas cette fois-ci. Je voulais vous parler. Avez-vous un moment ?

— Je suis de garde. Je dois retourner en salle dans quelques minutes. Je dois trouver du fil assorti.

Il la suivit néanmoins dans le magasin. L'ignorant, elle fouilla dans des bobines de coton couleur rose cendré pouvant aller avec le métrage de tissu qu'elle avait acheté pour fabriquer une blouse.

— Vous voir l'autre jour… c'était si inattendu.

— Inattendu ? Dans quel sens, Ash ?

— Je ne savais pas que vous étiez à Londres.

— Oh, Ash, vous me décevez ! Me trouver à Londres devrait être la moindre des surprises, me semble-t-il. Ce qui était inattendu était de trouver Iris Maclise comme infirmière dans un hôpital. Quelle surprise de la voir les mains dans le cambouis !

— Ce n'est pas ce que je voulais dire, dit-il en rougissant.

— Mais si.

Elle se retourna pour lui faire face. Lui aussi avait changé. Il faisait plus âgé, plus sûr de lui. Mais pas plus soigné : ses cheveux avaient besoin d'être coupés et on aurait dit, pensa-t-elle avec mépris, que sa veste, d'un verdâtre poussiéreux, était faite de taupes mortes.

— Il y a trois ans, vous avez été très clair sur ce que vous pensiez de moi. Ne prétendez pas qu'il s'agit maintenant de simples retrouvailles polies entre vieux amis. Vous étiez curieux, n'est-ce pas ? Curieux de savoir pourquoi l'idiote et frivole Iris Maclise se rendait enfin utile.

— Je ne vous ai jamais crue idiote…

— Ne me mentez pas, Ash! siffla-t-elle avec fureur. Je ne suis peut-être pas à votre mesure mais je ne suis pas une imbécile!

Se saisissant d'une bobine, elle donna quelques pièces à la vendeuse et quitta le magasin d'un air digne.

— Iris, je vous en prie! appela-t-il en courant derrière elle.

Elle était au milieu des escaliers de l'hôpital quand, dans l'ombre du hall d'entrée du Mandeville, elle respira profondément pour se calmer.

— Les gens changent, Ash. J'ai changé. La plus grande des insultes serait que vous pensiez que je suis la même personne. On ne peut pas travailler dans un tel endroit sans voir des choses atroces. Je ne vais pas aux rassemblements politiques, comme Eva, car j'ai peu de temps libre. Quand j'en ai, je me divertis et je n'en ai pas honte. Mais ne croyez pas que je sois aussi stupide et ignorante qu'avant. Car ce n'est pas le cas.

Il y eut un silence. Puis il dit:

— Vous m'avez manqué.

Elle eut à nouveau un mouvement de menton.

— Moi? Ou ma famille?

— Vous tous. Mais vous par-dessus tout. Personne ne se dispute avec moi comme vous le faisiez, Iris. Cela me manque. Et c'est la vérité.

Il eut une étincelle dans le regard et, bien qu'avec réticence, elle se souvint pourquoi, des années plus tôt, elle l'avait aimé et pourquoi, malgré leurs différences, elle avait aimé sa compagnie.

— Je dois y aller, murmura-t-elle.

— Bien sûr. Mais vous me laisserez vous revoir, n'est-ce pas?

— Ash...

— C'est d'accord, donc.

Et il disparut au milieu de la foule des jours de marché. Iris regarda sa bobine de fil. Elle n'était pas du tout rose cendré mais un sale rose saumon. Avec un sifflement d'exaspération, elle la fourra dans sa poche et entra dans l'hôpital. Quand elle sortit de la salle, à 20 heures, il y avait une note dans son casier au foyer. «Iris, avait gribouillé Eva à l'encre noire, tu dois faire quelque chose. Marianne va se marier avec un affreux bonhomme et partir vivre à Ceylan. Tu dois l'en empêcher.»

Marianne se trouvait dans l'arrière-cuisine de la maison de Norfolk Square quand Iris arriva. Elle portait une robe d'un bleu ancien, datant du temps de Summerleigh, qu'Iris reconnut. Sa noire et épaisse chevelure était épinglée en un chignon approximatif. Elle était toujours pâle et le bleu de sa robe ainsi que la lumière dans la pièce accentuaient son teint terne. Elle leva les yeux quand elle vit Iris.

— J'ai oublié de m'occuper des fleurs.

Vases et bouquets d'œillets et de roses étaient posés dans l'égouttoir.

— Je les ai cueillies ce matin, les ai posées ici et les ai complètement oubliées. Les pauvres vont mourir de soif. N'est-ce pas assez tard pour une visite ? dit-elle en regardant Iris.

— Terriblement. Et la surveillante me fera pendre, éviscérer et écarteler si je ne suis pas rentrée dans ma chambre à 22 heures.

— J'imagine qu'Eva t'a dit.

— Que tu as accepté de te marier ? Est-ce vrai ?

— Oui. Et si tu es venue pour essayer de me faire changer d'avis, tu peux t'en aller tout de suite car c'est peine perdue.

— Si c'est ce que tu veux vraiment, Marianne, je n'ai aucune envie de te faire changer d'avis.

— Eh bien, c'est déjà mieux. Eva m'a crié dessus.

— Eva était peut-être sous le choc. Nous n'avions pas réalisé qu'il y avait quelqu'un à qui tu pensais.

— Il n'y en a pas, repartit Marianne sur un ton sombre. Mais Lucas m'a demandé ma main et j'ai accepté.

— Lucas ?

— Lucas Melrose.

— Cela ne me dit rien et je ne me souviens pas que tu en aies parlé.

— Il est parfaitement respectable, si c'est ce qui te préoccupes. C'est un planteur de thé à Ceylan.

— Et après ton mariage tu comptes aller vivre à Ceylan ?

— Nous partons en bateau dans une quinzaine de jours. Nous nous marions avec dispense de bans.

— Marianne... («Tu ne dois pas faire ça», était-elle sur le point de dire mais elle parvint à se retenir). En as-tu parlé à père ?

— Je lui ai écrit hier. Et Eva lui enverra probablement un télégramme. Nul doute que père est en ce moment même en train de se précipiter vers Londres. Peut-être aura-t-il James avec lui en soutien moral. Je ferais mieux de dire aux domestiques d'aérer les chambres des invités, non ? dit-elle avec sarcasme. Mais cela ne changera rien. J'y ai beaucoup pensé et j'ai conclu que c'était la seule voie possible.

Iris avait l'impression de patauger et de se débattre dans le noir.

— Où as-tu rencontré M. Melrose ?

— À Rawdon Hall. Laura Meredith nous a présentés l'un à l'autre.

— Et tu as apprécié sa compagnie... ou vous vous êtes découvert des points communs ?

— Nous avons discuté un peu. Puis nous nous sommes revus par hasard à Londres. Et il m'a souvent rendu visite depuis. Nous étions chacun seuls. J'imagine que c'est ça. À Rawdon Hall, nous nous sentions tous les deux comme des étrangers.

Cela ne rassura pas un instant Iris.

— Depuis combien de temps vous connaissez-vous ?

— Huit semaines, répondit-elle en remplissant d'eau un vase.

Cette fois-ci, elle ne put se retenir.

— Huit semaines ! Grands dieux, Marianne, es-tu folle ?

— Ma foi, oui. Je crois souvent que je le suis un peu. Depuis la mort d'Arthur, je pense à certaines choses tout le temps, des choses affreuses. Je dois me mordre la langue pour ne pas les dire à haute voix. Et parfois, je n'y parviens pas, ça sort et tout le monde me regarde avec stupéfaction, comme si j'avais dit quelque chose d'indécent. Donc oui, peut-être suis-je un peu folle.

Elle s'appuya contre l'évier. La pénombre accentuait les creux et les ombres de son mince visage. Marianne avait toujours été fine mais elle avait encore perdu du poids depuis le décès d'Arthur.

— Après tout, je vois le monde tel qu'il est alors qu'ils se bercent d'illusions. Tu vois, je ne suis plus la même personne. Je fais comme si, mais je ne le suis pas. Récemment je me suis fait peur à moi-même. Je crains de commettre quelque chose d'affreux. Une imprudence.

— Ce mariage me semble précisément une imprudence.

— Je pensais à bien pire. Il y a des choses plus graves que de se marier à un homme dont on n'est pas amoureuse.

— Ah bon? On se marie pour la vie…

— Bon sang, Iris, n'as-tu pas plus d'imagination? Je peux faire nettement pire que d'épouser Lucas Melrose. Je pourrais avoir une ribambelle d'amants. Que penserait père de cela?

— Marianne…

— Je ne suis pas assez folle pour ne pas savoir ce que je fais. Je fais le choix de me remarier.

— Et personne ne te dénierait ce droit. Mais avec un homme que tu ne connais que depuis huit semaines?

— Le temps n'a rien à voir avec ça. J'ai su que j'aimais Arthur le jour où je l'ai rencontré.

— Tu ne ressens donc pas pour cet homme, pour Lucas, quelque chose que tu as ressenti pour Arthur?

— Bien sûr que non. Je viens de te dire que je ne ressens rien pour lui. Mais il est assez bien. Aussi bien que n'importe qui.

— Assez bien? On ne se marie pas sur cette base-là!

— Vraiment? Je ne sais pas ce qui autorise mes sœurs à me conseiller en matière de mariage. Eva est contre le mariage et Clémence restera probablement célibataire toute sa vie. Quant à toi, me suggères-tu d'attendre quelque chose de mieux? Comme toi, Iris?

Le silence n'était perturbé que par un robinet qui gouttait et, venant du jardin, le magnifique carillon d'une grive musicienne. Iris se rappela Summerleigh, les nuits chaudes et les bras d'un homme autour d'elle pendant qu'elle dansait. Le parfum des roses et un baiser volé ou deux, dans le jardin, au clair de lune.

— Je le mérite sans doute, dit-elle en saisissant un pétale tombé et en l'écrasant entre l'index et le pouce. J'ai laissé passer pas mal d'occasions, n'est-ce pas?

— Je m'excuse, dit Marianne en fermant les yeux. Ce n'était pas gentil. Je ne voulais pas dire que…

— Mais si. Et tu as raison, bien sûr. J'étais trop orgueilleuse pour accepter n'importe lequel des hommes qui m'ont demandée en mariage. Je croyais toujours qu'il y aurait quelqu'un de mieux au coin de la rue. Quand j'ai compris qu'il n'y en avait pas, c'était trop tard. Qui voudrait m'épouser maintenant? Le savon au crésol n'est pas franchement séduisant, et regarde un peu mes pauvres mains.

— Je te demande de m'excuser, Iris, murmura Marianne. Ce que j'ai dit était méchant.

— Tu as l'air fatiguée. Est-ce que tu dors?

— Pas vraiment.

— Marianne, cela ne fait que dix-huit mois qu'Arthur est mort. Ce n'est pas vieux. Te marier à un homme que tu connais à peine, aller vivre à des milliers de kilomètres de ta famille: peux-tu imaginer notre inquiétude?

— Je sais que tu me trouvais assez ridicule et romantique. Et j'imagine que je l'étais. Petite fille, tout ce que je voulais était de tomber amoureuse. Je me fichais qu'il soit riche ou pauvre, beau ou sans charme. Je pensais que tomber amoureuse changerait ma vie. Eh bien, cela l'a changée, effectivement, et à jamais. Je suis consciente qu'il est difficile pour les autres de comprendre ce que je ressens, mais depuis la mort d'Arthur, j'ai l'impression d'être de pierre.

Elle posa son poing sur sa poitrine.

— Là. Je ne suis peut-être pas amoureuse de Lucas mais il me semble un honnête homme et il dit qu'il m'aime. Est-ce si affreux de le laisser croire que je serai peut-être capable de l'aimer aussi? Je suis capable de faire semblant, Iris – je suis devenue bonne à ce jeu-là. Vois-tu, je ne crois pas que je peux aimer un autre homme. Et si j'en étais capable, je ne crois pas que je le souhaiterais. On peut perdre son amour, n'est-ce pas? Mieux vaut avoir aimé et l'avoir perdu, me dit-on toujours. Mais je ne crois pas que ce soit vrai du tout!

— Je sais qu'Arthur te manque encore affreusement, dit Iris en choisissant ses mots avec précaution. Le seul avis que je te donne est d'attendre.

— Mais ne vois-tu pas qu'il n'y a rien à attendre? J'ai passé l'essentiel de mon enfance à attendre. Je ne faisais que cela – c'est ce que nous faisions toutes. Nous attendions. Que quelque chose arrive, l'amour, le mariage. En me mariant avec Arthur, j'ai cru que c'était la fin de mon attente. Mais il est mort et depuis, je suis dans l'impasse. Je n'ai rien à espérer et je ne prends aucun plaisir à penser au passé puisque tous mes souvenirs avec Arthur sont affectés par sa mort. Rien ne remplit ce vide. Rien. Je n'ai pas de don comme Eva et je ne suis pas assez intelligente pour mener carrière comme toi. J'ai vingt-trois ans et j'ai l'impression que ma vie est finie!

Il y avait un caractère final dans le ton de la voix de Marianne qui refroidit Iris, la sensation grandissante que rien ni personne ne pouvait l'empêcher de se marier à Lucas Melrose. Mais elle essaya néanmoins.

— Avec le temps...

— Non, coupa Marianne en secouant la tête vigoureusement. Le temps ne résoudra rien. Attendre ne change rien.

Marianne posa le vase sur une petite table. Iris remarqua que les fleurs étaient arrangées avec beaucoup d'art et de précision.

— Cette maison est comme un mausolée. Chaque pièce est pleine de son souvenir. Je m'accrochais à ces souvenirs mais, depuis quelque temps, ils me hantent. Chaque fois que je vais dans la chambre, je le vois allongé en train d'agoniser. Je dois partir d'ici. Je dois aller ailleurs et voir des choses différentes. Je dois avoir d'autres pensées. Ou bien je mourrai, Iris. Tout simplement.

— Oh Marianne! lança Iris en allant serrer dans ses bras sa sœur, qui demeura raide. Je ne comprends pas tant de précipitation. Ne peux-tu pas te fiancer d'abord? La famille aurait le temps de connaître Lucas et tu serais absolument certaine de faire le bon choix. Alors, dans six mois, si tes sentiments seraient les mêmes, tu pourrais te marier avec notre bénédiction.

— Lucas doit rentrer à Ceylan dans quinze jours, reprit Marianne sur un ton dénué d'émotion. Il ne revient pas en Angleterre dans un futur proche. Nous nous marions maintenant ou jamais. Il a été très clair là-dessus.

— Tu m'as dit que M. Melrose t'a remarquée à Rawdon Hall. Peut-être était-ce parce que tu étais seule. Arthur t'a laissée fortunée, Marianne. Je crains que tu sois une cible pour un certain type d'hommes.

— Tu veux dire qu'il serait un chasseur de fortunes ?

Marianne disposait des boutons de roses dans un vase en verre. Ils brillaient, luminescents dans la pénombre.

— S'il l'est, cela ne me soucie pas particulièrement.

— Mais tu *dois* t'en soucier.

— Eh bien, non. Cela peut paraître scandaleux de ma part, mais je ne m'en soucie pas. Après tout, chacun de nous se servirait de l'autre. Il m'épouserait pour l'argent et moi pour avoir un enfant.

— Un enfant ?

— Je sais que je n'aimerai jamais un autre homme. Mais je suis peut-être capable d'aimer un enfant. Tu vois, j'ai fait un marché avec moi-même. Je serai une bonne épouse pour Lucas. Sa vie a l'air assez rudimentaire et je pense qu'il veut une femme qui gère sa maisonnée et la rende confortable. Je sais que je peux faire cela et le faire bien. En retour, il me donnera ce que je veux – un enfant à moi.

— C'est donc pour cela que tu te maries, dit Iris qui comprenait enfin. Pour avoir un bébé ?

— Oui. J'en ai assez d'être seule. J'en ai assez de me réveiller le matin et de me demander comment je vais survivre à une journée de plus. Je veux avoir quelqu'un d'autre à aimer.

Elle posa le vase de fleurs sur la table.

— J'ai toujours fait ce que les autres attendaient de moi, dit-elle plus doucement. J'ai été une bonne fille et une bonne épouse. Aujourd'hui, je prends ce que je veux. La seule chose que je veux.

*

Debout devant l'autel, Marianne fut saisie d'une si vive panique qu'elle eut envie de fuir l'église. Elle n'arrivait pas à s'y résoudre. Elle ne pouvait se marier à un homme qu'elle connaissait à peine et qu'elle n'aimait pas. Un homme qui, de temps à autre, laissait deviner quelque chose qui lui faisait peur. Mais le pasteur continua son sermon et elle demeura immobile à côté de Lucas Melrose, son visage voilé ne trahissant rien de son tourment intérieur. *Imagine juste les histoires que cela créerait*, se dit-elle : les explications à trouver, les commentaires de la famille et des amis qu'elle aurait à endurer, la curiosité et les commérages auxquels elle s'exposerait. Cette simple pensée la rendit lasse.

Et si elle ne se mariait pas, que ferait-elle ? Rien ne changerait. Elle n'aurait d'autre choix que de retourner à cette vie qui n'avait plus de sens pour elle. Elle aurait raté sa dernière chance de bonheur, un enfant à elle. Cette lueur en elle, déjà très affaiblie par la mort d'Arthur, s'éteindrait définitivement. Elle entendit sa propre voix, désormais plus ferme, répéter les paroles du pasteur. Et sentit la bague être glissée à son doigt.

Deux jours plus tard, ils embarquaient pour Colombo. Alors que le bateau quittait le port, Marianne dit au revoir de la main jusqu'à ce qu'elle ne puisse plus voir sa famille debout sur le quai. Mais elle resta sur le pont, regardant d'abord les grues géantes et les cargos disparaître, puis la ville de Southampton et enfin la côte d'Angleterre, qui se perdit dans la courbe de la terre.

9

Eva retourna auprès de Gabriel car elle ne pouvait agir autrement : elle avait besoin de lui, de son énergie, de son goût de la vie et de sa joie facile.

Mais quelque chose avait changé. Sa détestation de Nerissa était sombre et jalouse. Elle surveillait Gabriel, suspicieuse sur ses déplacements et sur les personnes qu'il rencontrait. Gabriel n'avait pas peint depuis des mois.

— Période de jachère, disait-il avec mauvaise humeur. Chaque fois que cela m'arrive, j'ai peur que ce soit la fin, que je ne peigne plus jamais.

En juillet, Eva aida Lydia Bowen à déménager dans un nouvel appartement. Elles peignirent les murs, fixèrent des rideaux et fabriquèrent des dessus de chaise. Une fois la décoration achevée, Lydia organisa une crémaillère impromptue. Des pots et des vases remplis de grandes marguerites étaient disposés sur les tables et sur la cheminée. La lumière filtrait à travers les hautes fenêtres. Les invités se pressèrent dans les différentes pièces, le bruit des bouchons de champagne donnait un rythme à la musique du gramophone.

Bien qu'arrivée à la fête avec Gabriel, Eva semblait le perdre régulièrement dans la mêlée. Il était là, à côté d'elle, elle discutait quelques minutes avec une amie et, lorsqu'elle se retournait, il n'était plus là. Des visages familiers surgissaient : ses compagnons de classe et ses professeurs à la Slade, les amies suffragettes de Lydia, les artistes et les mécènes qu'elle avait rencontrés à la galerie de Lydia. Parlant avec cette dernière et avec May Jackson,

Eva perdit à nouveau Gabriel de vue. Après s'être excusée, elle le chercha d'un groupe à l'autre. Elle l'aperçut enfin, debout au fond de l'entrée. Il parlait à une jeune fille. Fine et de teint mat, elle portait une jupe de velours vert émeraude qui descendait jusqu'aux chevilles, et un tricot noir. Elle avait les pieds nus et ses cheveux sauvages et frisés lui tombaient dans le dos librement, sans épingles et sans rubans. Quand elle riait, elle rejetait la tête en arrière, découvrant la longue et pâle colonne de sa gorge.

Autour de minuit, les invités commencèrent à se disperser. Le cavalier de Lydia, un homme maigre et nerveux, d'apparence étrangère, prit congé d'eux alors qu'Eva lavait les verres dans la cuisine.

— Fabrice est d'une conversation atrocement ennuyeuse, mais le plus divin des danseurs, confia Lydia après l'avoir raccompagné à la porte.

— Avez-vous jamais été amoureuse, Lydia? demanda Eva.

— Une fois seulement. Une cigarette, ma chère?

— Avec plaisir, dit-elle en s'essuyant les mains à un torchon. À quoi ressemblait-il?

— Laurence? Il était grand, plutôt mince, avec des yeux couleur café noir. Je crois que je suis tombée amoureuse de lui à cause de ses yeux.

— Mais vous ne l'avez pas épousé?

— Non. Cette charmante paire d'yeux avait l'habitude de vagabonder. Laurence collectionnait les belles choses. Les intérieurs néerlandais, et les jeunes et jolies filles. Il était marié quand je l'ai rencontré. Pour être juste, il ne l'a jamais caché. Vous pourriez donc dire que je savais ce que je faisais. Mais bien sûr, on ne le sait jamais vraiment. Jamais.

Un lourd silence s'installa. Eva songea à ses portraits accrochés dans la galerie de Lydia. Combien savaient ou soupçonnaient qu'elle fût la maîtresse de Gabriel Bellamy? Val l'avait dit: «Gabriel couche toujours avec ses modèles. Tout le monde le sait.»

— Cette fille... entama-t-elle.

— Quelle fille?

— Elle portait une jupe en velours vert. Et pas de chaussures.

— Elle s'appelle Ruby Bailey. Quelqu'un a dû l'amener ici. Je l'ai vue une fois ou deux mais je ne la connais pas vraiment. C'est une danseuse, je crois. Plutôt magnifique.

— Est-elle...

— Est-elle quoi ?

— Non rien.

Eva rinça les verres et les mit à sécher dans l'égouttoir. « Est-elle mariée ? avait-elle voulu demander. Est-elle avec quelqu'un ? Est-elle le genre de filles de qui Gabriel pourrait tomber amoureux ? » Mais en se rappelant de la brune et gitane Ruby Bailey, elle connaissait déjà la réponse à sa question.

*

Lentement, prudemment, Iris et Ash redevinrent amis. Depuis deux ans, Ash était stagiaire dans un cabinet d'avocats sur Leman Street, à moins d'un kilomètre du Mandeville. Il avait rencontré Adam Campbell, associé chez Campbell, Sparrow & Blunt, par le biais du centre d'actions sociales de l'université. Discret, Campbell était un homme de principes. Il considérait comme faisant partie de son travail de représenter les intérêts des pauvres et des sans-pouvoirs.

— Vous devez être dans votre élément, dit Iris quand Ash lui fit visiter ses bureaux grouillants d'activité et un peu miteux. Avec toutes ces bonnes actions à accomplir.

Ils ne se voyaient qu'occasionnellement. Iris avait beaucoup de travail et, le soir et le week-end, Ash enseignait les sciences politiques et économiques dans un collège technique, donnait des cours à l'Association pour l'éducation des travailleurs, et participait à des réunions politiques. Une collection d'enfants abandonnés envahissait sa maison à Aldgate. Sa cuisine accueillait souvent des débats animés jusqu'à une heure avancée de la nuit. Grâce à Ash, Iris découvrit l'est londonien, qui lui était inconnu. Ils parcoururent ensemble le dédale de rues et d'allées qui partait de Whitechapel Road. En regardant à travers les devantures,

Iris aperçut des cages à perroquets, des plumes de paon, des mandolines et des mantilles. Elle vit du pain sans levain avec des formes étranges, des bocaux de bonbons à la menthe et de fruits bouillis, et des plateaux de loukoum roses et jaunes. Ash lui montra les repaires des anarchistes sur Jubilee Street, et le club où le prince Kropotkine et Enrico Malatesta avaient tenu leurs discours. Il l'emmena dans de petits cafés sombres où les posters d'hommes d'apparence étrangère, avec de grandes moustaches, étaient épinglés au mur ; il lui offrit un café turc sucré et épais qu'ils burent assis dans un box recouvert de peluche pourpre élimée. Ash expliqua qu'il n'était pas lui-même un anarchiste ; ceux-ci aimaient trop les bombes et les revolvers à son goût.

Ils parlaient de tout – ou presque. Il n'y avait qu'un sujet qu'ils n'abordaient pas : leur querelle au lendemain de la fête à Summerleigh. Iris songea que ce souvenir embarrassait peut-être Ash. Mais il existait une possibilité beaucoup plus désagréable : le fait qu'il pensât qu'elle avait réellement été amoureuse de lui. Si tel était le cas, il s'agissait d'une méprise qu'il fallait tuer dans l'œuf.

Un samedi après-midi, elle partit en promenade avec lui. Sur le chemin du retour, ils s'arrêtèrent dans les magasins. Iris sélectionna des rubans et des ganses, du fil et de la dentelle, choisissant les couleurs et estimant les mesures avec efficacité. Il avait commencé à pleuvoir ; Ash lui porta son colis en papier et ils s'abritèrent sous son parapluie.

— Voici ce que j'admire en vous, Iris, dit-il en quittant le magasin, vous semblez toujours savoir exactement ce que vous voulez.

— Je ne crois pas aux tergiversations.

— Un demi-mètre de ci, trois mètres de ça et une dizaine de boutons de nacre... Que diable êtes-vous en train de fabriquer ?

— Un gentleman ne demande jamais cela à une dame. Et si c'était une chose à ne pas prononcer ?

— Dans ce cas, je m'excuse platement et je retire ma question.

— Je vous taquine. Je couds un chemisier pour l'anniversaire de Clémence, une jupe pour moi et deux chemises de nuit pour le nouveau-né d'une amie.

La circulation était dense sur Commercial Road. En traversant la rue, Ash prit la main d'Iris alors qu'ils se faufilaient entre les tramways et les haquets des brasseurs. En parvenant au trottoir, elle reprit :

— Au demeurant, vous avez tort. Je peux être terriblement lente à savoir ce que je veux. J'ai passé des années à être convaincue de vouloir quelque chose qui ne m'aurait sans doute pas du tout convenue.

Il y eut un éclat de tonnerre et une puissante averse les poussa à se réfugier sous le porche d'un magasin. Ash replia le parapluie.

— C'était quoi ?

— Le mariage, bien sûr. Vous voyez, Ash, j'admets avoir eu tort — et vous savez combien il me coûte de dire ça. Mais il est probable que les bagues en diamant et les robes de mariée ne m'importaient pas autant que je le croyais.

— Vous entendez donc être infirmière toute votre vie ?

— Grands dieux, non ! Quelle idée abominable ! Ne vous souvenez-vous pas qu'il y a très longtemps, pendant l'ombre d'un instant, j'ai voulu me marier avec vous ?

— Je m'en souviens, dit-il en l'attirant contre lui.

— Vous n'en avez pourtant jamais parlé. Essayez-vous d'être délicat, Ash ?

— Cela changerait, non ? Je ne me souviens pas avoir été particulièrement délicat à cette époque.

— Vraiment ? Je ne m'en souviens pas.

— Je crains d'avoir été un crétin épouvantable et pontifiant.

— Il est donc heureux que je ne m'en souvienne pas, n'est-ce pas ?

La pluie tambourinait sur le pavé et ils ne parlèrent plus pendant un moment. Quand la pluie se mit à diminuer, ils repartirent.

— Le pire est que je crois que j'aime ce métier d'infirmière. Et j'y réussis pas mal. Je n'étais pas bonne au début, mais maintenant je le suis. Je suppose que cela fait de moi une brave femme ennuyeuse. Je terminerai sans doute comme une vieille célibataire tyrannique ayant pour seuls compagnons ses chats.

— Sans nul doute, oui, sourit-il.

271

— Et vous, Ash ? Y a-t-il eu quelqu'un ?

— Rien qui n'ait abouti à quoi que ce soit. Et vous ? Pensez-vous vraiment que je vais croire qu'aucun homme n'a jamais tourné le regard vers vous ?

— Eh bien, les frères de mon amie Rose sont très gentils avec moi… ainsi que plusieurs médecins à l'hôpital…

— Éternelle Iris.

— Mais je n'ai jamais été amoureuse de qui que ce soit et n'est-on pas censé être amoureux de la personne avec laquelle on se marie ?

— J'imagine que oui.

— Vous voyez, j'ai toujours un cœur de granit. Et je n'ai pas encore rencontré l'homme capable de le faire voler en éclats. C'est tellement bon de savoir que vous ne serez jamais plus qu'un ami, Ash. Tellement moins ennuyeux que d'être amoureux.

*

À la fin du trimestre d'été, les amis d'Eva à la Slade se dispersèrent. Certains retournèrent chez leurs parents ; un ou deux partirent se marier ; plusieurs allèrent étudier à Paris et demandèrent à Eva de se joindre à eux. Mais elle tergiversa. Peut-être plus tard dans l'été, dit-elle. Quand elle aurait mis de côté un peu plus d'argent.

L'avant-première de l'exposition de Gabriel était programmée pour septembre. Ses portraits d'Eva étaient exposés sur les murs de la galerie de Lydia, à côté de paysages et de croquis de ses enfants. Le soir du jour où les critiques furent publiées, Eva le trouva à la Tour Eiffel sur Percy Street, penché au-dessus d'un verre d'absinthe.

— Cet enfoiré du *Times* a eu le toupet d'écrire que j'étais démodé, dit-il férocement. Uniquement parce que je ne colle pas des bouts de vieux journaux ou des paquets de cigarettes sur mes foutus tableaux. Si je dessinais de belles femmes comme si elles étaient faites en carton ou si je perdais mon temps à peindre des machines, alors ils me lécheraient les bottes.

Il descendit le reste de son verre et en commanda un autre.

— Je veux peindre la beauté, pas la laideur. Qu'y a-t-il de mal à ça? Pourquoi devrions-nous donner de la valeur au laid? Il y en a assez dans le monde, non? Pourquoi devrais-je en rajouter? L'art devrait élever les cœurs et non les abaisser. La plupart d'entre nous avons déjà assez de mal à rester hors du caniveau sans vouloir aller à s'y vautrer.

D'un mouvement brusque, il s'était relevé, offrant sa massive silhouette, au long manteau noir et feutre mou. Les clients du café se retournèrent pour le regarder.

— La beauté est la seule chose qui compte! cria-t-il en frappant son poing sur la table, faisant sauter les verres. Ne pouvez-vous pas voir cela, bande d'idiots?

Il tangua un peu, parcourant la salle du regard, sa voix se faisant basse et méprisante.

— Mais la beauté n'est pas à la mode aujourd'hui, n'est-ce pas? Et nous devons suivre la mode, hein, à tout prix? Dieu nous préserve et nous permette de ne pas être à la mode!

Eva le tira au dehors. Ils allèrent à Soho, passant d'un pub à l'autre. Amis et parasites se joignirent à eux, s'accrochant comme des teignes à Gabriel. Plus tard, Max murmura à Eva:

— Si j'étais toi, je rentrerais à la maison. Je m'occupe de lui.

Elle apprit qu'ensuite, complètement ivre, Gabriel s'était bagarré dans un pub et avait passé la nuit en cellule, avant que Max paie une caution et qu'il retrouvât Greenstones et Sadie.

Elle n'avait plus posé pour lui depuis le début de l'année. Un jour, alors qu'ils étaient seuls dans son atelier, elle se mit à déboutonner son corsage et à enlever ses bas.

— Que fais-tu? lui demanda-t-il.

— Je pensais que tu voulais me peindre. Me peindre correctement, comme tu l'as toujours souhaité.

— Chère Eva, dit-il en la reboutonnant lui-même, tu n'as pas à faire ça.

La pitié se lisait dans ses yeux. Elle se rendait compte qu'elle recevait de moins en moins et qu'elle espérait de moins en moins de sa part. Jadis, ils avaient passé des journées entières ensemble; jadis, son atelier leur avait paru être le monde entier. Désormais, après une heure ou deux, elle voyait l'impatience dans ses yeux, l'envie d'aller voir un autre ami, un autre endroit. D'ici à six mois, peut-être un an, elle serait devenue son *cinq à sept*, la maîtresse qui, résidu d'une vieille passion évanouie, devait être casée entre deux choses plus importantes de la vie, au nom du passé.

*

Bien qu'il eût vécu dans l'est de Londres depuis un moment, Ash trouvait toujours inacceptable le dénuement auquel il était confronté quotidiennement. Son aisance paraissait obscène dans un endroit où la faim tiraillait constamment les familles les plus pauvres. Il détestait les effets de la pauvreté sur les visages creux et les regards vides d'énergie des enfants ; il haïssait encore plus les ecchymoses sur leurs jambes et sur leur dos. Il savait que de nombreuses familles pleines de bonté vivaient ici, mais il en connaissait d'autres qui battaient leurs enfants, étant trop épuisées ou trop peu éduquées pour savoir comment les discipliner autrement. Et il découvrit pire : dans certains des foyers les plus pauvres, des enfants vivaient qui n'auraient jamais dû naître. Des frères et sœurs adolescents étaient entassés dans une petite chambre et, de temps en temps, cette proximité produisait un bébé dont personne ne parlait. La honte de la famille était cachée et personne n'était jamais poursuivi. D'ailleurs, se disait-il avec colère, qui punir ? L'enfant lui-même en le retirant de la seule maison qu'il eût jamais connue ? Ou l'enfant ignorant qui lui avait donné naissance ? Ou les parents coupables de ne pas gagner assez d'argent pour abriter leur famille décemment ?

Il faisait ce qu'il pouvait mais cela ne semblait jamais suffire. Ses poches étaient vides car il ne pouvait passer en ignorant les soldats unijambistes, victimes oubliées de la guerre des Boers qui lui tendaient leur casquette, ou les vieilles femmes qui choisissaient de mendier dans la rue plutôt que d'aller à l'hospice. Il partageait sa nourriture avec des familles au ventre vide, abandonnait son divan à des hommes n'ayant pas de lit pour la nuit. Amenant Iris chez lui pour la première fois, il vit ses yeux s'écarquiller de désapprobation.

— Ce n'est pas bien rangé, dit-il rapidement, mais je sais où se trouvent les choses. Et j'aime recevoir mes amis.

Il écrivait des articles dans des journaux de gauche sur les causes qui lui étaient chères : la malnutrition infantile, les conditions de travail des dockers. Il prenait des photographies des rues et des places de l'East End, qui étaient parfois exposées dans des galeries miteuses sur Jubilee Street, où les passants, soupçonnait-il, n'entraient que pour se protéger de la pluie. Il écrivait des pamphlets soulignant le besoin de changement, utilisant des mots simples, accessibles aux travailleurs, et les dupliquant dans les imprimeries bruyantes de Inkhorn Court. Puis il les distribuait lui-même, les glissant dans les boîtes aux lettres, suivi par un troupeau d'enfants curieux et de chiens errants, comme la queue d'une comète.

Un soir, les débats avaient commencé depuis longtemps quand Ash était arrivé à la réunion du Parti travailliste. À l'issue de la réunion, on servit le thé. Certains se regroupèrent dans un coin de la pièce – Ash, Harry Hennessy, secrétaire de la section, son frère Fred, et un rouquin de l'âge de Ash répondant au nom de Charlie Porter. Une jeune femme que Ash n'avait jamais rencontrée se joignit à eux. Son nom était Thelma Voss. Fine et de taille moyenne, elle portait un imperméable râpé et un béret bleu marine. Son visage était rond, avec de hautes pommettes et un teint cireux ; son trait le plus singulier étaient d'épais sourcils noirs qui encadraient de pétillants yeux verts.

Ils discutaient des progrès difficiles, au Parlement, de la loi sur l'autonomie de l'Irlande.

— Les unionistes ne céderont pas un pouce, dit Fred. Ils se fichent de ce que veut Asquith et ils se fichent de ce que veut le peuple irlandais.

— C'est toujours la même histoire, continua Harry en remuant le sucre dans son thé. Les propriétaires terriens entendent conserver le contrôle du pouvoir. Ils ne veulent pas que des ouvriers ordinaires aient leur mot à dire.

— Ou des ouvrières, marmonna Mlle Voss. Les femmes devraient tout autant avoir leur mot à dire.

— Nous ne devons pas nous laisser distraire par tous ceux qui ont un intérêt particulier à défendre, repartit Charlie.

— Un intérêt particulier? Est-ce ton opinion au sujet de la représentation des femmes? demanda Thelma Voss.

— On ne doit pas se tromper de priorités.

— Et les droits des femmes sont assez loin sur ta liste, n'est-ce pas, Charlie? Je m'étonne de te trouver ici. Pourquoi ne descends-tu pas la rue jusqu'au Club libéral? On dirait que tu as des idées très proches de celles de M. Asquith.

— L'Irlande est dirigée depuis suffisamment longtemps par les propriétaires absentéistes. Je ne pensais pas te voir défendre les intérêts de l'aristocratie, Thelma.

— Je ne les défends pas! Bien sûr que non!

— Thelma ne se soucie pas des classes dirigeantes, lança Charlie en faisant un clin d'œil à Ash. Tu les supprimerais volontiers, n'est-ce pas chérie?

— Ma foi, à quoi servent-elles? Ce ne sont que des parasites et des pique-assiettes!

— Thelma les enverrait tous à la guillotine.

— Bien sûr que non, Charlie. Tu sais que je suis contre la violence.

— Je te parie que tu serais assise là, en train de tricoter pendant que les têtes rouleraient.

— Je te dis que je suis une pacifiste.

— Tchac, Tchac, Tchac, Tchac…

— Pourquoi dois-tu toujours te ficher de moi?

— Je m'amuse, c'est tout. Tu as perdu le sens de l'humour, mon amour?

— Je voulais juste dire qu'il existe une règle pour les riches et une autre pour les pauvres, reprit Thelma en rougissant.

— Mlle Voss a bien raison. Les suffragettes endurent d'être nourries de force en tôle pendant que sir Edward Carson, qui a publiquement appelé à la rébellion armée des unionistes, est libre de ses mouvements.

— Carson est un membre du Parlement, non? dit Fred. Il est l'un des leurs.

— Et il est riche, renchérit Thelma sur un ton amer. C'est ce qui fait la différence.

— Certaines de ces sauvageonnes qui crient pour le droit de vote ont bien quelques sous ou deux, me semble-t-il, glissa Charlie.

— Des sauvageonnes…

— Balancer des pierres dans les devantures des magasins… cela ne correspond guère à un comportement bien élevé.

— Être bien élevées n'a rien apporté aux femmes!

— Je ne t'ai pas vue te précipiter à la prison au nom de tes principes, Thelma.

— Tu sais que je ne peux pas…

— Je ne te suggère pas de te rendre idiote comme certaines de ces femmes.

— Ce ne sont pas seulement les femmes qui se rendent idiotes! Les hommes le font aussi facilement: je le vois tous les soirs au pub, en bas de la rue.

Charlie sourit et se pencha en avant, en disant doucement:

— Et il existe au Bull quelques beaux brins de filles qui feraient tout ce qu'un homme demande pour un gin orange, Thelma chérie.

Le visage de Thelma devint blanc. Elle attrapa son imperméable.

— Thelma… dit Harry Hennessy.

— Je dois y aller. Mon père va s'inquiéter, émit-elle avec un trémolo dans la voix.

Elle quitta la salle. Harry fit un mouvement pour lui courir après mais Ash l'interrompit et dit:

— Non, laisse-moi y aller.

Il rattrapa Thelma sur Commercial Road. Elle transportait deux lourds sacs de courses. Elle le regarda avec dureté.

— Que voulez-vous?

— Je suis venu voir comment vous alliez.

— Pourquoi n'irais-je pas bien?

— Je suis sûr que Charlie ne voulait pas vous blesser.

— En êtes-vous sûr? Qu'est-ce qui vous en rend si sûr? rétorqua-t-elle en dirigeant désormais sa furie contre Ash.

— Certaines personnes aiment la provocation. Charlie en fait partie.

— Charlie aime *me* provoquer. Charlie et moi étions ensemble mais j'ai rompu.

— Je suis désolé.

— Pas moi, répliqua-t-elle en posant ses sacs à terre. Je l'ai vu avec une autre fille. Charlie est toujours à l'affût d'une aventure. Quand je lui ai dit que je l'avais vu, il a répondu qu'elle n'avait pas d'importance. Je lui ai donc dit que lui non plus n'était pas important pour moi. Il n'a pas aimé. Il se croit sorti de la cuisse de Jupiter, celui-là. Il adore me titiller. Il sait comment me mettre en rogne. Avez-vous noté le nombre de femmes à la réunion ce soir ?

— Une demi-douzaine, je dirais.

— Et combien d'hommes ?

— Vingt-cinq, peut-être trente.

— Ce n'est pas que les filles ne s'intéressent pas à la politique. Mais elles sont à la maison, en train de s'occuper de leurs bébés ou de leurs vieux. C'est la raison pour laquelle elles ne sortent pas. Les hommes n'ont pas à se soucier de ce genre de choses, n'est-ce pas ?

— Je suppose que non.

— Avez-vous remarqué qui prépare les biscuits et le thé ? Et qui les sert ?

— Deux des femmes – je ne connais pas leurs noms.

— Bien sûr que vous ne les connaissez pas. Pourquoi le devriez-vous ? Mais ce seront toujours deux des femmes, pas deux des hommes. Neuf discours sur dix sont donnés par des hommes. Oh, ils sont assez aimables pour nous laisser nous exprimer de temps en temps. Une ouvrière des filatures nous a rendu visite, il y a quelques mois, pour nous parler. Elle était très intéressante, m'a-t-il semblé. Après coup, j'ai entendu certains hommes se moquer d'elle. Ils disaient qu'elle ressemblait à une souris, une petite souris faisant des petits cris aigus.

Elle s'interrompit.

— Je dois y aller. Mon père...

— Je vous accompagne.

— Ce n'est pas nécessaire, dit-elle, surprise.

— Il fait noir, mademoiselle Voss.

— Fort bien, répondit-elle avec mauvaise grâce.

— Laissez-moi porter vos sacs.

Elle les lui tendit et ils partirent. Finalement, elle s'arrêta devant un marchand de fruits et légumes.

— Je vis ici, annonça-t-elle.

Ash vit un mouvement de rideaux. Thelma tapota le carreau avec ses phalanges et appela :

— C'est moi, papa, je suis rentrée !

Puis, se retournant vers Ash, elle dit farouchement :

— Voilà pourquoi je ne défile pas avec les autres filles. Voilà pourquoi je ne peux pas prendre un tel risque. Qui s'occuperait du magasin si j'allais en prison ? Qui s'occuperait de mon père ?

Ses traits perdirent alors leur aspect maussade et irrité.

— C'est gentil de votre part de m'avoir aidée avec les courses. Et merci de m'avoir soutenue devant ces gars-là, à la réunion.

Elle ouvrit la porte.

— Je vous ai déjà vu en train de distribuer des pamphlets dans les boîtes aux lettres. Je peux vous donner un coup de main, si vous voulez. Dans la mesure où cela s'accorde avec mon père et avec le magasin.

*

Au fond d'elle-même, Clémence comprit que tante Hannah était en train de mourir. La vieille dame n'était pas précisément malade mais elle se retirait du monde. Ses facultés disparaissaient lentement. Sa vue avait faibli au point qu'elle ne puisse plus lire sa bible, bien qu'elle aimât encore la tenir dans ses mains quand elle s'asseyait dans le salon. Clémence devait parler fort et distinctement pour qu'elle l'entende. Depuis des semaines, le plus long trajet de la vieille dame reliait sa chambre au salon. Clémence se demandait quel effet cela faisait de perdre, inexorablement, tout ce qui avait fait le sel de la vie. Être incapable d'entendre ou de voir les gens que l'on aime. Ne pas pouvoir sentir le soleil sur sa peau, ni le vent dans ses cheveux. Malheureusement, tandis que tante Hannah déclinait, mère empirait également. Clémence avait passé la majeure partie de l'été et de l'automne à courir de la chambre de l'une à celle de l'autre avec des plateaux de médicaments, de thé et de repas pour malades. Le médecin venait presque chaque jour. Un soir, père, qui nourrissait une antipathie irrationnelle pour le parfaitement cordial Dr Hazeldene, déclara avec mauvaise humeur :

— Clemmie, il me semble que tu devrais préparer une chambre pour ce misérable. On dirait qu'il a pris résidence.

Mais aussi occupée qu'elle fût, Clémence trouvait toujours le temps d'aller aux concerts d'Ivor. Père était devenu un allié inattendu sur ce point. Bien qu'il ignorât ses sentiments pour Ivor — et ne devait surtout pas les connaître, bien sûr — il réalisait que ces concerts étaient importants pour elle. Quand mère se plaignit de l'ennui de Lucy Catherwood ou quand les domestiques firent silencieusement comprendre leur ressentiment à propos de la charge supplémentaire de travail qu'entraînait l'absence de Clémence, il prit parti pour elle. Les après-midi où il y avait récital, père l'emmenait parfois en voiture en retournant au travail après le déjeuner. En quittant la maison, il balayait les alentours du regard et déclarait sur un ton de conspirateur :

— Personne à l'horizon. Aucun ennemi en vue. On ferait mieux de filer, Clem.

Et en la déposant à la résidence où se tenait le concert, il lui glissait une demi-couronne.

En septembre, Clémence rencontra enfin Rosalie. Le concert avait lieu chez Mme Braybrooke. Depuis que Vera lui avait rapporté, sur un ton venimeux, la remarque de celle-ci disant que Clémence suivait Ivor comme un petit chien, Clémence s'était appliquée à ne pas prêter trop attention à Ivor lorsque celui-ci jouait chez elle. Mère ayant eu besoin d'elle pour ranger son coffret à lettres, Clémence était partie en retard et Ivor avait déjà rejoint la maison des Braybrooke quand elle arriva. Ivor parlait à Mme Braybrooke ; debout à côté de lui se tenait une grande femme aux cheveux bruns que Clémence n'avait jamais vue.

Elle portait une jupe violette et une veste et un chapeau assortis. Quand elle entendit Mme Braybrooke s'adresser à la femme au chapeau violet comme «madame Godwin», Clémence se dit qu'elle avait dû se tromper. Cette belle femme au bon teint ne pouvait pas être Rosalie Godwin. Rosalie devait être blonde, pâle et maigre. Il lui fallut une seconde pour se souvenir que cette Rosalie-là n'existait que dans son imagination.

Au cours du concert, Clémence ne prêta presque pas l'oreille à la musique et son regard glissa constamment en direction de Rosalie Godwin. Avant chaque morceau, celle-ci envoya un sourire d'encouragement à Ivor et elle applaudit poliment après chacun d'eux. Au milieu d'une des plus longues sonates, elle bâilla brièvement derrière sa main gantée de pourpre. À l'issue du récital, Clémence la vit se diriger vers Ivor et lui donner une petite tape sur le bras pour le féliciter de sa performance. Et ajuster son mouchoir dans sa poche poitrine. Et rabattre, d'un geste rapide et précis, une boucle de cheveux tombant au-dessus de son sourcil – un geste que Clémence avait toujours voulu accomplir sans jamais en trouver le courage. Clémence nota aussi que Rosalie Godwin s'assurait que le thé d'Ivor était comme il l'aimait : léger, avec un sucre. Des gâteaux furent offerts à la ronde et, quand Ivor tendit la main pour se servir, Rosalie avertit :

— Pas le gâteau aux amandes, Ivor. Tu sais que cela aggrave ta dyspepsie.

En fin d'après-midi, Clémence fut présentée à Rosalie Godwin.

— Voici ma chère amie Clémence Maclise, dit Ivor, et les deux femmes se serrèrent la main.

Ce jour-là, il n'y eut, bien sûr, aucune chance d'aller flâner dans les Jardins botaniques. Mais depuis lors, elle cessa de fantasmer sur la mort de Rosalie. Elle essaya encore de détester Rosalie mais elle n'y arrivait plus avec la même conviction. Il y avait bien ce bâillement au milieu d'un morceau d'Ivor, mais il fallait admettre que la sonate avait été très longue. Il y avait aussi l'excès de zèle à orienter le choix des gâteaux pour ce pauvre Ivor, mais Clémence savait qu'il avait l'estomac fragile.

Quelques semaines plus tard, à Summerleigh, Clémence entra dans le salon et sut immédiatement que quelque chose avait changé. Une absence. Quelque chose de disparu pour toujours. Hannah était assise sur sa chaise. Ses yeux étaient clos, comme si elle dormait, et sa bible était ouverte sur ses genoux. Mais quand elle toucha la main de la vieille dame, elle était déjà froide. Cette nuit-là, ils écrivirent des lettres et envoyèrent des télégrammes.

— Je me souviens de tante Hannah m'emmenant en forêt d'Ecclesall, raconta Joshua en se mouchant le nez. J'aimais jouer là-bas – j'aimais grimper aux arbres et courir sur les sentiers, en imaginant que j'allais peut-être me perdre et ne jamais retrouver le chemin de la sortie. Une fois, Hannah grimpa à un arbre. Te l'ai-je jamais raconté, Clémence ? J'étais coincé là-haut – je n'étais qu'un gamin –, elle s'est hissée vers moi et m'a aidé à redescendre. Imagine donc grimper à un arbre en crinoline, en jupons et tout le bastringue !

Joshua appliqua un buvard sur sa lettre et l'écrasa vigoureusement avec le poing.

— Hannah était la dernière personne en vie à m'avoir connu gamin, dit-il avec tristesse. Avec son départ, je perds aussi une part de moi-même.

*

Eva reçut une lettre de Sadie :

«Les enfants ont eu la varicelle. Ils n'ont pas eu l'amabilité de tous l'attraper en même temps, mais l'un après l'autre. Nous sommes en quarantaine depuis des mois. Ma chère Eva, si tu as déjà eu cette sale maladie et que tu tolères une Sadie qui s'est récemment trouvée en train de parler aux cochons, je t'en prie, viens me rendre visite.»

À la gare, personne ne l'attendait. Elle marcha donc à travers champs, en direction de Greenstones. La cour et les dépendances avaient un air négligé. Les feuilles mortes n'avaient pas été ramassées sur le pavé et quelques poules ébouriffées déambulaient en picorant dans la boue. Sadie était en train de décrocher le linge du fil. Elle serra Eva dans ses bras.

— Je suis tellement heureuse que tu sois venue. Comme ça, je ne vais pas devenir complètement folle.

La maison était également en désordre. Les affaires des enfants étaient éparpillées par terre. Un tas de livres d'images traînaient dans la cuisine, comme s'ils avaient été emportés par un coup de vent. Eva trébucha sur un arc et des flèches abandonnés dans un couloir sombre.

— J'ai essayé de débarrasser les affaires des enfants, dit Sadie, mais ils les ressortent immédiatement, cela ne sert donc à rien. Ma bonne m'a désertée. Je ne la blâme pas, vu l'état des lieux. De toute façon, elle n'était pas d'une grande aide non plus. Les sols avaient souvent l'air plus sales après qu'elle les avait lavés. Mais, au moins, elle me tenait compagnie. En ce moment, il n'y a que moi, Val et les enfants — et tu sais combien Val peut être de mauvaise humeur. Je ne cesse de le surprendre en train de me jeter un regard mauvais. Tu ne t'imagines donc pas combien je suis heureuse de te voir, Eva.

Eva lava et repassa les vêtements des enfants et lut des histoires à Tolly pendant qu'il grattait ses derniers boutons. Plus tard dans l'après-midi, Sadie entra dans le salon, l'air inquiet.

— Je n'arrive pas à trouver Hero. L'as-tu vue ?

Eva alla voir en bas, tandis que Sadie montait au grenier et que Val cherchait dans le jardin et dans la cour de la ferme. Il n'y eut d'abord que l'écho de son nom appelé par l'une ou par l'autre. Puis, soudain, il y eut un cri et Eva et Sadie coururent au dehors.

Le cri venait de la mare aux carpes. Quand elles y parvinrent, Val émergeait de l'eau, couvert d'algues, la petite fille toute molle dans ses bras. Sadie devint blanche.

— Oh, mon Dieu. Oh, non ! Je t'en supplie, mon Dieu.

Val posa le visage de Hero face à l'herbe, s'agenouilla à côté d'elle et appuya sur sa cage thoracique. Il y eut un long et horrible moment pendant lequel elle demeura immobile, puis elle toussa et cracha de l'eau et des algues. Enfin, elle s'assit et se mit à pleurer. Sadie la souleva dans ses bras et la ramena à la maison.

Alors que Sadie faisait couler un bain chaud et ôtait les habits trempés de Hero, Eva vit que ses mains tremblaient. Son visage était toujours aussi pâle et son regard tendu par la peur.

— Serais-tu assez gentille pour surveiller le dîner, Eva, s'il te plaît. Le ragoût va brûler, dit-elle pourtant sur un ton calme.

Eva descendit à la cuisine. Elle aussi tremblait. Après avoir vérifié le ragoût, elle s'assit à la table. Val entra, dans ses habits trempés.

— Apparemment, il s'agissait d'une sorte de jeu. Orlando a fabriqué un bateau à partir d'une vieille bûche. C'était le Titanic, ou un truc du genre.

Il alla fouiller sous l'évier et en retira une bouteille de cognac.

— Tu prends un verre?

Eva fit «non» de la tête.

— Comme tu voudras, reprit-il.

Renversant la tête et portant le goulot à la bouche, Val engloutit plusieurs gorgées. Puis il s'essuya les lèvres avec le dos de la main et dit:

— Je ferais bien de me changer. Je pue comme un foutu égout.

Le dîner fut tranquille. Même Orlando mangea en silence. Eva remarqua que Sadie n'avalait presque rien, piquant dans la viande et les pommes de terre de temps en temps, le visage blanc et figé. Après le dîner, Eva fit la vaisselle tandis que Sadie emmenait les enfants au lit. Elle était en train de sécher les derniers couverts quand elle entendit Sadie descendre.

— Sont-ils tous couchés? demanda-t-elle.

Sadie opina.

— Où est Val?

— Il est parti au pub. Il en avait assez de la vie de famille, j'imagine.

Sadie s'assit et se couvrit le visage avec les mains. Eva n'entendit que son murmure.

— Si elle était morte – si Hero était morte –, cela aurait été de ma faute.

S'asseyant près d'elle, Eva lui tapota l'épaule.

— Tous les enfants ont des accidents.

— Les miens plus que d'autres, répondit Sadie en retirant ses mains du visage, laissant paraître de grands yeux noirs et secs. Je ne suis pas une bonne mère, Eva, c'est la triste vérité. Je ne prends pas soin d'eux comme je le devrais, et je ne les aime pas comme je le devrais. Je n'ai jamais voulu avoir cinq enfants. Je ne suis même pas sûre d'en avoir voulu un. Or, depuis que j'ai eu Rowan, j'ai l'impression de baisser les bras.

— Tu es simplement fatiguée, Sadie.

— Oui, sans doute. Depuis qu'Orlando est né, je suis constamment fatiguée. Je ne me souviens plus ce que c'est de ne pas l'être. Mais est-ce une bonne excuse? D'autres mères sont fatiguées et se débrouillent pour s'occuper de leurs enfants correctement.

Un bref sourire angoissé passa sur son visage.

— J'ai besoin d'un thé. Pourrais-tu me préparer un thé, s'il te plaît? Ces temps-ci, je me nourris de thé et de cigarettes.

Eva remplit la bouilloire et la mit sur le foyer.

— Depuis que Rowan est né, confia Sadie sur un ton calme, je ne vais pas bien. Je ne lui apporte pas d'amour, tu comprends? Quand je le regarde, je ne ressens rien. Je me convaincs que ça changera – je n'ai jamais vraiment aimé les bébés, je les préfère plus grands. Mais Rowan a deux ans maintenant et je ne ressens toujours rien pour lui. Je n'en ai parlé à personne, continua-t-elle en ouvrant son étui à cigarettes. Ni à Gabriel, ni à ma mère. Ce n'est pas le genre de choses dont on veut parler, n'est-ce pas? Une mère est censée aimer ses enfants. Mais cet après-midi, quand j'ai cru que Hero était... – elle s'interrompit en se mordant les lèvres et en lâchant un petit rire. Je devrais sans doute me féliciter qu'elle ait failli se noyer. À quelque chose malheur est bon: cela me prouve au moins que j'aime un peu mes enfants.

— Peut-être est-ce parce que tu as eu beaucoup d'enfants en peu de temps, dit Eva en lui servant une tasse de thé et en se souvenant d'Iris disant «Pauvre mère, sept enfants en quatorze ans».

— Je sais que je les néglige, Eva. Ils sont en haillons car je n'arrive pas à suivre, avec le linge et le raccommodage. Ils sont chanceux quand je me souviens de leur faire prendre un bain une fois par semaine. Savais-tu que les enfants du village ne veulent pas jouer avec eux ? Ils les traitent de romanichels et de vagabonds, et ils leur jettent des pierres. Même si je parvenais à convaincre Gabriel de les envoyer à l'école, comment diable pourraient-ils s'en sortir ? Ils ne connaissent pas leurs tables de multiplication et je ne pense pas qu'ils aient jamais récité leur prière.

Elle contempla la cuisine en désordre.

— Ce n'est pas la vie que je leur souhaite. Ce n'est pas ce que je veux pour Hero. Les hommes se fichent du désordre, n'est-ce pas ? Peu leur importe qu'une chambre ne soit pas belle. Pour les femmes, c'est différent. Ce n'est pas que je ne veuille pas que les choses soient belles, Eva. C'est juste que je n'y arrive pas. Je n'y arrive pas...

— La maison est grande, essaya de tempérer Eva. Il doit y avoir tant à faire.

— Au début, j'y arrivais. Je n'en ai plus la force. Je me sens vaincue. Pour un homme, c'est merveilleux d'être bohème, mais ça ne marche pas pour les femmes. Gabriel enjolive toujours la façon dont il errait dans la campagne avant notre mariage, dormant sous une haie ou dans un fossé. Et il aime la vie des cafés, n'est-ce pas, et tous ces amis bruyants et exubérants. Mais ce mode de vie ne convient pas à une femme. Tu connais la manière dont les hommes décrient ces femmes qui fréquentent les cafés et les pubs. Et si nous dormions dans les buissons ou sur le bord du chemin, ils nous emmèneraient sans doute à l'asile.

— Je dois dire que haies et fossés ne m'ont jamais beaucoup attirée. Ne serait-ce que parce qu'il y fait trop froid.

— Exactement. Enfin, voilà des heures que je parle de moi. Quel ennui ! Parle-moi de toi. Tu dois avoir terminé les Beaux-Arts maintenant ?

— Oui, j'ai terminé en juin.

— Tu vas continuer à peindre, n'est-ce pas ?

Eva détourna le regard, s'activant à vider les feuilles de thé dans la poubelle.

— Il faut être tellement doué pour réussir. Même Gabriel, qui est si talentueux, a parfois du mal.

— Il a été d'une humeur exécrable après sa dernière exposition, dit Sadie avec regret. Ces foutus critiques, je les égorgerais volontiers. Il est aussi toujours de mauvaise humeur quand il ne peint pas.

Des pièces de puzzle étaient éparpillées sur la table. Sadie les piocha une par une.

— La vie d'artiste est plus difficile pour les femmes que pour les hommes, poursuivit-elle doucement. Il faut renoncer à tant de choses. Je ne crois pas que cela soit compatible avec un mari et des enfants. Quand je me suis mariée avec Gabriel, j'ai essayé de continuer à peindre. Mais ce n'était pas possible. Les tâches domestiques se mettaient tout le temps en travers de mon travail – un colporteur qui sonne à la porte, le besoin de courir acheter de quoi dîner, le linge à laver... Nous habitions alors à Londres et j'avais des domestiques, mais il faut quand même les surveiller, n'est-ce pas ? Et c'était toujours à moi de penser à acheter le pain, à payer le laitier et à changer les draps du lit. Jamais à Gabriel, dit-elle avec un regard assombri. Quand j'essayais de peindre, il venait dans ma chambre me demander où était ceci ou cela, et quel jour nous allions voir tel ou tel groupe d'amis. De mon côté, je ne l'ai jamais interrompu. Et je n'ai jamais laissé les enfants l'interrompre. Alors, au bout d'un moment, j'ai arrêté d'essayer de peindre. Cela ne valait pas la peine. Orlando est arrivé et je n'ai plus guère touché un pinceau depuis.

— Quand ils seront grands, peut-être...

— Peut-être. Mais j'imagine que le brin de talent que j'avais aura depuis lors disparu.

D'autres pièces du puzzle traînaient par terre. Sadie s'agenouilla sur les dalles pour les ramasser.

— Évidemment, reprit-elle, l'ironie vient de ce que les hommes, qui dépendent de nous pour la gestion du foyer, trouvent la vie de famille peu attrayante. Surtout Gabriel. Il m'aimait beaucoup plus avant que je me retrouve coincée par la maison et les bébés. Tout cela l'effraie – les dîners sans joie avec les enfants et cette épouse harcelante qui lui dit que les

287

tuyaux d'écoulement ont besoin d'être réparés. C'est la raison pour laquelle il fuit à Londres, pour échapper à tout ça, allégua-t-elle en se relevant et en étalant les pièces du puzzle sur la table. Et c'est la raison pour laquelle il en pince tant, le pauvre, pour ses nymphes et ses gitanes.

Eva était muette. Elle sentait sa gorge se serrer et son visage être envahi par une bouffée de chaleur. Sadie assemblait les pièces du puzzle.

— Gabriel a l'habitude de tomber amoureux de femmes sauvages et inaccessibles. Les sandales, les cheveux lâchés, les habits dépareillés, tu vois, ce genre de trucs. Il poursuit ces pauvresses avec une telle obstination qu'elles ne peuvent lui résister. Ce diable peut être si entêté. Quand il m'a fait la cour, j'ai continué de l'éconduire mais il ne voulait rien entendre. Puis, une fois qu'il les a attrapées – une fois qu'il les a matées –, il réalise qu'il n'en veut plus. Ce pauvre Gabriel est fasciné par l'inaccessible. Il est inspiré par l'inaccessible. Les femmes ne sont finalement que ça pour lui, une source d'inspiration. Il nous adore et il nous respecte – contrairement à beaucoup parmi la gent masculine – mais il a par-dessus tout besoin de nous pour l'inspirer. Une fois qu'il a mis son petit oiseau sauvage en cage, une fois qu'il l'a capturé, son intérêt s'étiole. Après qu'il l'a plaquée sur une toile, il doit aller cher-cher une autre muse.

— Cela ne te dérange pas ? demanda Eva avec peine.

— Avant oui, mais plus maintenant, je ne crois pas. Je ne suis pas obligée de rester ici, après tout, déclara-t-elle en regar-dant la cuisine. Je pourrais rentrer chez ma mère. Elle m'en a souvent supplié.

— Pourquoi n'y vas-tu pas ?

— Oh, à cause de Gabriel, bien sûr. Je l'aime. Souvent, j'aimerais ne pas l'aimer, mais le fait est que si. L'aimer est comme une maladie dont je ne peux me débarrasser. Et aussi parce que ma mère crierait victoire. Elle n'a jamais aimé Gabriel. Le plus drôle est que je me suis entichée de certaines de ses muses. Je ne l'aurais pas cru, mais c'est pourtant vrai. Pas Nerissa, bien entendu : je ne pourrais jamais me prendre d'affection pour quelqu'un de si égocentrique. Mais d'autres, oui. Profondément, même, dit-elle en levant les yeux vers Eva. Et je ne voudrais pas qu'elles souffrent. Je ne voudrais pas qu'elles gâchent leur vie pour un homme qui a toujours mis son art avant tout le reste.

Cette fois-ci, le silence parut sans fin à Eva. Puis il y eut des pleurs à l'étage et Sadie quitta la pièce en disant sur un ton exaspéré :

— Rowan. Cet enfant aura vingt et un ans quand il fera ses nuits, je t'assure.

Deux jours plus tard, Eva rentra chez elle. Un télégramme l'attendait au domicile de Mme Wilde.

— Cette sale nouvelle est arrivée il y a une heure, lui annonça-t-elle avec angoisse.

Le télégramme informait Eva de la mort dans son sommeil de tante Hannah. Eva envoya un câble en retour et passa en revue ses habits noirs. Dans le train en direction de Sheffield, regardant dans le vide par la fenêtre, elle se souvint des nombreuses fois où elle était allée aux commissions avec tante Hannah, où elle l'avait poussée vers le bas de la colline dans le parc, la chaise roulante évoluant sur le macadam comme un bateau sur la mer. Puis elle pensa à Sadie, assise dans la cuisine à Greenstones et murmurant : « Je l'aime. J'aimerais souvent ne pas l'aimer, mais je l'aime. » À cet instant-là, elle sentit un énorme vide l'envahir.

Après les funérailles, ils rangèrent tous ensemble la chambre de tante Hannah. Iris réassortit une paire de bas en laine noire, Clémence et Eva plièrent et enveloppèrent dans du papier de soie des robes de bombasin et gros-grain noir, des châles à franges, des mantes, des cotillons et des jupons. Il y avait des baleines et des corsets qui faisaient trois fois le tour de taille d'Iris, des pelisses et des étoles avec un manchon en fourrure blanche, une paire de chaussons de danse en soie bleu pâle, brodés de myosotis. Un écritoire en cuir du Maroc était rempli de lettres, d'une encre marron décolorée et au papier fragilisé par les ans. Le parfum de tante Hannah, un mélange de camphre et de violette, planait dans ses appartements au milieu de sobres daguerréotypes et de paysages à l'aquarelle. Elles étalèrent sur le lit ses bijoux. Des broches, des bracelets, des colliers, des médaillons.

— Qu'envoyons-nous à Marianne? demanda Clémence.

— Pas le bracelet en poil d'éléphant, frémit Iris.

Il y avait une bague de perle et d'améthyste. De loin le plus bel objet, aux yeux de Clémence. Elle s'en saisit et la présenta à la lumière, songeant à Marianne, à des milliers de kilomètres, dans un étrange pays.

— Celle-ci, dit-elle.

*

Dans l'atelier de Gabriel, une peinture à moitié achevée était posée sur le chevalet. Eva y reconnut la chevelure sauvage, balayée par le vent, de Ruby Bailey, et la longue et pâle colonne de sa gorge. Lorsqu'elle lui apprit la raison de sa visite, il parut dévasté.

— Tu me quittes? Eva, tu ne peux pas.

— Il le faut.

— Est-ce à cause de Nerissa?

— Pas vraiment. Peut-être un petit peu. Et un peu aussi à cause d'*elle*, convint-elle en jetant un œil sur la peinture en cours. Et à cause de Sadie, bien sûr. Mais par-dessus tout, je te quitte à cause de moi. Car être avec toi ne me rend plus heureuse, Gabriel. Avant oui, et parfois encore aujourd'hui, mais pas assez à mon goût. Il y a cependant encore une chose que je veux de toi, Gabriel.

— Tout ce que tu veux.

— Je veux que tu me dises si je suis assez douée pour devenir une artiste professionnelle. Je sais que tu seras honnête avec moi.

Elle vit que son regard se tournait déjà vers la peinture à moitié achevée. Mais il répondit:

— Tu pourrais être illustratrice, peut-être – et il y a toujours la décoration d'intérieur.

— Mais pas peintre.

— C'est un enfer de gagner sa vie, Eva. C'est dur même pour les meilleurs d'entre nous. Je suis désolé.

— Merci de me parler franchement, dit-elle en s'en allant.

— Eva! Eva! cria-t-il derrière elle alors qu'elle descendait les escaliers.

Elle ne se retourna pas.

10

L'après-midi, Marianne aimait s'asseoir sous un banian, dans le jardin du bungalow. Barbicans et loriots se perchaient sur ses branches ; de temps en temps, elle apercevait un point vert ou doré. Quand une des feuilles grasses et coriaces tombait, elle faisait un bruit sourd en touchant le sol. Au cours de ces heures paisibles, elle avait le sentiment que ce qui s'était brisé en elle commençait enfin à se recoller.

Le voyage de Southampton à Colombo avait pris quatre semaines sur le paquebot *SS Pelagia*, de la compagnie P&O. La Manche grise et agitée avait d'abord laissé la place au bleu de la Méditerranée, puis à l'intense et étouffante chaleur de la mer Rouge. Il avait fallu des jours pour traverser l'océan Indien, des nuits sous des étoiles brillant comme des diamants, et des nuits où le sillage du navire était phosphorescent. Enfin, Marianne avait aperçu l'île, avec ses plus hauts sommets perdus dans les nuages. En approchant du port, elle avait vu des hommes à la peau hâlée dans des canoës outriggers, et une côte bordée de palmiers et de plages de sable.

Ils avaient passé trois nuits à l'hôtel Grand Oriental, à Colombo. Lucas avait des affaires à régler en ville ; une compatriote ayant aussi voyagé sur le *Pelagia* fit visiter Colombo à Marianne. Pousse-pousse et chars à bœufs se disputaient avec les voitures à moteur des rues pleines d'agitation ; un éléphant traînait un chargement de rondins dans l'entrée d'une scierie. Du bétail amaigri et des chiens sauvages jaunes se partageaient les rues et les allées avec les minces Cinghalais à la peau dorée, les Tamouls, les Burghers, les Afghans, les Malais et les Européens. Des étals proposaient bracelets et colliers en pierres de lune, saphirs étoilés, yeux de chat et rubis. Il y avait des ballots entiers de soies et de cotons aux couleurs splendides, des paniers en palmier remplis d'épices et de fruits.

Au marché de Pettah, dans le quartier des autochtones, les barbiers rasaient leurs clients dans la rue et les charmeurs de serpents jouaient de la flûte en cuivre à des cobras enroulés dans des paniers et aux yeux endormis. De petits bébés noirs, uniquement vêtus de colliers de perles, s'amusaient aux côtés de leurs mères.

Quand Marianne revint à l'hôtel, sa robe blanche était devenue rose à cause de la poussière rouge dans les rues. Ses narines étaient imprégnées du parfum de Ceylan, mélange d'épices, de chaleur, de douce floraison et d'humanité grouillante. L'air était épais et lourd, une certaine langueur sembla s'emparer de ses membres et quelque chose en son for intérieur, durement noué depuis longtemps, commença à se détendre. Le soir, dans cette zone entre éveil et sommeil qui, depuis la mort d'Arthur, avait été peuplée par le chagrin et l'horreur, de nouvelles images lui apparaissaient : un gamin aux cheveux noirs se baignant dans la rivière ; une église catholique décorée de drapeaux rouges ; les inscriptions en cinghalais sur les magasins, une écriture qui, avec ses courbes gracieuses et ses fioritures, lui semblait résumer l'étrange beauté des lieux.

Trois jours plus tard, ils prirent le train de Colombo à Kandy, au centre de l'île. Marianne avait emporté avec elle un roman, mais elle ne l'ouvrit pas. Ce qu'elle voyait par la fenêtre du wagon la captivait. Au-delà de Colombo, dans les plaines luxuriantes de l'arrière-pays, des femmes en sari, de l'eau jusqu'aux chevilles, s'activaient dans les rizières vert émeraude. Les aigrettes blanches épiaient les diguettes séparant les rizières, et les guêpiers, joyaux de bleu et de vert, surveillaient depuis les buissons. Elle aperçut plusieurs fois l'éclat saphir d'un martin-pêcheur furetant le long d'une rivière. Les buffles barbotaient dans les marécages tandis que grues et ibis faisaient onduler leurs longs cous. Les cascades roses et violettes des bougainvilliers et les daturas blancs bordaient les routes, les fleurs de lotus sortaient leurs têtes exquises des eaux vert olive, un varan d'un mètre cinquante traînait hors d'un ruisseau son corps noir marbré. Elle vit un grand acacia qui avait l'air suspendu à d'immenses haillons noirs.

— Ce sont des roussettes. Elles cuisent au soleil pendant le jour et se transforment la nuit en chauve-souris à l'envergure comme ça... dit Lucas en écartant les bras sur environ un mètre.

Un bateau à la proue recourbée glissait sur les flots et, dans les plantations ombragées de caoutchouc, les autochtones incisaient le tronc des arbres. De petites nacelles vertes pendaient des cacaoyers, et des noix de coco géantes, de la couleur du soleil, s'agglutinaient au sommet des palmiers. Alors que le train grimpait les collines, Marianne vit pour la première fois une plantation de thé. Sur les pentes lointaines, les rangées d'arbustes avaient l'apparence d'un rouleau de velours côtelé, vert foncé et strié. Elle sentit Lucas saisi d'une nouvelle tension, d'une impatience.

Ils ne restèrent qu'un soir à Kandy, où les arbres et les élégants toits rouges entouraient un lac bleu rectangulaire. Lucas lui raconta que, jadis, le roi de Kandy gardait ses épouses sur l'île au milieu du lac, à l'ombre des palmiers. Le lendemain matin, en voyageant de Kandy à Nuwara Eliya, Marianne vit des chutes d'eau jaillir dans des précipices rocheux et de denses collines vertes. Depuis les sombres forêts de conifères recouverts de lichens, des semnopithèques hirsutes la fixaient de leurs grands yeux de singes, abrités sous la canopée. Les nuages s'accrochaient aux fougères et à la mousse et, dans la vallée en dessous, la rivière Nanu Oya dévalait le long d'un étroit gouffre.

Nuwara Eliya signifiait la «ville lumière». Ici, l'air était vif, frais et limpide. Le manque d'oxygène et la vue incessante de lieux, de sons et de senteurs non familiers donna le vertige à Marianne. À plus de mille huit cents mètres d'altitude dans les montagnes de Ceylan, les rues de Nuwara Eliya étaient bordées de bungalows dont les jardins soignés étaient plantés de pensées, de géraniums et de kniphofias. Ils restèrent la nuit au Grand Hôtel et Marianne fit quelques courses chez Cargill.

Le lendemain, ils reprirent le train à travers les montagnes. Ils furent accueillis à la gare ferroviaire par des valets enturbannés, vêtus d'un uniforme blanc ceinturé d'une écharpe jaune. Ils avaient un cheval pour Lucas et un char à bœufs pour emmener Marianne vers la destination finale de leur périple. La petite ville, son bazar et une kyrielle de huttes s'éloignèrent tandis que les champs de thé s'étalaient de tous côtés. Lucas se pencha en avant, les yeux remplis de lumière.

— Blackwater, dit-il d'une voix douce. Voici Blackwater.

La route se rétrécit en une piste à peine plus large que l'empattement de la charrette, cramponnée à la montagne. La colline, raide et escarpée, tombait sur des centaines de mètres jusque dans une vallée. Le chemin caillouteux serpentait à flanc de coteau, en une série de montagnes russes et d'épingles à cheveux. La charrette vibrait en traversant des ponts en rondins qui surplombaient dangereusement les abîmes. Le long des ruisseaux qui dévalaient sur les rochers, Marianne remarqua des bouquets de fleurs et des rochers aux formes étranges, entourés de rubans colorés.

— Ce sont des offrandes pour les dieux, répondit Lucas quand elle l'interrogea. Les dieux des coolies tamouls qui travaillent sur les plantations de thé.

Ils parcoururent ainsi environ trois kilomètres, contournant les montagnes, la roche d'un côté et le vide de l'autre. Si la charrette avait perdu une roue, ou s'il y avait eu une chute de pierres, rien n'aurait pu les protéger d'une dégringolade mortelle. Pourtant, Marianne ne ressentit aucune peur. Elle savait qu'elle s'en sortirait – elle le devait. En effet, au fil des jours, l'espoir s'était lentement transformé en certitude. Elle était enceinte.

Quel long voyage ce fut! Ils devaient désormais commencer à se connaître davantage. Mais en atteignant Blackwater, elle avait l'impression de ne pas beaucoup plus en savoir sur Lucas Melrose que lorsqu'ils avaient embarqué à Southampton.

À l'exception de quelques points. C'était un homme de routines, se levant tôt et faisant sa gymnastique avant le petit-déjeuner. À bord du navire comme à l'hôtel à Colombo, il dînait et allait se coucher aux mêmes heures. À Londres, Marianne avait remarqué son air d'autorité et le don d'obtenir ce qu'il voulait. Les domestiques accouraient sur un claquement de doigts et d'autres passagers, moins sûrs d'eux, le considéraient avec déférence. Il était exigeant, renvoyait ses faux-cols à la blanchisserie s'ils n'étaient pas assez bien repassés, corrigea durement le conducteur du pousse-pousse transportant leurs valises quand il fit tomber l'une d'elles. Marianne mit sa colère sur le compte de la fatigue du voyage.

Pendant la croisière, ils ne discutèrent pas comme Arthur et elle le faisaient, sur des sujets futiles. Lucas était poli et instruit, répondant à ses questions et s'assurant que l'on satisfasse ses besoins. Mais le partage des petits riens et des plaisirs simples n'existait pas. Il y avait quelque chose de réprimé en lui, comme un ressort tendu, qui augmentait au fur et à mesure qu'ils se rapprochaient de Blackwater. Elle se dit qu'il languissait de rentrer chez lui, impatient de retrouver sa maison et son domaine après une si longue absence.

Parfois, le rejoignant après plusieurs heures de séparation, elle surprenait un air de surprise dans ses yeux, comme s'il avait momentanément oublié qu'elle était là. Vif et résolu, il lui demandait rarement son avis. À l'évidence, il avait l'habitude du commandement et de la solitude. Elle conclut qu'ils apprendraient à se connaître progressivement. Leur rencontre et leur mariage avaient été précipités ; on pouvait comprendre qu'après tant d'années à vivre seul, partager le quotidien ne lui était pas naturel. Elle-même ne recherchait pas l'intimité mais seulement la compagnie.

Lorsqu'elle en fut certaine, elle lui annonça sa grossesse.

— En es-tu sûre ? demanda-t-il.

C'était le soir ; ils étaient assis dans la véranda du bungalow.

— Oui, assez, répondit-elle en riant à l'expression de son visage. Lucas, je n'ai pas réussi à manger mon petit-déjeuner depuis des semaines. Et il existe d'autres signes. J'en suis parfaitement sûre.

— Bien. C'est très bien. Quand devrait-il naître ?

— En mars, j'imagine. Mais ce pourrait être une fille.

— Les Melrose n'ont que des garçons, dit-il en secouant la tête. Et j'ai besoin d'un fils pour *ça*, insista-t-il en regardant le jardin baigné par la lune.

À partir de ce soir-là, il ne partagea plus son lit mais alla dormir dans une chambre à l'autre extrémité du bungalow. Elle en fut soulagée ; lorsqu'ils faisaient l'amour, elle n'avait guère ressenti le plaisir qu'elle avait connu avec Arthur. Elle trouva très délicat de sa part de mettre son confort à elle avant son plaisir à lui, et d'endurer l'abstinence au nom de sa bonne santé.

Elle assura sa part de leur contrat, apprenant rapidement à administrer le bungalow avec souplesse et efficacité. L'habitation était grande, lumineuse et aérée, comprenant quatre chambres, une salle à manger, un salon et une salle de bains, ainsi qu'un vestibule à sept côtés, agréable et ouvert sur le devant de la maison. La cuisine et le logement des domestiques se trouvaient derrière. Toutes les pièces principales possédaient une cheminée car, dans ces hauteurs, les nuits pouvaient être fraîches.

Nadeshan, le boy, réveillait Marianne à l'aube avec un plateau de thé et de fruits frais. Puis, après le petit-déjeuner, elle vérifiait la réserve, discutait des menus et faisait approvisionner le cuisinier cinghalais. Les commandes de provisions étaient inscrites dans le « *beef book* » avant d'être envoyées. Ensuite, elle supervisait le nettoyage de la maison, allait cueillir des fleurs et les disposait dans des vases. À la mi-journée, Lucas revenait à la maison pour un déjeuner léger. Puis, au cours de la partie la plus chaude de la journée, Marianne se retirait dans sa chambre. La grossesse lui donnait de grandes envies de sommeil, comme si elle se rattrapait de toutes les nuits brisées et des réveils aux aurores qui avaient suivi la mort d'Arthur. Après la sieste, elle écrivait des lettres, avant d'être libre de se détendre dans le jardin jusqu'à l'heure du thé.

Le bungalow de Blackwater était perché au sommet d'une colline. Trois larges terrasses gazonnées s'étendaient devant la véranda. Marianne remarqua que les plates-bandes de rosiers et de plantes vivaces étaient un peu trop envahissantes. Un sentier faisait le tour du jardin et, à seulement quelques pas de celui-ci, la colline tombait abruptement dans la vallée. Un premier regard trompeur faisait penser aux jardins et aux bois d'Angleterre, mais au second coup d'œil, Marianne fut séduite, presque bouleversée, par son étrange opulence et luxuriance. Les arbres n'étaient pas les chênes et les hêtres de la forêt anglaise mais des eucalyptus, des flamboyants aux fleurs oranges, des turpentines aux troncs longs et pâles et aux feuilles duveteuses. Des abeilles sauvages essaimaient autour de ruches accrochées aux branches, aux formes curieuses ; un ficus entortillait le tronc d'un cèdre, l'étouffant par des frondes sinueuses et serpentantes. Par ici, le chant des oiseaux semblait plus fort et plus insistant qu'en Angleterre, et des nuées de papillons blancs virevoltaient au-dessus de l'herbe comme des fleurs soufflées par le vent. Des armées de grosses fourmis marchaient en colonnes à travers les sous-bois et, dans un coin à l'ombre de grands arbres, Marianne tomba sur un petit monument funéraire. Modeste triangle de bâtons en bois, il s'abritait dans les racines d'un arbre. Quelqu'un avait placé des fleurs à l'intérieur de la maison de bâtons ; des banderoles blanches battaient l'air, suspendues à des branches alentour.

Au fond du jardin, il y avait une petite maison d'été au toit en feuilles de palmiers, construite sur une plate-forme en bois qui s'avançait au-dessus du vide. De la maison, elle surplombait les nuages. Les jours de beau temps, elle pouvait voir des rangées de collines, alignées les unes après les autres, froissant et bouclant le paysage à perte de vue. De temps en temps, les collines étaient ponctuées par l'éclat argenté d'un lac ou par la couleur émeraude d'une rizière qui, à cette distance, ressemblait à un morceau de tissu brillant sur un patchwork. Sur son petit perchoir en bois, elle éprouvait une sensation de précarité et de fragilité.

Les jeunes régisseurs venaient souvent au bungalow pour le thé ; à l'occasion, un autre couple de planteurs, ou le Dr Scott ou le révérend venaient rendre visite. Assis dans la véranda dans de longues chaises en bambou, les hommes discutaient pendant que Marianne regardait les collines devenir de plus en plus bleues avant de s'évanouir à l'horizon. Les couchers de soleil, précoces et rapides car Ceylan était tout près de l'équateur, donnaient lieu à un bref flamboiement de bronze et d'or.

Puis, le courrier arrivait et on avait le temps de parcourir les lettres avant de s'habiller pour le dîner. Celui-ci se tenait à 20 heures. Enfin, ils allaient s'asseoir près du feu, dans le salon. La nuit, dans son lit, Marianne avait le même sentiment de flotter au-dessus du monde, libre et sans entraves, qu'elle avait dans la maison d'été.

Elle était tombée enceinte au cours des premières semaines de son mariage avec Lucas. Elle eut un léger ressentiment que ce miracle ne se fût pas produit durant son mariage avec Arthur, mais toute amertume fut rapidement dissipée par l'attente du bébé. Après trois mois, la nausée du matin disparut et son appétit revint. Son corps changea, sa taille s'élargit et ses seins s'arrondirent. La première fois où elle sentit l'enfant s'animer dans son ventre, elle éprouva une émotion qu'elle avait pratiquement oubliée, un mélange d'excitation, d'anticipation et de plaisir qu'il lui fallut quelques instants pour identifier comme étant du bonheur.

*

À l'automne 1912, George Lansbury, député travailliste de Bow et Bromley, démissionna afin d'essayer d'attirer l'attention sur la situation critique des suffragettes emprisonnées. Dans l'élection législative partielle qui s'ensuivit, Lansbury se présenta comme le candidat du socialisme et du vote des femmes. Son siège de campagne, sur Bow Road, voisinait celui de l'Union politique et sociale des femmes d'Emmeline Pankhurst, l'Union nationale des suffragettes de Millicent Fawcett, l'Association pour le vote des femmes, l'Union politique des hommes pour l'émancipation des femmes, la Ligue nationale d'opposition à l'émancipation des femmes, et les bureaux des commissions unionistes. La veille des élections, Mme Pankhurst elle-même ne prononça pas moins de trois discours publics à Bow, au cours de réunions qui, raconta Eva à Iris, étaient composées presque intégralement de femmes, dont beaucoup étaient venues avec leur bébé. Les bambins braillaient, rendant parfois inaudible le discours. Le soir, les associations de suffragettes se rassemblèrent devant l'église de Bow. Une fanfare joua «La Marseillaise» et le groupe se mit à défiler dans le quartier en portant des bannières et des lanternes.

Visiter Bow n'était pas vraiment la façon dont Iris aurait choisi de passer l'un de ses précieux deux jours de congé par mois, notamment pendant les pluies torrentielles de novembre, mais elle se laissa persuader par Ash. Or, en dépit d'un temps épouvantable, il régnait une atmosphère inhabituelle de carnaval dans ces misérables rues de l'East End. Les drapeaux – violet, vert et blanc pour l'Union politique et sociale, jaune, vert et blanc pour la Ligue pour la liberté des femmes – ruisselaient sur les voitures et les fourgonnettes tandis que les chœurs d'enfants entonnaient des chansons électorales. Des suffragettes se tenaient debout devant les bureaux de vote. Eva, qui guidait les électeurs dans l'un des bureaux, avait oublié son parapluie. Quand Iris et Ash la rejoignirent, elle était totalement trempée. Iris donna son parapluie à Eva et partagea celui de Ash. En marchant dans les rues, elle remarqua le nombre de gens qui saluaient Ash affectueusement. Des hommes portant des casquettes d'ouvrier s'arrêtaient pour lui parler, des femmes aux manteaux miteux, sur le revers desquels elles avaient épinglé une rosette, lui faisaient signe de la main, et les enfants couraient après lui, quémandant des bonbons.

Une jeune femme aux cheveux bruns le héla de l'autre côté de la rue, continuant de l'appeler en se faufilant à travers la circulation.

— Je vous cherchais, Ash! Je viens de quitter le magasin, je voulais fermer plus tôt, mais papa ne...

Elle s'interrompit en voyant Iris sous le parapluie de Ash.

— Thelma, dit Ash, je vous présente Mlle Iris Maclise. Iris, voici Mlle Thelma Voss.

— Enchantée, mademoiselle.

— Thelma et moi distribuons des pamphlets électoraux, expliqua Ash. On en a distribué cinq cents, n'est-ce pas?

— Presque.

— Je n'y serais jamais arrivé sans Thelma.

— Ce n'était rien, murmura Thelma en rougissant.

— Au contraire, cela me paraît épuisant, dit Iris. Habitez-vous dans le quartier, mademoiselle Voss ?

— Pas très loin. Près de Commercial Road.

— Alors nous sommes presque voisines. Je travaille à l'hôpital Mandeville.

— Mon père s'y est rendu quand il s'est blessé à la jambe.

Le regard de Thelma Voss se porta sur le chapeau d'Iris à larges rebords, avec des garnitures en mousseline couleur cerise, puis sur son nouveau manteau à col de velours, qu'Iris avait acheté chez Harrods.

— Je ne me suis pas changée, murmura Thelma.

Sous son imperméable, elle était vêtue d'un chemisier marron qui recouvrait sa robe et elle avait enroulé une écharpe autour de ses cheveux.

— Certaines de ces femmes de l'Union politique et sociale sont si élégantes, dit-elle brusquement en tirant sur son chemisier et en repoussant une mèche de cheveux sous l'écharpe. Je n'y ai même pas pensé.

— La dernière fois que j'ai vu ma sœur Eva, elle tenait un journal au-dessus de la tête pour se protéger de la pluie. Pas tout à fait un article de mode. Ne vous faites donc pas de souci, mademoiselle Voss. Êtes-vous membre de l'Union ?

— Non, repartit-elle avec mépris. L'Union n'est pas faite pour des femmes comme moi. Ce n'est pas pour les travailleuses.

— Que dire d'Annie Kenney ? interrompit Ash. N'était-elle pas une ouvrière des filatures ?

— Annie Kenney est la marionnette de Pankhurst, tout le monde sait cela, rétorqua Thelma.

— Je vais voir s'ils ont besoin d'aide au bureau de vote, dit Ash. Vous venez, non ? Ensuite je vous invite à dîner – en remerciement pour ces prospectus.

— Dîner ? reprit Thelma dont le visage s'éclaira. Eh bien, je…

— Iris et moi allions chercher un poisson-frites. Vous pourriez vous joindre à nous.

— Ce n'est pas possible, dit-elle à voix basse. J'ai promis à Nancy Smith de l'aider à préparer le thé. Et puis je dois aller m'occuper du repas de papa.

Sans crier gare, Thelma s'en alla. Une fois qu'elle fut hors de portée de voix, Iris dit :

— Elle semble vous aimer beaucoup, Ash.

— Thelma ? répondit-il, l'air surpris. C'est juste une amie.

Elle ouvrit la bouche pour le contredire – « Non, Ash, elle est amoureuse de vous » – mais elle se tut à nouveau. La tête enturbannée de Thelma Voss avait disparu dans la foule. *Pour un homme intelligent*, pensa Iris en prenant le bras de Ash alors qu'ils reprenaient leur marche, *vous pouvez être étonnamment bouché.*

George Lansbury perdit les élections à Bow et Bromley par sept cent cinquante et une voix. Pour Ash, le plus ironique avait été que, grâce à une erreur dans le registre parlementaire, une femme, Mme Unity Dawkins, avait pu voter. Mme Pankhurst elle-même était allée rendre visite à Mme Dawkins pour la persuader de voter en faveur de George Lansbury ; l'une des suffragettes l'avait emmenée en voiture au bureau de vote. Mais Mme Dawkins avait finalement voté pour Reginald Blair, le candidat conservateur, opposé au vote des femmes. Ash lui-même l'avait vue en train de brandir fièrement le bulletin bleu proclamant son soutien à M. Blair.

Un soir après le travail, Ash passa voir Thelma au magasin de son père. Elle triait un cageot de pommes, enlevant celles qui étaient pourries. Son visage s'éclaira en le voyant.

— Je voulais vous remercier pour votre aide pendant les élections, avec tous ces pamphlets à distribuer sous la pluie, dit Ash.

— Ça n'a pourtant pas servi à grand-chose, n'est-ce pas ?

— Je savais que nous pouvions perdre, on prenait un risque à faire du droit de vote des femmes le seul objet du scrutin, mais je ne pensais pas que l'écart serait si grand.

— J'imagine que certains hommes ont mal pris de voir ces belles femmes débarquer dans des lieux où on ne les verrait jamais et leur dire ce qu'ils avaient à faire.

— Oui, sans doute. Mais les conservateurs – pourquoi voter pour eux? Qu'ont-ils jamais apporté à l'East End?

— Ce sont des gens respectables, non? C'est tout ce que les gens veulent par ici. Se sentir respectables. On peut se tuer à leur parler de socialisme et de tout le reste, ce que la plupart d'entre eux veulent est de grimper d'un échelon sur l'échelle sociale. Ceux qui posent le journal sur leur table veulent avoir de quoi s'acheter des habits. Les filles qui ne possèdent qu'un châle veulent pouvoir s'acheter un manteau. Voilà leur ambition.

— Est-ce votre ambition, Thelma?

Elle ne répondit pas et posa le chiffon avec lequel elle faisait reluire les pommes.

— Voudriez-vous partager le thé avec nous? J'allais justement fermer le magasin.

— Voilà qui serait magnifique, si cela ne vous dérange pas trop.

Thelma retourna la pancarte sur la porte et baissa les rideaux. Alors qu'ils quittaient le magasin, elle lui souffla à l'oreille:

— Ne parlez pas de politique ou de ce genre de choses devant papa. Cela le rend nerveux.

Le père de Thelma était assis sur une chaise près du feu et tenta de se lever quand Ash entra dans la pièce.

— Papa, ne te lève pas, Ash ne dira rien. Je te présente Ash, un ami. Tu te souviens? Je t'en ai déjà parlé. Je lui ai demandé de rester pour le thé.

Ash parla avec le père de Thelma pendant que celle-ci préparait le service à thé. Bien qu'il pût voir une ressemblance physique entre le père et la fille – les hautes et larges pommettes, et les sourcils droits – il n'y avait rien, chez M. Voss, de la vitalité et de la force de caractère de Thelma. Il était courbé et rentré sur lui-même, répondant par monosyllabes aux nombreuses tentatives de Ash de nourrir la conversation. Son regard nerveux regardait systématiquement vers la cuisine, comme s'il était mal à l'aise en l'absence de Thelma.

Ils évoquèrent le travail de Ash, la façon dont la rue avait changé depuis que les Voss s'y étaient installés, vingt-cinq ans plus tôt, et de la pluie. Quand son père parut fatigué, Thelma l'aida à retourner à son fauteuil et Ash prit congé de lui.

Thelma raccompagna Ash en traversant le magasin. Fermant la porte du salon derrière elle, elle lui dit doucement :

— Voilà pourquoi je ne suis pas ambitieuse. Voilà pourquoi je ne fais rien d'intelligent et d'utile, comme d'autres filles.

— Je suis désolé. Depuis combien de temps votre père est-il comme cela ?

— Six ans. Depuis son accident.

— Que s'est-il passé ?

— Il a été assommé par un haquet de brasseur. Ils ont fait de leur mieux, au Mandeville, mais il n'a jamais récupéré sa jambe. Ce n'est pourtant pas le plus grave. Vous avez vu comment il est ? Maman est morte à peine deux mois avant son accident. D'une pneumonie. J'imagine que c'est la proximité des deux événements : papa ne s'en est jamais vraiment remis. Le médecin m'a dit qu'il souffrait de dépression nerveuse. Il s'irrite de la moindre chose. Le bruit en particulier – les camions qui passent devant l'échoppe, le tonnerre, n'importe quoi. Et il a toujours peur que quelque malheur m'arrive. Si je rentre en retard, il se met dans tous ses états. Quand il va vraiment mal, il déteste que je disparaisse de sa vue pendant plus de cinq minutes.

Elle regarda Ash avec un œil farouche.

— Ce n'est pas la vie que j'ai choisie. J'aurais aimé aller à l'université. Ou devenir infirmière, comme votre amie.

— Iris ?

— Oui.

Le caractère direct et féroce du regard de Thelma lui fit penser à un faucon. Elle ne le quittait pas des yeux.

— Je ne l'avais jamais vue par ici auparavant, Ash. Est-ce une vieille amie à vous ?

— Je la connais depuis des années. Iris vient de Sheffield, dit-il en souriant. C'est là que j'ai fait sa connaissance. Elle descendait une colline à vélo et le bord de sa jupe s'est pris dans la roue avant. Elle est tombée de sa bicyclette et a pratiquement atterri à mes pieds. Nous nous sommes perdus de vue pendant quelques années. Nous nous étions disputés, bêtement. C'était de ma faute.

Il se souvint de la fête à Summerleigh : Iris tournoyant dans la salle de bal aux bras d'un homme, puis d'un autre. Et il se rappela sa colère et autre chose – de la jalousie sans doute ? – qu'il avait ressentie en la regardant.

— Lorsque j'ai découvert qu'elle était devenue infirmière, ce fut un choc. Iris n'avait jamais semblé intéressée par ce genre de problèmes. Son amie Charlotte, oui. Mais Iris...

Il avait pensé autrefois, avec une arrogance qui le faisait grincer aujourd'hui, qu'Iris était idiote et frivole. Qu'il n'y avait rien derrière ces boucles dorées et ces yeux bleus d'enfant.

— Parce qu'elle est si belle, murmura Thelma. Vous ne pensiez pas qu'elle pourrait vouloir être infirmière parce qu'elle est trop jolie. La tenue qu'elle avait... c'était si élégant, ajouta-t-elle sur un ton nostalgique.

— Vous trouvez ? dit-il vaguement.

Peu après qu'il eut quitté le magasin, il entendit quelqu'un courir derrière lui pour le rattraper. Thelma lui tendait quelque chose :

— Prenez ça, dit-elle. Les gens par ici ne la mangeront pas, ils pensent que c'est du poison. Mais je demande toujours à papa d'en avoir une ou deux. Je les aime, pas vous ? J'aime penser à leur provenance.

C'était une grenade. Il la remercia et elle lui offrit l'un de ses rares sourires. Puis elle courut chez elle.

*

Pour des raisons diverses, Clémence était inquiète à propos de tous ses frères. Philip avait fini par s'habituer à l'école mais de petits riens, qui n'auraient troublé personne – un mot un peu dur, le chat d'Eva tuant un oiseau – paraissaient l'offenser profondément. On aurait dit qu'il lui manquait une épaisseur de peau, comme s'il était dépourvu d'armure face au monde. S'il avait été une fille, cela aurait moins importé, se disait Clémence. La sensibilité était louée chez une fille, méprisée chez un garçon.

Et c'est au cours d'une partie de ludo pendant les vacances de Noël que Philip se confia à elle.

— Quand je quitterai l'école, je veux devenir prêtre, lui dit-il.

— Tu veux dire pasteur.

— Non, prêtre.

Ses yeux d'un bleu profond croisèrent les siens et elle vit qu'il était très sérieux.

— S'ils m'acceptent, bien sûr. Je sais que cela peut être plus difficile en tant que converti.

— Tu veux dire… que tu veux devenir catholique?

— Oui. J'ai parlé à un prêtre. Nous avons désormais le droit de sortir le dimanche après-midi. J'étais en train de me promener autour du village et il désherbait son jardin. Je lui ai proposé de l'aider. Il est assez vieux, tu comprends. Ensuite, j'y ai beaucoup réfléchi. Je sais que père n'aimera pas ça. Je sais qu'il a toujours attendu de moi que j'intègre l'entreprise familiale. Et il n'a pas une bonne opinion des catholiques, n'est-ce pas? À ses yeux, ils sont aussi mauvais que les communistes. Mais je sais que c'est ce que je veux faire, Clem. Je sais que cela me convient. Je n'ai d'ailleurs jamais eu une telle certitude.

En l'amadouant, Philip accepta d'attendre jusqu'à l'âge de dix-huit ans pour s'engager de manière irrévocable ou pour en parler à père.

— Mais je ne changerai pas d'avis, Clem, dit-il – et elle le crut.

Ce n'est qu'au cours de cet hiver-là que Clémence commença à réaliser combien Aidan n'aimait pas James. Ils ne s'étaient jamais bien entendu – comme d'ailleurs aucun des trois frères entre eux: leurs personnalités étaient trop différentes, ils vivaient chacun sur leur orbite, autour de la planète dominante du père. Cependant, depuis qu'Aidan avait commencé à travailler pour J. Maclise & Fils, il avait nécessairement été en contact avec James. Comme une dizaine d'années les séparaient, Clémence ne les avait jamais vus comme des rivaux (si tant est que l'on puisse présenter les choses ainsi car il n'y avait de rivalité que du côté d'Aidan). Jovial et ingénu, James était incapable de la jalousie intrinsèque au sentiment de rivalité.

La nature d'Aidan était plus complexe. Clémence éprouvait souvent de la compassion pour lui : elle, la plus simple des sœurs Maclise, savait ce que c'était de ne pas être remarqué. L'incapacité d'Aidan à montrer de l'affection, son apparence étrange – cheveux roux, yeux bleu pâle incisifs, un gabarit léger qui, dans ses plus jeunes années, avait conduit son frère aîné et ses sœurs à le surnommer « la fouine » – le rendaient peu sympathique. Mais de tous les enfants Maclise, Aidan était le plus intelligent. Il savait calculer très vite des montants que Clémence aurait mis des heures à additionner. Il était naturellement vif et doté d'une pensée logique et froide dont les autres étaient dépourvus.

Aidan avait dû peiner à vivre dans une famille qui ne valorisait pas l'intelligence. Ou plutôt où père ne valorisait pas l'intelligence alors que seule l'opinion de ce dernier importait à Aidan. Joshua voyait sournoiserie et ruse dans le calme et la réserve d'Aidan. Et il ne pensa jamais à masquer ses préjugés. Clémence adorait son père mais elle devait reconnaître qu'il avait des défauts. Ainsi, sans jamais en avoir l'intention, il nourrissait le ressentiment d'Aidan envers James, en annonçant avec fierté, par exemple, les succès du second et comme à contrecœur ceux du premier. Clémence détestait surprendre la jubilation dans le regard d'Aidan lorsque Joshua et James se querellaient. Elle détestait le voir jeter de l'huile sur le feu, rappelant à père les manquements de James aux moments les plus inopportuns – ses fréquentes absences à Londres, son refus de se trouver une épouse et de s'établir pour fournir la prochaine génération des Maclise.

James lui-même paraissait moins enjoué récemment. Elle décelait une inquiétude dans son regard. Et que l'insouciant et heureux James puisse être soucieux la troublait beaucoup. Un soir, elle se trouvait dans le salon en train d'alimenter le feu en charbon quand James entra dans la pièce.

— Dis-moi, Clemmie, tu ne pourrais pas me prêter un peu de liquide par hasard ?

Elle le fixa des yeux, stupéfaite. Il rougit.

— Je sais, je ne devrais pas demander…

— Cela ne me gêne pas.

— C'est juste que... eh bien, je suis un peu ric-rac.

— Il y a mon argent de tante Hannah, proposa-t-elle, en référence à un petit héritage laissé par la grand-tante à chacune de ses petites-nièces non mariées.

— Je ne peux pas y toucher. C'est ton trousseau.

— Cela ne me dérange pas de te le donner.

— Je me sens tellement ignoble de te demander ça. Mais je suis plutôt à la peine en ce moment. Je demanderais bien à père mais tu sais comment il est.

— Et si tu lui expliquais pourquoi tu en as besoin ?

— Je ne peux pas.

— Pourquoi pas ?

— Parce que... s'interrompit-il avant de rire brièvement. Tu sais que je ne suis pas dans ses petits papiers en ce moment. Il veut que je me marie à Louisa Palmer. Et il s'accroche.

— Je sais. Tu ne veux pas ?

— Je ne peux pas, dit-il d'une voix terne.

— Tu ne l'aimes pas ?

— Oh, Louisa est une chic fille. Pas comme Alice.

— Mais tu ne l'aimes pas suffisamment, souffla-t-elle en pensant à Ivor. Tu ne languis pas de la prochaine fois où tu la verras.

— C'est un peu ça.

— Quelque chose ne va pas, James ?

— En fait, commença-t-il, le visage troublé, en fait, Clem, je suis un peu dans le pétrin.

La porte s'ouvrit. Aidan fit irruption dans la pièce :

— Edith vous informe que c'est l'heure de dîner.

Quand ils furent à nouveau tous les deux, Clémence demanda à James quel était le problème.

— Rien, dit-il avec un sourire peu convaincant. Rien du tout.

*

Marianne était tombée amoureuse du jardin de Blackwater. Elle se mit à arracher les plantes grimpantes enroulées autour des rosiers et à libérer les plantes vivaces de celles qui les étouffaient. Elle découvrit sous eux des trésors cachés : des géraniums écarlates et de minuscules pensées bleues. Elle comprit que quelqu'un avait jadis aimé ce jardin, l'avait créé, l'avait nourri.

Le bungalow tournait en douceur, sans grande interférence de sa part. Les domestiques étaient nombreux et efficaces ; il ne restait que très peu à faire pour elle. Parmi les serviteurs il y avait Rani, l'*ayah*, la bonne de Marianne ; Nadeshan, le boy ; le cuisinier et son assistant, le coolie de la cuisine et le coolie du courrier, ou *tappul*. D'autres autochtones se présentaient parfois au bungalow : le *dhobi*, qui lavait les habits et le lin en le battant vigoureusement sur des rochers dans le ruisseau ; des colporteurs itinérants venus d'Inde, qui étalaient des ballots de soie, de broderies en dentelle, en or et en argent parmi lesquelles Marianne devait choisir ; et le tailleur qui, accroupi sur le sol avec son antique machine à coudre, fabriquait rideaux, chemises et robes. Et il y avait M. da Silva, le Cinghalais qui gérait le transport du thé vers Colombo. Les cheveux noirs grisonnant au niveau des tempes, c'était un homme agréable et aimable. Il passait environ une fois par mois et apportait toujours un cadeau à Marianne – un petit bouquet de fleurs, un petit gâteau avec un glaçage vert et rose, ou une éolienne en papier afin, disait-il, de maintenir les oiseaux à distance de son beau jardin.

Deux régisseurs travaillaient sur la plantation elle-même, M. Salter et M. Cooper, ainsi que de nombreux responsables de terrain, chefs d'usine et clercs. Les régisseurs vivaient dans leurs propres bungalows, qui étaient modestes et se trouvaient à environ quatre cents mètres de celui de Blackwater. Les quelque huit cents coolies tamouls, venus à Ceylan depuis le sud de l'Inde, vivaient dans des rangées de huttes construites au milieu des champs de thé. À 6 heures, les tambours résonnaient pour les appeler au rassemblement. Ils étaient comptés et divisés en équipes, elles-mêmes supervisées par des *kanganis*, ou chefs d'équipe, avant d'être envoyés dans différentes zones de la plantation pour cueillir, désherber ou tailler. Marianne apprit que les femmes, avec leurs petits doigts fins et précautionneux, fournissaient les meilleures cueilleuses et que, pour obtenir les thés de meilleure qualité, elles ne prenaient que le bourgeon au sommet et deux feuilles du plant. Les hommes tamouls accomplissaient le travail le plus dur, celui de tailler les plants et d'en planter de nouveaux. C'étaient eux aussi qui servaient de domestiques et de clercs.

Tout le domaine de Blackwater tournait autour du thé. À l'usine, l'air était parfumé de thé ; dehors, dans les champs, l'odeur subsistait, bien que de manière plus diffuse. Sur les flancs des montagnes, des sentiers rouge-brun dessinaient des carrés et des cercles à travers les champs de thé striés d'un vert sombre. Des femmes habillées de saris aux couleurs chatoyantes, alourdies de grands paniers en palmier qu'elles portaient sur le dos, formaient de petits points au milieu des plantations. Plusieurs fois par jour, les paniers de feuilles étaient vidés ; le thé était trié pour ôter les feuilles indésirables et les brindilles, puis il était pesé avant d'être convoyé vers l'usine.

M. Salter, un régisseur rougeaud et musclé, fit visiter l'usine à Marianne.

— Le climat et l'altitude influent sur le goût du thé. S'il pleut au mauvais moment, ou s'il ne pleut pas au bon moment, le goût est altéré, ce qui, bien sûr, a des répercussions sur son prix. La production de thé est un art, madame Melrose. C'est une question de goût, de couleur et de trouver le bon équilibre.

— Et le thé de Blackwater est bien équilibré ?

— Blackwater est le meilleur thé au monde. M. Melrose est très exigeant. Et tant mieux pour lui, je vous le dis. La culture du thé est une industrie compétitive. Si vous laissez vos critères se dégrader, vous verrez bientôt vos profits s'effondrer et votre plantation être rachetée par l'une des grandes sociétés. C'est la raison pour laquelle M. Melrose a racheté les terres de Glencoe.

— Glencoe ?

— Le domaine adjacent, répondit M. Salter avec un mouvement vague de la main en direction de l'ouest. Ils ont fait faillite il y a six mois. Le proprio est devenu un peu barjo. Entre nous, madame Melrose, il était assez porté sur la bouteille. Tout le monde aime boire un coup de temps en temps, mais si vous buvez de l'arack au petit-déjeuner, eh bien, ça va pas aller, n'est-ce pas ? Enfin, quelqu'un a dit que Lipton était intéressé ; M. Melrose a donc dû agir vite. Mais le domaine a été pas mal négligé et il y a beaucoup de travail à faire. La jungle, savez-vous, regagne vite du terrain si on lui en donne l'occasion. C'est le problème avec ce pays – il est beau comme un gâteau à regarder. Quand on arrive ici la première fois, on se croit presque en Angleterre. Mais bien sûr, ce n'est pas le cas, ajouta-t-il sur un ton grognon. Ici, on a l'impression de ne rien pouvoir tenir à distance. L'endroit fait pression sur vous – il ne vous laisse jamais tranquille. Vous tournez le dos et vous avez des serpents dans la cuisine, des fourmis dans vos sacs de riz et ces foutues plantes qui vous démontent la tôle du toit, compléta-t-il en s'essuyant à nouveau le visage. Pardonnez mon langage, madame Melrose, je ne suis pas dans mon assiette aujourd'hui. J'ai un peu de fièvre.

Un samedi, ils se rendirent au Club des planteurs, dans la petite ville où se trouvaient le bazar et la gare ferroviaire. Lucas y alla à cheval et l'un des palefreniers conduisit Marianne dans un char à bœufs, le long de la piste montagneuse. Les planteurs, leurs épouses et leurs familles se retrouvaient dans un long bâtiment rectangulaire. Les hommes se regroupaient à une extrémité de l'édifice, près du bar, tandis que les femmes s'asseyaient autour de tables, à l'autre bout. Des photographies d'équipes de cricket vêtues de blanc et d'hommes moustachus armés de fusils étaient encadrées au mur.

Lorsqu'elle entra dans le Club, Marianne sentit nettement un vent de curiosité. Les regards se tournèrent vers elle et les voisins chuchotèrent entre eux. Les félicitations fusèrent et une personne fit signe au boy du Club, un vieil homme aux cheveux blancs et à la peau mat habillé d'une tunique blanche avec des boutons en cuivre, d'apporter des boissons pour offrir un toast aux nouveaux mariés. Un défilé de planteurs avec leurs épouses vint serrer la main de Marianne. Elle remarqua une hiérarchie entre eux : les propriétaires de plantations et les directeurs furent les premiers à se présenter, suivis des régisseurs. Ils se retrouvaient ensuite à des tables distinctes.

On lui présenta Ralph Armitage et les Rawlinson. Armitage était grand et corpulent avec un nez crochu. Il survola Marianne brièvement du regard avant d'entraîner Lucas dans la partie du Club allouée aux hommes. M. Rawlinson, le secrétaire du Club, cheveux blancs et corps émacié, avait une allure de spectre aux côtés de son épouse solide et dodue. Anne Rawlinson avait le teint épais et tanné de quelqu'un qui est resté trop longtemps au soleil.

— Vous êtes donc la femme qui a enfin capturé notre Lucas, rugit-elle. Laissez-moi vous regarder. Eh bien, vous êtes une jeunette. Quel âge avez-vous ? Dix-neuf ? Vingt ?

— J'ai vingt-quatre ans.

— Vingt-quatre. Je n'aurais pas cru. Vous êtes fort pâle, ma chère. Vous devrez faire attention par ici : le soleil fait des ravages sur les peaux blanches. Comment trouvez-vous Ceylan ? Blackwater est un bungalow de bonne taille. J'espère que Lucas vous a trouvé des domestiques fiables ?

— Ils ont l'air très compétents.

— Garder l'œil sur votre *ayah*, c'est mon conseil. La mienne serait déjà partie avec mes bijoux si je lui en donnais la chance, déclara-t-elle en prenant une boisson sur un plateau. Ces gens n'ont guère le sens de ce qui est bien et de ce qui est mal. Je dis toujours qu'ils sont comme des enfants.

Marianne déclina le verre. Les yeux de Mme Rawlinson se mirent à briller. Se penchant vers l'avant, elle déclara sur un ton théâtral :

— Attendons-nous un heureux événement ? Cela ne m'échappe jamais. C'est ce quelque chose sur le visage. Enfin, ne soyez pas inquiète, madame Melrose, vous vous habituerez vite à moi – tout le monde sait que j'aime être directe. C'est pour quand ?

— Mi-mars, selon le Dr Scott.

— Et vous vous êtes mariés fin juin ? repartit Mme Rawlinson, plissant les yeux pendant qu'elle faisait un rapide calcul. Ça par exemple, Lucas n'était-il pas bien pressé ! Mais bon, il n'a jamais traîné pour ce genre de choses.

— Que voulez-vous dire ?

— Rien, ma chère. Rien du tout, dit-elle en tapotant la main de Marianne. Si vous voulez savoir quelque chose, n'importe quoi, demandez-moi. Je connais toutes les ficelles : je vis sur ces collines depuis une éternité.

Une jeune femme blonde se joignit à elles. Mme Rawlinson présenta Mme Barlow à Marianne.

— Laissez-moi vous montrer notre court de tennis, madame Melrose, suggéra Mme Barlow. Nous en sommes très fières.

En sortant, Mme Barlow baissa le ton de sa voix :

— Je me suis dit que je ferais mieux de venir à votre rescousse.

— Tellement inquisitrice – et tellement condescendante ! lança Marianne furieusement.

— La première fois qu'Anne Rawlinson m'a rendue visite, elle a fureté autour du bungalow, mettant son nez partout. J'ai cru qu'elle allait venir fouiller ma garde-robe pour vérifier si la dentelle de mes jupons était correcte.

Marianne rit.

— Merci d'être venue me secourir, madame Barlow.

— Clare. Appelez-moi Clare.

— Mon nom est Marianne.

— Je vous ai entendue dire que vous attendiez un bébé. Ce doit être l'air d'ici. J'ai eu mon premier seulement neuf mois après être arrivée. Et le second une année plus tard. Les voici, dit Clare Barlow en pointant deux petites filles avec des nattes, en train de jouer à la balançoire.

— Elles sont magnifiques. Quel âge ont-elles ?

— Hilda a sept ans et Joan, six. Elles doivent bientôt partir en internat en Angleterre. Je ne sais pas comment je vais le supporter. Je l'ai repoussé autant que possible. Je vais me sentir si seule sans elles. Peut-être devrais-je en avoir un autre ? Johnnie veut un garçon, bien sûr, pour ce fichu domaine, mais je ne sais pas... J'ai été si heureuse avec mes filles. Et comme, par les temps qui courent, nous n'échangeons guère de mot aimable, sans parler de partager le même lit, le petit garçon paraît bien improbable, ajouta-t-elle en regardant son verre et en fronçant les sourcils. Je m'excuse. J'ai pris quelques verres, je ne bois pas en journée d'habitude et cela m'a monté à la tête. Johnnie et moi traversons juste une mauvaise passe. Nous avons eu une épouvantable dispute avant de venir, raison pour laquelle je bois, bien entendu. La vie de couple n'est pas facile ici, dit-elle brusquement. Je pense que l'on est trop l'un sur l'autre. Trop de longues soirées au bungalow, seuls à part les enfants et les domestiques, avec rien d'autre à faire qu'écrire des lettres, lire ou jouer aux cartes et boire avec excès. Les hommes sont tellement habitués à n'en faire qu'à leur tête, ils attendent de nous que l'on se précipite au moindre claquement de doigts, comme des coolies. Je dis toujours à Johnnie qu'il est comme un petit dieu sur son domaine. Sa parole fait loi. Les hommes peuvent faire ce qu'ils veulent et il n'y a personne pour les arrêter. Je crains que ça leur monte au cerveau. Hilda! Laisse son tour à Joan! cria-t-elle avant de sourire à Marianne. Je viendrai vous rendre visite bientôt, si cela vous va. Je sens que nous allons devenir de bonnes amies. Je suis sûre que nous avons beaucoup en commun – dont une mutuelle antipathie envers Anne Rawlinson.

Lucas défrichait les terres de Glencoe, débroussaillant les sous-bois, coupant les arbres et déplaçant rochers et débris. Quand il revenait au bungalow, à midi, ses vêtements avaient pris la couleur rougeâtre de la terre et son visage était zébré de poussière et de sueur.

Un soir, en retournant à sa chambre après être allée à la salle de bains, Marianne entendit un bruissement dans le noir. Elle leva sa bougie, illuminant les recoins du couloir, inquiète qu'un serpent se soit glissé dans la maison. Puis elle entendit un éclat de rire vite étouffé, des pas et une porte qui se ferme. Elle se précipita au salon et tira le rideau. En regardant dehors, elle ne vit d'abord que la profonde nuit tropicale, et l'obscurité dense des arbres et des plantes grimpantes qui entouraient le jardin. Puis son regard se posa sur un éclair de lumière. Mais en un instant, la lumière avait disparu, avalée par la brousse. La même chose se répéta quelques jours plus tard. Marianne remarqua qu'elle – elle était certaine que ce visiteur de la nuit était une femme, à la souplesse de ses pas et au coton brillant du sari recouvrant ses longs cheveux noirs – se dirigeait vers les habitations des coolies. Elle s'ouvrit de ce problème à Clare qui lui rendait visite un après-midi.

— Si j'étais en Angleterre, expliqua-t-elle, je ferais bien sûr congédier sur-le-champ tout domestique amenant sa petite amie à la maison. Mais ici, je ne sais pas trop quoi faire. Je ne sais même pas si ce genre de choses est considéré comme normal et si je créerais un terrible désordre en essayant de savoir ce qui se passe. Je ne veux pas demander à Lucas : il a clairement fait comprendre qu'il ne veut pas être ennuyé par la gestion de la maison. Et puis, je dois savoir me débrouiller seule.

Elles étaient assises dans la petite maison d'été à flanc de colline. Clare alluma une cigarette.

— Sais-tu qui cette fille vient visiter ?

— J'ai essayé d'en parler à Rani mais elle est restée bouche cousue. Et cela me gêne trop d'en parler aux hommes. Mais j'imagine qu'il le faut.

— Ma chère, es-tu certaine qu'elle rend visite à l'un des domestiques ?

— Et qui d'autre ? dit Marianne en la fixant des yeux. *Lucas* ? Ce n'est pas ce que tu veux dire, n'est-ce pas ?

— De nombreux hommes ont une maîtresse tamoule ou deux. Johnnie en a. Il y a une fille qu'il connaît depuis bien plus longtemps que moi. Et il y a une demi-douzaine de gamins à la peau café en bas, dans les huttes.

— Et cela ne te dérange pas ?

— Au début, si, terriblement. Mais maintenant... Tu dois te rappeler que Lucas a vécu ici tout seul depuis des lustres. On ne peut guère le blâmer s'il a eu besoin de compagnie. Non, vraiment, si elle rend visite à Lucas, mieux vaut fermer l'œil.

Le regard de Clare passa des collines au jardin puis au bungalow. Elle avait l'air mécontente.

— J'ai entendu dire que certains planteurs ont fini par devenir intimes avec leurs chiens. Sur *ça*, je marquerais la limite.

*

316

L'épidémie de diphtérie débuta au Nouvel An. Les symptômes de la maladie étaient la fièvre et le mal de gorge. Dans les cas les plus graves, une membrane gris pâle s'accrochait aux parois de la gorge, recouvrant le larynx et faisant suffoquer le patient. À cause de l'étroitesse de leur gorge, les enfants de moins de cinq ans étaient les plus vulnérables. Le seul traitement était une trachéotomie, avec insertion d'un tube respiratoire dans le cou pour contourner la voie bloquée.

En une quinzaine de jours, l'épidémie fit rage dans l'East End. Affaiblis à cause de la malnutrition, les enfants qui s'amusaient dans la rue un jour étaient morts le lendemain soir. Certains mouraient sur le chemin de l'hôpital, d'autres dans les salles d'admission. Iris fut réaffectée à une salle pour enfants, où elle et Rose Dennison passaient d'un lit à l'autre pour vérifier si les bébés n'avaient pas craché le tube de trachéotomie, tandis que la stagiaire s'occupait de changer les couches et les draps. De temps en temps, un enfant mourait. La peau qui bleuit, la gorge qui racle, suivis par ce corps immobile. Iris, qui était rapide en couture, cousait le linceul pendant que Rose faisait la toilette de l'enfant. De nombreux décès survenaient juste avant l'aube, comme si les enfants avaient abandonné la lutte pour la vie au moment le plus sombre et froid de la nuit. Certains bébés mouraient de suffocation ; pour d'autres, c'était le cœur qui lâchait, d'épuisement. Il y avait un moment où ils semblaient comprendre qu'ils étaient battus, cette lourdeur des membres et ce ralentissement de la respiration. Parfois, Iris les berçait dans ses bras au moment où ils expiraient, caressant leurs joues creuses et leur murmurant à l'oreille. Après cela, la vue de son aiguille entrant et sortant du tissu blanc se mêlait toujours au son rauque du souffle de l'enfant.

Dès qu'elle avait une demi-heure, elle s'échappait de l'hôpital. Elle était devenue experte à se faufiler hors du foyer sans que la sœur portière s'en aperçût. Elle allait chiner ou regardait sans acheter les étagères de la bibliothèque à quatre sous. Tout ce qui pouvait lui faire oublier l'atmosphère sinistre et claustrophobe de la salle d'hôpital. Parfois, elle allait voir Ash. Ils mangeaient du poisson et des frites enveloppés dans du papier journal, en se promenant dans la froidure et la neige fondue. Il l'emmena une fois au cinéma, où elle s'endormit sur-le-champ, la tête posée sur son épaule. Il dut la réveiller quand le spectacle fut fini. Lorsqu'elle ne le voyait pas pendant un jour ou deux, il lui manquait.

Une nuit, après avoir été de garde, elle dut travailler une bonne partie de la journée suivante, du fait qu'ils étaient en sous-effectif. Lorsque son service fut enfin terminé, elle aurait dû rentrer au foyer, prendre un thé et dormir. Mais au lieu de cela, après s'être changée, elle partit voir Ash. Dans la cuisine, un chien au poil gris-brun plein de nœuds ronflait dans un coin, tandis qu'un canari trillait dans une cage en osier. Iris fronça les yeux.

— Ce chien...

— Quelqu'un l'a amené ici.

— Et le canari?

— Les Turner ont déménagé à la cloche des bois. Ils étaient en retard pour leur loyer. Je leur ai donc dit que je m'occuperais du canari en attendant qu'ils soient à nouveau installés.

— Et l'évier? continua-t-elle en regardant la pile débordante de vaisselle. Oh là là, on dirait que je suis une surveillante au Mandeville. Bientôt je vais vérifier vos coins de lit. Mais franchement, Ash, vous devriez vous trouver une femme de ménage.

— J'en ai une.

— Laissez-moi deviner... vous avez choisi la plus décrépie, la plus misérable et la plus handicapée des bonnes que vous pouviez trouver car vous en aviez pitié.

— Je crains qu'elle n'ait pas été en mesure de beaucoup faire le ménage récemment. Elle a mal aux pieds. Voulez-vous que l'on en discute ou peut-être ne vaut-il mieux pas?

Elle secoua brièvement la tête et plissa les yeux en fixant le sol. Il mit ses bras autour d'elle et l'étreignit. Iris ferma les yeux, savourant la chaleur de son corps et le sentiment qu'il y avait enfin, ici, quelqu'un sur lequel s'appuyer et qui pouvait prendre sur lui une partie de l'horreur de ces dernières semaines. Elle fut tentée de laisser sa tête se poser contre son épaule et de s'endormir dans ses bras. Et par autre chose qu'elle n'avait pas anticipé:

le besoin qu'il continue de la toucher, le besoin de sentir cette main qui lui tapotait le dos venir lui caresser le cou et le visage. Et que ses lèvres, qui frôlaient ses cheveux, viennent trouver les siennes...

Mais elle se retira vivement et raconta :

— La nuit dernière, vingt-cinq enfants ont été admis à l'hôpital. Douze sont morts. Ce sont des moments où je ne sais pas ce que je fais ici. Ce sont des moments où je déteste être infirmière. Je crois que j'en ai l'odeur, dit-elle en pinçant un pli de sa robe. Cette affreuse odeur d'hôpital.

— Pas du tout, affirma-t-il. Vous sentez très bon, comme toujours.

— J'aimerais que vous me vidiez la tête de tout ça, Ash.

— Que voulez-vous faire ? Je peux vous emmener à dîner.

— J'aimerais aller danser. Si cela ne vous gêne pas de danser avec moi. Nous avons déjà dansé ensemble. À Summerleigh. Vous vous souvenez ?

— Je me souviens avoir été assez saoul, très irrité et m'être particulièrement mal comporté. Je promets de mieux me tenir cette fois-ci.

Elle prit quelques habits potables dans sa garde-robe.

— Il faut que je vous emmène faire quelques courses. Vos manches sont bien effilochées.

Sa voix paraissait planer dans l'air, légère, scintillante et transparente.

Ils se rendirent à un thé dansant dans un petit hôtel à Shoreditch. Il y avait du thé, des sandwichs, des gâteaux, un orchestre de trois musiciens, le crissement des chaussures d'enfants sur les planchers cirés, l'odeur de cigarette et de parfums bon marché. Sur une piste de danse étroite, des clercs avec des cols apprêtés dansaient avec leurs dactylographes et avec des vendeuses. Les nouveaux rythmes sonores et syncopés du ragtime emplissaient la pièce, hypnotisant les danseurs, les défiant d'y résister, apportant excitation et aspiration au changement.

Vers la fin de la danse, Iris se dirigea vers les toilettes. Des filles au teint blafard se poudraient le visage ; l'une d'elles épinglait un revers tombé, une autre portant une robe de taffetas rose était appuyée contre le lavabo et pleurait.

— Il dit qu'il m'aime, mais je sais que ce n'est pas vrai, répétait-elle sans cesse à une amie.

Iris se regarda dans le miroir. Elle était pâle et avait des poches noires autour des yeux. Les images de ces derniers jours passaient rapidement dans son esprit fatigué. Un bébé de trois mois, les cheveux dressés sur le crâne, en train de mourir dans ses bras. Son aiguille filant à travers un calicot blanc. Il lui sembla apercevoir le désespoir dans l'ombre de ses yeux. Elle ne savait pas s'il s'adressait au bébé ou à elle-même pour ce qu'elle venait de découvrir. Quelle bêtise, pensa-t-elle, de tomber amoureuse d'un homme qui, il y a plusieurs années, lui avait signifié clairement qu'il ne voulait pas d'elle. Quelle bêtise de tomber amoureuse d'un homme qui lui avait déjà brisé le cœur. Quelle bêtise de tomber amoureuse de Ash.

11

Un jour, regardant par la fenêtre du salon la visiteuse nocturne de Lucas quitter le bungalow en courant, Marianne entendit un bruit derrière elle et se retourna. Rani, son *ayah*, était debout dans l'entrée. Marianne laissa le rideau retomber.

— Comment s'appelle-t-elle ? demanda-t-elle.

Rani ne répondit pas.

— Rani, quel est son nom ?

Une lueur de peur passa dans ses yeux. Puis il y eut un murmure dans la nuit.

— Son nom est Parvati, *dorasanie*.

— Vient-elle voir le *peria dorai*[1] ?

— Madame devrait retourner au lit, dit Rani en portant sa main au front. Madame ne porte pas son châle. Elle va attraper froid.

En circulant à travers la plantation, Marianne vit les bébés dormir dans des hamacs de tissu suspendus aux branches des arbres en bord de route, pendant que leurs mères travaillaient aux champs. Quand elles la regardaient sur son passage, elle-même les scrutait, cherchant une peau plus claire, des yeux verts, ou or, ou gris. Son regard s'arrêta sur un groupe de femmes, essayant d'identifier un sari rouge ou le cliquetis des bracelets en or. À la recherche d'une fille nommée Parvati, qui partageait le lit de son mari quand elle n'y était pas.

La vie au domaine se poursuivait, avec la cueillette et la transformation du thé, et le quotidien du bungalow. Les plantations,

---

1. Dans la hiérarchie des planteurs, le *peria doria* est le chef de la plantation.

qui recouvraient les collines comme une couverture, comptaient des milliers et des milliers de ces arbustes, les *camellia siniensis*, dont la culture dictait le cours de leurs vies. Chaque nouvelle lune, Marianne entendait monter depuis le quartier des coolies le son des tambours puis, la nuit, elle voyait les flammes orangé briller dans un ciel d'encre. Drapeaux et banderoles pendaient aux toits en tôle et des fleurs étaient déposées dans des lieux d'offrande le long de la route. Un jour, après la pluie, ils trouvèrent un serpent dans la véranda, brun, enroulé et dormant au soleil. Lucas alla chercher son fusil et lui tira en pleine tête, dans un bruit qui se répercuta dans la forêt.

Ils allèrent passer deux nuits sur la propriété des Barlow, à une soixantaine de kilomètres. Le soir, Lucas et Johnnie Barlow buvaient et échangeaient des anecdotes, tandis que Marianne et Clare étaient assises près du feu, dans le salon. Quelques jours plus tard, Ralph Armitage passa à Blackwater. Au dîner, sa forte voix remplissait la pièce et son grand corps s'étalait sur sa chaise, jambes écartées, mangeant et buvant copieusement. Il s'adressait rarement à Marianne. Elle sentait qu'il la trouvait insignifiante et indigne de son attention. Dès que le repas fut fini, elle quitta la pièce. Leurs voix continuèrent de résonner dans le bungalow. De temps en temps, Marianne entendait le bruit des pas légers et rapides de Nadeshan, se précipitant pour aller chercher une autre bouteille d'arack. Elle venait de s'endormir quand elle fut réveillée par des coups de feu. Le bruit des fusils crépitait dans le jardin. Le lendemain matin, elle trouva près des racines du banian un milan sacré aux plumes dorées ternies et ensanglantées.

Au Club, les yeux inquisiteurs d'Anne Rawlinson étudiaient la courbe du ventre de Marianne.

— Vous devez avoir dépassé les six mois, ma chère. Comment vous sentez-vous ?

Elles étaient assises dans la véranda du Club. Un tournoi de tennis se déroulait, et l'après-midi était ponctué du bruit des raquettes et des balles et d'un « out ! » crié haut et fort.

— Je vais très bien, merci Anne.

— Le Dr Scott vous surveille, n'est-ce pas ? C'est un homme bon, l'un des meilleurs. Nous dépendons tous de lui.

Le Dr Scott avait les mains chaudes et moites, et sentait l'odeur de la pipe. Quand il visitait Blackwater, il restait toujours pour la soirée, buvant avec Lucas. Marianne changea de sujet.

— J'ai taillé les rosiers dans le jardin. Ils ont été assez négligés et avaient trop poussé.

— Je me souviens du temps où les roses de Blackwater étaient les plus belles de la région. C'est la mère de Lucas qui les a plantées. Sarah était une formidable jardinière. Elle avait la main verte, même si elle n'en avait pas l'apparence.

Aucune photographie ou tableau de Sarah Melrose ne figurait dans le bungalow de Blackwater. Marianne était curieuse au sujet de cette femme qui avait créé ce jardin.

— À quoi ressemblait-elle?

— Cheveux blonds et yeux bleus, répondit Mme Rawlinson en allumant une cigarette. Le genre de femmes à rendre fous les hommes. Elle faisait d'eux ce qu'elle voulait sans qu'ils s'en aperçoivent, les imbéciles.

— Cela a dû être douloureux pour le père de Lucas quand elle est morte.

— Morte? répéta-t-elle en grattant une allumette contre du bois d'amadou. Sarah n'est pas morte. Elle s'est enfuie avec un négociant en bois de Colombo.

— Mais Lucas m'a dit...

Elle s'interrompit. Qu'avait dit Lucas? Elle avait du mal à se rappeler ses mots exacts. «J'ai perdu ma mère il y a longtemps.» L'expression du visage de Mme Rawlinson parut fervente et pleine de désapprobation.

— Pas le haut du panier, le petit ami de Sarah Melrose. Et entre vous et moi, il avait plus qu'un peu de sang mêlé. Cela n'a pas duré, bien sûr. Six mois plus tard, elle quittait l'île. J'ai eu de la peine pour le petit. Lucas n'avait que quatre ans. Et George Melrose n'était pas un homme facile. Trop porté sur la boisson. On racontait des choses...

Un ange passa. La phrase resta suspendue, incomplète.

— Lucas, mon chéri, dit Anne Rawlinson en levant les yeux avec un petit rire, ne joues-tu pas au tennis? Je croyais que oui.

— Vous savez que non, Anne.

Ils quittèrent le Club peu de temps après. Lucas était à cheval et Marianne dans le char à bœufs. Ils étaient sortis de la ville et avaient entamé la piste montagneuse quand Lucas demanda :

— Mme Rawlinson, que te racontait-elle ?

Avec un ton perfide dans la voix, elle répondit :

— Nous ne faisions parler que du bébé. Et du jardin de Blackwater.

Il approcha sa monture le long de la charrette. Marianne eut l'impression d'avancer au bord du précipice.

— Je voulais dire autre chose, Marianne. Que t'a-t-elle dit sur ma mère ?

— Rien d'important, Lucas.

— Dis-le moi.

— J'ai juste compris que j'avais fait une erreur idiote. Je croyais que ta mère était morte quand tu étais jeune.

— Et cette garce, qui se mêle de ce qui ne la regarde pas, t'a dit autre chose ?

Elle chercha son souffle, jeta un œil sur le palefrenier qui restait impassible, les yeux fixés sur le virage.

— Que t'a-t-elle dit d'autre ?

— Rien. Et ce qu'elle a dit, je ne l'ai pas cru.

Il fut silencieux pendant un moment. Puis il reprit :

— Je suppose qu'elle t'a dit que ma mère avait mis les bouts, en me laissant à Blackwater avec *lui*. Pourquoi les femmes doivent-elles raconter des ragots ? Piaf, piaf, piaf, comme des pies, à mettre leur bec dans les affaires des autres.

Il éperonna son cheval et, dans un nuage de poussière rouge, disparut en galopant au-delà d'un promontoire rocheux. Ce soir-là, au dîner, seule la fluidité des mouvements de Lucas et une légère désarticulation de la voix lui indiquèrent qu'il avait bu. Le silence demeura, interrompu par le cliquetis des assiettes et des verres. Ni l'un ni l'autre ne mangea beaucoup.

Nadeshan était en train de débarrasser la table quand Lucas déclara :

— Si tu veux savoir, ma mère est morte il y a neuf mois. C'est la raison pour laquelle je suis allé à Londres. On m'avait dit qu'elle était malade et je pensais que la sale garce m'aurait peut-être laissé quelque chose. Mais non. Pas un centime.

Son regard voilé et gris glissa sur Marianne.

— J'avais besoin d'argent pour acheter des terres, tu comprends. Mais cette putain m'a encore laissé tomber. Même dans la mort.

Il se leva. En quittant la pièce, il se retourna vers elle.

— Je ne pense pas que tu devrais retourner au Club, dit-il sur un ton froid. Pas dans ta condition. Le chemin est trop cahoteux. Une roue de la charrette peut se dévisser, et je ne veux pas qu'il arrive quelque chose au bébé.

Marianne rejoignit sa chambre. Assise sur le lit, elle pouvait voir ses mains trembler. Aucun homme ne lui avait jamais parlé de cette manière. Ni son père, ni ses frères, ni Arthur n'auraient jamais utilisé de tels mots devant une femme. Et jamais sur ce ton.

Elle réalisa soudain l'obscurité de la nuit, la nature étrangère de cette terre, et l'immense distance qui la séparait des gens qu'elle aimait. En pensant à ses sœurs, elle sentit un pincement presque douloureux. Son regard se posa sur son écritoire. Le samedi soir, elle écrivait le plus souvent à Iris, Eva et Clémence. Qu'allait-elle leur dire ? « Je crains d'avoir commis une terrible erreur. J'ai peur de ne pas du tout connaître mon mari. » Mais le papier et les enveloppes restèrent intacts.

Au matin, ses craintes lui parurent disproportionnées, voire légèrement hystériques. Quelle horreur de perdre sa mère à un âge si précoce ! Et quel geste impardonnable que celui d'abandonner son propre enfant ! Rien de surprenant à ce que Lucas détestât entendre des potins sur sa mère. Marianne était certaine que la paternité révélerait le meilleur de lui. Quant à son goût pour la boisson, beaucoup d'hommes buvaient trop et beaucoup étaient désagréables quand ils buvaient. Elle avait eu la chance d'avoir été, jusqu'ici, avec des hommes qui savaient se contrôler. Elle devait être patiente : Lucas travaillait dur et il était éreinté. Ils n'avaient pas encore eu l'occasion de découvrir la compagnie que ce mariage lui avait surtout fait espérer. Lorsque les terres de Glencoe seraient défrichées, ils auraient du temps pour apprendre à mieux se connaître.

Les semaines passèrent. Ses réserves sur son mariage étaient compensées par la beauté du paysage et, évidemment, par l'arrivée de l'enfant. Cela ne la dérangeait pas de ne plus aller au Club. Elle ne s'était jamais sentie à l'aise au milieu d'étrangers, préférant la compagnie d'amis proches. Le caractère artificiel de la bonne société persistait même ici, à Ceylan, parmi les planteurs et leurs épouses. Elle préférait le jardin de Blackwater, son sanctuaire, son paradis.

*

Au cours des derniers mois, les satisfactions que le métier d'infirmière avait offertes à Iris paraissaient diminuer. Elle mit cela sur le compte de Sœur Dickens, responsable de la salle dans laquelle elle travaillait depuis la fin du mois de février. Iris ne s'entendait pas avec Sœur Dickens, très à cheval sur le soin, la propreté et la discipline. Au Mandeville, toutes les infirmières en chef étaient tatillonnes là-dessus mais il y avait chez elle une froideur envers les patients qu'Iris n'appréciait pas. Beaucoup d'infirmières qui avaient travaillé au Mandeville depuis des années étaient comme Sœur Dickens – vigoureuses et efficaces mais sans grand sentiment pour leurs patients. Rien ne semblait les toucher. La mort, la perte et le chagrin semblaient glisser sur elles comme la pluie sur une feuille de laurier.

Iris s'inquiétait parfois de devenir comme elles. Depuis l'épidémie de diphtérie, quelque chose en elle s'était durci, comme si elle n'avait eu qu'une dose limitée de sentiments à éprouver. Elle savait qu'elle était fatiguée, que son travail était exigeant et que personne ne pouvait maintenir un tel rythme. Elle savait également que la réponse était d'aller ailleurs et d'essayer quelque chose de différent. Seule une poignée d'infirmières de sa promotion étaient encore à Mandeville. Les autres avaient rejoint d'autres hôpitaux ou étaient devenues infirmières privées. Sur le panneau d'affichage du foyer, des lettres et des offres d'emploi pour travailler chez des particuliers étaient punaisées. Elle y jetait parfois un coup d'œil, mais elle n'avait jamais postulé. Et elle savait que c'était à cause de Ash. Pour lui, elle n'était pas en manque de sentiments. Au contraire, ses émotions ressemblaient à d'épuisantes montagnes russes entre espoir et désespoir. Elle les cachait pourtant bien : suffisamment d'hommes avaient été amoureux d'elle pour qu'elle en connaisse les symptômes et qu'elle évite de les exhiber. Il lui traversa l'esprit d'essayer de le séduire – elle n'avait pas oublié ce jeu-là non plus : un sourire différent, un frottement de mains. Mais elle ne voulait plus de cela.

Jamais n'avait-elle été aussi dans le doute à propos d'un homme. Elle n'arrivait pas à savoir s'il était attiré par elle ou si elle n'était qu'une amie, une parmi tant d'autres. Et si, dans ce cas, elle pourrait s'en contenter. Elle pensait parfois que oui. L'amitié lui avait suffi dans le passé – pourquoi pas aujourd'hui ?

Elle languissait d'être seule avec lui mais cela n'arrivait que rarement. À part les pères et les frères, les visiteurs masculins n'étaient évidemment pas autorisés au foyer des infirmières. De leur côté, les amis de Ash entraient et sortaient de sa maison comme les vagues sur la plage, mangeant à sa table, dormant sur son divan, frappant constamment à sa porte. Thelma Voss était une habituée. De temps en temps, Iris surprenait son regard noir et dur sur elle et y devinait un air de défi.

Elle chérissait les moments qu'ils passaient ensemble. Mais elle se demandait combien de temps cela pourrait durer. La duperie qu'elle vivait constamment l'épuisait : ne jamais lui faire savoir, ne jamais lui faire deviner (elle ne prendrait pas ce risque une seconde fois), et l'envie de le toucher, de passer sa main dans ses cheveux, de poser ses lèvres sur les siennes. L'intensité de son désir la surprenait.

Il lui arrivait de haïr le fait d'être tombée amoureuse de lui. De ne pas être restée l'autre Iris, celle qui avait toujours le dessus, qui menait le jeu. Si c'était ça l'amour, cela ne lui disait guère.

*

Le ventre de Marianne s'arrondissait comme un fruit mûr et ses membres devenaient plus lourds. La chaleur la fatiguait ;

elle se déplaçait de la véranda au banian et à la maison d'été, à la recherche d'ombre. Son monde s'était réduit au bungalow et au jardin. Elle ne s'aventurait plus sur le domaine ou en ville. Quatre semaines avant la date prévue de l'accouchement, ses mains et ses pieds devinrent bouffis et ses bagues n'allaient plus à ses doigts. Même la marche vers la maison d'été la fatiguait – à mille huit cents mètres, l'air était raréfié, l'oxygène manquait. Le bébé faisait pression contre ses côtes et contre son estomac; il lui était plus difficile de manger et de respirer. Le soir, au lit, elle était incapable de trouver une position confortable, son corps lui paraissait pesant et étranger. Aux petites heures du jour, allongée mais éveillée, la moustiquaire brouilla le mouvement précipité d'un gecko vert sur le plafond. Elle entendit au dehors un bruissement dans la jungle, un battement d'ailes et des pas dans la nuit.

Le temps était sec depuis plusieurs semaines quand, un matin, Marianne fut réveillée par le bruit du tonnerre. Les éclairs fendirent le ciel mais quand bien même les nuages s'assemblèrent et assombrirent le ciel, il n'y eut point de pluie. Ils étaient en train de prendre leur petit-déjeuner dans la véranda quand M. Salter arriva au bungalow pour annoncer à Lucas que la foudre avait frappé les terres de Glencoe et que la brousse avait pris feu. Attrapant son chapeau et sa cravache, Lucas ordonna que l'on selle son cheval.

Marianne se sentit agitée toute la journée, incapable de se concentrer sur quoi que ce fût. Les éclairs continuaient de déchirer le ciel dur et sec. On sentait une vibration dans l'air chaud et immobile, comme si un événement considérable allait survenir. Quand Lucas revint au bungalow, en début de soirée, ses habits et sa peau étaient noircis. Ses yeux pâles brillaient à travers la poussière et la sueur.

Marianne vint à sa rencontre dans la véranda.

— As-tu éteint l'incendie?

Il fit «oui» de la tête et appela Nadeshan qui accourut. Lucas donna au boy son *topee*[1] et s'assit de façon à ce que Nadeshan puisse lui retirer ses bottes.

---

1. Casque colonial.

— Apporte-moi à boire, nom d'un chien, lança-t-il sur un ton cassant. Et dépêche-toi!

Nadeshan partit en courant vers la maison.

— Nous avons perdu la moitié des nouveaux plants, dit-il.

— Sur les terres que tu venais de défricher? Je suis désolée, Lucas.

— Tout ce travail parti en fumée.

Il alla vers la rampe de la véranda et frappa durement du poing.

— Le sol est comme du bois sec. Il faut qu'il pleuve!

Nadeshan réapparut avec un plateau. Se dirigeant rapidement vers Lucas, il trébucha sur le coin mal raboté d'une planche et, alors que la bouteille et le verre valsaient pour aller s'écraser sur le plancher de la véranda, Lucas jura d'une voix rageuse et le frappa durement sur le côté de la tête, l'envoyant s'étaler par terre. Un autre serviteur accourut avec un nouveau verre et une bouteille de gin. Une marque rouge foncé couvrait le visage de Nadeshan et ses doigts saignaient tandis qu'il ramassait fébrilement les éclats de verre. Les domestiques se retiraient dans la maison quand Lucas leva les yeux vers Marianne.

— Quoi?

— Lucas…, murmura-t-elle sous le choc.

— Réponds, Marianne, dit-il en plissant les yeux.

— Tu l'as frappé. Tu as frappé Nadeshan.

Il éclata de rire.

— Mon Dieu, tu ne vas pas me donner de leçons sur *ça*, hein?

— Lucas, c'est encore un enfant!

— C'est un serviteur, répliqua Lucas durement. Un serviteur maladroit et négligent.

— Tu ne dois pas battre les serviteurs. C'est mal.

— *Doux Jésus*. Tout le monde frappe ses serviteurs de temps à autre.

— Arthur n'aurait jamais frappé un serviteur!

Ses yeux devinrent noirs.

— Ton chéri d'Arthur. Qu'est-ce que j'en ai marre de ce saint Arthur, en reprenant la bouteille et en faisant une moue.

Qu'est-ce que ça me fatiguait, en Angleterre, d'écouter ces récits monotones sur ton parfait mari. Encore heureux qu'il soit mort avant que vous ayez eu le temps d'en avoir marre l'un de l'autre.

— C'est vraiment méchant de dire ça! cria-t-elle. C'est terriblement méchant! Tu es épuisé. Ou saoul. Je ne veux pas en entendre davantage.

Mais il l'attrapa par le poignet, l'empêchant de quitter la véranda.

— Ne pars pas. Notre petite conversation me plaît.

Elle essaya de se libérer. Il se leva en un mouvement souple et vif.

— Je t'ai dit que je ne veux pas que tu t'en ailles, Marianne. C'est impoli de partir au milieu d'une conversation, ne sais-tu pas cela? De quoi parlions-nous? Ah, oui, d'Arthur. Ton saint homme de mari.

Elle pouvait sentir la chaleur de son haleine.

— Lâche-moi. Sa voix tremblait. Lâche-moi, Lucas.

— Pourquoi ne pouvons-nous pas parler d'Arthur? Nous en parlions sans fin en Angleterre. Parle-moi donc, Marianne.

Ses doigts écrasaient son poignet. Des larmes de douleur lui montaient aux yeux mais elle les retint.

— Non.

— Pourquoi pas? demanda-t-il en serrant davantage.

— Parce que je...

— Parce que tu l'aimais?

— Oui, répondit-elle en se confrontant à ce regard dur. Parce que je l'aimais.

Il la lâcha. Elle tremblait et dut s'agripper à la véranda. Reprenant son verre, Lucas se rassit, regardant le jardin dans la lumière du crépuscule.

— Le problème avec toi, Marianne, dit-il avec douceur, est que tu continues de vouloir croire aux contes de fées. L'amour. Ne sais-tu pas que cela n'existe pas?

— Bien sûr que cela existe, affirma-t-elle avec colère.

— Ce que tu ressentais pour ton saint homme de mari était du désir, pas de l'amour.

— Ce n'est pas vrai...

— Oh si. Seuls le désir et l'intérêt personnel existent. Rien d'autre. C'est tout ce qui nous anime.

— Non...

— Non ? Alors réponds à cette autre question, Marianne. M'as-tu épousé par amour ?

Elle fut saisie par ces yeux gris et brillants, hypnotisée comme un lapin par un serpent. Il rit à nouveau.

— Bien sûr que non ! Tu ne te souciais pas du tout de moi. Tu m'as épousé parce que tu es le genre de femmes trop faible pour vivre par elle-même et qui a besoin de vivre aux crochets d'un homme. Eh bien, comprends bien cela, Marianne : je ne t'aimais pas non plus. Je ne t'ai jamais aimée. Tous ces mots doux que j'ai dû te débiter avant que tu m'acceptes – ses traits se tordirent en un masque de dégoût – mon Dieu, tout ce que j'ai dû faire pour les prononcer... Parfois il fallait que je me saoule pour être capable de déblatérer ces idioties.

Elle sentit quelque chose se rompre et s'écrouler en elle. Elle parvint pourtant à répondre :

— Alors pourquoi t'es-tu marié avec moi ?

— Que crois-tu ?

— Était-ce pour mon argent ?

— Bien sûr. Quoi d'autre ?

— Alors nous allons bien ensemble, non ?

— Toi, aller bien avec moi ? reprit-il en riant encore. Regarde-toi bien dans la glace la prochaine fois. Regarde bien à quoi tu ressembles vraiment.

Il s'arrêta pour remplir son verre à nouveau. Puis il dit sèchement :

— Maintenant, laisse-moi. Tu me casses les pieds.

Elle alla dans sa chambre. Elle savait désormais qu'elle avait commis une terrible erreur. Elle s'était mariée à un homme cruel et dépourvu de sentiments. «Seuls existent le plaisir et l'intérêt personnel.» Ce n'était pas vrai. Lucas était peut-être incapable d'aimer, mais Arthur et elle s'étaient aimés. Rien ne pourrait changer cela. Elle quitterait Blackwater dès le lendemain matin. Attrapant un sac, elle se mit à y fourrer des vêtements. Mais une vague de vertiges et d'épuisement la submergea et elle dut s'asseoir sur son lit, toute tremblante. Elle ferait ses bagages demain, se dit-elle.

Elle avait des élancements au poignet que Lucas avait serré. Elle ressentit une autre douleur, sourde et intermittente, dans le creux des reins, lancinante depuis le début de la journée et qui s'aggravait soudain.

Elle s'allongea sur le lit et, épuisée par le choc et la détresse, s'assoupit. Le gong annonçant le dîner la réveilla. Pendant son sommeil, la douleur avait empiré et enserrait désormais son abdomen comme un étau. Elle resta au lit, adossée aux oreillers. On frappa doucement à la porte. Rani entra.

— C'est l'heure de dîner, *dorasanie*.

— Je n'ai pas faim, répondit-elle, s'inquiétant de sentir à nouveau cette douleur. Je crois que quelque chose ne va pas, Rani !

Rani s'approcha du lit, posa sa fine main brune sur le ventre de Marianne.

— Tout va bien, *dorasanie*. Bébé en train de venir, c'est tout.

— Le bébé ?

— Regardez, *dorasanie*.

Elle prit la main de Marianne dans la sienne et la plaça sur son ventre. La douleur s'intensifia et son ventre distendu se durcit.

— Le bébé va naître bientôt. Ce soir peut-être.

Elle fit mine de quitter la pièce, mais Marianne l'arrêta par la main.

— Ne me laisse pas, Rani !

— Je dis à Monsieur. Lui chercher médecin, sourit Rani. Ensuite, je reviens.

Elle se retrouva seule. Le souvenir de la dispute s'évanouit, noyé par le rythme implacable des douleurs de l'accouchement. Peu après, elle entendit le bruit des sabots d'un cheval s'éloignant dans la nuit. Rani revint dans la chambre. Elle massa le dos de Marianne et lui donna une boisson amère. La douleur diminua pendant un moment. La pluie, qui s'était mise à tomber avec la nuit, martelait maintenant le toit de tôle de la véranda. Elle entendit enfin le retour du cheval, puis des pas et des voix – celles de Lucas et du médecin entrant dans la maison.

Le Dr Scott l'examina en lui faisant des choses innommables et douloureuses, de sorte qu'elle essaya de le repousser.

— Allons, allons, madame Melrose, dit-il de sa voix onctueuse, vous devez vous calmer.

Elle perdit alors la mesure du temps, consciente uniquement du rythme incessant de la douleur et du tambourinage de la pluie torrentielle sur le toit. Contre sa volonté, on avait fait sortir Rani et, alors que la pluie s'était brièvement calmée, elle entendit le Dr Scott dire doucement, à Lucas sans doute :

— Elle a l'air fatiguée. Si les choses ne s'accélèrent pas, il me faudra lui donner du chloroforme.

Dès lors, au milieu de la douleur et de l'épuisement, cet acier froid qui s'était planté en elle à la mort d'Arthur resurgit et elle se jura silencieusement qu'elle verrait son enfant naître et qu'elle serait là à chaque instant de sa vie pour l'aider dans son voyage dans le monde.

Son fils naquit au lever du jour. Une terrible contraction et son corps se détacha du sien. Puis il cria. Elle insista pour qu'on le mette dans ses bras, quand bien même elle fût presque trop faible pour le tenir. Ce fut le coup de foudre, le deuxième de sa vie. Des yeux bleu foncé croisèrent les siens furtivement. Elle lui était liée pour la vie.

La pluie ne cessait pas. Avant de sombrer dans le sommeil, elle regarda par la fenêtre vers la véranda et elle vit Lucas avec son fils dans les bras, tendre la main sous la pluie et toucher le front du bébé avec le bout des doigts, comme s'il le bénissait avec un petit bout de Ceylan.

*

Par un mois de mai frais et venteux, Ash tomba malade. Son teint pâle, sa minceur et ses yeux cernés alarmèrent Iris.

— J'ai une petite toux, expliqua-t-il quand elle lui rendit visite chez lui. C'est bien ennuyeux.

— Avez-vous vu un médecin ?

— C'est juste une bronchite. J'ai déjà eu ça.

— Vous devriez prendre davantage soin de vous. La bronchite est une maladie sérieuse. Les gens en meurent, vous savez.

— Je n'en ai aucunement l'intention.

— Heureuse de vous l'entendre dire. Mais honnêtement, reprit-elle en le regardant sévèrement, avez-vous mangé?

Elle commença à ouvrir les placards de la cuisine, y trouva un morceau de pain et un peu de fromage déjà sec.

— Je n'ai pas faim.

— Vous n'irez pas mieux en ne mangeant pas.

— Ne soyez pas en colère, chère Iris, s'il vous plaît. Vous ne savez pas combien vous faites peur quand vous êtes en colère.

— Je ne suis pas en colère, dit-elle en faisant un effort. Je suis juste inquiète pour vous.

— Thelma a été merveilleuse. Elle a promené le chien tous les jours.

Iris tisonna un peu le feu. Quelques rares braises fumaient sous un tas de cendres.

— Il fait un froid de gueux ici.

— Je crains d'être à court de charbon.

— J'imagine que vous l'avez donné à quelqu'un, soupira-t-elle.

— La femme de Mark Collins vient d'avoir des jumeaux. Mark est malade et il n'a pas pu travailler, alors… expliqua-t-il en toussant à nouveau.

— Asseyez-vous, lui ordonna-t-elle en lui tendant un verre d'eau. Buvez ça et restez tranquille.

— Tyran, maugréa-t-il.

Iris nettoya l'âtre et partit acheter du charbon. Elle usa de son charme pour convaincre un employé de lui porter le sac jusqu'à la maison. Une fois le feu allumé, elle alla acheter du bœuf pour un pot-au-feu, un poulet et des légumes. Ash entra dans la cuisine.

— Que faites-vous?

— Une soupe aux légumes. Un bouillon de viande. Pourquoi souriez-vous?

— Iris Maclise en train de cuisiner…

— Oui, je sais, il n'y a pas si longtemps, je ne savais même pas ce à quoi servait un fourneau. Mais c'est très apaisant, en fait.

En dépit de son désordre, la maison de Ash était agréable. Il y avait des livres, un piano et quelques jolis meubles et tapis. Et il était si doux d'être, pour une fois, entre eux, sans la horde des amis de Ash. *Terrain dangereux, Iris*, se gronda-t-elle, *tu avances sur un terrain dangereux.*

— Quand je m'y suis mise au Mandeville, raconta-t-elle sur un ton léger, la sœur m'a dit de préparer un bouillon de viande pour les patients. Je n'en avais aucune idée. J'ai donc simplement jeté la viande dans de l'eau et j'ai fait bouillir pendant des heures. C'était complètement immangeable, bien sûr. La sœur était furieuse contre moi.

— Pourquoi avez-vous choisi de faire ça?

— Quoi? De massacrer le bouillon?

— Non, évidemment. Pourquoi êtes-vous devenue infirmière?

— Car je ne voyais pas que faire d'autre, avoua-t-elle, soulagée de dire la vérité. Je ne supportais pas que Marianne se soit mariée avant moi. C'était *moi* l'aînée, c'était *moi* la plus jolie, c'était *moi* qui devais me marier la première. Ensuite, père a accepté qu'Eva parte aux Beaux-Arts et j'ai vu ce qui me pendait au nez.

— Votre mère...

— Exactement. J'allais être celle qui devrait rester à la maison pour s'occuper de mère. Vous voyez: ce n'était pas du tout une noble ambition. Voilà, Ash, êtes-vous déçu?

— Devrais-je l'être? dit-il en regardant avec curiosité dans la casserole. On dirait que ça brûle un peu – dois-je faire quelque chose?

— Tenez, remuez juste un peu, indiqua-t-elle en lui tendant une cuillère en bois. Il fut un temps où vous me trouviez plutôt superficielle.

— Vraiment? Quelle idée odieuse de ma part.

— Vous suggériez que j'étais uniquement décorative.

— Ma foi, vous l'êtes. Mais pas uniquement.

— En fait, dit-elle en soupirant, vous aviez raison. Tout ce que je voulais était un splendide mariage avec un prince charmant et riche qui arriverait sur son cheval blanc et m'emmènerait.

Il était appuyé au fourneau et la regardait.

— Et vous ne l'avez jamais rencontré ?

« Je l'ai rencontré il y a quatre ans, je suis tombée à ses pieds, il m'a relevée et m'a bandée la main blessée avec son mouchoir. » Ces mots lui brûlaient la langue, elle aurait fort bien pu les prononcer et tant pis pour les conséquences. Mais elle se rappela la blessure qu'il lui avait infligée dans le jardin de Summerleigh, à l'issue de la fête. Elle ne souffrirait pas d'endurer cela une seconde fois et dit donc :

— Vous me connaissez, Ash. Je suis très *difficile*.

— Bon sang, oui. Et aussi têtue qu'une mule…

— Quel toupet ! Vous êtes loin d'être la personne la plus facile au monde !

— Moi ? Je suis on ne peut plus facile.

— Vous êtes en tous points aussi difficile que moi.

— Vous m'accusez toujours ne pas être assez tatillon. Y compris pour mon habillement…

— Vous ne savez pas du tout vous habiller.

— Et ma nourriture…

— Vous n'êtes pas obligé de vivre de pain et de fromage.

Il toussa à nouveau. Quand il put reprendre la parole, il dit :

— J'apprécie sincèrement tout ça, Iris. Je sais que vous n'avez pas beaucoup de temps libre. C'est très gentil de votre part.

— Je vous aide parce que les hommes ne semblent jamais savoir s'occuper d'eux tout seuls.

— Mince, moi qui espérais que c'était parce que vous m'aimiez bien.

Le silence se chargea d'électricité. Il allait poursuivre quand on frappa à la porte. Ne sachant pas si elle se sentait soulagée ou irritée par cette interruption, Iris alla répondre. Thelma Voss était debout sur le palier. En voyant Iris, son sourire s'effaça.

— Oh, c'est vous, dit-elle, dévisageant Iris de haut en bas, prenant la mesure de son ennemie. Je suis venue pour aller promener le chien. Mais peut-être que vous…

— Oh non, il est tout à vous, lança Iris, en pensant *Tu es la bienvenue pour emmener cette bête hideuse et puante*.
Elle fit entrer Thelma dans la maison.

*

Depuis six mois, Eva travaillait pour une petite maison d'édition, près de Red Lion Square. La propriétaire de Calliope Press était une femme nommée Paula Muller. Paula était mince, brune et élégante ; ses parents étaient morts et elle avait la garde de sa petite sœur Ida, âgée de douze ans. Calliope Press était spécialisée dans l'édition de mémoires, de récits de voyage et de poésie écrits par des femmes. Les livres étaient magnifiquement imprimés à la main, reliés avec goût et illustrés de petites lithographies. Paula supervisait l'imprimerie et les illustrations tandis qu'Eva s'occupait de pratiquement tout le reste : comptabilité, révision des épreuves, tenue des stocks, ainsi que répondre au téléphone, traiter la correspondance avec les auteurs, les fournisseurs et les libraires.

De temps en temps, Paula donnait à Eva du travail d'illustration mais celle-ci refusait toujours. Elle n'avait pas peint depuis qu'elle s'était séparée de Gabriel. Les sources d'inspiration qui l'avaient incitée à peindre dans le passé semblaient taries. Elle commençait à croire qu'elle ne repeindrait peut-être jamais.

Elle avait quitté la maison de Mme Wilde et louait désormais un appartement au dernier étage d'un bâtiment en brique rouge avec balcon, à quelques rues de Calliope Press. Elle disposait de trois petites pièces et d'un minuscule jardin sur le toit. Elle décora les lieux en arrachant le papier peint sali par la fumée et utilisa une peinture-émulsion dans des tons ocre brun, jade et un subtil rose violacé. Elle fabriqua rideaux, coussins et dessus-de-lit, et fouina aux puces à la recherche de petits trésors — une lampe marocaine en cuivre incrustée de carreaux colorés, des placards et de petites tables qu'elle ponça et repeignit. Elle se procura un livre de recettes et invita ses amis à dîner, essayant des plats parfois délicieux, parfois immangeables. Elle était enfin réellement indépendante et elle y prenait un secret plaisir.

De temps en temps, l'un des libraires ou des vendeurs avec lesquels elle travaillait l'invitait à dîner ou à aller au spectacle. Elle refusait poliment. Ils étaient charmants mais, comparés à Gabriel, ils paraissaient superficiels et faits d'une seule pièce.

Depuis le début de l'année, après l'échec d'une nouvelle loi sur le droit de vote, qui aurait accordé ce droit à un nombre limité de femmes, l'Union politique et sociale des femmes avait intensifié sa campagne d'atteintes à la propriété. Des boîtes aux lettres publiques étaient incendiées et des colis contenant du phosphore étaient postés, explosant parfois dans les bureaux de triage. Des attaques avaient lieu contre des édifices, des clubs de golf et des stations de train. Enfin, le 19 février, une bombe explosa dans la nouvelle maison que faisait construire le ministre des Finances, David Lloyd George. Personne ne fut blessé mais cette attaque directe contre un membre important du gouvernement provoqua l'ire du pouvoir. Le gouvernement fit passer la loi sur les Prisonniers (en liberté provisoire pour raisons de santé). Cette loi, que l'on appela vite la «loi du chat et de la souris», autorisait la remise en liberté des grévistes de la faim. Mais à peine une femme recouvrait-elle la santé qu'elle était renvoyée en prison. Au cours de l'été 1913, la vie des suffragettes devint un cycle sans fin d'emprisonnements, de grèves de la faim, d'alimentation forcée, de mises en liberté et de retours à la prison.

Un soir, Eva invita à dîner Lydia, May Jackson et une autre suffragette, Catherine Sutherland. Catherine venait de rendre visite à Sylvia Pankhurst, la seconde des sœurs Pankhurst, amie de George Lansbury et de Keir Hardie, sortie de prison il y a peu.

— Je l'ai à peine reconnue! s'écria-t-elle. Ses gencives saignaient à cause de cet affreux objet en métal qu'ils leur mettent dans la bouche et sa gorge était enflammée à cause du tube qu'ils y enfonçaient de force. Ses yeux étaient injectés de sang et elle était tellement maigre!

Eva savait que Catherine et May lançaient parfois des pierres contre des fenêtres; une fois, Catherine avait versé de l'essence dans une boîte aux lettres avant d'y mettre le feu. Il arrivait à

Lydia d'aller avec elles, mais rarement. Lydia redoutait la prison. Eva, elle, ne les avait jamais accompagnées. D'abord pour des raisons pratiques : Catherine et May avaient des revenus privés et n'avaient pas besoin de travailler, comme Eva et Lydia. Elles pouvaient donc aller casser des carreaux ou bombarder d'œufs des députés, un jour de semaine. Mais il y avait d'autres raisons plus profondes à la réticence d'Eva. Contrairement à Lydia, elle n'avait pas peur de la prison. Elle aurait détesté s'y retrouver mais elle pensait pouvoir le supporter. C'était autre chose qu'il l'empêchait de prendre part activement à la protestation.

Depuis peu, Catherine s'était mise à faire des remarques sur son absence.

— Quand les manifestations pacifiques n'aboutissent à rien, dit-elle froidement à Eva, comment s'opposer à la tyrannie sinon par le soulèvement et le combat ?

Elle cita Christabel Pankhurst :

— « Les femmes n'auront jamais le droit de vote à moins qu'elles ne rendent la situation insupportable pour tous ces gens égoïstes et apathiques qui se mettent en travers de leur chemin. »

Était-elle égoïste et apathique ? se demanda Eva. Ou pire, était-elle lâche ? Elle le craignait un peu. La violence physique l'avait toujours révulsée. Elle avait une pitoyable habitude de s'évanouir à la vue du sang. Mais pouvait-elle continuer de rester en retrait, demeurant bien sagement à l'écart de l'horreur tandis que d'autres femmes enduraient la prison et la torture pour une cause en laquelle elle croyait tout aussi fermement ? Sa position paraissait de plus en plus intenable. Catherine écrivit à Eva une note proposant de se rencontrer chez elle, dans le West End, un samedi après-midi. Les mots étaient choisis. « Si la cause est aussi importante pour toi que tu le dis, peut-être devrais-tu alors traduire tes paroles en actes. »

Samedi matin, Eva était encore indécise. Puis, en faisant des courses sur Oxford Street, elle aperçut Gabriel et son immanquable grande silhouette dans son pardessus noir, avec son écharpe et son feutre mou. Depuis le soir de leur séparation, elle s'était appliquée à éviter les endroits où il avait l'habitude d'aller. Soudain, son cœur se serra et son regard se fixa sur lui avec avidité. Elle avait conscience que la vie sans lui était douloureusement vide et morne. Elle n'avait qu'à traverser la rue pour y remédier. Il ne la rejetterait pas. Il n'était pas du genre à garder rancune et à la repousser. Et s'ils ne pouvaient être amants, pourquoi ne seraient-ils pas amis? Elle vacilla sur le bord du trottoir, attendant une brèche dans la circulation.

C'est alors qu'elle vit une autre silhouette courir vers lui, une ombre noire et vert émeraude, se faufilant à travers la foule du samedi. Gabriel fit signe de la main et appela Ruby Bailey, puis lui tendit les bras, l'attrapant et la faisant tourner en l'air. Quand ils s'embrassèrent, Eva partit dans la direction opposée, envahie par un mélange de honte, de rage et de haine. C'est la rage qui dominait: elle voulait gifler le visage doux et souriant de Ruby Bailey.

Elle se dirigea d'un pas rapide vers la station de métro. Quand elle arriva à l'appartement de Catherine, sur Charles Street, Lydia et May étaient déjà là. Catherine la salua sur un ton sec — «Fort bien. Je n'étais pas sûre que tu viendrais» — et lui donna une poignée de cailloux à mettre dans les poches de son manteau. Le cœur d'Eva se mit à battre la chamade alors qu'elles se dirigeaient vers Regent Street. Elle était certaine que tout le monde pouvait entendre le bruit des cailloux dans ses poches. Ils donnaient une forme tellement bizarre à son manteau, comment douter que quelqu'un le remarquerait? Et si les autres l'abandonnaient? Et si aucun de ses cailloux n'atteignait sa cible? Et si elle était arrêtée? Que diable dirait son père?

Elles arrivèrent sur Regent Street.

— Eva, quand je te donne le signal, tu dois briser cette vitre du Liberty, lui dit Catherine sur le même ton sec et froid. Après, tu cours aussi vite que tu peux et tu ne t'occupes pas des autres. Aussi vite que tu peux, c'est compris?

Puis elle cria:

— Maintenant!

Et Eva farfouilla dans sa poche, se saisit des cailloux avec ses doigts froids et nerveux, et les lança contre la vitrine. La plupart ratèrent leur cible, rebondissant sur le trottoir et dispersant les passants. On entendit des cris de protestation; plusieurs femmes hurlèrent. Eva pensa à Gabriel, au bonheur sur son visage quand il avait aperçu Ruby Bailey ; elle se saisit d'autres cailloux et les jeta avec force. Cette fois-ci, il y eut un bruyant éclat, le carreau se fendit de part en part, formant une étoile à partir du point d'impact jusqu'à ce que la devanture – assiettes, horloges, un vase japonais – se brise et que les surfaces en laque colorée éclatent comme une mosaïque.

Pendant un instant, Eva resta figée, fixant la vitre brisée. Puis le sifflet d'un policier la réveilla de sa transe et elle se mit à courir à travers la foule. Quelqu'un lui attrapa le bras, elle l'envoya paître. Une autre personne lui cria des injures. Quand elle regarda furtivement derrière elle, elle vit le casque du policier danser au-dessus de la foule en se rapprochant d'elle. Filant dans une rue adjacente, elle se retrouva devant une rangée de petits magasins. Elle fatiguait rapidement, et la colère et le courage qui l'avaient animés s'évanouissaient face à la riposte. Quand elle regarda à nouveau, le policier n'était plus qu'à une cinquantaine de mètres.

Un magasin d'habits se trouvait là. Elle s'y engouffra. La vendeuse dévisagea Eva, saisissant tant son air échevelé que le ruban vert, violet et blanc sur son revers. Les coups de sifflet du policier devinrent stridents. Pendant de longues et terribles secondes, Eva pensa que la vendeuse allait la jeter hors du magasin. Mais elle lui fit signe de se rapprocher du comptoir.

— Enlève ton manteau, lui souffla la fille. Vite.

Eva fit une boule de son manteau et le glissa sous le comptoir.

— Il entre, murmura la vendeuse. Ici, dit-elle en tirant Eva par le bras derrière la caisse.

Quand la porte s'ouvrit et que le policier entra dans le magasin, la fille cria à Eva :

— Et vous devez trier ces dentelles, mademoiselle Smith ! Ce tiroir était dans un désordre épouvantable la dernière fois que j'ai regardé.

Le policier regarda autour de lui avant de toucher son casque pour un bref salut et de quitter l'échoppe. La porte se referma derrière lui. Eva tremblait tellement qu'elle dut s'asseoir sur le tabouret du comptoir.

— Je ne sais pas comment vous remercier, mademoiselle...

— Price. Florence Price. Et cela m'a fait plaisir de leur mettre le doigt dans l'œil. Tenez, vous pouvez m'emprunter ceci, proposa Mlle Price en prenant une veste et un chapeau. Ils ne vous reconnaîtront pas avec ça. Vous pouvez revenir dans un jour ou deux chercher vos affaires.

Eva rentra chez elle. Elle alluma un feu mais elle n'arrivait pas à se réchauffer. Elle ne ressentait aucune fierté pour son acte mais, au contraire, les prémices d'un profond dégoût. Elle se rappela ce vase dans la devanture du Liberty, un bel objet bleu, vert et or, basculant et se brisant. Elle se rappela la peur sur le visage des femmes sur le trottoir, leurs cris tandis qu'elles tiraient leurs enfants à elles. Elle se rappela une petite fille, âgée d'environ six ans, sanglotant de terreur et pressant son visage contre les jupons de sa mère. Debout devant l'évier, elle se frottait les mains afin d'effacer complètement le caractère sinistre des événements de cet après-midi-là. On sonna à sa porte et elle descendit ouvrir. C'était May Jackson.

— Je venais juste voir comment tu allais et si tu avais réussi à t'échapper.

— Ça va. Où sont Catherine et Lydia?

— Arrêtées, toutes les deux.

— Oh, mon Dieu...

— Lydia a essayé de courir mais un passant la fait trébucher et elle est tombée.

— Que va-t-il leur arriver?

— Catherine ira sans doute en prison. Ce n'est pas sa première infraction. Et elle fera la grève de la faim, bien entendu.

— Et Lydia?

— Si elle accepte d'être relaxée sous condition de ne pas troubler l'ordre public, elle peut échapper à la prison. Cela dépend du magistrat.

— Elle acceptera, n'est-ce pas?

— Je l'espère.

— Et la galerie...

— Je vais m'en occuper, dit May sèchement. Je ne connais rien à l'art mais cela m'amusera bien de m'y mettre.

En remontant chez elle, Eva pensa à la radieuse et élégante Lydia, et à sa détestation des endroits confinés. L'appartement parut calme et vide. Ses pensées retournèrent vers Gabriel – elle ne s'arrêtait d'ailleurs jamais de penser à lui ; il était toujours dans un coin de sa tête. Avec le recul, elle ressentait maintenant une certaine honte et se disait de plus en plus qu'elle s'était donnée un peu trop facilement à lui. Elle ne parvenait pas à identifier le moment où elle s'était laissé faire. Elle avait confondu liberté et consentement et, ce faisant, elle s'était dévalorisée.

Elle avait pris tant de risques pour Gabriel. Elle ne devait qu'à la chance de ne pas s'être retrouvée avec un enfant illégitime, dont elle aurait été incapable de prendre soin correctement, et qui l'aurait déshonorée ainsi que sa famille. Aimer Gabriel avait été une tromperie sans fin ; elle avait dû mentir à sa famille, trahir Sadie et négliger son talent. Pouvait-on jamais justifier la tromperie ? Pouvait-on jamais justifier la violence ? Elle ne savait plus trop. Elle s'était égarée et elle ne savait plus si elle retrouverait sa route. Tout ce qu'elle pouvait faire était d'essayer de rester fidèle à ses convictions, sans considérer ce que les autres en pensaient. Le constat était triste et, seule dans son appartement, ses convictions bien faibles par rapport à ce qu'elle avait perdu. Une douleur pesait sur son cœur depuis des mois et elle se demandait si elle disparaîtrait jamais.

*

C'était le mois d'août, moment de l'année qu'Iris n'aimait pas. Dans l'East End, les rues étroites et les cours intérieures entourées de hauts murs décuplaient la chaleur. L'air paraissait vicié, la chaleur intensifiant l'odeur fétide et lourde autour des docks. Là où la boue s'accumulait le long des jetées, une eau visqueuse et marronnasse débordait d'ordures et de débris.

La chaleur rendait tout le monde fatigué et irritable. En faisant ses courses au marché pendant sa pause du matin, Iris vit deux femmes qui se battaient dans la rue, leurs visages tordus de colère alors qu'elles se prenaient le bec sur un corsage bon marché qu'elles avaient repéré en même temps. Tandis qu'elles juraient et s'arrachaient mutuellement les cheveux, la foule les encourageait par des rugissements.

Au foyer, l'atmosphère semblait aussi empoisonnée que dans les rues alentour. C'était un panier de crabes, rempli de jalousies et de chamailleries mesquines, la quintessence de tout ce qui avait toujours répugné à Iris dans la vie en commun avec un groupe de femmes. Deux amies stagiaires s'étaient brouillées et leurs camarades s'étaient divisées en factions outrées et médisantes. Iris s'était tenue à l'écart. Elle essayait de s'échapper dans le jardin, mais le gazon était brûlé et une couche de poussière grisonnait les feuilles et les roses ; elle était tout le temps en train de changer de place pour éviter le soleil.

Puis une épidémie de rubéole se déclara parmi les infirmières. Celles qui étaient malades furent envoyées en convalescence dans un hôpital du sud de Londres. En sous-effectif, Iris devait souvent assurer un service de plus, afin de remplacer une collègue absente. Au fil des semaines, l'épuisement la gagnait. Elle avait toujours mal à la tête et dormait mal à cause de la chaleur. Elle passait d'un état larmoyant et irritable qui lui faisait honte à un sentiment de détachement vis-à-vis de son travail, accomplissant ses tâches mécaniquement, sans réfléchir. Elle ne savait pas de quoi elle avait envie. Que quelque chose change. Que l'on en finisse avec ce temps. Qu'elle goûte à la fraîcheur des forêts et des champs de verdure, et qu'elle sorte de cette torpeur qui l'emprisonnait. Que Ash lui dise qu'elle n'était pas seulement l'une de ses amies. Que Ash lui dise qu'elle était plus importante pour lui que Thelma Voss.

Ash était revenu chez lui après le travail quand il entendit une voix l'appeler.

— Monsieur ! Monsieur !

Une petite silhouette se faufila à travers la circulation et une main toute sale le saisit par la manche.

— Monsieur !

— Qu'y a-t-il Eddie ?

— C'est notre Janie ! Elle est malade ou quelque chose comme ça. Elle ne veut pas se lever. Vous devez venir, Monsieur !

Ash suivit Eddie dans une ruelle. Eddie Lowman – un garçon d'environ sept ou huit ans, en état de malnutrition chronique, avec l'apparence rachitique de tant d'enfants de l'East End – avait huit frères et sœurs. Les Lowman étaient au plus bas de l'échelle sociale, les plus pauvres des pauvres. Le père d'Eddie, Bret Lowman, était manouvrier; quant à sa mère, on pouvait parfois la voir fouiller dans les ruelles, à la recherche de bouts de bois qu'elle pourrait vendre en fagots comme bois d'allumage. La famille habitait dans une de ces maisons ouvrières, accolées les unes aux autres, dans l'un des quartiers les plus durs de Whitechapel. L'habitation avait choqué Ash, qui se croyait pourtant familier avec la pauvreté de l'East End. Les deux ou trois meubles étaient sans doute trop vieux et trop endommagés pour être même acceptés au mont-de-piété. Il n'y avait pas de tapis au sol, ni de rideaux aux fenêtres. La maison était imprégnée d'une odeur fétide que Ash avait fini par associer à la vermine et aux cafards. Des mouches bourdonnaient contre les carreaux sales de la fenêtre.

Une petite fille, vêtue d'un tablier en lambeaux, se tenait debout dans la chambre de devant, le pouce à la bouche, regardant Ash, les yeux écarquillés. Dans un coin, un bébé était allongé sur une couverture tachée. De l'urine s'écoulait lentement des guenilles trempées qui l'entouraient à la taille. Ash eut l'estomac retourné par la puanteur dans cette pièce chaude et non ventilée.

— Où est Janie? demanda-t-il à Eddie.

— En haut.

Là, une jeune fille de quinze ou seize ans était allongée sur un matelas souillé.

— Est-ce qu'elle est morte, Monsieur? murmura Eddie.

Ash posa ses doigts sur le cou de Janie; le pouls était rapide et irrégulier.

— Non, elle n'est pas morte.

Une bouteille de mauvais alcool et un paquet de pilules se trouvaient à côté d'elle. Il devina ce qu'elles étaient avant même d'en avoir lu la notice – «Les fameuses pilules du Dr Patterson, le formidable remède contre les dérèglements de toutes sortes. » Un produit abortif, une concoction d'ergot de seigle ou de plomb, couramment utilisée par les femmes de l'East End pour interrompre une grossesse non désirée. Il fit rouler Janie sur le côté, au cas où elle vomît et s'étouffât. Elle émit un léger ronflement.

Au rez-de-chaussée, une porte claqua. On entendit une voix gronder et des pas bruyants marteler les escaliers.

— C'est moi, papa, dit Eddie à voix basse avant de se réfugier sous un tas de couvertures sales.

Ash connaissait Bert Lowman de réputation. Un gros taureau, un buveur, un bagarreur, un homme qu'il ne fallait pas contrarier. La porte s'ouvrit violemment et Bert Lowman apparut sur le seuil. Il fixa Ash du regard, chancelant un peu.

— Mais qu'est-ce que vous foutez ici, bordel de dieu?

— Eddie a pensé que quelque chose n'allait pas avec sa sœur.

— Notre Janie?

Lowman tituba à travers la pièce. Ash pouvait sentir l'alcool dans son haleine.

— Est-ce que vous avez fricoté avec ma fille?

— Non, monsieur Lowman, je…

— Je connais les gens de votre espèce, proféra Lowman, les poings serrés. Gardez bien vos mains sales loin de ma Janie ou je vais vous aider à le faire.

Un coup s'écrasa lourdement sur la mâchoire de Ash. Il vit des étoiles, chancela et tomba. Alors que Lowman vacillait, déséquilibré par la force de son propre geste, Ash parvint à se remettre debout et à déguerpir, dévalant les escaliers et évacuant les lieux. Il avait du sang dans la bouche. Il pressa un mouchoir sur son visage et rentra chez lui aussi vite que possible. Les gens le regardaient dans la rue; ses jambes étaient flageolantes. Dans l'intimité de sa cuisine, il mit sa tête sous le robinet d'eau froide, entendit la porte s'ouvrir et la voix de Thelma.

— Ash? Êtes-vous là?

— Dans la cuisine, dit-il avec difficulté.

— Mme Clark tient compagnie à papa, je pensais donc emmener Sam faire un tour.

Elle le dévisagea.

— Ce n'est pas aussi grave que ça en a l'air.

— Eh bien, je m'en réjouis, répondit-elle sur un ton acerbe. Que vous est-il arrivé?

— C'est le poing de Bert Lowman qui m'est arrivé.

— Vous vous êtes *bagarré*?

— Si l'on peut dire, dit-il en attrapant un bout de chiffon pour enrayer le saignement. Il m'a frappé en croyant que j'avais des idées sur sa fille. Ensuite, il s'est cassé la figure parce qu'il était saoul. Et je me suis enfui en courant.

— Avec sa fille?

— Janie. Cheveux filasses et dents bizarres.

— Vous devriez garder vos distances avec les Lowman. Tout le monde sait qu'ils créent des problèmes.

— Je n'avais pas l'intention de…

Il s'interrompit et regarda sa montre.

— Iris. Je suis censé retrouver Iris.

— Votre visage, Ash. Asseyez-vous.

— Je ne peux pas – je suis déjà en retard…

— Mlle Maclise ne voudra certainement pas vous voir ainsi.

Son miroir pour le rasage était sur la cheminée. Il se lorgna du coin de l'œil et grogna:

— Je suppose que non.

— Laissez-moi vous arranger un peu, dit-elle en le poussant dans un fauteuil.

Il y avait du désinfectant et une compresse sous l'évier. Thelma tamponna son visage; il grimaça.

— Vous aimez bien Mlle Maclise, n'est-ce pas, Ash?

— Oui. Oui, c'est vrai.

Elle fronça les sourcils.

— Ce n'est pas trop méchant. Juste une petite entaille. Est-ce que vous et Mlle Maclise êtes juste amis ou est-ce que vous avez un arrangement?

Il était heureux que Thelma soit ici et que quelqu'un, enfin, lui donne conseil. Il se demandait que faire avec Iris depuis des lustres, essayant de trouver la force de lui parler.

— Il y a plusieurs années, déclara-t-il, j'ai eu ma chance avec Iris et je l'ai bousillée.

— Et vous vous en mordez les doigts aujourd'hui?

— Oui! Grands dieux, oui.

— Lui avez-vous dit?

Il secoua la tête et le regretta immédiatement.

— Je ne sais pas ce qu'elle pense de moi aujourd'hui. C'est tellement difficile à dire. Parfois je crois qu'elle m'aime bien. D'autres fois, je me dis qu'elle a changé d'avis, mais alors...

— Changé d'avis?

— Il y a quelque temps, Iris m'a déclaré être heureuse que nous ne soyons jamais rien d'autre que des amis.

— Une fille comme elle doit avoir des hommes qui lui courent après tout le temps. Ma camarade de classe Lily Watson était aussi une jolie fille et elle disait qu'elle en avait marre de tous ces hommes qui la harcelaient. Elle voulait qu'ils la laissent tranquille.

Il se souvint d'Iris lors de la fête à Summerleigh, et ces hommes agglutinés autour d'elle comme des abeilles sur une fleur. «C'est juste un jeu, Ash», lui avait-elle dit. L'amour avait toujours été un jeu pour Iris Maclise. Peut-être n'était-ce toujours pas plus que cela.

— Je me suis dit que je devrais lui parler. Lui dire ce que je ressens. Voir ce qu'elle répond.

— Si j'étais vous, Ash, je ne le ferais pas. Vous pourriez la faire fuir. Et vous ne la reverriez pas. Est-ce ce que vous voulez?

— Non, répondit-il, se sentant désespéré. Bien sûr que non.

— Mieux vaut attendre que vous soyez sûr.

Thelma recula.

— Voilà. C'est fini. Vous n'avez pas l'air si mal.

Iris, debout sur les marches de l'hôpital, attendait Ash. Après un quart d'heure, ne le voyant pas venir, elle se rendit chez lui. Sa porte était grande ouverte, elle entra et entendit le rire de Thelma Voss dans la cuisine.

— Iris, dit Ash en la voyant.

— Votre visage, lança-t-elle horrifiée.

— Ce n'est pas trop grave, mademoiselle Maclise, repartit Thelma en rangeant le tissu ouaté et désinfectant.

— Laissez-moi voir.

Iris passa le doigt sur le visage de Ash, sentant les os brisés.

— Vous voyez? Je l'ai nettoyé, reprit Thelma. C'est cet affreux Bert Lowman. Je vous avais dit de garder vos distances, n'est-ce pas?

La main de Thelma demeura possessivement sur l'épaule de Ash. Peu de temps après, les amis de celui-ci débarquèrent – Harry, Fred, Nathaniel, Tom et Charlie, le rouquin au nez retroussé. Thelma Voss resta dans un coin de la pièce, caressant le poil emmêlé du chien. Ils parlèrent de politique. De temps à autre, une phrase attirait l'attention d'Iris. «La Grande-Bretagne craint que l'Allemagne ne menace ses routes commerciales. Doit-on protéger l'Empire ou non… L'Autriche-Hongrie et la Serbie montrent leurs biceps, mais c'est tout. Tu te souviens de ce jeu d'écolier où c'est à celui qui cligne des yeux le premier?… L'Allemagne construit de nombreux grands cuirassés. On aimerait qu'ils soient tous les nôtres…»

— Ce pourrait être drôle d'avoir une guerre courte et bien tranchante, jeta Charlie en se frottant les mains.

— Quel affreux commentaire, intervint Thelma.

— Au roi et à la nation! dit-il en levant son verre pour un toast. Tu ne bois pas avec moi?

— Oh la ferme, Charlie!

— On se calme, on se calme…

Thelma attrapa la laisse du chien et quitta la maison, le bâtard sur ses talons, claquant la porte derrière elle.

— Un peu soupe au lait, notre Thelma, déclara Charlie en faisant un clin d'œil à Iris. Avez-vous un sale caractère, mademoiselle Maclise?

— Parfaitement odieux, répondit-elle en le regardant froidement. Surtout avec les jeunes hommes insolents.

Une demi-douzaine de travailleurs polonais arrivèrent à la maison, des bouteilles de vodka à la main. Un maçon au chômage se pointa, à la recherche d'un lit pour la nuit, son visage tiré et anxieux s'éclairant quand Ash lui proposa le divan. Iris observa Ash un moment, pendant que les ouvriers polonais chantaient dans leur belle et inintelligible langue. Puis elle ramassa quelques verres vides et les emporta à la cuisine.

Thelma Voss était revenue et faisait la vaisselle dans l'évier.

— Je me suis dit que je ferais mieux de m'y mettre, lança-t-elle avec irritation, car sinon, ils lui laisseront tout le travail. Ils mangent tout ce qu'il a! C'est toujours comme ça! J'essaie de lui apporter quelques restes du magasin mais mon père le remarquerait si j'en prends trop.

Elle tourna autour d'Iris.

— Certains ne se soucient même pas de lui! Ils ne font que profiter de lui!

— Mais vous, mademoiselle Voss, vous vous souciez de lui, n'est-ce pas?

— Oui, c'est vrai. Ash est un homme très bon. Je n'attends rien de lui, voyez-vous. Pas comme certains de ceux-là. Ils le saigneront à blanc, je vous assure. Quand ils en auront fini ici, ils iront dans le prochain lieu où on leur donne à manger gratuitement et un lit pour la nuit.

— Peut-être Ash aime-t-il que l'on ait besoin de lui? risqua Iris en séchant une assiette.

— Peut-être, répondit Thelma en posant un regard dédaigneux sur Iris. Et vous, mademoiselle Maclise? Que voulez-vous de lui?

— Ash et moi sommes simplement de vieux amis.

Le savon gouttait des mains humides de Thelma; son regard ne quittait pas Iris.

— Le problème, avec Ash, est qu'il ne supporte pas de laisser tomber quelqu'un. J'ai beau lui dire de ne pas être aussi bête, il ne m'écoute pas. On ne peut pas donner à tout le monde ce qu'il veut. Et certains veulent des choses qu'on ne peut donner.

Il y eut un silence.

— Qu'êtes-vous en train d'essayer de me dire, mademoiselle Voss?

— Qu'il ne vous aime pas. Qu'il ne vous aimera jamais.

L'air sembla s'arrêter dans la gorge d'Iris. Elle murmura:

— Vous n'en savez rien.

— Je le connais. Et je sais qu'il a pitié de vous. C'est la seule raison pour laquelle il continue de vous voir.

— Non...

— C'est la vérité. Il me l'a dit. Il a pitié de vous, comme il a pitié des autres qui lui demandent une pièce.

— Je ne vous crois pas, reprit Iris, qui recevait les mots de Thelma comme des poignards.

— Il ne veut pas vous blesser, voyez-vous, insista Thelma d'une voix basse et hypnotique. Il m'a dit qu'il y avait eu quelque chose entre vous et qu'il vous avait plaquée. J'ai raison, mademoiselle Maclise, n'est-ce pas?

Que Ash eût partagé avec Thelma Voss son humiliation rendit Iris malade. Il lui fallut tout son courage et toute sa maîtrise d'elle-même pour dire à Thelma:

— Qu'essayez-vous exactement de me dire? Que Ash vous aime?

Thelma eut un rire amer.

— Vous ne le connaissez donc point. Évidemment qu'il ne m'aime pas. Pas encore, en tout cas. Il les aime *eux*, dit-elle en montrant la pièce d'à côté. Il aime les vagabonds qui mangent sa nourriture et les profiteurs qui emportent son charbon dans leurs poches. Ne voyez-vous pas qu'il les mettra toujours avant chacune de nous — avant moi, qui ferait tout pour lui, et avant vous, avec votre joli minois? Ne voyez-vous donc pas cela?

Elle le voyait, en effet, très clairement, et elle réalisait avoir été bien aveugle jusqu'ici. Thelma retourna à l'évier.

— Vous avez le choix, mademoiselle Maclise. C'est comme vous voulez. Vous pouvez rester ici et avoir une part de lui, comme tout le monde, si c'est ce que vous préférez. Ou vous pouvez sauver les meubles et repartir à zéro. N'attendez pas trop, c'est mon conseil. Si j'avais votre visage, et si je pouvais me payer de telles robes, c'est ce que je ferais. Je l'oublierais et j'irais en trouver un autre.

Après s'être séché les mains, Thelma lança le torchon sur l'égouttoir et retourna dans le salon. Les ouvriers polonais avaient recommencé à chanter; leur musique se répandait depuis le salon, une chanson lente et mélancolique sur l'amour et sur sa perte.

« Il ne vous aimera jamais. Il a pitié de vous. » Quelle terrible chose que de faire pitié. Iris aurait aimé se glisser dehors sans que Ash le remarque, mais il la vit à la porte et insista pour la raccompagner. Pendant tout le chemin, elle l'inonda d'un flot de paroles rapide, vif et sec, bloquant toutes ses tentatives d'ouvrir la bouche. À l'entrée de l'hôpital, elle lui donna un baiser sur la joue et disparut rapidement. Ses yeux étaient gonflés de douleur quand elle traversa le jardin du foyer.

Cette nuit-là, elle ne dormit pratiquement pas. Le lendemain, en salle, elle était distraite et nerveuse. Elle sortait de la cuisine quand elle entendit Sœur Dickens réprimander un patient qui avait renversé une tasse de thé sur ses draps propres.

— Oh, pour l'amour de Dieu, s'entendit-elle dire brusquement, ce ne sont que quelques gouttes de thé!

La salle entière se tut. Tout le monde la regarda fixement. L'expression sur le visage de Sœur Dickens, mélange d'indignation et de surprise, faillit faire rire Iris. Faillit seulement: les infirmières ne contestaient jamais le jugement de l'infirmière en chef. Elles disaient juste «oui, ma sœur», ou «non, ma sœur».

La convocation au bureau de la surveillante survint en fin d'après-midi. En traversant les couloirs de l'hôpital, Iris naviguait entre révolte et désespoir. Elle avait eu raison de réagir car Sœur Dickens était un monstre. Elle se fichait d'être renvoyée – de toute façon, elle en avait assez de l'hôpital. Mais l'ignominie, le sentiment d'échec, s'ajoutant aux révélations de Thelma le soir précédent, devenaient insupportables.

Mlle Stanley la fit entrer. Iris attendit debout dans le bureau, regardant le mouvement vif de la plume sur le papier. Puis Mlle Stanley commença:

— Infirmière Maclise, Sœur Dickens m'a dit que vous aviez été impertinente.

— Je suis désolée, Madame, susurra-t-elle.

Mlle Stanley posa sa plume. Ses froids yeux bleus se fixèrent sur Iris.

— En général, je renvoie les infirmières impertinentes.

— Cela ne se produira plus, Madame.

— Quel exemple ce type de comportement donne-t-il aux stagiaires?

— Mais Sœur Dickens est si désagréable avec les patients! Le pauvre M. Knowles, ce n'est pas sa faute si ses mains tremblent!

— Et c'est à vous, infirmière, de recadrer une sœur? dit Mlle Stanley, les lèvres pincées.

Iris baissa les yeux.

— Non, bien sûr que non, Madame.

— Vous me décevez beaucoup, infirmière Maclise.

Toutes ces années de travail, tout ce qu'elle avait enduré, toutes ces humiliations et toute cette fatigue, pour être sommairement renvoyée parce que, comme une imbécile de stagiaire, elle avait ouvert la bouche au mauvais moment.

— Je reconnais que mes infirmières en chef ont récemment été mises à rude épreuve, avec cette malheureuse épidémie. Vous n'êtes pas en train de tomber malade, n'est-ce pas? lui demanda-t-elle en la regardant sévèrement. Vous avez l'air pâle et fatiguée.

— Non, madame. J'ai déjà eu la rubéole.

— Dites-moi, infirmière, êtes-vous suffisamment heureuse ici?

— Je ne sais pas. Je l'étais, murmura-t-elle, au bord des larmes.

— Si vos impressions ont changé, peut-être devriez-vous reconsidérer votre place chez nous.

— Est-ce que vous me renvoyez? dit-elle, la voix tremblante.

— Je vous donnerai une bonne lettre de référence. Je ne doute pas que l'incident d'aujourd'hui soit dû à l'épuisement et à la pression. Il sera inutile de le mentionner.

Iris entendit à peine les dernières paroles de Mlle Stanley. Elle lâcha:

— Mais c'est chez moi, ici!

— Un hôpital est un lieu de travail, lui rappela sèchement Mlle Stanley. Quand une infirmière ne convient plus, elle n'a plus sa place ici. Quand vous êtes arrivée au Mandeville, Maclise, dit-elle en adoucissant le ton, certaines de mes employées ont mis en doute votre aptitude. Mais j'ai toujours cru en vous. J'ai senti que vous aviez le cran nécessaire pour ce métier. Mais je crois qu'il vous faut avancer. Vous êtes devenue plus grande que nous, peut-être. Ce n'est pas tant une question d'aptitude que de personnalité. Être infirmière en hôpital convient mieux à certaines qu'à d'autres. Nos infirmières les moins conventionnelles peuvent se sentir plus heureuses dans un milieu différent.

Mlle Stanley reprit sa plume.

— Maintenant, vous pouvez disposer.

L'idée de retourner au foyer lui était insupportable. Elle devait quitter cet hôpital. Mais en descendant quatre à quatre les marches de l'entrée, elle trouva Ash en train de l'attendre. Elle se sentit soudain pleine d'amertume envers lui : pour avoir dit à Thelma Voss ce qui leur était arrivé et pour ne pas l'aimer.

— Tiens, vous réapparaissez, lança-t-elle vivement.

— Hier soir…

Elle fila à travers la rue ; les véhicules freinèrent. Il lui courut après.

— Iris. Écoutez-moi. Je voulais m'excuser pour hier. Tous ces gens – je ne savais pas qu'ils allaient venir.

Le marché fermait. Les détritus et les fruits pourris bouchaient le caniveau et les étals avaient une allure minable et sordide. Elle se demandait ce qu'elle faisait dans cet endroit misérable, elle qui avait toujours aimé les belles choses.

— Vous auriez pu les renvoyer, Ash, répliqua-t-elle froidement.

— Oui, j'aurais pu.

Elle pouvait le voir en train de chercher ses mots – des mots, pensait-elle, qui réconforteraient la pauvre et pitoyable Iris Maclise.

— Ce n'est pas grave. C'est juste que, pour moi, c'était une soirée gâchée, dit-elle avant de rire avec dureté. Vous savez combien je trouve la politique ennuyeuse, Ash. Je serais allée ailleurs si j'avais su que j'aurais à endurer cela.

— Ailleurs ?

— Au théâtre, danser…

La voix de Thelma Voss résonnait dans sa tête – « Il ne vous aime pas ; il ne vous aimera jamais. » Et elle sut soudain ce qu'elle devait faire. Elle devait exciser la cause de son malheur, elle devait la sectionner et s'en débarrasser impitoyablement. Elle tourna autour de lui.

— Comment imaginez-vous que j'occupe mon temps quand vous êtes occupé, Ash? Croyez-vous que je reste assise dans ma chambre, à vous attendre plantée comme une punaise?

— Bien sûr que non, dit-il en rougissant.

— Parce que, en effet, ce n'est pas le cas.

— Iris, je ne voulais pas dire que...

— J'ai beaucoup d'amis.

— Je n'ai jamais pensé le contraire.

— Et il ne m'a jamais été très difficile de trouver quelqu'un pour m'emmener danser.

— Non, j'imagine que non.

Il y eut un silence.

— Cet endroit – elle regarda l'hôpital derrière elle et un mélange d'affection, de perte et de ressentiment l'envahirent –, je serai contente de ne plus le voir. J'ai décidé de quitter le Mandeville, annonça-t-elle, en haussant le menton.

— Est-ce une décision soudaine? demanda-t-il, le visage durci.

— Pas du tout. J'y pense depuis très longtemps.

— Vous n'en avez rien dit.

— Ah bon?

Ils marchaient entre les étals; elle faisait semblant de s'intéresser à une balle de coton.

— Cela a dû m'échapper, lâcha-t-elle.

— Qu'allez-vous faire?

— Je vais peut-être rentrer chez moi un moment. Ou je travaillerai comme infirmière privée. C'est tellement plus facile que de travailler comme un esclave dans les salles d'hosto.

Son regard la fit presque défaillir mais elle s'entêta sans pitié.

— Vraiment, Ash, je ne peux pas rester ici éternellement. Les mêmes endroits... les mêmes gens... Vous me connaissez: je déteste m'ennuyer.

— Et je déteste être ennuyeux, reprit-il d'un ton cassant. Vous avez été on ne peut plus claire, Iris. J'espère que vous serez heureuse. Quoi que vous fassiez, je vous souhaite de l'être.

Et il s'en alla. Il y eut un instant pendant lequel elle aurait pu courir après lui, mais elle se retint. Au lieu de cela, elle retourna au foyer, où elle s'allongea sur son lit, les yeux clos, à écouter le son de son cœur en train de se briser.

12

George avait les cheveux très blonds, des yeux d'un bleu sombre et un gloussement communicatif. Tout le faisait rire — un caméléon évoluant sur une branche, la tresse dorée du sari de Rani, la trompette bleue d'un liseron d'eau. Les rares fois où il pleurait, Marianne le prenait dans ses bras et lui chantait sa comptine favorite et il riait à nouveau, les larmes coulant sur ses joues comme de brillants rubans.

À l'âge de six mois, il pouvait s'asseoir tout seul et à sept mois, il commença à ramper grâce à ses avant-bras. Quelque chose attirait son attention — le précieux vert d'un gecko plaqué contre une plinthe, une lampe en cuivre étincelant au soleil — et il détalait, les yeux brillants d'enthousiasme et un grand sourire sur le visage. Lorsque, un mois plus tard, il commença à ramper correctement, plus rien n'était en lieu sûr. Dès sa naissance, Marianne et Rani étaient devenues ses esclaves. Elles couraient dans son sillage à travers la maison et le jardin, anticipant la chute d'un vase ou le drame d'une feuille toxique enfoncée goulûment dans sa bouche souriante. Marianne prit conscience de tous les dangers qui l'entouraient: la pente raide des terrasses dans le jardin, le charbon de bois encore chaud dans le feu, un serpent chassant dans l'herbe, sa langue fourchue approchant les petits membres tendres et potelés.

Il était, bien sûr, le plus beau et le plus intelligent bébé au monde. Et il fallait à Marianne beaucoup de tact pour s'abstenir de le souligner auprès des autres dames qui passaient au bungalow. Elle complimentait ses visiteuses sur leur progéniture mais elle savait qu'aucun ne valait George. En privé, se disait-elle, elles ne pouvaient que s'en rendre compte.

Quand il eut six mois, ils visitèrent Nuwara Eliya et y prirent une photo de lui. Marianne l'habilla de dentelle blanche mais lui laissa la tête nue, de sorte que ses boucles d'or entouraient celle-ci comme un nuage. Elle envoya les photos à ses sœurs en Angleterre qui, en retour, lui confirmèrent ce qu'elle savait déjà – que George était parfait.

Chaque jour, elle l'emmenait se promener dans le jardin, son paradis à elle, son domaine à lui. Elle lui montrait le banian et lui laissait en caresser les feuilles, plus grandes que sa tête. Il cherchait à atteindre les bananes poussant dans les palmes et les fleurs à leur lisière, se roulait dans l'herbe grasse tandis que Marianne surveillait fourmis et autres insectes piquants. Le tenant dans ses bras, elle marchait à travers la forêt, le long de sentiers étroits et sinueux. Au chant d'un oiseau, les yeux de George s'écarquillaient et s'immobilisaient. Loin au-dessus de lui, le soleil brillait à travers l'entrelacs des hautes branches. Marianne demeurait bien à l'écart des abeilles sauvages qui bourdonnaient autour de hautes ruches en forme de globes; quand elle entendait un bruissement dans les herbes, elle serrait George contre elle.

— Je te protégerai toujours, mon garçon chéri, murmurait-elle.

Après la naissance de George, sa décision de quitter Lucas s'était émoussée. Où pouvait-elle aller? Chez Clare, peut-être, mais cela n'aurait pas pu durer plus de quelques semaines. Et après? Elle ne pouvait que retourner en Angleterre. Or, songer au long et pénible voyage de Blackwater à Colombo et au voyage plus long encore de Colombo à Southampton, seule avec un bébé, était extrêmement décourageant. Penser à la disgrâce et aux stigmates du divorce était pire encore. Une femme était définie par sa relation avec un homme: fille, petite amie, épouse. Si elle quittait Lucas, elle ne serait rien. Et sa disgrâce se répercuterait sur George. Elle serait peut-être capable de supporter l'ostracisme social mais que ressentirait George s'il était lui aussi exclu? Mieux valait-il, décida-t-elle, faire contre mauvaise fortune bon cœur.

Elle se rappelait que le mariage avec Lucas lui avait donné George. Et pour celui-ci, elle tolérerait les explosions de colère de Lucas et ses abus de langage. Dans sa correspondance avec ses sœurs, elle racontait d'étonnantes anecdotes sur la vie au bungalow, et décrivait la beauté et l'intelligence de George. Elle avait toujours été douée pour cacher ce qu'elle avait dans son cœur. Elle ne confia à personne ce que Lucas lui avait dit : « Je ne t'ai jamais aimée. »

Elle pensait pouvoir vivre avec cela. Elle et Lucas avaient chacun leur monde. Elle avait le jardin et la pouponnière ; il avait l'usine et la plantation. Ils partageaient le bungalow dans le cadre d'une trêve délicate. Son contact, désormais, la répugnait. Un jour, en quittant son lit, elle l'avait surpris en train de la toiser. Peu de temps après, elle avait entendu à nouveau les pas dans la nuit et aperçu un éclair violet courant vers les habitations des coolies. Un mélange de soulagement et de culpabilité l'envahissait ; elle savait qu'elle se soustrayait aux obligations d'une épouse mais ces pâles yeux gris, qu'elle avait jadis trouvés séduisants, avaient commencé à lui faire peur.

Elle savait son mariage mesquin et médiocre mais elle devait en tirer le meilleur, pour l'amour de George. Lucas était son père. Quelque chose les unissait désormais. Lucas aimait son fils. Elle avait vu sa jalousie quand il s'était penché au-dessus du berceau. Elle apprit à faire attention, à identifier les moments sensibles qui réveillaient les démons en lui, et à l'éviter quand il buvait. Mieux valait peser ses mots avant de s'adresser à lui, et mieux valait rester hors de sa vue quand elle voyait cette lueur et ces ténèbres dans son regard.

Pourtant, la curiosité la rongeait. Elle se rappelait Mme Rawlinson disant : « J'étais triste pour l'enfant… George Melrose n'a jamais été un homme facile. » Qu'avait-elle voulu dire ? Marianne imagina Lucas, à l'âge de quatre ans, abandonné dans ce bungalow avec son père et les domestiques. Elle imagina les marques laissées par cette désertion. Quel genre d'homme son père avait-il été ? Lunatique et alcoolique, assurément, absent la plupart du temps, s'occupant du domaine. Un cœur froid, un homme qui, blessé par l'infidélité de sa femme, avait été incapable de montrer de l'affection.

Un dimanche après-midi, les Rawlinson passèrent à Blackwater. Tandis que les hommes buvaient et discutaient après le repas et que George faisait la sieste, Marianne fit faire le tour du jardin à Mme Rawlinson. Les cosmos étaient en fleur, et l'extrémité rose et blanche des marguerites était entourée d'une nappe de feuilles vertes.

— Clare Barlow m'a donné des graines l'année dernière, expliqua Marianne. Je suis plutôt fière d'elles.

— Et les roses, renchérit Mme Rawlinson en se penchant pour en sentir le parfum, quel spectacle!

Marianne jeta un bref coup d'œil vers la véranda. Lucas et M. Rawlinson étaient hors de portée.

— Anne, vous m'avez dit que c'est la mère de Lucas qui avait planté ces roses.

— Chacune d'entre elles.

— Et le reste du jardin?

— Ce n'était que jungle et broussailles quand Sarah est arrivée. Je lui accorde ça : elle a transformé cet endroit.

— L'avez-vous bien connue?

— Non, je pense qu'aucun d'entre nous ne la connaissait bien. Souvenez-vous qu'elle n'est restée que quelques années. Et elle n'a jamais trouvé sa place. C'était une femme frivole et une incorrigible séductrice.

— Et son mari, le père de Lucas, vous en souvenez-vous?

— George? Après le départ de Sarah, George s'est refermé sur lui-même. Il venait rarement au Club. D'ailleurs, le Club n'était pas grand-chose à cette époque, juste une hutte avec un sol en terre. La vie était plus dure – parfois, on ne voyait pas un visage blanc pendant des semaines.

— Quel type d'homme était-il?

Mme Rawlinson lui lança un regard réticent, coupa une feuille, et la roula entre l'index et le pouce.

— Marianne, je crains que vos gloires de Dijon soient moisies.

— Était-il coléreux?

— George Melrose était de la vieille école. Lui et son père avaient bâti Blackwater à partir de rien. Ils trimaient jour et nuit. Ils ne rechignaient devant aucune tâche. J'admirais cela.

George avec du cran. Il n'y en a pas tant que ça de nos jours. La plupart de ces garçons que les compagnies de thé envoient, retournent en Angleterre dans les six mois. Ils ne supportent pas le climat ou la solitude – ou de travailler dur.

— Mais le père de Lucas n'était pas ainsi, n'est-ce pas ?

— George a tenu bon, dit-elle avant de baisser la voix. Mais après le départ de Sarah, il ne fut plus jamais le même. Il adorait Sarah. Il vénérait jusqu'au sol qu'elle foulait. Il a bâti cette maison pour elle, et l'a laissée créer ce jardin. Il fit acheminer des roses depuis l'Angleterre. Et toutes sortes d'autres choses ridicules – du lin, de la verrerie et des robes de Paris. George lui donnait tout ce qu'elle voulait. J'imagine qu'il n'en revenait pas de l'avoir trouvée. Et il craignait toujours qu'elle le quitte. Il l'a gâtée, voyez-vous, démesurément.

— Cela a dû être horrible pour lui quand elle l'a quitté.

— Il s'est coupé de nous tous. Certains essayaient de rester en contact mais c'était difficile. Les plantations sont tellement éloignées l'une de l'autre et George n'était guère accueillant. Quand il ne souhaitait voir personne, il avait le don de vous le montrer.

Elles avaient atteint le fond du jardin, là où la colline tombait presque verticalement dans la vallée en contrebas. Malgré la distance qui les séparait de la véranda, la voix de Mme Rawlinson se transforma en chuchotement.

— Un jour, George a légèrement flambé l'oreille de Davey Scott alors que ce dernier venait lui rendre visite à Blackwater. George ne désirait aucune compagnie. Il lui a tiré dessus au fusil.

— Il a tiré sur quelqu'un ?

— George Melrose était fin tireur. La balle est allée exactement où il voulait : la suivante aurait sans doute fait beaucoup plus de dégâts. Davey comprit le message et il tint ses distances. Comme le reste d'entre nous.

— Et Lucas ?

— Comme je vous l'ai dit, nous nous sommes tenus à l'écart. Mais il y avait des rumeurs.

— Quel genre de rumeurs ?

Le regard de Mme Rawlinson se tourna rapidement en direction de la véranda.

— Que George Melrose battait l'enfant.

— Le battait?

— Oui.

Horrifiée, Marianne crut voir un brin de compassion dans les yeux bleus voilés de Mme Rawlinson.

— Évidemment, les garçons ont besoin de discipline. Quand ils étaient petits, les trois miens ont senti plus d'une fois le plat de ma main. Mais George Melrose a dépassé les limites. Il croyait à l'usage de la baguette. Il méprisait la faiblesse. Y compris chez son propre enfant, dit Mme Rawlinson en tirant sur une plante grimpante qui s'était enroulée autour d'une branche. Marianne, vous devriez faire tailler ce ficus ou il échappera à tout contrôle. Les mauvaises herbes envahissent votre jardin si vous leur en laissez la moindre chance. Je pense qu'après qu'elle fut partie, George se détesta d'avoir eu le béguin pour elle. C'était un homme robuste et il voyait cela comme la seule faiblesse qu'il eût eue, la fissure dans son armure.

— Aimer n'est pas une faiblesse!

— En êtes-vous sûre? Rappelez-vous que George avait dédié toute sa vie à contrôler et à gouverner la plantation. Il ne pouvait pas se permettre de baisser la garde. Commettez une fois cette erreur et vos domestiques et vos coolies en profiteront, et la jungle vous reprendra vos champs. Cela a dû être un choc pour lui de découvrir qu'il ne pouvait pas gouverner son propre cœur.

Mme Rawlinson jeta la liane dans le précipice, se frotta les mains et reprit lentement:

— Il existe une tendance dans la famille Melrose. George, le père de Lucas, était fils unique, comme Lucas. Sa mère était morte jeune, d'une fièvre, je crois – le paludisme était rampant dans les collines à cette époque. George fut donc élevé par son père, comme Lucas.

Marianne se dit à elle-même: *Et si cela arrivait à mon George? Et si je n'étais pas là pour le protéger? Mon George, que mon mari a nommé d'après le nom du père qui le battait.* Son cœur faillit s'arrêter.

— Personne n'a essayé de l'empêcher de faire du mal à Lucas?

— Mieux valait ne pas s'en mêler, dit Mme Rawlinson sèchement. Il ne faut jamais s'immiscer entre un homme et sa femme ou entre un parent et son enfant – voici ce que j'en dis.

— Mais il y a bien eu quelqu'un...

— On se serre les coudes, ici. C'est une question de survie. George était l'un d'entre nous. Et comme je l'ai dit, il ne s'agissait que de rumeurs. Qui sait quelle est la part de vérité là-dedans?

Les hommes avaient quitté leurs sièges et traversaient le gazon dans leur direction. Baissant le ton, Mme Rawlinson continua:

— Quelques jours après le départ de Sarah, je suis venue rendre visite à George. Il avait allumé un feu dans le jardin. En allant lui parler, j'ai vu ce qu'il jetait dans les flammes: toutes les affaires de Sarah. Ses habits, sa dentelle française, son savon, son parfum. Toutes les photos et les tableaux d'elle. Ses lettres, ses livres, et même ses outils de jardinage. Comme s'il voulait brûler toute trace d'elle pour qu'il ne reste rien. Peut-être est-ce la raison pour laquelle il s'en prit à l'enfant car il pouvait la voir en lui.

Puis elle éleva la voix.

— J'espère que vous mettez beaucoup de crottin de cheval sur vos rosiers, madame Melrose. Rien ne vaut ça pour les roses. S'il vous en manque, je peux vous en faire envoyer.

*

Un dimanche soir, James ne rentra pas à la maison. Père hésitait entre la colère et l'angoisse. Clémence eut du mal à dormir, imaginant un accident de train ou une fièvre soudaine. Le petit-déjeuner du lundi fut tendu et lugubre, père lisant le journal nerveusement et Aidan remarquant d'un ton suffisant que James allait être en retard au travail.

James réapparut finalement en milieu de journée. Il avait l'air épuisé. Lui qui était d'habitude impeccablement habillé avait une chemise et une veste fripées. Pendant qu'Edith servait la soupe, il se glissa sur sa chaise. Il y eut un moment de silence qui fit espérer à Clémence que James allait présenter une explication acceptable, puis père entama :

— Et selon toi, James, à quel moment de la journée sommes-nous ?

— Désolé, père, j'ai été retardé.

— Retardé.

Chacun plongea les yeux dans sa soupe, évitant le regard du père.

— Et peut-on savoir ce qui t'a retardé ? dit Joshua, sur un ton poli et pesant.

— Rien d'important, grommela James. Les trains…

— Tu acceptes donc que rien d'important t'empêche d'être avec ta famille et te fasse aller au travail en retard ?

— Ce n'est pas ce que je…

— Qu'est-ce qui était si peu important ? Une soirée au restaurant, je suppose ? Ou une partie de cartes ?

— Je n'étais pas en train de jouer, si c'est ce que vous insinuez.

— Ta mère était malade d'inquiétude.

— Je suis désolé. Je ne voulais pas causer de souci à mère. Si seulement nous avions un téléphone…

— Tu proposes que nous équipions notre maison pour l'accommoder à tes habitudes déréglées ?

— Non, père. Je promets que cela n'arrivera plus.

— James, dit Aidan, Louisa Palmer a demandé de tes nouvelles hier, à l'église.

— Si tu attends trop, reprit Joshua en salant sa soupe, quelqu'un d'autre va la prendre – et je ne pourrai pas la blâmer.

— Père, répliqua James en le regardant sévèrement, je n'ai aucune intention de me marier avec Louisa Palmer. Je vous l'ai déjà dit.

Les deux hommes se fixèrent du regard, celui de Joshua plein de ressentiment, celui de James de défi.

— Il est grand temps que tu t'établisses, déclara Joshua. Qu'attends-tu ?

— Rien, répondit James en détournant le regard. C'est juste que… je choisirai ma femme en temps voulu.

364

Personne ne redemanda de soupe et Clémence envoya Edith chercher le plat principal. Joshua coupait le mouton en tranches et ils étaient en train de se servir de légumes quand Aidan dit :

— Père, Rickett nous fait payer le sac de cinquante kilos de charbon deux shillings de plus.

— James, tu aurais dû me le dire. Je t'ai demandé de garder l'œil sur le prix du charbon.

— Je voulais le faire. J'ai oublié.

— Oublié ? lança Joshua, furieux. Tu sais combien les affaires sont difficiles, cette année. On aura de la chance si l'on équilibre les comptes, sans même parler d'un minuscule bénéfice !

— Père, j'ai discuté avec d'autres vendeurs de charbon. Earle pourrait nous faire un meilleur prix si notre commande était suffisamment volumineuse.

— Je resterai tard au bureau ce soir, indiqua James, et je rattraperai le temps manqué.

Joshua scruta son fils aîné, observant son visage pâle et les poches sombres sous ses yeux.

— Rester tard ? répéta-t-il avec dédain. On dirait déjà que tu vas tomber de sommeil. Ça ne te réussit pas de brûler la chandelle par les deux bouts.

— Non, père.

— Tu es l'aîné. Tout sera à toi quand je ne serai plus là ! Tu dois savoir que tu as des responsabilités, James !

— Je le sais ! Je l'ai toujours su ! Cessez de m'accuser de négliger mes responsabilités !

Le poing de Joshua s'écrasa sur la table, faisant sauter les assiettes.

— Et ne me parle pas sur ce ton, fiston ! Tellement oisif qu'il n'arrive pas au boulot à l'heure ! Que genre d'exemple cela donne-t-il à nos hommes ?

— J'ai dit que j'étais désolé, répondit James dont la soudaine colère s'évanouissait déjà. Et ce n'était pas de l'oisiveté.

— C'était quoi alors ?

— Ce sont mes affaires.

— Tes affaires ? Alors que tu vis sous mon toit ?

James se leva. Son visage s'était vidé de son sang.

— C'est vrai, dit-il calmement. Et il est sans doute temps que je cesse de vivre sous votre toit. Je ne sais d'ailleurs pas pourquoi j'ai tant tardé à le faire.

Il quitta la pièce. Clémence courut après lui.

— James, ne pars pas! Père ne voulait pas dire ça! James!

S'appuyant contre le mur, il ferma les yeux, puis secoua la tête.

— J'en ai assez, Clem.

— James, s'il te plaît…, articula-t-elle, presque en pleurs.

— Ce sera mieux ainsi, sourit-il brièvement. Pour toi aussi, Clémence. Tu dois en avoir marre que l'on se prenne tout le temps le bec.

— Où vas-tu aller?

— Je trouverai un endroit.

— James, père ne voulait pas que ça se passe ainsi, pleurait-elle maintenant. Il est juste en colère parce qu'il était inquiet pour toi.

— Il n'a pas une haute opinion de moi. Telle est la vérité. À ses yeux, je suis une déception.

— Non. Il ne jure que par toi! C'est la raison pour laquelle il se comporte ainsi et qu'il dit ces choses.

— Il a peut-être raison d'être déçu. Il y a des choses que j'ai faites, ma foi, dont je ne suis pas très fier, avoua-t-il en tournant les talons.

Quand Clémence revint à la salle à manger, il ne restait qu'Aidan. Trois assiettes pleines étaient en train de refroidir, intactes.

— Père est parti dans son bureau, annonça Aidan. Il a dit qu'il ne voulait pas de dessert.

— Et toi, tu n'aides pas! cingla Clémence. À attiser le feu quand la situation est déjà assez tendue!

Elle le vit tressaillir. Puis, d'une voix calme, il répondit:

— Je suis meilleur que James. Je travaille mieux.

Elle perçut une intense passion dans ses yeux.

— James ne s'en soucie pas autant que moi, mais père ne le voit pas.

Sans James, la maison parut plus calme et plus morne. Au concert d'Ivor du mercredi après-midi, Clémence laissa la musique opérer sur elle son effet apaisant. Mais son moral ne s'améliora pas et, pour la première fois, les trilles et les arpèges du clavecin l'irritèrent plus qu'ils ne la soulagèrent. À la fin du récital, elle ne se dirigea pas immédiatement vers Ivor mais le regarda s'asseoir au milieu de ses admiratrices, rayonnant et acceptant leurs gâteaux. Plus tard, ils allèrent à pied vers leur salon de thé. Il tombait de la neige fondue et Ivor frissonna.

— Quel temps épouvantable! Quand je pense que l'on en a encore pour des mois de cet hiver – je déteste tellement le nord.

Elle prit sa main; ses doigts étaient froids.

— Nous ne nous serions jamais rencontrés si vous n'étiez pas venu vivre ici.

— Bien sûr, lui sourit-il. Même les situations les plus désastreuses ont leurs récompenses.

Ivor commanda un thé et du gâteau. Clémence avait remarqué qu'Ivor prenait un peu de ventre. C'est à cause de tous ces gâteaux, se dit-elle. D'un air abattu, il regarda par la fenêtre. Maisons et arbres offraient un dégradé de gris et de bruns.

— Non, mais regardez bien: honnêtement, quand on pense aux endroits où l'on pourrait vivre... Je languis tellement de Londres. Si ce n'était pas pour Rosalie...

— Au moins vous avez eu l'occasion de vivre ailleurs.

— Oui, mais pour en être ensuite arraché... Avoir quelque chose et le perdre vous fait languir de ce qui vous manque.

Clémence reposa la théière bruyamment.

— Pour ma part, j'imagine que je vais rester toute ma vie à Sheffield. Cela m'est égal – c'est chez moi – mais ce qui m'ennuie, c'est de les voir tous partir. Toutes mes sœurs sont parties, Philip est loin, à l'école, et maintenant James a quitté la maison à son tour. Nul doute qu'Aidan se mariera bientôt à une fille riche – je suis certaine que c'est ce qu'il entend faire, il ne s'adresse jamais qu'à des héritières – et il partira. Je serai alors parfaitement seule.

— Clémence, lança-t-il avec un air horrifié. Ma pauvre chérie.

Il plongea la main dans sa poche et lui tendit un mouchoir.

— Je n'aurai jamais d'enfant et j'aime tellement les bébés! C'est le plus dur, Ivor, le fait que je n'aurai jamais de bébé!

— Ma foi, je ne ferais pas encore une croix là-dessus, dit-il gentiment. Quel âge avez-vous, Clemmie?

— Bientôt vingt et un ans.

— Eh bien! vous avez encore beaucoup de temps, non?

Ses yeux bruns étaient remplis de compassion. Elle se moucha.

— Cela ne vous contrarie pas de ne pas avoir d'enfant, Ivor?

— Oh non, dit-il en allumant deux de ces petites cigarettes noires qu'il appréciait. Je ne supporte pas les enfants. Ils mettent la pagaille dans la maison. J'en ai déjà assez de leur enseigner.

— Oh, fit Clémence.

Elle avait toujours présumé que la maladie de Rosalie les avait empêché d'avoir des enfants. Son rêve préféré, celui où Ivor et elle vivaient avec leurs enfants dans une petite maison de campagne, se troubla.

— De surcroît, continua-t-il, les enfants sont tellement coûteux. Frais scolaires, soins de santé… On est plutôt ric-rac en ce moment. Ce misérable oncle de Rosalie s'accroche vraiment – non que je souhaite au pauvre homme de mourir, bien entendu, mais franchement, quand on est si malade, on ne voit pas l'intérêt… Allons, courage, ma chère Clémence. Je ne supporte pas de vous voir si triste. Vous êtes si joyeuse d'habitude.

— Oui, une brave fille, dit-elle avec une soudaine et violente amertume. La plupart du temps, ils ne remarquent même pas si je suis là ou non. Ils croient que la maison s'entretient toute seule. Si seulement je faisais quelque chose qui compte, Ivor, comme vous!

— Oh, il ne vaut mieux pas, murmura-t-il. Le talent est un tel tourment.

Quelques jours plus tard, James revint à Summerleigh. Il fut aisé pour Clémence de régler l'affaire: elle alla voir père et James séparément et dit à l'un combien l'autre lui manquait terriblement, et *vice versa*. Ce fut la trêve, père faisant de gros efforts pour se montrer diplomate et James essayant de ne pas irriter son père.

Le mois suivant, en arrivant au récital, Clémence trouva toutes les dames réunies en petit comité dans le salon de réception. Il n'y avait aucune trace d'Ivor, ni du clavecin. Elle saisit quelques brins de leur conversation à voix basse.

— Partie comme ça, dans la nuit...

— Pas eu le temps d'appeler le médecin...

— Pauvre garçon, comment va-t-il s'en sortir?

Mme Braybrooke traversa la pièce en se dirigeant vers elle.

— Clémence, dit-elle, avez-vous entendu la nouvelle? Une chose terrible. La pauvre Rosalie Godwin est morte. Elle est décédée dans la nuit.

Six semaines après la mort de Rosalie Godwin, Clémence emprunta la voiture de père et se rendit dans les Peaks. Elle n'avait jamais conduit si loin. Elle quitta la ville avec une carte dépliée sur le siège avant, à côté d'elle, et un sentiment éclatant de liberté. Une brume était accrochée aux plus hauts sommets et elle traversa la grisaille avec force concentration. Après s'être arrêtée à Hathersage pour vérifier son chemin, elle emprunta une route étroite et sinueuse qui grimpait à flanc de colline. La maison d'Ivor était grande et construite en pierre. Un cyprès de couleur sombre faisait de l'ombre à l'entrée.

— Clémence! s'exclama-t-il en lui ouvrant la porte.

Il était en bras de chemise et elle lui trouva une allure plutôt débraillée.

— Quelle surprise! Que c'est gentil à vous d'avoir parcouru tout ce chemin. Je crains d'être dans un drôle d'état, ajouta-t-il alors qu'elle le suivait le long d'un couloir sinistre.

Le salon était jonché de bouts de papier.

— J'essaie de retrouver la facture de charbon, expliqua-t-il. Ce matin, j'ai reçu une lettre du marchand – plutôt brusque – affirmant que la facture du dernier trimestre n'avait pas été payée. Elle était toujours très consciencieuse sur ce genre de choses.

— Ivor, j'étais tellement désolée en apprenant la nouvelle pour Rosalie.

— C'est gentil. Mais franchement, pour ma pauvre Ro, c'était tellement épouvantable à la fin que je crois que c'était aussi un soulagement pour elle.

— C'est si terrible pour vous. Avez-vous reçu mon petit mot?

— Je l'ai beaucoup apprécié, Clem.

Son œil s'arrêta sur une feuille de papier posée sur un fauteuil. Elle le tendit à Ivor.

— Est-ce cela que vous cherchez?

— Oui! dit-il en rayonnant de joie. Vous êtes tellement forte.

— Je pensais que vous alliez écrire.

Il eut l'air légèrement traqué.

— J'ai été affreusement occupé. Il y a tant de choses sinistres à faire. Toutes les lettres de politesse, et les visites.

— Oui, évidemment. Je m'inquiétais juste pour vous.

— Tout a été assez horrible, je dois dire. Les funérailles...

— Cela s'est-il bien passé?

— Oui, oui. Mais il faisait tellement froid dans l'église. J'avais peur d'attraper un rhume.

— Pauvre Ivor, dit-elle en lui serrant la main, à quoi il répondit par un sourire de gratitude.

— Et puis, Rosalie s'occupait des factures et de l'entretien de la maison. Une femme du village fait la cuisine et le ménage pour moi mais elle refuse de venir l'après-midi. Il semble qu'elle ait une mère âgée. Bien sûr, on peut comprendre mais vraiment, on a parfois très envie d'une tasse de thé...

— Puis-je vous en préparer une, Ivor?

— Le feriez-vous? Ou... – il attrapa une bouteille dans un placard – préférez-vous peut-être du xérès? Depuis la mort de Rosalie, j'en ai bu plus que de coutume : pas besoin de fourneau ni de bouilloire!

Il servit deux verres. Quand Clémence eut fini le sien, il le remplit à nouveau. Elle se sentit grisée et heureuse, ne sachant pas trop si c'était à cause du xérès ou du plaisir d'être là, dans la maison d'Ivor, uniquement tous les deux.

Ils étaient assis sur le sofa, seul endroit préservé des lettres et des classeurs. Il lui tenait la main. Quand elle se blottit contre lui, il passa son bras autour d'elle et elle posa sa tête sur son épaule.

— Réalisez-vous, Ivor, que nous n'avons jamais eu beaucoup de temps ensemble? Nous n'avons jamais eu plus d'une heure à nous.

— Vraiment? Je n'y avais pas pensé. C'est formidable alors!

Elle se sentit confuse et transportée. Se tournant dans ses bras, elle l'embrassa sur la joue.

— Asseyez-vous sur mes genoux, dit-il. Rosalie aimait toujours s'asseoir sur mes genoux.

Elle essaya d'être précautionneuse (il était plutôt mince et elle avait toujours été assez forte), mais l'alcool la rendait maladroite et il eut le souffle coupé quand elle vacilla sur lui. Il l'embrassa à nouveau, ces effleurements furtifs de sa bouche sur la sienne qu'elle avait toujours aimés, puis il se mit à déboutonner son corsage.

— Cela ne vous dérange pas? demanda-t-il, soudain inquiet.

Elle secoua la tête. Il caressa et embrassa ses seins avec douceur. Tandis qu'il l'embrassait, une de ses mains remontait le long de sa jambe sous sa jupe. Ses doigts se glissèrent sous l'ourlet de sa culotte bleue pour la gymnastique; l'anxiété le saisit à nouveau – «Êtes-vous sûre que vous me permettez?» – et muette, incertaine de ce qu'il voulait, elle opina à nouveau. Sa respiration se faisait lourde et son menton frottait contre sa joue quand il l'embrassait. On aurait dit une râpe à muscade, se dit-elle. Puis, assez brusquement, il glissa sur le côté et s'assit à côté d'elle, passant sa main dans ses cheveux, les yeux hagards.

— Vous devez me dire si vous ne voulez pas, Clem, commença-t-il. C'est juste que cela fait si longtemps – Rosalie ne pouvait guère être une épouse pour moi, la maladie, vous savez...

Elle ne savait pas de quoi il parlait, mais elle tendit les bras vers lui.

— Je veux juste que vous soyez heureux, Ivor. Vous savez combien je vous aime.

— Ma chère Clémence.

Alors il se retrouva d'une façon ou d'une autre sur elle, plongea son visage dans ses seins, baissa sa culotte et entra en elle.

Elle eut un petit cri, qu'il sembla ne pas entendre. Puis il poussa un cri plus puissant et, en ouvrant les yeux, elle vit son visage se tordre – d'extase ou de douleur, elle ne saurait dire. Il se retira rapidement d'elle et roula sur le côté. Elle réajusta ses vêtements pendant qu'il allumait deux de ses petites cigarettes noires et lui en tendit une.

— Merci, dit-il. C'est très gentil à vous, ma Clem chérie. Vous m'avez formidablement réconforté.

Ils demeurèrent sur le divan un moment, à fumer en silence.

— Est-ce que vous allez partir, Ivor?

— Partir? répéta-t-il en sursautant.

— Je pensais que vous voudriez retourner à Londres.

— Ma foi, peut-être. Le plus fâcheux, cependant... Vous vous souvenez de l'oncle de Rosalie dont je vous ai parlé?

— Celui qui est riche et vit dans le Hertfordshire?

— Oui. J'ai reçu une lettre de son avocat, ce matin, pour me dire qu'il vient de mourir.

— C'est affreux! s'exclama-t-elle en pensant au pauvre Ivor.

— N'est-ce pas? Tellement exaspérant. Si seulement Rosalie avait tenu encore six semaines.

— Que voulez-vous dire? lui dit-elle en le regardant, stupéfaite.

— Tout cet argent est allé à ce fichu cousin de Rosalie, pas à *moi*. Je ne suis pas son parent de sang et c'est tout ce qui compte. Toutes ces années à attendre et la voilà qui part, juste six semaines trop tôt!

Elle se mit à l'observer, étudiant son visage familier et avenant, et se demandant comment appeler l'émotion qui animait ses yeux marron foncé. La colère? Du ressentiment? Non, ni l'une ni l'autre. Juste une humeur maussade.

Elle réalisa que les boutons de son corsage étaient toujours ouverts. Elle se reboutonna rapidement. Elle avait mal à la tête et quelque chose de chaud et d'humide persistait de manière déplaisante entre ses cuisses. Dans la salle de bains d'Ivor, elle nettoya et ajusta ses vêtements et se passa un coup de peigne dans les cheveux. Au bout d'un moment, elle se demanda si ce qu'ils venaient de faire était ce que les couples mariés accomplissaient la nuit de leurs noces et, dans l'affirmative, se demanda pourquoi tant de filles étaient si impatientes de se marier.

Elle descendit au rez-de-chaussée.

— Et je ne vous ai même pas offert à manger! dit-il. Voudriez-vous un peu de gâteau, Clémence?

— Je crois que je ferais mieux de rentrer chez moi.

— Je reprendrai les récitals après Noël. Je sais que c'est un peu tôt, mais cette Mme Braybrooke pense que cela peut me faire du bien. C'est tellement gentil de sa part.

— Je pensais que vous vous mettriez à l'écriture de votre concerto, maintenant que vous avez le temps.

— Je crains que ma concentration ne soit pas à la hauteur. Toutes ces idées noires… et ce moment de l'année… Je n'arrive jamais à travailler à cette époque. Le temps est si froid. Si peu clément.

Elle l'embrassa sur la joue.

— Au revoir, cher Ivor.

— Ma si chère Clémence, dit-il en la regardant avec tendresse. Soyez prudente en conduisant. Les collines sont si raides…

En retournant vers Sheffield, elle s'arrêta sur la route surplombant la lande, où d'énormes rochers parsemaient le paysage comme un jeu de billes. Évidemment, se dit-elle, même si elle l'avait encore voulu, elle n'aurait jamais pu épouser Ivor. À cause de mère, bien sûr, et pour beaucoup d'autres raisons. Qui s'occuperait de père si elle n'était pas là? Qui s'assurerait qu'il eût du thé chaud en rentrant du travail? Qui demanderait à la bonne d'allumer le feu dans son bureau afin que, après le dîner, il puisse aller fumer sans être dérangé? Qui rétablirait la paix au cours des querelles familiales? Qui dresserait la liste des courses et des commandes au boucher et au poissonnier, et qui ferait en sorte que les cols de père soient correctement repassés? Elle était une partie intrinsèque du foyer Maclise, inextricablement liée à lui, comme un fil de couleur sur une bande de tissu. Si l'on enlevait ce fil, tout s'effilocherait. Elle était peut-être la moins importante des

Maclise, elle ne serait jamais belle ni intelligente, ni excellente, ni héroïque, mais au moins elle était *nécessaire*.

Quant à Ivor, elle voyait que ce qui avait été d'une importance immense pour elle l'avait moins été pour lui. Elle avait été un élément de sa vie, un assez petit élément, et non son phare. Pourtant, malgré ses défauts, il ne pouvait lui déplaire et elle ne saurait regretter ce qu'ils avaient fait cet après-midi-là. C'était grâce à Ivor qu'elle avait commencé à mieux comprendre son sort. L'affection, le sentiment de culpabilité et le devoir avaient lié Ivor à Rosalie comme ils continuaient de la lier à sa mère. Même s'il ne l'avait jamais vraiment aimée, le fait qu'Ivor l'eût appréciée lui avait permis de reprendre confiance en elle et le fait de l'avoir aimé (quand bien même son amour, elle s'en rendait compte, avait manqué de passion), lui avait rappelé qu'elle était capable de sentiments profonds et d'avoir besoin d'amour.

*

Lucas commença par débroussailler les parties les plus hautes et les plus inaccessibles de ses nouvelles terres, là où la colline s'élevait comme un pic pratiquement perpendiculaire voué à percer les nuages. À son retour au bungalow, en milieu de journée, la sueur fonçait ses cheveux clairs et l'on ne pouvait distinguer, sur sa peau, la terre rougeâtre de son bronzage. Il aimait que Marianne lui amène George alors qu'il était assis dans la véranda, en train de boire et de fumer.

— Comment va-t-il aujourd'hui ?

— Il est un peu pleurnichard. C'est sans doute une dent qui pousse.

— Viens ici, George, fit-il signe à son fils.

George s'était mis à marcher depuis peu. Il titubait dans la véranda en direction de son père. Le pistolet de Lucas, qu'il portait au cas où il tomberait sur un serpent ou un tigre, était posé sur la table à côté de lui. George tendit la main pour toucher le manche brillant en nacre.

— Non, dit Lucas, tu ne touches pas.

George fit une moue et deux pas en arrière. Nadeshan arriva dans la véranda, en évoquant quelque désastre dans la cuisine. Marianne partit à l'intérieur pour parler au boy cuisinier. En revenant vers la véranda, elle entendit Lucas répéter avec sévérité «Je t'ai dit de ne pas toucher!», et le vit claquer de sa main le derrière des jambes de George.

Les yeux de celui-ci s'écarquillèrent, puis il se laissa choir sur son fessier et se mit à pleurer très fort. Marianne le souleva du sol pour le prendre dans ses bras et les domestiques s'évanouirent à l'intérieur du bungalow.

— Tu l'as frappé!

— Il doit apprendre à faire ce qu'on lui dit.

— Mon Dieu, Lucas, il n'a que onze mois!

— Il doit apprendre la discipline dès maintenant. Attends qu'il soit plus âgé et ce ne sera que plus difficile de lui apprendre à obéir.

Elle le fixa du regard, muette de rage. Lucas demeurait d'un calme imperturbable.

— Tu devrais l'emmener au lit, déclara-t-il. Il doit savoir que sa crise de colère ne lui apportera rien.

Elle berça George dans la chambre d'enfants, le balançant doucement et lui chuchotant à l'oreille jusqu'à ce que ses petits membres se détendent et que ses sanglots se réduisent à des tressautements passagers. Une fois certaine qu'il s'était endormi, elle l'allongea dans son petit lit. Ses jambes portaient la marque rouge de la fessée de Lucas.

Réajustant sa robe et ses cheveux avec des gestes mécaniques, Marianne se rendit dans le salon. Ils avaient fini de déjeuner et elle avait renvoyé les domestiques quand elle dit sur un ton modéré et tremblant de colère:

— Si tu frappes George encore une seule fois, Lucas, je te quitte. Je t'en fais le serment. Je ne te laisserai pas lui faire du mal. Touche-le encore une seule fois et je repars en Angleterre avec lui. Et je te jure devant Dieu que tu ne le reverras jamais.

Quelques jours plus tard, Ralph Armitage passa au bungalow. Au dîner, lui et Lucas discutèrent de la plantation. Quand ils eurent fini leur soupe et le plat principal, la conversation était passée du prix du thé aux difficultés causées par les nouvelles terres.

— Il reste une cinquantaine d'hectares à éclaircir. Cela prend plus de temps que je le pensais, énonça Lucas en remplissant son verre.

— Tu ne laisseras pas cela venir à bout de toi, Melrose.

— Bien sûr que non. Je ne laisse rien – ni personne – venir à bout de moi. Mais cette terre est difficile. On pourrait dire, avança-t-il avec un petit sourire, que c'est la part de mariage de ma femme. Cent soixante-quinze hectares de terrain difficile. J'ai enduré, pour cela, des mois d'ennui dans notre bonne vieille Angleterre. T'ai-je jamais raconté ma visite dans la mère patrie, Armitage ? Les interminables réceptions auxquelles j'ai assisté, à écouter des femmes pourries-gâtées et trop bien nourries débattre sur les maux de la nation, les dîners ennuyeux comme la pluie que j'ai dû partager avec une vingtaine de oisifs insipides…

Marianne n'y tint plus.

— Qu'est-ce que tu peux être aigri, Lucas ! Et qu'est-ce que tu peux être critique envers tout sauf toi-même !

— Nous avons assurément cela en commun, Marianne, dit-il avec un sourire carnassier. Notre regard froid et critique. Par exemple, cette maison où nous nous sommes rencontrés, la propriété des Meredith, Rawdon Hall. Admets que tu la détestais. Je l'ai lu sur ton visage. C'est la raison pour laquelle je t'ai remarquée. Je savais que tu étais la seule personne dans la pièce qui pensait comme moi.

Puis il se tourna vers Ralph Armitage.

— Émouvant, non, ce récit d'une rencontre amoureuse ?

— Très, marmonna Armitage en claquant des doigts pour que le boy apporte du riz et de la compote.

— Tu n'imagines pas combien j'étais soulagé de rentrer chez moi. À moins, ma chère, que tu ne te languisses de l'Angleterre ? dit-il en regardant Marianne par-dessous.

— Cela me manque parfois, oui.

— Pourquoi ?

— Car j'aime l'Angleterre. J'aime mon pays.

— Voilà qui est extraordinaire, reprit Lucas, l'œil brillant. Dis-moi, Marianne, quel aspect du caractère anglais admires-tu le plus? Leur sentiment de supériorité sur les races inférieures, peut-être?

— Non, évidemment. Aucune personne bien pensante...

— Ou leur cupidité? Ou leur penchant à s'approprier tout ce qui leur plaît? Ou penses-tu que les Britanniques ont *acheté* le pays montagneux de Ceylan aux paysans de Kandy qui jadis le cultivaient? Si tel est le cas, tu te trompes, ma chère, car nous le leur avons pris par la force, avant de le vendre au meilleur offrant.

Il essaie de m'ébranler, se dit-elle, et de me faire perdre la foi en certaines choses auxquelles je crois. Il faut riposter. Ne le laisse pas s'en sortir à bon compte.

— Même si cela est vrai, nous avons beaucoup donné à Ceylan en retour: les routes, les chemins de fer...

— C'est bien vrai, Melrose, renchérit Ralph Armitage.

Il était en train d'avaler sa dernière part de pudding. Si elle n'avait pas été là, pensa Marianne de manière outrée, il aurait léché le bol. Quand il eut terminé, il s'avachit sur sa chaise, jambes écartées et veste déboutonnée, révélant un ventre qui débordait au niveau de la ceinture. Il pointa Lucas du doigt:

— Les Britanniques ont civilisé ce fichu pays, souviens-t'en.

— Les Cinghalais étaient déjà civilisés quand nos ancêtres se chamaillaient encore entre tribus païennes. Dans le nord de ce pays, il existe des ruines de cités qui avaient des jardins, des fontaines et des systèmes d'irrigation, et qui avaient été construites, Marianne, alors que nos aïeux se disputaient pour survivre dans des villas en ruines abandonnées par les Romains et que les miens se peignaient en bleu et se couvraient de peaux animales, asséna Lucas avant de s'adosser à son siège, souriant. Ta foi en la noblesse inégalée de ton pays est touchante, mais je crains qu'elle soit déplacée. Non pas que je veuille qu'il en fût autrement, bien entendu. Il doit toujours y avoir un vainqueur et un vaincu, et j'ai l'intention d'être du côté des vainqueurs. L'Empire m'a aussi permis de réaliser des profits, évidemment. Si mon grand-père était resté en Écosse, j'aurais été un pauvre éleveur de moutons, dit-il en recommençant à boire. Voici quelque chose que je partage avec ton ancien mari, n'est-ce pas Marianne? Les colonies ont également permis aux Leighton de faire fortune. Sauf que – corrige-moi, si j'ai tort – la richesse des Leighton a des origines nettement plus sordides, non?

— Je ne vois pas ce que tu veux dire, dit-elle en le fixant du regard.

— Penses-tu que ton cher et tendre Arthur était un homme bon, Marianne?

— Bien sûr qu'il l'était!

— Et l'affaire des Leighton, c'était donc, rappelle-moi?

— Le transport maritime.

— Et avant cela?

— Ils travaillaient dans le sucre. Mais je ne vois pas…

— Le sucre, dit-il en baissant la voix. En somme, les Leighton ont fait leur fortune grâce à l'esclavage.

— Non…

— Tu avais bien réalisé cela, non?

Non, elle ne l'avait pas réalisé. Pour être honnête, cela ne lui avait jamais traversé l'esprit.

— Je n'avais pas pensé…

— Non, murmura-t-il. Peut-être est-ce une habitude chez toi. Qui travaillait sur les plantations de sucre, d'après toi? Des esclaves noirs, bien sûr, arrachés de force à leurs foyers en Afrique et transportés à travers l'Atlantique dans d'épouvantables rafiots. Arthur n'a-t-il pas jugé bon d'évoquer cela?

— Non, souffla-t-elle.

— Dois-je te dire ce que les planteurs de sucre faisaient à leurs esclaves? La façon dont ils violaient leurs femmes? Comment ils les ligotaient et les battaient?

— Allons Melrose, du calme, murmura Ralph Armitage.

Il y eut un silence. Puis Lucas éclata de rire.

— Pardonnez-moi, je voulais juste faire un peu de philosophie, c'est tout. Un homme peut-il tirer profit de la souffrance d'autres hommes et continuer d'être considéré comme bon?

— Personne ne choisit ses aïeux, n'est-ce pas Lucas? cingla-t-elle.

Elle vit ses yeux devenir noirs et ressentit une pointe de triomphe en voyant que ses mots l'avaient touché.

— Ainsi marche le monde, n'est-ce pas? dit vaguement Ralph Armitage. Je veux dire, nous et les Noirs. Un groupe doit toujours prendre le dessus sur l'autre et mieux vaut que ce soit nous, ah ah ah!

— Je ne vois pas pourquoi l'un doit prendre le dessus. Pourquoi une race devrait-elle dominer l'autre?

— Mon Dieu, Marianne, quel boniment digne du caté-chisme! Je n'aurais pas cru cela de toi! railla Lucas, la bouche tordue par son sarcasme. Ralph a évidemment raison: si nous n'avions pas le dessus, tu ne serais pas assise ici. C'est aussi simple que cela. Ou préférerais-tu habiter dans le quartier des coolies? C'est cela, Marianne?

Elle songea aux cabanes de tôle et de bois, à la façon dont les femmes tamoules faisaient leur toilette, lavaient leur linge et leurs enfants dans le ruisseau, et cette absence totale et terrible d'intimité et de confort.

— Non, murmura-t-elle.

— C'est ce qu'il me semblait. Si nous ne sommes pas bru-taux, nous sommes faibles. Chacun de nous – moi, Ralph, et même ton saint homme d'Arthur – a un peu de brute en lui.

— *Non*, objecta-t-elle en se souvenant pourtant des cartes postales trouvées dans un tiroir d'Arthur, avec ces grassouillettes filles nues et leurs visages abrutis.

— Offrons un toast, lança Lucas en levant son verre. À ma femme! Pour la remercier de m'avoir acheté le domaine Glen-coe!

Les verres tintèrent.

— Ne trinquez-vous pas, madame Leighton? demanda Ralph Armitage.

Marianne fit «non» de la tête.

— Ma femme ne croit pas dans l'autogratification. Elle est très convenable – n'est-ce pas Marianne? Même ici, au milieu de la jungle. Mais c'est quand même moi qui ait tiré le meil-leur de ce marché, ne crois-tu pas Ralph?

— Quoi? dit Armitage, confus.

— Le mariage contre la terre, déclara Lucas sur un ton suave.

— Oh. Oui. Aucun doute.

Le regard légèrement abasourdi de Ralph Armitage se posa sur Marianne.

— Tu es un sacré veinard, Melrose.

— Tu trouves ma femme attirante ?

— Comme tout homme vigoureux. Un sacré veinard...

Armitage pencha vers Marianne son gros visage écarlate avec un sourire d'admiration avinée et concupiscente. Elle se sentit reculer.

— Elle n'a qu'un défaut, reprit Lucas.

Marianne fit mine de se lever. Lucas la fusilla du regard.

— Ne pars pas, Marianne. Assieds-toi. Notre invité n'a pas fini de manger.

Sa voix sonnait comme un avertissement. Elle se renfonça dans son siège. Quand il se tourna vers elle, elle vit la nuit dans ses yeux.

— Ma femme est un glaçon. T'ai-je déjà dit cela, Armitage ?

— Hein ? Quoi ? sursauta Ralph Armitage, avant de lâcher un rire embarrassé. Ce ne sont guère mes oignons, mon vieux !

— Cela fait presque un an que l'enfant est né. C'est suffisamment long, ne crois-tu pas ?

Le cœur battant la chamade, Marianne regarda tout autour d'elle.

— Lucas, les domestiques...

Lucas les fit partir d'un geste de la main. Une erreur, réalisat-elle : ceux-là partis, elle se retrouvait encore plus seule. Sa peau se raidit, sentant chaque terminaison nerveuse à vif.

— Cela ne te gêne pas si je parle de notre petit problème avec un vieil ami, n'est-ce pas Marianne ? Je pensais que Ralph avait peut-être une suggestion à faire. Voire une offre d'assistance pratique – quelle merveilleuse idée ! Après tout, il semble que je ne te plaise pas. Mais peut-être préfères-tu Armitage ?

Elle eut l'impression d'être glacée sur place. Les yeux de Ralph Armitage s'écarquillèrent ; il passa la langue sur ses lèvres. Un sourire apparut au coin de celles de Lucas.

— Ralph, tu as bien dit que tu la trouvais attirante.

— Grands dieux! lança Armitage dont l'expression était passée du choc à l'avidité.

Il ne ferait pas *ça* – se dit-elle en parvenant à peine à matérialiser la chose.

— Je t'en prie, Lucas. Je t'en prie, arrête. S'il te plaît, murmura-t-elle.

Au milieu du silence, elle entendit le bourdonnement d'un moustique et, au loin, le chant d'un oiseau. Puis Lucas éclata de rire, brisant la tension.

— Seigneur! À quoi pensiez-vous tous les deux? Je protège mes biens, vous le savez. Il faudrait que je sois très, très en colère contre toi, Marianne, pour te partager avec quelqu'un d'autre. Maintenant file, d'accord, et laisse-nous tranquille.

Les mains de Marianne tremblaient tellement qu'elle eut du mal à tourner la poignée de sa porte. Une fois à l'intérieur, elle s'effondra par terre puis, tendant la main et tâtonnant pour en trouver la clé, elle ferma sa porte. Cette nuit-là, le moindre craquement du plancher, le moindre tremblement de vitre lui faisait écarquiller les yeux et tambouriner le cœur. Pour la première fois, la nuit de Ceylan lui faisait peur. La menace se logeait dans un battement d'ailes, dans le cri d'un animal, et faisait entrer dans sa chambre le chaos de la jungle. Qu'avait dit M. Salter? «Cet endroit fait pression sur vous – il ne vous laisse jamais tranquille.»

Finalement, à l'aube, elle sombra dans un sommeil agité. Quand elle se leva enfin, Lucas était debout dans la véranda. Elle chercha Ralph Armitage du regard mais il n'y avait nulle trace de lui.

— Il est parti. Je l'ai envoyé faire ses bagages, annonça Lucas. C'est un imbécile. Un pénible imbécile.

Sa voix était sèche et sans accent. Il lui sembla aussi fatigué qu'elle. Puis il dit doucement:

— Tu m'as menacé, Marianne. Je n'aime pas être menacé.

Elle baissa la tête, ne sachant que dire.

— On s'entendra parfaitement bien tant qu'on ne se mettra pas en travers du chemin l'un de l'autre. Tu es consciente de cela, non?

— Oui, Lucas, murmura-t-elle.

— Donc je ne veux plus entendre parler de me quitter. Et je ne veux plus entendre – jamais – parler d'emmener George loin de moi.

Elle acquiesça en silence. Il sourit.

— Eh bien, maintenant, où est-il, mon fils ?

13

En cet hiver de 1913-1914, Ash avait souvent l'impression que les événements allaient trop vite, hors de tout contrôle et menaçant de se désintégrer devant lui. On courait à la guerre civile en Irlande, les deux armées privées des unionistes de sir Edward Carson et des Volontaires irlandais, menés par Eoin MacNeill, se préparaient au combat. La confrontation militaire semblait inévitable. Armes et munitions alimentaient les deux camps ; en mars, une brigade de l'armée britannique basée en Ulster refusa d'agir contre ses compatriotes.

Les manifestations de suffragettes devenaient de plus en plus agressives. Emmeline Pankhurst avait été arrêtée après un discours à Glasgow qui avait été suivi d'émeutes. Peu de temps après, en guise de représailles, la suffragette Mary Richardson avait tailladé la *Vénus à son miroir*, à la National Gallery. Ash trouva quelque justice que le corps harmonieux et nu de l'odalisque, perfection féminine imaginée par un homme, fût désacralisé par une femme qui voulait quelque chose de différent, de nouveau.

Comme un lointain tonnerre, d'autres tremblements renvoyaient l'écho de mécontentements plus inquiétants. Le désir d'autonomie de la Serbie, le vieil Empire austro-hongrois luttant pour son unité, la force et le militarisme croissants de l'Allemagne, la vieille haine de la France envers son puissant voisin et les craintes de la Grande-Bretagne sur l'avenir de son empire (nécessaire pour absorber les produits des filatures de coton du Lancashire et des usines de tôlerie du Yorkshire), sa susceptibilité à l'égard de tout ce qui pourrait menacer les routes commerciales vers l'Inde, ce joyau de la Couronne. Avec inquiétude, Ash trouvait un tel environnement toxique, comme un mélange de produits chimiques volatils qu'une seule étincelle, une allumette lancée avec imprudence, pouvait transformer en un terrible embrasement.

Il avait également d'autres soucis plus immédiats. Il y avait Iris, bien sûr. Elle ne pouvait avoir signifié plus clairement qu'il ne représentait rien pour elle. Pendant toute la première moitié de l'hiver, il s'était senti consumé par une colère noire quand il pensait à elle. Une partie de cette colère naissait du fait d'avoir été suffisamment stupide pour croire qu'elle pouvait avoir des sentiments pour lui. Une autre se nourrissait de sa jalousie à l'égard de n'importe quelle andouille qu'elle allait maintenant ensorceler.

En novembre, son tuteur tomba malade. Chaque vendredi matin, Ash prit le train en direction de Cambridge pour être aux côtés d'Emlyn pendant le week-end. Au fil des mois, il eut l'impression de devoir jongler comme au cirque, avec les assiettes qui vrillent, les cerceaux qui volent dans les airs et toujours quelque chose sur le point de tomber. Son travail, Emlyn, ses groupes politiques et éducatifs : il n'y serait pas arrivé, se disait-il souvent, sans Thelma. C'est elle qui promenait le chien quand il n'était pas à Londres, elle qui l'aidait à distribuer des pamphlets par des nuits froides et pluvieuses, elle qui débarquait de temps à autre avec des boîtes de fruits et de légumes quand il avait oublié de faire les courses.

Emlyn mourut en avril 1914. À l'issue de l'enterrement, un repas fut organisé pour les amis du défunt au domicile d'Emlyn, à Grantchester. Puis, l'un après l'autre, les gens se dispersèrent. Ash dit à la femme de ménage et à la gouvernante de se mettre en congé pour le reste de la journée. Une fois tout le monde parti, il se promena dans le jardin. L'air était vif, les jonquilles pointaient leurs têtes jaunes et brillantes, les arbustes à feuilles persistantes étaient agités par la brise.

Il descendit vers le bord de la rivière, où le vent soulevait quelques vaguelettes et où les saules pleureurs tendaient vers l'eau sombre leurs doigts longs et fins. Il se souvint de la première fois où il était venu ici. Il avait huit ans et était orphelin de ses parents. Il n'avait pas pleuré la perte de son père et de sa mère car il ne les avait guère connus : ils voyageaient et son enfance avait été une succession de nourrices. Il n'avait pas eu peur du tout de ce considérable changement dans sa vie ; il avait vécu comme une belle aventure le voyage en train vers Cambridge, puis en taxi vers Grantchester, avant l'arrivée dans cette grande maison désordonnée. Il avait été heureux en dépit d'être seul. Quel acte extraordinaire et généreux cela avait été, de la part d'un célibataire dans la quarantaine, de prendre en charge un enfant, au nom d'une vieille affection pour un ami ! Il passa ses doigts le long de ses cils et ils finirent mouillés de larmes.

Avec le recul, il réalisa que, étant gamin, il n'avait pas peur de grand-chose. Il avait manqué se noyer plusieurs fois dans la Granta, il s'était cassé un bras en tombant du toit de la maison d'été et la cheville en chutant d'un mur de brique. Même les fantômes, dont il était alors certain qu'ils hantaient la maison, ne lui faisaient pas peur. Pourtant, au cours des semaines pendant lesquelles il savait qu'Emlyn était en train de mourir, il avait senti la peur s'installer en lui. À l'intérieur de la maison, errant de pièce en pièce, il n'arrivait pas à se débarrasser d'un sentiment profond de solitude. La pénombre révélait les ombres cachées dans les coins, une tache de moisissure sur le papier peint, le bras élimé d'un fauteuil. Les fantômes étaient bien là, cette fois-ci. Dans un couloir, une porte claqua et il s'immobilisa. Quelque chose manquait et ce vide l'oppressait.

Il retourna à Londres et reprit le cours de sa vie. Son travail, ses réunions et ses amis remplissaient les jours et les soirées, de sorte qu'il n'avait pas le temps de penser. Il réalisa cependant qu'il avait besoin de boire pour s'endormir et que, parfois, en se réveillant aux aurores, à l'heure où seuls les claquements de sabots du cheval du laitier résonnaient dans la rue, cette peur apparaissait à nouveau, sans qu'il puisse mettre un nom dessus.

Un soir, Thelma lui rendit visite.

— Êtes-vous seul, Ash ?

— Fred et Charlie sont passés mais je les ai fait partir.

— Voulez-vous que je m'en aille aussi?

— Bien sûr que non.

Elle le suivit dans la cuisine.

— Le voisin est avec papa. Ils font un puzzle. Je déteste les puzzles. À quoi sert-il de mettre en pièces quelque chose pour le remettre ensuite en place?

Il lui offrit du thé.

— Je préférerais avoir de ça, dit-elle en montrant la bouteille de scotch sur la table.

Il lui en versa un fond et remarqua qu'elle s'était mis de la poudre sur le visage, ainsi que du rouge à lèvres et que, sous son manteau, elle portait une robe verte qui faisait ressortir la couleur de ses yeux.

— Devrez-vous retourner à Cambridge? demanda-t-elle.

— Bientôt. Il y a beaucoup de choses à ranger.

— C'est une bien triste tâche que de ranger un lieu après la mort de quelqu'un. Je me souviens avoir rangé les affaires de maman et avoir eu l'impression de jeter des morceaux d'elle.

— C'est à peu près ça. J'avais l'intention d'en faire davantage après les funérailles mais on se sentait si seul dans la maison. Je pense y retourner ce week-end.

— Est-ce que quelqu'un d'autre vit là-bas?

— Seulement la gouvernante.

— Que va devenir la maison?

— Eh bien, elle est à moi maintenant. Emlyn me l'a léguée. J'imagine qu'il me faut réfléchir à ce que je vais en faire.

— Allez-vous vivre là-bas? dit-elle en le scrutant du regard. À Cambridge?

— Je n'ai pas encore décidé. Peut-être.

— Est-ce une belle maison?

— Oui, elle est charmante. Très paisible. Au bord de la rivière.

— Grande?

— Assez grande, oui.

— Je ne comprends pas comment vous pouvez hésiter si vous avez la chance de vivre dans un tel endroit! éclata-t-elle.

386

— Je m'excuse.

Il se sentit soudain honteux en voyant la pièce cousue sur le coude du manteau de Thelma et les éraflures au bout de ses chaussures, aussi bien cirées fussent-elles.

— Je ne voulais pas faire... le gâté.

Elle se tenait debout devant l'évier, lui tournant le dos, regardant par la fenêtre les murs des maisons d'en face salis par la fumée. Après une pause, elle reprit :

— Non, c'est moi qui suis désolée. Je ne devrais pas vous réprimander alors que vous traversez une période si pénible. C'est juste que je détesterais que vous partiez, Ash, dit-elle en se tournant vers lui et en lui souriant.

— Si cela arrivait, cet endroit me manquerait beaucoup.

— C'est *vous* qui me manqueriez.

Elle l'embrassa. Ses lèvres frôlèrent sa joue, puis sa bouche.

— Est-ce que je ne vous manquerais pas un petit peu ? dit-elle doucement.

Il avait les lèvres sèches. Cela faisait tellement longtemps qu'il n'avait pas embrassé ou pris une femme dans ses bras. L'hiver avait été marqué par la maladie et la mort ; il avait besoin d'être avec une personne jeune et pleine de vie, quelqu'un qui le ferait se sentir vivant à nouveau. Une alarme retentit dans un coin de son esprit, mais elle s'était lovée contre lui et il sentit la pression de la plénitude souple de ses seins, l'odeur de sa peau et de ses cheveux. Elle fit glisser ses doigts le long de sa colonne vertébrale et il frissonna.

— Bien sûr que vous me manqueriez.

— Montrez-le moi. Montrez-moi à quel point je vous manquerais, Ash. Embrassez-moi correctement. Juste une fois, dit-elle en souriant. Vous me le devez, Ash, avec tous ces foutus prospectus...

Ses lèvres étaient molles et offertes, sa langue se glissa dans sa bouche. Elle se tortilla et son manteau tomba au sol. Puis elle déboutonna le devant de sa robe.

— Quelle tête ! dit-elle en éclatant de rire. Ne vous en faites pas, je l'ai déjà fait. Charlie et moi devions nous marier, vous savez.

La robe verte rejoignit le manteau par terre. Il vit le gonflement mûr de sa poitrine et de ses hanches, la courbe étroite de sa taille, le trait de peau blanche entre sa culotte et des bas noirs.

— Voyez-vous, Ash, je vous aime beaucoup, déclara-t-elle toujours avec cet air de défi. Peut-être ne devrais-je pas le dire. Une fille n'est pas censée dire à un gars combien elle l'aime. Mais je m'en fiche. Et ne vous inquiétez pas : je ne suis pas amoureuse de vous ou quelque chose de ce genre. Je veux juste m'amuser.

Son expression s'adoucit et elle tendit les bras vers lui.

— Allez-y. Faites le reste. Vous savez que vous en avez envie.

Il s'exécuta. Son envie d'elle écarta toutes les autres pensées. Au début, ses doigts tâtonnèrent en décrochant et détachant jupons, caraco et corset. Puis l'instinct et le désir prirent le dessus et il sut exactement ce qu'il voulait, écartant ses cuisses et entrant en elle, avec la seule idée d'assouvir sa faim.

Il dormit profondément cette nuit-là. Au réveil, un sentiment d'incrédulité l'envahit. Il se rappela la robe verte tombant au sol, ce trait de peau blanche entre les bas et la culotte. Après s'être rhabillée et arrangée, Thelma avait dit :

— Mieux vaut que je rentre à la maison, sinon mon père va s'inquiéter.

Puis elle était partie. Quelques jours plus tard, un soir, il était chez lui quand on frappa à la porte. Un homme au manteau usé se tenait sur le palier. Il salua Ash en touchant sa casquette.

— Désolé de vous embêter, monsieur, mais quelqu'un m'a dit que vous auriez peut-être quelque chose à grignoter pour moi.

— Ce sera du pain et du fromage, monsieur… ?

— Hargrave. Franck Hargrave. Quel que soit ce que vous avez, je vous en suis reconnaissant, dit-il en frissonnant. Me laisseriez-vous entrer une minute ou deux, monsieur ? J'ai dormi à la dure ces derniers soirs et je suis frigorifié.

Ash fit entrer Hargrave dans la pièce donnant sur la rue et le laissa debout devant la cheminée pendant que, dans la cuisine, il enveloppait du pain et du fromage dans du papier sulfurisé.

— Voici, dit-il en tendant le paquet à Hargrave.

— Merci beaucoup, monsieur, répondit celui-ci en levant sa casquette et en se dirigeant vers la porte d'entrée.

— Je vais vous donner l'adresse de quelques hôtels, proposa Ash en allant chercher du papier et une plume. Ce n'est pas exactement le Ritz mais...

On entendit le bruit de la porte se refermant. Et Hargrave était parti. Ash cligna des yeux et balaya du regard son bureau. Sa plume aurait dû s'y trouver – il était en train de travailler ici quand on avait frappé à la porte. Peut-être avait-elle roulé sous le bureau. Il se pencha pour chercher au-dessous. Quand il se releva, il remarqua qu'il n'y avait pas que sa plume à avoir disparu. Le pot sur la cheminée avait été vidé de la menue monnaie qu'il y laissait toujours. La photographie d'Emlyn, sur l'étagère, avait été emportée, sans doute pour son cadre en argent. Sa veste était négligemment posée sur le dos d'une chaise ; il enfonça rapidement ses mains dans les poches et découvrit que son portefeuille aussi avait disparu. Son appareil photo n'était plus à sa place habituelle, dans un coin de la pièce. Le salopard l'avait pris. Il sentit une poussée de rage l'envahir et il se précipita dans la rue. Au loin, il vit Hargrave avec son appareil sur l'épaule, remontant Aldgate High Street. Il se mit à courir. Hargrave se retourna en entendant ses pas derrière lui.

— Rendez-moi mes affaires, dit Ash.

Il eut un sourire.

— Désolé. Mais non.

Le gémissement nasal et plaintif s'était dissipé, tout comme son attitude soumise.

— J'ai dit : donnez-les moi.

Hargrave parut réfléchir.

— Tu peux avoir ça. Sacrément trop lourd. Pas envie de me le trimballer aux puces. Tiens attrape.

Il lança délibérément au loin l'appareil photographique. Quand il s'écrasa sur le trottoir, Ash entendit le verre se briser et le métal se déformer.

— Espèce de salopard.

Hargrave cracha.

— Tu veux le reste ? Viens, essaie de me le prendre.

L'éclat d'un couteau brilla. Hargrave s'avança d'un pas.

— Il se disait que tu avais quelques belles choses.

Le coutelas dansait.

— On disait aussi que tu étais une bonne poire.

Ash n'avait pas le moindre doute que Hargrave userait de son couteau et aimerait ça. Il réalisa qu'ils étaient seuls ; autour d'eux, les portes s'étaient fermées et les passants s'étaient évanouis. Un frisson de peur se mélangea à sa colère.

— Gardez-les donc, ces foutus trucs, dit-il.

Le ricanement de Hargrave résonnait encore, tandis que Ash se penchait pour ramasser avec précaution les morceaux éparpillés de l'appareil.

Pour la première fois depuis qu'il avait emménagé dans sa maison, il ferma la porte de l'intérieur. Puis il se servit un grand verre de scotch. «On disait aussi que tu étais une bonne poire» : les paroles de Hargrave le couvraient de ridicule pendant qu'il inspectait l'appareil abîmé. Il se souvint du jour où il avait montré à Iris comment s'en servir. Il se souvint des arbres en fleur dans le verger de Summerleigh, des robes blanches des filles et de leurs larges ceintures à nœuds colorés. Il avait ensuite pris une photographie des quatre sœurs. Il se rappela les yeux d'Iris, qui semblaient le mettre au défi de la saisir, de lui rendre toute sa valeur. Et il se souvint de la première fois où il l'avait vue, dévalant la colline sur sa bicyclette. Sa robe avait gonflé comme un nuage rose et ses cheveux dorés entouraient son visage comme un halo. Il s'était dit qu'elle était la plus belle fille qu'il ait jamais vue. Et rien, depuis, n'était venu changer son opinion.

Il grogna et s'assit, la tête entre les mains. Il se demanda si Iris avait senti ce détachement en lui, celui de l'orphelin, de ceux qui ont eu ni frère ni sœur, de ceux qui eurent à apprendre à se débrouiller seul. Étaient-ils vraiment ses amis, ces gens dont il remplissait sa maison ? Ou ne les utilisait-il que pour obstruer le silence ? Inaccoutumé à avoir des proches, avait-il évité l'intimité, lui préférant des sollicitations moins risquées ? Il allait avoir trente ans cette année, et il n'avait ni épouse, ni enfant, ni parent. Il savait que la mélancolie qui l'avait hanté depuis la mort d'Emlyn était née de cette peur que, d'ici à dix ou vingt ans, il regarderait peut-être autour de lui pour constater qu'il était seul.

Quand à Thelma, il sentit un regret amer et un léger dégoût de lui-même pour avoir laissé les choses aller si loin. Il l'avait également utilisée. C'était une chose de la laisser aller promener son chien, se dit-il avec sévérité, c'en était une autre de l'amener dans son lit. Il ne l'aimait pas, et ne l'avait jamais aimée. Il aimait Iris, Iris lui manquait, il languissait d'elle. Il devait prendre un risque, lui dire la vérité, qu'il l'aimait, qu'il la voulait. Il devait se battre pour elle. Il devait savoir s'il avait trop attendu.

*

Le soir, Marianne fermait sa porte à clé. Au cas où. Mais il ne vint pas la voir. Parfois, elle pensait avoir imaginé sa menace à peine voilée. Elle se disait qu'elle avait commis une erreur, ou qu'elle avait mal interprété ce que Lucas avait dit. Elle était le plus souvent confuse. Elle avait cru en certaines choses intensément – son pays, la bonté d'Arthur, sa propre intégrité – et elle les questionnait désormais.

Clare Barlow passa la voir. Elles allèrent s'asseoir dans le jardin, sous le banian, à regarder les enfants jouer. La journée était parfaite, le ciel impeccablement bleu et clair, des arbres et des fleurs qui paraissaient scintiller dans la lumière.

— Je rentre en Angleterre, annonça Clare. Cela fait des lustres que je repousse le moment d'envoyer les filles à l'internat mais je ne peux le retarder davantage. Et j'ai décidé de rester en Angleterre avec elles. C'est ce que je souhaitais te dire, Marianne. Que je ne reviendrai pas.

Le soleil brillait à travers les branches du banian, formant des ombres changeantes sur le visage de Clare.

— Je n'en ai parlé à personne d'autre, ajouta-t-elle. Pas même aux filles – elles ne tiendraient pas leur langue. Mais je sais que tu resteras discrète.

Elle parut triste, tout d'un coup.

— Je ne vais pas dire que je ne me soucie pas de mon mariage car ce ne serait pas vrai. Mais si je ne reviens pas à

Ceylan et que Johnnie n'en fait pas une montagne, ce ne sera pas si terrible. Johnnie demandera peut-être le divorce, bien sûr. J'espère le persuader du contraire, pour le bien des filles. Mais s'il y tient, je ne le blâmerai pas. Il n'a jamais été méchant avec moi et il ne mérite sans doute pas cela. Mais je ne l'aime plus, Marianne, telle est la vérité. L'idée de me trouver à des milliers de kilomètres de mes filles m'est insupportable, alors que celle d'être à des milliers de kilomètres de Johnnie, ma foi… ne me préoccupe pas tant que ça.

Elle alluma une cigarette et resta ainsi un moment, silencieuse. Elle contempla le paysage autour d'elle.

— Tout cela me manquera, dit-elle doucement. Par des journées comme celle-ci, on ne voit pas pourquoi partir, n'est-ce pas?

Un peu plus tard, Clare serra Marianne dans ses bras et, en s'écartant, la regarda.

— Tout ira bien pour toi, hein?

Des phrases se formaient dans son esprit. Un instant, elle pensa pouvoir les exprimer. «J'ai peur de Lucas, aurait-elle pu dire. Il y a une partie en lui, cruelle et imprévisible, qui m'effraie.» Mais l'une des filles appela et Clare sourit.

— Je sais que tu iras bien. Tu peux tout surmonter, Marianne, n'est-ce pas?

Le char à bœufs s'en alla et disparut après le premier virage. En retournant au bungalow, Marianne se fit une promesse: quand George aurait sept ou huit ans et qu'il devrait partir en internat, si son mariage n'était pas plus facile, elle resterait en Angleterre avec lui. Elle se sentit soulagée; elle avait entrevu une porte de sortie, une limite à ce qu'elle devait endurer.

*

Pendant tout l'hiver, Iris avait travaillé comme infirmière privée dans une famille du Hampshire. Sa patiente, Mary Wynyard, souffrait d'une tuberculose en phase terminale. Du fait du caractère infectieux de la maladie et parce que l'on pensait l'air frais bénéfique aux tuberculeux, Mary passa les derniers mois de sa vie dans une maison en bois construite à une distance considérée comme sûre de la maison où habitaient son mari et ses enfants. Iris avait le cœur brisé de voir Mary enroulée dans des couvertures, assise dans la véranda de sa cabane et regardant les enfants jouer dehors, les yeux pleins d'envie.

Mary mourut au printemps. Iris accepta de rester dans ce foyer jusqu'à ce que son veuf, Charles Wynyard, trouve une gouvernante pouvant s'occuper des enfants. Un matin, ils se trouvaient dans la cuisine et Iris aidait les enfants à fabriquer des bonshommes en pain d'épice quand quelque chose attira son attention. Elle regarda par la fenêtre et vit Ash remontant l'allée en gravier de la propriété des Wynyard. Mary-Jane, la fille de Charles Wynyard, âgée de cinq ans, annonça :

— Il y a un homme qui vient.

Charles jeta un œil par la fenêtre.

— Il ne ressemble pas à un intendant potentiel.

— Il ne l'est pas. Il s'appelle Ash, précisa Iris, le cœur cognant ses côtes. C'est un de mes amis.

— Tu as oublié les boutons ! cria Mary-Jane en éclatant de rire.

— Ma chérie… dit Charles gentiment avant de s'adresser à Iris. Vous feriez mieux d'aller à la rencontre de votre ami. Mary-Jane et moi allons ranger par ici. Et ne vous sentez pas obligée de nous le présenter – le pauvre homme a peut-être besoin d'un peu de répit avant d'affronter les Wynyard couverts de farine.

Elle était déjà sur le pas de la porte quand elle s'aperçut qu'elle portait toujours son tablier. Elle l'ôta en quatrième vitesse et l'enfourna sous le porte-manteaux, mais se rendit compte qu'il l'avait vue.

— Iris, dit-il.

— Ash. Quelle surprise, dit-elle en l'embrassant sur la joue.

— Puis-je vous déranger ? Êtes-vous occupée ?

— J'étais en train de cuisiner.

Il la regardait intensément.

— Est-ce que j'ai de la farine sur le nez ? demanda-t-elle.

Il fit « non » de la tête. Elle remplit le silence en disant avec gaieté :

— Nous avons cru que vous étiez un intendant!

— Un intendant?

— Mon employeur, M. Wynyard, a publié une annonce cherchant une personne pour s'occuper de la maison et aider les enfants, intendant ou gourvernante. Elles s'habillent toutes en noir, bien que certaines d'entre elles apportent un peu de couleur en épinglant quelques cerises artificielles sur leur chapeau.

— Pas de cerise, j'en ai peur, commenta-t-il après avoir posé sa main sur sa tête.

— Pas de chapeau, dit-elle en souriant. Ils chauffent la tête et empêchent le cerveau de fonctionner.

— Vous vous en souvenez. Mon tuteur Emlyn m'avait dit cela.

— Comment va-t-il?

— Emlyn est mort il y a trois semaines.

Elle lui trouva les traits tirés.

— Oh, Ash, je suis tellement désolée. Est-ce que ce fut soudain?

Il lui raconta la maladie et la mort d'Emlyn. Elle lui prit le bras.

— Comment m'avez-vous retrouvée?

— J'ai demandé à Eva. Elle m'a dit que votre patiente était morte il y a peu.

— Oui. C'était si triste. Cette pauvre Mary. Et si terrible pour Charles et les enfants.

Elle se demandait pourquoi il était venu ici. Elle se souvint de l'été précédent: la chaleur, Thelma Voss lui disant: «Il ne vous aime pas. Il ne vous aimera jamais.» Depuis quelques temps, elle s'était interrogée sur la version des faits donnée par Thelma. Mais elle craignait encore qu'il y eût dans ses paroles une part de vérité essentielle.

— Si nous allions nous promener dans les bois? proposa-t-elle. Ils sont magnifiques à cette époque de l'année.

Le chemin qui menait à la forêt de hêtres était bordé de jacinthes des bois sur des hectares. Le bleu cobalt des fleurs se mariait à l'argent du tronc des hêtres et au vert clair soyeux des feuilles.

— Votre départ de Londres était si soudain…, entama-t-il.

— Ma foi, oui. Pour moi aussi.

— Vous m'avez dit que vous y aviez pensé depuis longtemps, rappela-t-il en fronçant les sourcils.

— Un pieux mensonge, de rien du tout. Pour préserver mon orgueil.

— Je ne comprends pas.

— J'ai été renvoyée du Mandeville, Ash. Pour impertinence.

Ses yeux s'écarquillèrent. Puis il s'étrangla de rire.

— Alors ça ! Et qu'aviez-vous donc fait ?

Elle lui parla de Sœur Dickens.

— De toute façon, j'en avais assez de l'hôpital. Et vraiment, maintenant que j'ai eu le temps d'y réfléchir, je sais que la surveillante avait raison. Je ne voulais pas passer le restant de mes jours là-bas, précisa-t-elle en cherchant à capter son regard. Mais ce jour-là, c'est en partie la raison pour laquelle j'étais si odieuse.

— En partie ?

Face au risque d'être blessée, elle renonça encore une fois à s'ouvrir. Elle changea de sujet et dit :

— Je vais bientôt partir d'ici. J'ai promis à Charles de rester jusqu'à ce qu'il trouve une personne convenable pour s'occuper des enfants, mais ensuite je m'en vais.

Un merle chantait, perché dans de hautes branches et elle attendait qu'il dise… quoi ? Ces derniers mois, elle avait eu tout loisir d'imaginer ce qu'elle aurait aimé qu'il lui dise. Et cela se résumait essentiellement à ce qu'il lui dise qu'il l'aimait.

Mais au contraire, il dit simplement :

— Que ferez-vous après votre départ d'ici ?

Et quelque chose en elle s'éteignit légèrement.

— Je ne sais pas. Peut-être irai-je à la maison un moment. Ou peut-être trouverai-je un autre poste d'infirmière privée. Ou alors j'irai en France, pour habiter avec Charlotte. Ce serait bon de faire une vraie coupure avec le travail.

— Je vois, dit-il en fixant l'horizon, où le mauve des jacinthes se mélangeait au marron de la terre forestière.

— Ash, pourquoi êtes-vous venu ici ?

— Pour savoir comment vous alliez.

— Uniquement pour ça?

Sa voix s'était affaiblie. Voici que réapparaissait cette fêlure dans son cœur et elle aurait voulu le rouer de coups de poings sur la poitrine, furieuse qu'il vienne jusqu'ici perturber sa précaire tranquillité.

— Non, pas uniquement, reprit-il. Il y a certaines choses que je veux savoir. Et que vous devez savoir. Tous ces imbéciles qui vous ont toujours couru après sont incapables de se soucier davantage de vous que moi. Peu importe qu'ils soient riches, beaux ou je ne sais quoi encore, je sais que vous vous ennuieriez avec eux en moins d'une semaine. Et bien que je ne sois probablement pas celui que vous aviez imaginé comme amoureux, Iris, je vous aime vraiment. Je ne vous empêcherai pas d'aller en France, si c'est ce que vous désirez véritablement, mais je ne renoncerai pas à vous pour autant. En fait...

— Qu'avez-vous dit? murmura-t-elle.

— Que si vous désirez vraiment partir en France, je n'essaierai pas de vous en empêcher, bien sûr.

— Non, pas ça. Avant. À propos de m'aimer.

— Ah, oui. Eh bien, oui, je vous aime. Depuis une éternité. Et c'est la raison pour laquelle je suis venu ici. Pour vous demander s'il y a la moindre possibilité que vous puissiez m'aimer un peu.

— Non, dit-elle avec sérieux. Je ne vous aime pas un peu.

— Oh...

Le désespoir était tel dans ce soupir qu'elle ne voulut pas le taquiner davantage.

— En réalité, déclara-t-elle, je vous aime plutôt beaucoup, Ash. Ce qui est assez déconcertant car vous n'êtes pas du tout le genre d'homme dont j'étais censée tomber amoureuse. Vous vous habillez terriblement mal et nous ne sommes pas d'accord sur plein de choses, et...

— Chut..., murmura-t-il, avant de la faire taire avec un baiser.

*

Marianne se trouvait dans le jardin quand elle entendit le bruit des sabots du cheval. Arrivant dans un nuage de poussière rouge, M. Salter lança les rênes au palefrenier et descendit en glissant de sa selle.

— Madame Melrose! cria-t-il. Un accident s'est produit sur les terres de Glencoe! M. Melrose est blessé. Ils le ramènent sur une charrette.

Il comprit son choc comme de la peur – la jeune épouse craignant pour son mari blessé – et lui prit le bras.

— Il va s'en sortir. Ne vous en faites pas. C'est un dur à cuire. Mais il n'est pas très beau à voir, je voulais donc vous prévenir.

— Que s'est-il passé?

— Un serpent se trouvait dans les herbes et son cheval a rué. Ils étaient en train de débroussailler les hautes terres. Il a dû se cogner la tête à une pierre en tombant.

Une pensée perfide lui traversa l'esprit: *S'il est mort, je serai libre.* Mais elle l'écarta. M. Salter repartit au galop chercher le Dr Scott. Marianne ordonna aux domestiques de faire bouillir de l'eau pendant qu'elle découpait un bout de tissu en bandelettes. On entendit le cahotement de la charrette sur le chemin. Elle partit à sa rencontre.

Une bande de tissu ensanglanté était enroulée autour de la tête de Lucas et un os cassé déformait son poignet. Les hommes le transportèrent dans sa chambre où, avec l'aide de Rani, Marianne le débanda et essaya d'enrayer le saignement de la blessure à la tête. Quand le Dr Scott arriva, il commençait à remuer et à grogner, ouvrant et refermant les yeux.

Les doigts gros et courts du Dr Scott auscultèrent les os du crâne de Lucas.

— Il y a commotion cérébrale mais je ne pense pas qu'il y ait de fracture.

Il sutura la blessure et banda le poignet cassé. Puis, dans la salle à manger, devant un plat de riz au curry, il ajouta:

— Le poignet aura guéri d'ici à environ six semaines et je crois que le genou n'est pas abîmé. Mais je crains que la blessure à la tête ne soit la plus grave. Les blessures à la tête sont de sales choses, madame Melrose. Cela lui prendra peut-être du temps de récupérer. Il aura probablement de la fièvre. Des compresses froides devraient aider. Je vous laisserai un sédatif. Mais vous verrez, dans quelque temps, il se portera comme un charme.

Au cours de la semaine qui suivit, Lucas délira. Marianne s'asseyait à côté du lit, mouillant sa peau brûlante alors qu'il se tournait, se retournait et grommelait dans sa barbe. Au pic de la fièvre, il trembla de manière convulsive. Un jour, au milieu de la nuit, il ouvrit grand des yeux habités par la peur et fixés sur un recoin de la chambre, comme s'il pouvait voir quelque horreur invisible à Marianne. Soigner Lucas raviva chez elle le souvenir d'une autre veille au bord d'un lit. Elle s'attendait à voir apparaître les hématomes sous la peau et l'odeur de la gangrène. Et de perdre le mari qu'elle avait appris à craindre comme elle avait perdu le mari qu'elle avait aimé.

Mais Lucas ne mourut pas. Plus tard, elle se dit que l'entêtement et la ténacité avec lesquels il s'était battu pour dompter les terres les plus inhospitalières lui avaient donné la force de lutter contre la fièvre et la douleur. Dix jours après l'accident, Marianne entra dans sa chambre et le trouva à moitié habillé, s'efforçant d'enfiler une chemise.

— Lucas! Que fais-tu?

— Qu'ai-je l'air de faire? J'essaie d'enfiler cette fichue chemise.

— Le Dr Scott a dit…

— Au diable le Dr Scott, répliqua-t-il en lui lançant un regard furieux. Que fais-tu à rester debout, là? Tu ne peux pas m'aider, Marianne?

— Ton bras… Je dois couper la manche.

— Eh bien fais-le, dépêche-toi, nom de dieu.

Il se leva et vacilla.

— Si tu fais l'imbécile, la fièvre va revenir. C'est ce que tu veux?

— Oh pour l'amour du ciel, femme…

Elle entendit la colère dans sa voix et recula d'un pas. Mais il rit de sa gorge irritée et s'assit sur le bord du lit.

— Tu n'as rien à craindre de moi. Je ne pourrais pas faire de mal à une mouche, dit-il en fermant les yeux avec force, sa peau paraissant grise sous le teint bronzé. La plantation...

— M. Cooper et M. Salter en prennent soin.

— Cooper est fainéant et Salter est un rêveur incompétent. Les feuilles auront des cloques et l'élagage sera négligé si je laisse ces deux-là s'en charger trop longtemps.

Il lança un regard mauvais sur l'écharpe qui bloquait son bras.

— Quelle foutue malchance! Certains coolies croient que les terres de Glencoe sont maudites, tu savais cela, Marianne? Ce vieux Macready est mort à force de boire à cause de ça. Depuis que j'ai acheté ces terres, elles ne m'ont causé que des problèmes. L'incendie, et maintenant ça. Un lieu maudit... ce sont des foutaises bien entendu, mais j'ai honte de dire qu'il m'est arrivé de me demander s'ils n'avaient pas raison.

Il tripota son étui à cigarettes avec la main gauche. Marianne craqua une allumette pour lui.

— J'ai besoin de voir les comptes de la plantation – ils sont dans mon bureau.

— Je te les apporte.

— Cette foutue chambre, dit-il brusquement en regardant autour de lui. C'est comme une prison.

— Veux-tu que je demande à Nadeshan et Rani de t'aider à rejoindre la véranda? Il fait peut-être plus frais là-bas.

— Et George? Je veux voir George.

Quelques jours plus tard, il se força à marcher dans le jardin à l'aide d'une canne. Il était frustré par son handicap. Un jour, il jeta par terre le bol de soupe que Nadeshan lui avait apporté.

— C'est de la bouillie pour handicapés! cria-t-il avec fureur. Apporte-moi quelque chose de mangeable, nom d'un chien!

Il insista pour manger assis à la table de la salle à manger plutôt que dans la véranda, quand bien même la sueur perlait sur son visage et ses traits trahissaient la douleur. Ses régisseurs devaient lui faire un rapport trois fois par jour. Il passait des heures dans la véranda, regardant George jouer avec la même scrupuleuse attention qu'il accordait aux comptes de

MM. Cooper et Salter sur la production de feuilles et le calendrier de l'élagage.

Une nuit, elle fut réveillée par un grand cri. Presque inhumain, comme le hurlement d'un loup ; on aurait dit qu'il déchirait la nuit. Elle alluma une bougie et sortit de sa chambre. Il y eut un nouveau cri qui lui fit dresser les polis dans le dos. Elle s'arrêta devant la chambre de Lucas. Il lui fallut tout son courage pour frapper à sa porte :

— Lucas, c'est moi, Marianne,

Elle tourna la poignée, mais ne put immédiatement accommoder ses yeux à l'obscurité : la chambre était plongée dans le noir. Puis elle le vit assis sur le lit. Quand il leva les yeux sur elle, elle vit la terreur dans son regard.

— Il est là, chuchota-t-il.

— Qui ? Qui est là ?

— Lui, dit-il dans un souffle d'effroi. Mon père.

Il fixa de nouveau l'obscurité. Un frisson de peur la parcourut avant qu'elle ne cesse de se retourner pour vérifier autour d'elle s'il y avait des fantômes dans les recoins de la pièce.

— Non, Lucas. Il n'est pas là, dit-elle enfin calmement.

— Je l'ai entendu.

— Tu as peut-être entendu un animal dans le jardin. Ou l'un des domestiques.

Elle alluma la lampe à huile sur sa table de chevet. Elle le vit cligner des yeux et se secouer un peu. Puis il regarda l'horloge.

— Minuit, murmura-t-il. L'heure du diable. L'heure à laquelle il vient me chercher.

— Tu devrais te recoucher, Lucas. C'était juste un cauchemar.

— Ma tête – pourquoi ai-je si mal ? dit-il en pressant sa main sur son front.

— Veux-tu que je t'apporte tes pilules ?

— Non, répondit-il sèchement. Elles me font avoir des rêves. Apporte-moi à boire.

Il y avait une bouteille d'arack dans le salon. Elle vit sa main trembler quand il avança le verre vers sa bouche. Puis il la dévisagea.

— Toi. Tu es encore là ? Pourquoi restes-tu ?

— Je croyais que…

— Tu croyais que j'avais besoin de compagnie.

— Oui, susurra-t-elle.

— Eh bien, non. Ni de ta compagnie, ni de celle de quelqu'un d'autre. N'as-tu pas encore appris ça, Marianne ?

— Appris quoi ?

— Que c'est une marque de faiblesse d'avoir besoin des autres. Qu'avoir besoin d'eux te rend faible, repartit-il en finissant son verre.

*

Thelma vint rendre visite à Ash. En ouvrant la porte, il eut un sentiment de culpabilité pour l'avoir évitée depuis ce soir-là.

— Salut, Ash.

Elle s'avança dans la pièce de devant, son regard se posant sur une pile de livres, puis sur un tableau au mur. Il la trouvait nerveuse et sa peau avait une pâleur maladive.

— Cela fait un bail que je ne vous ai pas vu.

— J'ai été loin assez souvent.

— À ranger la maison de votre tuteur ?

Il savait qu'il ne devait pas lui mentir.

— Oui, j'avais cela à faire. Mais j'ai aussi passé les week-ends avec Iris.

— Mlle Maclise ? dit-elle en fronçant les sourcils et avec une tension dans la voix.

— Nous avions perdu contact.

Elle le regardait intensément. Sur le ton le plus doux possible, il poursuivit :

— Thelma, vous m'avez demandé un jour si Iris et moi avions un arrangement. Eh bien, nous n'en avions pas, mais désormais nous en avons un.

À sa grande surprise, elle eut un éclat de rire strident.

— Cela va rendre les choses plutôt délicates.

— Que voulez-vous dire ? interrogea-t-il avant d'ajouter, en se haïssant lui-même : j'espère que vous n'avez pas cru… J'espère que je ne vous ai pas donné une fausse impression…

Quand elle se tourna vers lui, il vit la fureur dans ses yeux. Puis, en un instant, celle-ci s'évanouit et il se demanda s'il l'avait imaginée.

— Je suis désolé, reprit-il sur ton faible.

— Vraiment? Malheureusement, il est un peu tard pour l'être.

— Que voulez-vous dire? répéta-t-il.

Elle marqua une pause, fronçant les sourcils comme si elle se réfléchissait à quelque chose. Puis elle déclara:

— Parce que je crains qu'il y ait un petit problème.

*

Étrange cette façon dont tout, finalement, rentrait dans l'ordre. Et comment l'amour se glissait dans le creux de ses mains et transformait tout. Il y a un mois, quand Ash lui avait dit qu'il l'aimait, on aurait dit qu'une lanterne magique s'était allumée. Tout, depuis, était devenu radieux et plein de couleurs.

Iris avait quitté la maison des Wynyard et était retournée à Summerleigh. Ash venait le week-end; pendant la semaine, Iris aidait Clémence et faisait la lecture à sa mère. Parfois, elle s'asseyait simplement dans le jardin, un roman et de la couture abandonnés dans l'herbe à côté d'elle. Cela faisait une éternité qu'elle n'avait pas paressé. Avec le recul, elle s'aperçut qu'après le refus d'Ash de sa proposition de mariage (dans ce même jardin, avec cette odeur de pluie sur le gazon fraîchement tondu), elle n'avait cessé de courir, remplissant ses journées de façon à ne pas avoir à penser. Elle ne regrettait rien de ce qui s'était passé. Elle était consciente que ses années au Mandeville l'avaient réveillée et l'avaient transformée. Mais, pour une fois, ce n'était pas désagréable de s'asseoir dans une chaise longue, de sentir le soleil sur son visage et de ne rien faire.

Ash revint à Summerleigh un vendredi soir. Iris vit un bout de la robe à raies bleues de Clémence qui lui indiquait du doigt où elle était assise. Elle courut vers lui et l'embrassa.

— Ash, que c'est bon que tu arrives si tôt. J'ai plein de choses à te raconter. As-tu reçu ma lettre? Je pensais que nous pourrions aller au théâtre ce soir – on emmènera Clem avec nous, sinon père rouspétera encore à propos des convenances, mais cela ne te dérange pas, n'est-ce pas ?

— Iris, je dois te parler.

Son expression était sombre, ses yeux paraissaient éteints. Elle fut soudain inquiète.

— Ash, que se passe-t-il ?

Il jeta un œil autour d'eux. Edith retirait le linge du fil, Clémence donnait des coups dans une balle contre un mur.

— Y a-t-il un endroit plus discret ?

Ils allèrent dans le verger. Quelques jours plus tôt, les fleurs avaient été soufflées des branches par un orage et leurs pétales roses tournant au marron parsemaient l'herbe.

— Ash, tu me fais peur.

— J'aurais aimé… j'aurais aimé que rien de cela n'arrive.

— Rien de quoi ?

— J'allais te demander en mariage. J'allais le faire aujourd'hui.

En dépit de la chaleur de cette journée, elle sentit le froid l'envahir.

— Tu *allais* le faire ?

— Oui.

— Et maintenant, non.

— Maintenant, je ne *peux* pas, dit-il d'une voix lourde et morne.

Il lui expliqua alors pourquoi il ne pouvait pas l'épouser mais devait au contraire se marier à Thelma Voss. Parce que Thelma portait un enfant de lui. Iris eut l'impression de se diviser en deux, comme si elle se regardait à distance, se voyant ne pas le croire dans un premier temps, puis remarquant la honte dans ses yeux, et faisant l'inévitable lien entre les deux : il avait partagé son lit avec Thelma Voss. Et Thelma Voss avait gagné.

Elle l'entendit s'éloigner à pied. Quand il fut parti, elle s'assit sur un tronc d'arbre. Un peu plus tard, Clémence vint s'asseoir à côté d'elle. Elle mit ses mains dans les siennes et bien qu'Iris fermât les yeux le plus fortement possible, elle ne put retenir ses larmes.

*

La blessure de Lucas guérit, laissant une cicatrice violette serpenter le long d'un côté de son visage, mais les maux de tête persistèrent – avec une telle intensité qu'il s'enfermait dans sa chambre avec une bouteille d'arack pour noyer sa douleur. Il retourna pourtant au travail, revenant au bungalow à midi, épuisé et les lèvres blanches à cause du trot du cheval sur le chemin caillouteux. Si Marianne avait espéré que la maladie de Lucas l'adoucît et le rendît plus compréhensif vis-à-vis des manquements d'autrui, elle en fut pour ses frais. Comme pour se prouver qu'il était plus fort que jamais, il exigea davantage de sa personne et de ceux qui travaillaient pour lui. Ils défrichèrent la dernière des terres de Glencoe, arrachant les arbres de la colline et utilisant des éléphants pour traîner les troncs vers les terres moins élevées. Marianne vit les flammes monter de trouées brunes dans la terre pendant qu'ils brûlaient les broussailles.

Son humeur, toujours erratique, empira, à cause sans doute de la douleur lancinante de la blessure crânienne. Des récits parvenaient à Marianne comme des volutes de fumée – l'un des coolies avait été brûlé pendant le défrichement et Lucas avait refusé de le renvoyer chez lui, exigeant qu'il continuât le travail ; dans un accès de colère, Lucas avait frappé M. Cooper avec son bâton… Un jour, surprenant la conversation des domestiques entre eux, Marianne découvrit qu'ils avaient désormais donné à Lucas un autre nom : *paitham dorai*. Quand elle demanda la signification à Rani, ses yeux se baissèrent et elle murmura :

— Le maître fou, *dorasanie*. Cela veut dire le maître fou.

Les maux de tête le conduisaient à boire davantage pour soulager la douleur ; or, la boisson avait toujours réveillé le diable en lui. Dans le bungalow, c'était comme si tout le monde s'attendait à un ouragan. Le son de la canne de Lucas claquant le sol les rendait craintifs et maladroits. Les domestiques tremblaient en servant les plats, en renversant une partie sur la nappe ; après le dîner, assise dans le salon où Lucas souhaitait une lumière tamisée pour ne pas blesser ses yeux, Marianne cousait des mailles

404

trop larges ou trop inégales, la bouche sèche et le cœur battant trop vite.

Sans trop se l'avouer à elle-même au début, elle se mit à mettre de côté quelques roupies du budget d'entretien de la maison et à les cacher au fond d'un tiroir. À l'intérieur de sa chambre, une fois la porte bien fermée à clé, elle étala ses bijoux sur son lit : la bague de fiançailles en diamant que lui avait offerte Arthur – qu'elle ne vendrait jamais et qu'elle rangea de côté ; ses pierres de lune, ses saphirs, ses bracelets et ses médaillons ; la bague de perle et d'améthyste de tante Hannah, que ses sœurs lui avaient envoyée. Désormais, quand elle pensait à ses sœurs, cela lui faisait tellement mal qu'elle craignait de se briser.

Elle se leva un matin avec un mal de tête niché derrière les yeux. Elle avait mal dormi, ayant eu des rêves pénétrants et perturbants. Au petit-déjeuner, elle manquait d'appétit et, après avoir essayé de faire un peu de jardinage dans la matinée, avec George qui jouait à côté d'elle, elle se sentit rapidement épuisée et dut rentrer à la maison.

Lucas arriva à midi. La vue du curry de viande et de légumes donna la nausée à Marianne. Elle sentit ses yeux sur elle. Il ne cessa de boire pendant tout le déjeuner. Le couteau et la fourchette glissaient dans ses mains fiévreuses ; elle leva son verre et le reposa de peur de le laisser choir.

— Dois-tu te comporter ainsi ? Dois-tu prendre ta nourriture de cette manière ?

— Je suis désolée.

— «Je suis désolée», mima-t-il avec une voix aiguë. Mon Dieu, Marianne, ce que tu peux chevroter.

Elle avala. Sa gorge lui fit mal.

— Je n'ai pas très faim.

— Tu entends ça, Nadeshan ? Il va falloir que je parle au chef. La *dorasanie* ne trouve pas sa nourriture alléchante. Peut-être devrais-je chercher un nouveau cuisinier ?

— Ce n'est pas ce que je voulais dire – la nourriture est parfaitement bonne.

— Alors mange.

Il se leva de son siège et vint se mettre derrière elle, une main sur le dossier de sa chaise, son corps la surplombant. Puis, d'une voix douce, il dit :

— Mange, Marianne.

— Je n'y arrive pas.

Il se saisit de sa fourchette et la planta dans la nourriture.

— Mange.

— S'il te plaît, Lucas… murmura-t-elle, sentant les larmes lui monter aux yeux.

— J'ai dit, *mange*.

Elle parvint à avaler une bouchée de riz.

— Encore, dit-il doucement.

D'un coin de l'œil, elle pouvait voir Nadeshan, les yeux écarquillés de terreur. Elle se savait debout au bord d'un précipice, le moindre geste ou la moindre parole de travers pouvant déclencher l'innommable. Elle commença à manger. Une ou deux fois, son estomac lui remonta dans la gorge et elle ne put que ravaler le tout, morceau par morceau. Quand son assiette fut vide, Lucas se redressa.

— Bien, lâcha-t-il avec indolence, mais quel cinéma, Marianne, pour quelques bouchées.

Il quitta la pièce. Elle demeura assise à la table jusqu'à ce qu'elle entendît le son des sabots de son cheval s'éloignant du bungalow. Alors, lentement, elle se leva en prenant appui à la table. Elle prit un sac de voyage dans le débarras et l'emporta avec elle dans sa chambre, où elle l'ouvrit sur le lit. Elle enfila la bague d'Arthur à son doigt et mit le reste de ses bijoux dans le sac. Y ajouta bas, sous-vêtements, jupes et chemisiers. Un gilet et une veste : il pourrait faire froid en Angleterre. La liasse de billets du fond du tiroir. Elle essaya de les compter. Ses doigts répondaient mal et le décompte se brouillait dans son cerveau. Une roupie valait-elle plus d'un shilling ou moins ? Combien coûtait le billet de train pour Colombo ? Combien de temps cela leur avait-il pris de Colombo à Blackwater la première fois où elle était arrivée à Ceylan ? Trois jours, pensa-t-elle – c'était trop long, beaucoup trop long. Elle devait aller plus vite. Il la poursuivrait – et que lui ferait-il s'il la rattrapait ? Elle frissonna.

Elle alla dans la chambre de l'enfant. George faisait sa sieste, elle le regarda quelques instants, l'ombre de ses cils sur la courbe de sa joue rose et la façon dont ses bras étaient lancés derrière la tête, dans un état d'abandon. Puis elle ouvrit les tiroirs pour prendre des barboteuses, des manteaux, des gilets. Elle aurait aussi besoin de couches. Combien devait-elle en prendre? Une dizaine… le double? Elle n'en savait rien. C'est Rani qui avait toujours changé les couches de George.

Elle entendit un bruit derrière elle et se retourna, le cœur cognant dans sa poitrine, envahie par la peur. Rani se tenait debout sur le palier. Ses yeux se posèrent sur le tas d'habits dans les bras de Marianne.

— *Dorasanie…*

— Ferme la porte.

Rani s'exécuta.

— Je m'en vais, murmura Marianne. Je rentre en Angleterre. Je dois partir. J'ai les habits de George mais j'ai besoin de couches. Où sont-elles?

Rani ouvrit un panier d'osier et en retira un paquet de linge blanc.

— Vous aurez besoin de nourriture, *dorasanie*.

— Oui, bien sûr.

— Je vous en prépare.

Rani sortit de la chambre. Marianne emporta les habits du bébé dans sa chambre et les rangea dans son sac. Elle eut l'impression de tanguer, comme si le sol bougeait sous ses pieds. Rani revint avec un colis enveloppé dans un bout de tissu.

— Dis à Nadeshan de demander au palefrenier d'approcher le char à bœufs. Réveille George et habille-le, s'il te plaît, Rani.

Elle prit son chapeau et son ombrelle. Le soleil tapait dur aujourd'hui. Elle appela Nadeshan et lui dit de porter le sac de voyage dans la véranda. Rani réapparut avec George. Marianne se dirigea vers la véranda. Cela aurait été plus facile, se dit-elle, si elle ne s'était pas sentie si fatiguée.

La charrette fut amenée devant la maison. Le valet d'écurie mit pied à terre et la salua. Puis il vit le sac et l'enfant. Quelque chose vacilla dans son regard. Il recula d'un pas et s'adressa à

Marianne. Bien qu'elle eût appris un peu de tamoul, elle n'arrivait pas à suivre le flot rapide de ses paroles. Le valet secouait la tête et pointait du doigt la charrette. Marianne regarda frénétiquement autour d'elle.

— Nadeshan, Rani, qu'est-ce qu'il dit?

— Il dit que la roue est cassée, il dit que le char ne peut pas être utilisé aujourd'hui. Il est profondément désolé.

— La roue n'a pas l'air cassée, affirma-t-elle.

Mais au grand désarroi de Marianne, le palefrenier remonta sur la charrette et quitta le bungalow.

— Non! cria-t-elle. Reviens!

Mais le char poursuivit sa route et disparut au coin du chemin. Elle resta ainsi un instant, désespérée, puis elle prit George des bras de Rani et ramassa le sac. Elle courut après le char à bœufs mais elle était gênée par le poids de l'enfant et du sac. Quand elle eut atteint les écuries, le valet d'écurie dételait déjà les animaux. Il disparut dans les écuries.

Elle se mit en marche. Elle connaissait ce chemin qu'elle avait parcouru de nombreuses fois en allant au bazar ou au Club. Il n'y avait pas plus de trois kilomètres jusqu'à la route. Si elle se dépêchait, elle aurait assez de temps pour atteindre la station de train avant que Lucas rentre au bungalow pour le repas du soir.

Les hectares de plants de thé couvraient les pentes à perte de vue. Au milieu de ces champs, des femmes travaillaient et regardaient passer Marianne. Elle marchait sur le côté amont du chemin, par crainte du précipice et que Lucas ne se trouve par là, dans les champs, et qu'il la voie en train de le fuir. Elle abandonna l'ombrelle, qu'elle n'arrivait pas à tenir en même temps que George et le sac. Elle tenait George contre elle, lui faisant de l'ombre avec son corps. Si seulement elle avait appris à monter à cheval, se dit-elle. Arthur le lui avait proposé plusieurs fois, mais elle avait renoncé, intimidée par la hauteur et la force de ces bêtes. Maintenant, elle maudissait sa lâcheté. Des cailloux pointaient à travers la fine semelle de ses chaussures. Elle traversa un pont de bois. Dessous s'ouvrait un gouffre et, jetant un œil en contrebas, elle eut un mouvement de vertige. Elle se rendait compte comme jamais à quel point ce pays lui était étranger. Elle était consciente des dangers qui l'entouraient, les serpents, les tiques et les sangsues, la chaleur. Ainsi que de la peur de se perdre et de ne jamais retrouver son chemin.

George commença à pleurnicher dans ses bras. Assise sur un rocher sur le bord du chemin, elle lui donna un peu d'eau sucrée et un biscuit à mâchonner. En reprenant sa route, le sac lui parut plus lourd que jamais. De temps en temps, elle était sujette à d'étranges altérations de la réalité et se demandait si elle était en train de rêver, si tout cela était un cauchemar et si elle allait rouvrir les yeux et réaliser qu'elle était au bungalow. Elle ne voulait jamais revoir ce bungalow. Elle savait qu'elle aurait dû partir il y a bien longtemps, quand Lucas était malade et incapable de la suivre.

Un aigle tournait au-dessus d'eux. Une vache maigrelette broutait, attachée à un arbre sur un petit carré d'herbe, à un endroit où le chemin faisait un tortillon. Elle passa un lieu d'offrandes, érigé le long d'un ruisseau. Des rubans blancs l'entouraient. Rani lui avait dit qu'ils signifiaient un décès dans le quartier des coolies. Elle frissonna et, détournant le regard, continua sa route. Elle avait l'impression de marcher depuis une éternité. Le sac tirait sur son bras et les poignées lui rentraient dans les mains. S'agenouillant au bord de la route, elle s'éclaboussa le visage avec l'eau froide du ruisseau. Elle avait envie de s'allonger, de fermer les yeux et de dormir. Mais George aurait pu s'échapper et tomber de la montagne. Elle ouvrit le sac, s'empara des bijoux, de l'argent et de quelques habits de George et bourra le tout dans le ballot que lui avait préparé Rani. Puis elle abandonna le sac au bord de la route et repartit. La montagne s'élevait à côté d'elle et lui faisait de l'ombre. De l'autre côté, la falaise tombait abruptement. À un moment, elle se vit prendre la direction du précipice et ressentit la tentation de celui-ci. Mais George se tortilla dans ses bras et, avec un hoquet d'horreur, elle se rabattit sur le milieu du chemin.

Elle atteignit l'endroit où le chemin de Blackwater rejoignait la route. Elle s'arrêta un instant, essayant de se souvenir dans quelle direction aller. La lumière scintillait sur les plis et les vagues des champs de thé, se déplaçant comme sur la mer. Un bruit de char à bœufs venait vers elle. *Lucas*, se dit-elle avec horreur. Mais Lucas montait toujours à cheval ; Lucas méprisait ceux qui voyageaient sur des charrettes.

Le char à bœufs ralentit. Mme Rawlinson se pencha.

— Ça alors, madame Melrose. Que faites-vous donc par ici ?

Elle descendit de la charrette.

— Ma chère fille, vous avez l'air complètement épuisée. Laissez-moi vous aider avec votre petit garçon.

George glissa dans les bras de Mme Rawlinson. Marianne murmura :

— Pourriez-vous m'emmener à la gare ferroviaire ?

— La gare ferroviaire ?

— Je dois prendre un train. *Je vous en prie.*

— Tout ce que vous voudrez, ma chère.

Mme Rawlinson l'aida à monter dans la charrette, qui se mit à avancer. La tête de Marianne s'appuya sur les montants en bois et ses yeux se fermèrent. De temps en temps, ses paupières s'ouvraient légèrement et elle voyait le bleu du ciel et le vert des plantations de thé.

— Sommes-nous arrivées ? demanda-t-elle.

— Bientôt, ma chère. Nous y serons bientôt, répondit Mme Rawlinson.

Le char à bœufs stoppa enfin. Marianne ouvrit les yeux. Elle vit le banian, le jardin de roses, le bungalow de Blackwater.

— Non – non – vous m'aviez promis…

Mme Rawlinson appela :

— Lucas ! Êtes-vous là ? Et maintenant, ma chère, ne vous mettez pas dans de tels états. Lucas ! Toi, le boy, pars chercher ton maître. Et vite. Dis-lui qu'il doit rentrer, que sa femme a de la fièvre et qu'elle ne va pas bien du tout.

Elle essaya de s'enfuir de la charrette, trébuchant sur le gazon. Mais ses jambes flanchèrent et ses doigts s'agrippèrent à l'herbe. Sa dernière pensée avant de perdre connaissance fut qu'elle s'était échappée trop tard et que, maintenant, elle ne s'échapperait plus jamais.

*

Ash s'attela à la tâche d'organiser le mariage avec une détermination acharnée : ayant abouti sur tout le reste à un désastre sans nom, il ferait au moins les choses bien vis-à-vis de Thelma et de son enfant. Ils se marieraient aussitôt les bans publiés.

Thelma lui envoya alors un mot à son bureau, lui demandant de passer à son magasin à l'heure du déjeuner. Elle était debout sur un tabouret posé sur le trottoir, en train de punaiser des rangs d'oignons à la banne, quand il arriva.

— Te voilà donc, dit-elle.

— Tu voulais me parler, Thelma ?

— Oui, dit-elle en descendant du tabouret. J'ai décidé que, après tout, je ne voulais pas me marier avec toi, Ash.

— Mais le bébé... commença-t-il les yeux écarquillés.

— Il est de Charlie.

— Je ne comprends pas.

— C'est assez simple, expliqua-t-elle en jetant un rapide coup d'œil à l'intérieur du magasin pour vérifier qu'on ne les entendait pas. Je savais que j'étais enceinte avant d'aller avec toi.

Le silence s'installa pendant que ses mots produisaient leur effet. Puis il dit lentement :

— Tu veux dire que tu as *délibérément*...

— Oui. En un sens. J'imagine que c'était une sorte de police d'assurance. De plus, je voulais que tu m'aimes. Après coup, j'ai pensé que je ne pourrais pas m'embarquer là-dedans. Mais quand tu m'as dit que tu avais été avec elle...

Il la regarda d'un air ébahi.

— Avec Mlle Maclise, reprit-elle impatiemment. Tu m'as rendue tellement furieuse. N'importe qui, mais pas elle. Elle a tout, n'est-ce pas ? Le physique, l'argent, une bonne famille. Pourquoi devrait-elle, en plus, t'avoir toi ? Et pourquoi n'aurais-je pas, moi aussi, quelque chose de bien pour une fois ? Un gars décent, avec une belle maison où papa pourrait habiter confortablement et assez d'argent pour ne pas avoir à travailler dans un endroit comme celui-ci. Après notre mariage, à la naissance du bébé, j'allais dire que c'était un prématuré de sept mois. Bien

411

sûr, dit-elle en éclatant de rire, s'il avait les cheveux roux, comme Charlie, j'aurais eu quelques explications à fournir. Voici donc ce que je comptais faire, Ash. Pas très gentil, hein ?

— Mais tu as changé d'avis.

— Je n'y arrivais pas, avoua-t-elle en baissant la voix. Je pensais que j'y arriverais, mais non. Je sais que je ne te plais pas. Je peux le voir dans tes yeux.

Il se demanda si elle attendait de la compréhension de sa part. Mais à cet instant, il n'avait que mépris pour elle.

— C'était donc pour la maison, l'argent…

— Oh, ne sois pas si stupide ! C'était pour toi.

— Mais tu as dit que tu ne m'aimais pas…

— Ah bon ? Eh bien, j'ai toujours très bien menti. Tout comme je me suis toujours dit que cela m'était égal de ne pas être jolie. Mais j'aurais aimé être assez jolie pour toi, Ash. J'ai donc décidé de me marier avec Charlie. Il fera bien l'affaire.

Elle parut alors soudainement affligée, et murmura :

— Le problème est que je t'aime trop. Je veux que tu sois heureux. Même si cela signifie te donner à elle. Tu peux me haïr, Ash, si tu le veux. Je sais que je le mérite.

Quelques semaines plus tard, en se promenant dans Whitechapel, Ash s'arrêta pour lire les titres de la presse dans un kiosque. L'archiduc François-Ferdinand, héritier du trône austro-hongrois, avait été assassiné par un nationaliste bosno-serbe de dix-neuf ans, Gavril Princip. Il sentait en lui une appréhension, une soudaine certitude que son optimisme, sa foi dans le progrès s'étaient égarés. Il se rappela Iris en train de dire : « J'ai toujours le sentiment qu'il est impossible de changer la vie des autres. » À l'époque, il s'était inscrit en faux – serait-il en désaccord avec elle aujourd'hui ? Qu'avait-il accompli au cours de ces années dans le East End ? *Rien*, pensa-t-il, *presque rien*. Autrefois, il avait voulu faire la différence ; mais il n'en avait pratiquement fait aucune au sein du petit périmètre de misère dans lequel il avait vécu. La pauvreté et l'injustice dont il avait été le témoin tous les jours étaient d'une telle ampleur qu'il faudrait un événement de nature cataclysmique – une révolution, peut-être, ou un grand incendie qui raserait ces rangées de maisons crasseuses et pouilleuses – pour apporter le moindre changement.

Cependant, tout cela lui parut beaucoup moins important que le fait qu'il avait perdu, par sa propre bêtise, la femme qu'il aimait.

— Allons, allons, patron, ça ne peut pas être aussi pire que ça, lui dit le vendeur de journaux, de façon irritante et avec bonne humeur.

Ash chercha de la monnaie dans sa poche, acheta le journal et rentra chez lui.

*

Marianne fut malade pendant six semaines. Quand finalement la fièvre l'abandonna, ses jambes et ses bras étaient comme des piquets. Elle leva la main pour atteindre la lumière et vit la forme des os à travers sa peau. Le jour suivant, elle parvint à quitter son lit. Les quelques pas vers la coiffeuse l'épuisèrent. En se regardant dans le miroir, elle s'aperçut que l'on avait coupé ses cheveux. Ses doigts osseux s'enfoncèrent faiblement dans les quelques touffes brunes et courtes. Elle ressemblait à un fantôme, le fantôme de celle qui avait été Marianne. Quand Rani entra dans la chambre, elle lui dit :

— George. Je veux voir George. Peux-tu me l'amener, Rani ?
Rani revint quelques minutes plus tard, seule.

— Où est George ? reprit Marianne, saisie d'une immense peur. Est-il aussi malade ?

— Non, non, lui très bien, répondit Rani en évitant le regard de Marianne.

— Que se passe-t-il, Rani ? Dis-moi !

— Lui avec son ayah.

— Son *ayah* ? Mais tu es son *ayah* !

— Nouvelle *ayah* arrivée. Elle arrivée quand vous malade, *dorasanie.*

Ce soir-là, Lucas se rendit dans sa chambre.

— George, murmura-t-elle.

413

— Je ne pensais pas que tu désobéirais. Je ne pensais pas que tu en étais capable.

— Laisse-moi voir George.

— Ama va te l'amener.

— Ama ?

— La nouvelle nounou de George. Je l'ai recrutée pendant que tu étais malade. Rani n'était pas assez fiable. S'enfuir… dit-il en secouant la tête. Quelle imbécillité, Marianne. Tu te rends compte que cela change tout, n'est-ce pas ? Désormais, je sais que je ne peux pas te faire confiance. C'est donc Ama qui s'occupera de George dorénavant.

Ses doigts s'accrochèrent aux draps. Elle tenta de se lever mais retomba sur son oreiller.

— Ne m'enlève pas George, Lucas ! Je t'en prie, ne fais pas cela… Je ferai ce que tu veux – je ferai n'importe quoi…

— Tu pourras continuer de le voir si tu te tiens bien, déclara-t-il en se dirigeant vers la porte. Ou tu peux partir, si tu le veux. Que tu restes ou non n'a désormais aucune importance pour moi.

— Et George ? souffla-t-elle.

— Je ne te laisserai pas me prendre mon fils, dit-il en revenant près du lit, ses yeux pâles dénués d'expression. Vois-tu, si tu me l'enlèves, je te poursuivrai jusqu'au bout de la terre. Où que tu ailles, je te trouverai. Si tu retournes en Angleterre, je te suivrai là-bas. Je surveillerai ta famille, tes amis. Et à l'instant où tu tourneras le dos, je le prendrai. Et tu ne le reverras plus jamais.

Il quitta la chambre, fermant la porte derrière lui. Le jour tombait, elle sentit la nuit envahir la pièce rapidement, comme il arrive sous les tropiques, plongeant recoins et alcôves dans l'obscurité. Enfouissant sa tête dans l'oreiller, elle pleura, consciente qu'elle avait perdu George.

14

Eva se souvenait d'un jeu auquel elles avaient joué étant enfants. Un soir d'hiver, les quatre sœurs s'étaient réunies dans le grenier, à Summerleigh. Elles avaient rassemblé tous les jeux de domino que la famille Maclise possédait – ceux qui restaient, incomplets, dans des boîtes cabossées, ceux qui étaient tellement vieux que la couleur des points avait disparu – et les avait alignés sur d'immenses longueurs et courbes. Marianne, la plus patiente d'entre elles, avait positionné les pièces. Eva se souvenait de la sombre fraîcheur du grenier et que les doigts de Marianne étaient blancs de froidure après qu'elle eut placé chaque domino à la bonne distance l'un de l'autre, de sorte qu'il s'abattît sur le suivant. Iris, l'aînée, avait insisté pour être celle qui renverserait le premier domino. Eva avait regardé les pièces s'écrouler dans une vaguelette noire qui rampait à travers tout le grenier, jusqu'à ce que le dernier domino tombât.

Tandis que l'été et l'automne 1914 passaient, elle avait l'impression d'entendre l'écho de cette soirée-là. Fin juillet, utilisant le prétexte de l'assassinat de François-Ferdinand, l'Autriche-Hongrie déclara la guerre à la Serbie. Peu après, l'armée russe était mobilisée. Puis l'Allemagne lança un ultimatum à la Belgique, qui se disait neutre, exigeant que son armée fût autorisée à traverser son territoire. La Grande-Bretagne, alliée de la France, délivra à son tour un ultimatum à l'Allemagne pour qu'elle respectât la neutralité de la Belgique. Cet avertissement fut ignoré et, le 4 août, la Grande-Bretagne déclara la guerre à l'Allemagne puis, une semaine plus tard, à l'Autriche-Hongrie, alliée de l'Allemagne. Le corps expéditionnaire britannique traversa la Manche en vue de stopper la progression allemande. Mais l'armée allemande s'empara de la Belgique et du Nord de la France, repoussant les Britanniques, qui se battaient sur le flanc gauche des Français, presque jusqu'à la périphérie de Paris. Assez vite, les deux armées se firent face à Mons, puis sur la Marne. Fin 1914, sans solution rapide en vue, les deux armées creusèrent des tranchées à travers la France, de la frontière suisse à la Manche. L'effet de vague se prolongea avec l'ouverture des hostilités, sur le front est, entre la Russie et l'Allemagne.

Incrédule et envahie par une angoisse croissante, Eva regarda la guerre souiller la face de l'Europe, sa traînée noire s'étalant de plus en plus loin du point d'impact initial. Au-delà d'une aversion pour l'idée même que son pays s'impliquât dans une guerre, elle ressentit tout d'abord une profonde réticence à laisser ce conflit la changer, *elle*. Elle était révoltée à la vue de ces immenses foules se réunissant à Trafalgar Square et à Pall Mall, brandissant le drapeau tricolore français et celui de l'Union Jack, ainsi que des affiches exhortant les femmes d'Angleterre à envoyer au front leurs maris, leurs frères et leurs fils. Elle dédaignait de prendre part aux manifestations publiques de patriotisme qui essaimaient dans le pays, et elle n'achetait résolument que la nourriture dont elle avait besoin au quotidien, alors que d'autres vidaient les rayons des magasins d'alimentation, dans une épidémie de panique.

Mais sa conviction de pouvoir rester à l'écart de la guerre dura aussi peu de temps que celle du pays de voir les combats prendre fin avant Noël. À l'ouverture des hostilités, le gouvernement avait introduit la loi sur l'Enregistrement des étrangers, exigeant de tous ceux ayant la nationalité d'un pays ennemi de se faire enregistrer au commissariat de police. Un soir, excitée par des articles de journaux relatant les atrocités allemandes, une bande de gens saccagea les bureaux de Calliope Press. Paula Muller, la propriétaire, était née en Allemagne avant de venir, encore petite fille, en Angleterre. Le matin suivant, Eva balaya les éclats de verre et aida Paula à sauver autant de livres et de manuscrits abîmés que possible. Quelques jours plus tard, Paula recevait une lettre anonyme menaçant elle et sa sœur, Ida, si elles restaient en Angleterre. Paula ferma la société et rentra en Allemagne. Lydia offrit à Eva un travail à temps partiel à la galerie. Elle accepta, tout en soupçonnant que la galerie aussi fermerait bientôt, dans la mesure où l'art et la beauté semblaient avoir peu de place dans ce nouveau monde en guerre.

De façon étrange et imprévisible, le conflit commença également à appliquer sa sinistre alchimie à sa famille. Iris avait passé l'été en France avec Charlotte Catherwood. De retour à Londres, elle avait pris un poste d'infirmière dans un hôpital militaire. Le plus bizarre fut le jour où Clémence écrivit à Eva qu'un matin, mère, après s'être levée, habillée et avoir partagé le petit-déjeuner avec la famille, avait annoncé son intention d'organiser des cours de premiers soins à la maison. Mme Catherwood lui avait confié que Mme Hutchinson entendait offrir de tels cours, ce qui lui paraissait parfaitement ridicule dans la mesure où Mme Hutchinson n'y connaissait rien du tout alors qu'elle, Lilian Maclise, en avait sacrément appris pendant ses années d'invalidité. Comme si trouver quelque chose de mieux à faire avait enfin permis à mère de guérir, pensa Eva. Et comme si la maladie, qui l'avait jadis intéressée, ne l'intéressait plus. « J'ai alors demandé à mère comment elle se sentait, écrivit Clémence, et elle me répondit qu'elle ne s'était jamais sentie aussi bien de sa vie! Penses-tu qu'elle est vraiment rétablie, Eva? Est-ce possible? »

*

« Ama s'occupera désormais de George. » Ama était à moitié écossaise, et à moitié cinghalaise. Son père avait été soldat, souffla Rani à Marianne, et sa mère avait été la fille d'un commerçant de Kandy. L'un l'avait abandonnée, l'autre était morte. Rani ne dit pas comment Lucas l'avait trouvée. Marianne supposa qu'il l'avait repérée dans une ruelle de Kandy et, reconnaissant son exceptionnelle beauté aussi bien qu'il connaissait le moment exact de la cueillette dans tel ou tel champ de thé, il l'avait achetée. La peau d'Ama était dorée et son corps mince et souple se déplaçait avec une grâce ondulante. Ses yeux en forme d'amande, couleur vert-or, observaient tout – le bungalow, les domestiques et Marianne – avec une expression de dédain.

Ama ne laissait jamais Marianne seule avec George. C'est elle qui le lavait et le nourrissait, et c'est elle qui dormait dans sa chambre. Quand Marianne prenait George sur ses genoux, Ama s'asseyait en croisant les jambes et les regardait, la soie brillante de son sari protégeant sa tête du soleil. Partout où Marianne se rendait avec George, elle la suivait. Elle ne faisait aucun bruit, mais si Marianne regardait par-dessus son épaule, elle tombait sur Ama, marchant pieds nus et en silence. Marianne sentait qu'Ama la méprisait. Celle-ci, qui avait usé de sa beauté pour s'extraire de la misère, honnissait une femme qui avait tout eu à la naissance et avait été assez stupide pour ne pas le garder. À l'ombre de la véranda, les petits doigts pointus et bagués d'Ama caressaient le bord brodé d'or de son sari. C'est alors seulement que Marianne la vit sourire, quand elle leva ses bras fins et contempla les bracelets en or glisser jusqu'à ses poignets.

«Ama s'occupera désormais de George.» Marianne apprit rapidement ce que cela signifiait. Elle n'était pas autorisée à réveiller son fils le matin ou à le mettre au lit le soir. Elle avait le droit de voir George deux heures le matin et deux heures l'après-midi, ainsi que de lui lire une histoire avant qu'il aille se coucher.

— Cela devrait te suffire pour lui apprendre à lire et à compter, lui dit Lucas. Et lui apprendre les bonnes manières – je ne veux pas qu'il devienne impoli.

Elle ne protesta pas, comprenant que Lucas pourrait l'empêcher de voir George complètement. Son cœur fut marqué au fer de voir Ama assise avec George dans la chambre de celui-ci – Ama, qui n'était elle-même pas beaucoup plus vieille qu'un enfant, et qui ne l'aimait pas le moins du monde. Ses petites mains fuselées pouvaient être rudes et inattentives alors qu'elles boutonnaient la veste de George ou lui brossait les cheveux. Sa voix douce pouvait être dure quand il gigotait et sa main baguée tapait facilement quand il pleurait. Au bout d'un moment, George arrêta donc de pleurer, sentant sans doute qu'Ama s'en fichait. Quand il s'avançait vers Marianne, il enfouissait la tête dans son corsage, ses petites mains s'agrippant aux plis de sa robe. Il n'avait jamais été aussi tendre auparavant; désormais, il souriait moins.

Marianne demeura faible longtemps après que la fièvre eut disparu. Plusieurs semaines après qu'elle eut quitté son lit, le court trajet entre le bungalow et la maison d'été au toit de palme l'épuisait encore. «Fièvre typhoïde, avait expliqué le Dr Scott après avoir pris son pouls et vérifié sa température. Vous n'avez pas eu de chance, madame Melrose, nous ne voyons plus que rarement des cas aussi sévères.» Il lui recommanda du repos et lui prescrivit des gouttes pour l'aider à dormir.

Parfois, elle avait l'impression de se réveiller dans un monde différent. Tant de choses avaient changé. Au cours des six semaines de sa maladie, le jardin avait à nouveau été envahi par la végétation. Les plantes grimpantes enserraient les rosiers et les plantes grasses poussaient dans les plates-bandes. Elle les laissa pousser, n'ayant ni la force ni la volonté de les couper. Elle imaginait camélias, bougainvilliers et hibiscus jaillissant du sol et venant ramper sur le toit en tôle du bungalow. Un, cinq, dix ans et la forêt aurait repris Blackwater.

Pendant qu'elle dormait, à l'autre bout du monde, la guerre avait éclaté. *Ma famille*, pensa-t-elle, *mes frères et mes sœurs!* Alors qu'elle se reposait un après-midi dans sa chambre, la voix des Rawlinson lui parvint par la fenêtre ouverte depuis la véranda, parlant de batailles et de blocus.

Elle aussi avait changé. Elle était maigre comme un clou, avait les cheveux bruns coupés ras, ses yeux formant deux zones violacées sur un visage pâle et hâve. Pire, quelque chose s'était modifié en elle: elle se savait battue, le désir de se défendre l'avait quittée.

Le souvenir de sa fuite était fragmentaire et cauchemardesque, celui d'un chemin sans fin avec le flanc de la colline s'effondrant à côté d'elle. Il lui fallut du temps avant de repenser à ses bijoux. Elle fouilla alors sa chambre, ouvrant chaque tiroir, ses doigts grattant désespérément le fond des armoires. Il n'y avait rien, pas un collier, pas un bracelet. Peu de temps après, elle vit sur le doigt fin d'Ama la bague de perle et d'améthyste que ses sœurs lui avaient envoyée, et qui avait autrefois appartenu à tante Hannah. Après cela, la dernière lueur d'espoir s'éteignit. Sans argent et sans bijoux, que pouvait-elle faire? Elle sombra, honteuse de sa dégradation. Elle savait qu'elle était responsable de sa propre humiliation. Elle comprenait avec clarté que Lucas, son espoir d'hériter de sa mère ayant été anéanti, avait jeté son dévolu sur elle. Il l'avait choisie pour sa fortune et parce qu'elle était suffisamment jeune pour lui donner le fils dont il avait besoin pour en faire l'héritier du domaine de Blackwater. Leur rencontre à Londres n'avait pas été le fruit du hasard: il avait obtenu son adresse par les Meredith ou leurs amis. Il avait abusé de sa fragilité et de son besoin de remplir le vide laissé par la mort d'Arthur. Le visage compréhensif et bienveillant qu'il lui avait montré était entièrement fabriqué, pour la tromper à dessein. Iris l'avait prévenue mais elle n'avait pas écouté. Une fois à Ceylan, il avait utilisé son argent pour acheter les terres de Glencoe et puis quand elle avait donné naissance à son fils, il s'était dit n'avoir plus besoin, dans une large mesure, de faire attention à elle. Elle avait été dupée. Elle lui avait donné tout ce qu'il voulait et il avait pris tout ce qu'elle avait d'important.

Elle mangeait peu, n'avait pas d'appétit. Elle semblait vivre dans un sombre rêve, ses doigts trop maladroits pour coudre, sa tête trop confuse pour lire. Quand il y avait des visites au bungalow – de plus en plus rares, repoussées par le comportement de plus en plus erratique de Lucas – elle se cachait souvent à l'intérieur, faisant valoir sa santé précaire et sa piètre allure. En se regardant dans la glace, elle se dit: *Aujourd'hui, tu ne m'aimerais pas, Arthur*. La nuit était sa seule échappatoire, avec le goût sur sa langue des gouttes du Dr Scott et la félicité de sa descente dans la nuit.

Dans le sanctuaire de sa chambre, les rideaux tirés, elle écrivit à son père. Les mots s'étalèrent sur le papier, irréguliers, désespérés. «J'ai peur pour mon fils... Mon mariage est une imposture... Je n'ai pas d'argent... Tu dois venir me chercher, tu dois me ramener à la maison.» Quand elle fut certaine que ni Ama ni Lucas ne pouvaient la voir, elle donna la lettre au coolie en charge du courrier, en lui glissant quelques roupies. Une semaine plus tard, elle écrivit une deuxième lettre, au cas où. Et une autre encore, pour porter chance. Il fallait une semaine pour que sa lettre arrive à Colombo, pensa-t-elle, quatre semaines pour que le bateau l'emporte en Angleterre. Peut-être plus, à cause de la guerre. Elle se mit à compter les jours.

Les semaines passèrent, puis les mois. Chaque fois que le coolie postier revenait du bazar, elle le fixait des yeux, le cœur battant, la tête étourdie d'espoir. Un jour, elle vit que Lucas la regardait.

— Qu'y a-t-il Marianne ? Qu'attends-tu ?

— Rien, dit-elle avec un frisson de peur. Rien du tout.

— Menteuse.

Il quitta la pièce et revint quelques instants plus tard avec quelque chose dans la main.

— Tu attendais une réponse à ça, n'est-ce pas ?

Il avança vers elle avec rapidité, la saisit par les cheveux, lui pressant contre le visage les papiers qu'il tenait. Avec horreur, elle vit les lettres qu'elle avait écrites à son père.

— C'est insultant de ta part, Marianne, de penser que je sois si stupide. Mes domestiques m'obéissent, même si ce n'est pas le cas de ma femme.

Il jeta les lettres par terre. Puis il la traîna vers le secrétaire, prit une feuille de papier et força la plume dans la main de Marianne.

— Maintenant, *écris*.

— Non, murmura-t-elle.

— Non ? Réfléchis profondément avant de dire cela, Marianne. Peut-être crois-tu que si tu n'écris pas, ton père et tes frères viendront te chercher ? Ma pauvre idiote de femme. L'Angleterre est en guerre, as-tu oublié ? Je doute que ta famille pense souvent à toi en ce moment. Ils ont d'autres soucis plus urgents. Ne sais-tu pas combien d'Anglais sont déjà morts ? Tes frères le sont peut-être déjà. Ton père les pleurera, il ne pensera pas à toi.

Les larmes coulèrent sur son visage.

— Et n'imagine pas non plus d'aller te plaindre de mauvais traitements chez l'une ou l'autre de nos connaissances. Ils ne t'écouteront pas. Ils te trouvent déjà... *instable*, dirons-nous. Je m'en suis bien assuré.

Il posa sa main sur son épaule. Elle frissonna. Et en lui caressant le cou avec son pouce, il lui dit doucement :

— Maintenant, tu vas écrire une lettre à ton père, Marianne, lui disant que tu as été malade mais que tu es désormais guérie. Que tu es heureuse et que l'enfant est en pleine forme. Quelque chose de ce genre.

Sa main glissa alors lentement de son épaule vers l'intérieur de son chemisier avant de s'arrêter sur son sein. Elle s'immobilisa de terreur.

— Si tu n'écris pas, Marianne, je pourrais décider de me souvenir des devoirs que tu négliges de remplir. Tes devoirs d'épouse.

Elle rédigea la lettre. Le jour suivant, Ama ne lui amena pas George. Depuis le jardin, Marianne le regarda jouer dans la véranda. Elle l'entendit pleurer et vit Ama le gifler sèchement. Elle voulut traverser le jardin en courant et lui arracher George, frapper Ama et l'envoyer violemment au sol. Mais elle dut se forcer à continuer de marcher autour du périmètre du jardin, se mordant les doigts jusqu'au sang.

Épuisée de colère, elle s'assit à l'ombre des arbres. Il y eut un bruissement au sol derrière elle et, en se retournant, elle vit Rani. Celle-ci se baissa derrière elle et lui prit la main.

— Maintenant, vous avez ça, *dorasanie*.

Sa main s'ouvrit et quelque chose y glissa.

— J'ai pris sur toi quand tu malade. J'ai gardé pour toi.

Puis Rani disparut, se faufilant à travers les sentiers qui la ramenaient au cantonnement des domestiques.

Marianne rouvrit sa main. Sa bague de diamant y était posée, la bague qu'Arthur lui avait offerte dans le jardin d'hiver, à Summerleigh. Elle entendit sa voix. « Je t'aimerai pour toujours et à jamais. Au-delà de la mort, si besoin. » Sa voix était si claire qu'on eût dit qu'il était là, dans ce lieu de cauchemar, à ses côtés. Elle regarda autour d'elle, espérant presque le voir derrière le flamboyant ou l'eucalyptus. Les feuilles frissonnèrent, comme si quelqu'un était passé dedans. Elle resta assise là pendant un long moment, la bague dans sa main, se souvenant. Elle détacha la chaîne en argent qu'elle portait autour du cou et y enfila la bague, la rentrant précautionneusement sous les plis de son corsage. Puis elle retourna au jardin. En s'agenouillant devant une plate-bande, elle se sentit raide et plus vieille que son âge. Puis, avec lenteur au début, elle se mit à arracher les mauvaises herbes, à éclaircir les semis et, les mains mal assurées, à décrocher les plantes grimpantes de la tige des rosiers.

*

En octobre, James et Eva se retrouvèrent en milieu de journée, à l'issue de son travail à la galerie. Ils déjeunèrent au Cottage Tea Rooms, dans le Strand. James la raccompagnait à son appartement quand il lui dit :

— Il y a quelque chose dont je dois te parler.

Ils passaient le long d'un petit parc entouré d'une grille de fer. Ils y entrèrent et s'assirent sur un banc. James alluma deux cigarettes et en offrit une à Eva.

— Cela fait très longtemps que j'essaie de trouver le courage de parler de cela à quelqu'un, mais je me suis toujours dégonflé. Maintenant, je dois le faire. Il faut que tu saches que j'ai décidé de m'engager.

Le cœur d'Eva flancha.

— James, non. Je t'en supplie.

— Je dois y aller, c'est une évidence. Tous mes amis y sont partis. Et de toute façon, je le veux. Cela fait des semaines que je me serais enrôlé si ce n'était pour… s'interrompit-il. Eva, je ne peux pas rester ainsi à regarder tous les autres partir en France pendant que je suis assis au bureau. J'ai donc signé les papiers. Je pars en camp d'entraînement à la fin de la semaine prochaine.

D'abord Paula, maintenant James, pensa-t-elle avec douleur. *Qui sera le suivant ?*

— En as-tu informé père ? demanda-t-elle.

— Pas encore.

— Je ne pense pas qu'il sera en colère contre toi. Je pense qu'il sera fier, dit-elle lentement, en se souvenant du patriotisme simple de Joshua.

423

— Que je me porte volontaire? Oh, je ne pense pas qu'il sera soucieux de cela. Ce n'était pas difficile de me décider sur ce point. C'est l'autre chose.

— Quelle autre chose?

— Ça, dit-il en sortant un objet de sa poche. Je ne peux pas lui parler de ça. Et je dois le dire à quelqu'un.

Il lui tendit une photographie. Eva contempla le portrait d'une jeune femme et d'un petit enfant.

— Qui sont-ils?

— Voici Emily, ma femme. Et voici Violet, ma fille.

Elle regarda à nouveau la jolie femme blonde et la petite fille en robe de dentelle blanche. Puis elle murmura:

— Je ne comprends pas, James.

— Je me suis marié à Emily en mars 1911. Violet est née en octobre de cette année-là.

— Tu es marié depuis 1911? s'exclama-t-elle, incrédule.

— Oui.

— Depuis trois ans et demi? Sans en parler à aucun d'entre nous?

James acquiesça. Une image revint soudain à la mémoire d'Eva. Elle scruta la photo une nouvelle fois.

— Je t'ai vu avec elle, il y a des années. Tu sortais d'un music-hall à Whitechapel.

— J'ai effectivement rencontré Emmie à un music-hall. Elle adore le théâtre.

— Mais, commença-t-elle en peinant à intégrer la nouvelle, James... Pourquoi diable ne nous l'as-tu pas dit?

Il grogna et plongea la tête entre ses mains.

— Je voulais mais je n'y arrivais pas. Je n'ai pas arrêté d'essayer de cracher le morceau mais, chaque fois, je me dégonflais. Je n'arrivais pas à l'affronter. Je n'arrivais pas à le dire à père. Maintenant que tu le sais, est-ce que tu me méprises, Eva?

— Bien sûr que non, lança-t-elle en lui prenant les mains. Pourquoi devrais-je te mépriser?

— Pour avoir été si fourbe depuis tant d'années. Vraiment, tu ne me hais pas? reprit-il en la regardant avec angoisse, avant de s'adosser au banc et de pousser un profond soupir.

Tu ne sais pas combien cela me soulage de le confier enfin à quelqu'un.

— Est-ce que tu l'aimes, Emily?

— Je l'adore, dit-il en souriant. La première fois que je l'ai vue, je l'ai trouvée adorable. Elle est tellement naturelle. Elle n'a aucun de ces airs et de ces ornements qu'ont tant d'autres filles. Elle n'essaie pas de te prendre en défaut, de te faire dire le contraire de ce que tu souhaites.

Trois ans et demi, songea-t-elle. Et l'enfant était né en octobre 1911...

— Tu t'es marié avec elle parce qu'elle attendait un bébé?

— Oui, rougit-il. Mais pas seulement à cause de cela – j'ai su tout de suite que c'était la bonne fille pour moi.

— Mais je ne comprends toujours pas, James. Père aurait été en colère dans un premier temps, mais ensuite...

— Emily était l'assistante d'un chapelier avant notre mariage. Elle est née à Stepney. Pas exactement ce que père avait en tête pour son fils aîné et héritier de l'entreprise familiale, ne crois-tu pas, Eva?

— J'imagine que non.

Elle regarda son frère, luttant pour digérer l'énormité de l'information qu'il venait de lui confier.

— Cela a dû être horrible pour toi de garder un tel secret. Comment y es-tu arrivé?

— J'ai failli ne pas y arriver. Je loue une maison à Twickenham pour Emily et Violet. L'endroit est petit mais je m'y sens bien. Au début de notre mariage, j'étais tellement heureux. C'était plaisant – excitant. J'aimais plutôt avoir ce secret vis-à-vis de la famille. Tu sais ce que c'est à la maison, avec tout le monde qui met son nez dans les affaires de chacun. Mais après la naissance du bébé, cela devint terriblement compliqué. Et quand bien même je savais qu'il me faudrait lâcher le morceau, je ne cessais de repousser le moment et, plus j'attendais, plus il devenait difficile de le dire. Imagine un peu: «Oh, au fait, cela m'a complètement échappé de vous le dire, père, mais j'ai une femme et un enfant.» Et puis il a commencé à me harceler pour que je me marie avec Louisa Palmer...

— C'est donc pour cela que tu passais tous tes week-ends à Londres ?

— Pour être avec elles, oui. Violet a trois ans maintenant. Elle va bientôt commencer à poser des questions, non ? Pourquoi son papa n'est pas à la maison comme les autres papas, ce genre de truc. Quant à Emily, aucun des voisins ne lui parle parce que nous ne pouvons leur dire la vérité, évidemment. Je sais qu'ils pensent qu'elle est ma maîtresse. Et cela la rend tellement malheureuse. Et il y a toujours la crainte qu'une catastrophe arrive. L'année dernière, Violet a eu la scarlatine. J'avais peur du pire et donc, une fois, je suis arrivé en retard à Summerleigh. Ce fut l'occasion d'une épouvantable dispute. J'ai été à deux doigts de le dire à père, peu m'importaient les conséquences. Mais comment aurais-je pu m'en sortir ? argua-t-il avec le désespoir dans les yeux. Si père m'avait coupé les vivres, qu'arrivait-il à Emily et à Violet ?

— Tu dois lui dire désormais.

— Non, je ne le peux pas. Je te le dis car il faut que quelqu'un le sache. Si un malheur m'arrive – si l'on m'envoie en France…

— James, enjoignit-elle durement, ne dis pas de telles choses.

— Promets-moi, Eva. Promets-moi que si je ne reviens pas, tu t'assureras qu'Emmie et Violet iront bien.

— Bien sûr que je le ferai, répondit-elle avec réticence. Si tel est ton vœu.

— Voici leur adresse, ajouta-t-il en lui donnant un bout de papier.

— James, tu devrais vraiment le dire à père.

— Je ne peux pas. Je sais que ce n'est pas très juste envers toi, Eva. J'imagine que je t'ai juste refourgué *mon* secret.

Elle pensa à son père et à Katharine Carver. Elle retint sa respiration avant de prendre sa décision. Puis elle dit doucement :

— Père ne sera peut-être pas aussi contrarié que tu le penses.

— Comment peux-tu dire cela ?

— Personne n'est parfait, James. Père le comprendra sans doute.

— Père est parfait, dit-il avec amertume. Père n'aurait jamais agi comme je l'ai fait. Il ne se serait jamais mis dans un tel pétrin.

— Non, ce n'est pas vrai. James, je vais te confier l'un de *mes* secrets…

Avec le recul, elle était troublée qu'il n'eût pas reçu la nouvelle comme elle s'y attendait. Elle pensait qu'en révélant à James la liaison entre son père et Katharine Carver, elle lui ferait comprendre que père n'était pas le saint qu'il imaginait. Mais au lieu d'être soulagé, James en fut choqué. Pire, il fut horrifié et consterné, comme si découvrir que père aussi avait péché l'ébranlait dans ses fondements. Deux jours plus tard, Eva était sur le point de quitter son appartement pour se rendre à la galerie quand on sonna à la porte. C'était un télégramme de la part de Clémence. On pouvait lire : « PÈRE MALADE STOP REVIENS STP. »

Père s'était effondré alors qu'il était au bureau, la veille, raconta Clémence à Eva quand celle-ci arriva à Summerleigh. Selon M. Foley, James était dans le bureau de son père et, peu de temps après qu'il en fut sorti, il avait entendu un bruit et, en entrant dans le bureau, avait trouvé père par terre, à moitié inconscient. Le Dr Hazeldene avait diagnostiqué une défaillance cardiaque. Personne n'avait vu James depuis, ajouta avec inquiétude Clémence. Il n'était pas revenu à la maison et Aidan lui avait dit qu'il n'était pas présent au bureau non plus.

Le soir, Eva alla s'asseoir sur le bord du lit de son père. Elle eut le cœur brisé de voir Joshua, cette figure si imposante et si énergique, apparaître si vulnérable et diminué.

— C'est moi, père, annonça-t-elle doucement. C'est Eva.

— Eva, mon chaton.

Sa main bougea sur la couverture ; elle la prit dans la sienne. Puis il dit sur un ton plaintif :

— L'entreprise… tout va partir en quenouille – je n'ai jamais manqué un seul jour…

— Vous ne devez pas vous soucier de cela maintenant, père. Aidan s'occupera de tout.

— *Non.* Il ne faut pas laisser Aidan…

Il s'efforçait de se mettre assis; ses lèvres étaient bleues. Prise d'angoisse, Eva lui dit rapidement:

— J'irai parler à M. Foley demain, père. Il s'assurera que tout va bien, je vous le promets.

Joshua s'affaissa à nouveau sur son oreiller, les yeux clos.

Le lendemain matin, Eva partit à vélo chez J. Maclise & Fils. Il avait plu la nuit précédente et les flaques donnaient à la cour un air vitré, entre les tas de charbon et de creusets usagés. Comme d'habitude, l'atmosphère était très bruyante avec le pilonnage des marteaux, le grincement des concasseurs, et les voix des hommes qui se hélaient.

M. Foley se leva quand elle entra.

— Mademoiselle Eva, comment va votre père?

— Le Dr Hazeldene avait l'air satisfait ce matin. Mais c'est terrible de le voir comme ça!

Il avança un siège et elle s'assit.

— Père se soucie de l'entreprise, monsieur Foley. C'est la raison pour laquelle je viens vous voir.

— Je peux passer après le travail avec les comptes, si cela vous arrange. Sans trop le charger, pour ne pas le fatiguer, mais avec ce qu'il faut pour l'apaiser.

— Merci, dit-elle, soulagée, avant de froncer les sourcils. Il y a autre chose dont j'aimerais vous parler, monsieur Foley. Mais pas ici...

Il regarda l'horloge.

— Je fais souvent une pause à cette heure-ci pour grignoter. J'aime descendre vers le canal et observer les barges. Voudriez-vous m'accompagner?

Ils étaient en train de s'éloigner de l'usine quand elle dit:

— Père semble inquiet qu'Aidan s'occupe de l'entreprise en son absence.

— Votre père et M. Aidan ne sont pas d'accord sur tout.

— Sur le plan des affaires?

— M. Aidan a une idée de la façon dont il aimerait diriger Maclise. Vous pourriez dire qu'il est plus... *réaliste*... que votre père.

— Voulez-vous dire plus dur, monsieur Foley?

Il ne répondit pas mais il ne la contredit pas non plus. Incapable de tourner davantage autour du pot, elle poursuivit :

— Est-ce qu'ils se sont disputés ? Est-ce que James et père se sont disputés ?

— Je ne puis répondre, mademoiselle Maclise…

— Vous devez me dire la vérité, monsieur Foley !

— Oui, reconnut-il après un court silence. Ils ont eu un différend.

— Sérieux ?

— Plutôt sérieux.

Elle s'arrêta net, près du tramway et s'exclama :

— Alors c'est de ma faute !

— Non, c'est absurde. Comment cela pourrait-il être de votre faute ?

— C'est pourtant le cas, monsieur Foley !

— Votre père et M. James se sont disputés, c'est vrai. J'en ai entendu quelques bribes – c'était impossible autrement. La moitié de la cour l'a entendu, j'imagine.

— Qu'avez-vous entendu ?

— Je préférerais ne pas…

— Je vous en prie.

— Fort bien.

Ils avaient atteint le bassin du canal. Ils s'assirent sur une pile de palettes au milieu de tas de barres de fer et de bois de construction.

— Votre père a accusé James de déshonorer la famille.

— Mais je pensais qu'il comprendrait !

— Comprendrait quoi ?

— Je ne peux pas vous le dire. Mais ma famille a de nombreux secrets, monsieur Foley.

Les barges traçaient leur voie sur le canal au milieu d'un chaos d'embarcations. Elle se demanda comment elles parvenaient à maintenir leur allure parmi tant d'obstacles, sans entrer en collision et sombrer au fond de cette eau noire et huileuse.

— Si cela peut vous réconforter, votre famille n'est pas la seule à avoir des secrets. Et j'ai de la peine à croire que ceux de la vôtre sont aussi iniques que ceux de la mienne.

— Vraiment? dit-elle amèrement. Je n'en suis pas si sûre.

Il prit dans sa poche un paquet en papier paraffiné et l'ouvrit.

— Tenez. Prenez un sandwich.

— Je n'ai pas faim.

— Vous devez manger. On dirait que vous avez froid.

Elle en prit un.

— Je vous ai raconté que mon père jouait, reprit-il. Il a misé jusqu'au dernier centime qu'il avait gagné et, en plus, d'autres sommes considérables. Quand il a réalisé qu'il était au bord de la faillite, il s'est pendu.

D'un mouvement vif, elle tourna la tête vers lui. Son regard demeura impassible quand il dit:

— Je ne vous révèle pas cela pour vous choquer ou vous dégoûter mais de façon, peut-être, à ce que vous considériez votre famille d'un meilleur œil. Quels que soient les agissements de votre famille, elle n'a pas sombré dans de tels abysses.

— James et père se sont querellés, souffla-t-elle, à cause de quelque chose que j'ai appris à James. Père est malade à cause de cela.

— Je suis certain que vous aviez de bonnes raisons.

— Je pensais que cela aiderait!

— Certains secrets peuvent être gardés, d'autres non. Vous devez vous demander à quelle catégorie vos secrets appartiennent.

Les sourcils froncés, elle réfléchit quelques instants.

— Il y a quelques jours, James est venu me voir. Il m'a dit qu'il avait décidé de s'enrôler dans l'armée.

— Beaucoup d'hommes l'ont fait. Nous avons perdu certains de nos employés les plus qualifiés.

— Ensuite, il m'a dit autre chose. Il était obligé, à cause de son incorporation. Et je ne vois vraiment pas comme *cela* pourrait être gardé secret – c'est trop important. Et je ne vois pas, monsieur Foley, pourquoi cela devrait être tenu secret! James n'a commis aucun mal! Enfin, pas vraiment. Mais après cela, ajouta-t-elle en baissant la voix, j'ai confié à James un secret à propos de père. Et je pense que je n'aurais peut-être pas dû.

Elle jeta quelques miettes par terre et une volée de moineaux vinrent les picorer.

— Vous souvenez-vous du jour – oh, c'était il y a bien longtemps – où j'avais perdu ma bicyclette? Vous l'aviez retrouvée pour moi.

— Bien sûr que je m'en souviens.

— Vous avez dû me trouver bien idiote de déambuler dans un tel endroit, toute seule.

— Non, ce n'est pas du tout ce qui m'est venu à l'esprit.

L'expression dans ses yeux la prit par surprise car elle lui apprenait quelque chose qu'elle n'aurait jamais imaginé. Elle dissimula le choc de cette révélation en disant rapidement:

— Je venais de découvrir quelque chose, voyez-vous. J'étais tellement contrariée. À l'époque, j'étais très ignorante – je ne savais rien, assura-t-elle avant de marquer une pause, incapable de croiser à nouveau ses yeux et se tortillant les doigts. Je pensais alors que cela avait une importance énorme. Et j'ai été tellement en colère contre père pendant des années.

— Et aujourd'hui?

— Aujourd'hui, soupira-t-elle, cela ne me semble pas si important du tout. Les gens commettent des erreurs, non? J'en ai commis aussi.

Elle avait commencé à reprendre le contrôle d'elle-même et put se retourner vers lui.

— Cela a dû être terrible de perdre votre père de cette façon.

— On ne pouvait pas garder les secrets de ma famille, dit-il d'un air sévère. Dans les jours qui suivirent la mort de mon père, tout Buxton le sut. D'anciens amis de ma mère ne lui ont jamais parlé depuis lors. Ma sœur aînée était fiancée et son fiancé a rompu l'engagement. Aucune de mes sœurs ne s'est mariée. Tout ce que je peux faire est de limiter les dégâts et de m'assurer que ma famille vive aussi confortablement que possible. Et tout ce que vous pouvez faire, mademoiselle Eva, est d'aider votre père à aller mieux. Et d'essayer de le réconcilier avec votre frère.

Eva savait, évidemment, où James était parti. Le lendemain, elle prit le train pour Londres et Twickenham.

La maison de James se situait dans une rangée de villas en brique rouge, non loin de la Tamise. Des pensées d'hiver étaient plantées le long du chemin qui traversait le petit jardin devant la maison ; un rosier, avec une ou deux fleurs encore écloses, grimpait le long d'un treillage. James, en chemise à manches courtes et pantalon en velours côtelé, lui ouvrit la porte.

— Eva, lança-t-il en l'embrassant. Si tu es venue pour me persuader de revenir à Summerleigh, je crains que tu ne perdes ton temps. Je n'y retournerai pas.

— Père ne va pas bien, James.

— Oh ciel…

Il ferma les yeux et s'appuya contre le montant de la porte. Au fond du couloir, quelqu'un bougea, en train d'écouter. Dans l'ombre, Eva aperçut une femme en robe violette, avec un enfant dans les bras.

— Qu'est-ce qui s'est passé ?

— Le Dr Hazeldene dit que c'est son cœur.

— Est-ce que c'est grave ?

— Avec du repos et des soins, il devrait récupérer complètement.

La femme s'avança. Elle était fine et blonde, d'un charme exquis et délicatement dessinée. La petite fille était sa copie en miniature. Elle posa sa main sur le bras de James.

— James ?

— Emily, dit-il en lui souriant. Voici ma sœur Eva.

— Voulez-vous entrer, mademoiselle Maclise ? On ne reste pas debout sur le pas de la porte par un froid pareil.

Elle avait le timbre doux de Londres. Ils allèrent dans le salon. Emily proposa un thé et James la suivit dans la cuisine. Eva les entendit discuter à voix basse. Puis James revint.

— James, s'il te plaît, retourne à Summerleigh avec moi. Pas pour longtemps. Juste assez pour te réconcilier avec père.

— Ce n'est pas possible. Je suis désolé, Eva.

— Mais James…

— Pas avant que père s'excuse.

— Tu sais qu'il ne le fera pas. Il ne s'est jamais excusé.

— Dans ce cas, je ne peux pas y retourner avec toi. Je suis triste que père n'aille pas bien. Et je suis vraiment désolé si j'en suis la cause.

James lança un bref coup d'œil vers la pièce derrière lui pour vérifier si sa femme n'entendait pas.

— Je ne peux pas lui pardonner les choses qu'il m'a dites. La façon dont il a traité Emily – je ne peux pas même les répéter. Et même Violet. Je ne peux pardonner cela. On ne peut pas tranquillement rafistoler cela. Je trouve cette hypocrisie intolérable. Qu'il me critique alors qu'il sort avec cette créature... articula-t-il, blanc de rage. Père m'a dit qu'il allait me déshériter, tu sais ça ? Aidan sera ravi, indubitablement. Il a toujours trouvé que je lui faisais obstacle.

Emily entra avec le service à thé. Il s'interrompit. Une fois qu'ils eurent fini, pendant qu'Emily mettait Violet au lit, James ramena Eva à la gare ferroviaire. Sur le quai, elle lui dit :

— James, tu pourrais écrire. Une simple lettre.

— Non, Eva.

Elle soupira.

— En revanche, autorise-moi à parler aux autres d'Emily et de Violet. Emily est notre belle-sœur et Violet notre nièce.

— Oui. Oui, bien sûr.

Les larmes lui montèrent aux yeux.

— Je ne supporte pas que tu partes, James ! Dans cette affreuse guerre...

— Oh, je ne vais pas combattre éternellement. Je resterai assis dans un camp militaire, à me souvenir comment on assemble un fusil. Tout sera sans doute terminé avant même que je m'en serve.

Le son perçant d'un sifflet et un nuage de fumée blanche annoncèrent l'arrivée du train. Assise dans le wagon, Eva pensa : *Quel gâchis commettons-nous. On aime les mauvaises personnes, on se querelle avec elles, on les insulte, et on est trop fier pour retirer ce que l'on a dit.*

Et pourtant, on découvre également l'amour dans les lieux les plus étranges. Dans un music-hall bondé, ou assise sur un quai au bord d'un canal. Elle songea à la façon dont ils s'étaient tous trompés à propos de M. Foley au cours de ces années, le croyant austère et ennuyeux. Il y avait pourtant un cœur sous cet extérieur calme et sombre, un cœur qui n'avait pas encore guéri des blessures du passé. Elle se demanda si cela l'embêtait que M. Foley l'aime et elle se dit que non. Elle soupçonna qu'il ne lui en dirait jamais rien et, de surcroît, en ce moment, elle avait besoin d'un ami. Son si cher souci d'indépendance avait légèrement faibli, reconnaissait-elle, et il était réconfortant de savoir qu'il existait une personne vers laquelle elle pouvait se tourner.

*

Marianne se contraignit à marcher un peu plus chaque jour. Un tour du périmètre du jardin de Blackwater, puis deux, puis trois, avec George dans les bras et les petits pas feutrés d'Ama marchant derrière elle. Bien qu'elle n'entendît jamais aussi clairement la voix d'Arthur comme ce matin-là, elle sentait parfois sa présence.

Elle s'imposa également de s'alimenter. Ses jupes et ses corsages ne tombaient plus aussi amplement sur elle et ses cheveux recommencèrent à pousser. Elle ne prenait plus les somnifères que le Dr Scott lui avait prescrits. Son esprit était plus clair et ses cauchemars diminuaient. Elle conservait néanmoins les gouttes cachées au fond d'un tiroir. Juste au cas où. Elle savait qu'elle devait quitter Blackwater, quels qu'en soient le moyen et les conséquences. Elle devait emmener George loin de Lucas, sinon il le pervertirait comme il avait lui-même été perverti par son père. De retour au bungalow, le soir, Lucas aimait donner à George un petit peu de vin. Cela l'amusait de voir le petit garçon tituber, légèrement enivré, et rouer de coups Ama avec ses petits poings.

— Oh, ne fais pas tant d'histoires, disait Lucas d'une voix traînante, si Ama maudissait l'enfant. Laisse-le démontrer un peu son courage. Je ne veux pas qu'il devienne une lavette comme sa mère.

Elle avait le cœur brisé de voir ces graines perverses déjà semées chez son enfant. Parfois, George était impérieux et autoritaire, et Lucas riait de son impudence à l'égard d'Ama, l'incitant et l'encourageant à agir de façon de plus en plus outrancière. D'autres jours, Lucas, de mauvaise humeur et impatient, le fessait ou l'enfermait dans sa chambre. Tour à tour autorisé à tout et puni pour un rien, George devint soit silencieux et distant, soit sujet à de violentes crises de colère.

S'ils restaient à Blackwater, George devrait grandir en s'habituant à certaines choses : à Lucas assis dans la véranda, les bras fins d'Ama autour de son cou, le caressant de ses lèvres rouges ; à Lucas repoussant durement Ama quand elle le fatiguait. Un jour, Lucas se lasserait d'Ama comme il s'était lassé de Parvati et comme il s'était lassé de celles d'avant. Marianne supposait qu'Ama le savait également et que c'était la raison pour laquelle elle comptait ses bracelets en or avec autant de soin.

Elle comprit aussi ce qu'ils allaient faire de son unique et si cher enfant. En cinq ou dix ans, et ils l'auraient détruit. Quelques années de plus et le garçon doux et affectueux aurait disparu, remplacé par un jeune homme cynique et sans scrupules. Irrécupérable. Elle devait souvent lutter pour contenir sa rage et maintenir une attitude extérieure servile de sorte que Lucas la méprisât et la considérât comme vaincue. Telle était sa seule arme : qu'il ne la vît pas comme une menace. Le soir, seule dans sa chambre, elle serrait les poings ou s'imaginait racler ses ongles le long du visage de Lucas. Ou arracher le verre de vin qu'il donnait à son fils et le jeter par terre. Ou pire, bien pire.

Elle se sentit devenir de plus en plus froide, dure, insensible, animée d'un seul et unique désir : protéger son enfant. Elle repensa à sa tentative de fuite pour comprendre pourquoi elle avait échoué. Bien entendu, le palefrenier avait refusé de la conduire à la gare ferroviaire – tous les domestiques avaient peur de Lucas. Et bien entendu, Mme Rawlinson l'avait reconduite à Blackwater. « On se serre les coudes ici bas, lui avait-elle dit un jour. C'est une question de survie. » « On » étant les Rawlinson, Lucas, et le reste de la communauté britannique de Ceylan. Ici, *elle* était une étrangère.

Elle ne se débarrasserait jamais de Lucas si elle dépendait des autres. Elle devait survivre par elle-même. Elle n'avait même pas su comment prendre soin de son propre fils ; elle avait dû demander à Rani quels habits et quelle nourriture emporter pour lui. Elle devait apprendre à se débrouiller seule. Pour le restant de sa vie, elle devrait se débrouiller ainsi, se dit-elle.

À nouveau, elle dressa des listes. Ce dont elle aurait besoin pour George : à boire et à manger pour le voyage, un habit de rechange, son chapeau, son jouet préféré. Lorsque personne ne fit attention, elle prit une petite veste qui séchait dehors sur un buisson et un chapeau abandonné dans la véranda et les cacha sous son matelas. Elle observa Ama avec autant d'attention que cette dernière l'observait, elle. Elle apprit la routine de George. Maintenant âgé de deux ans, il ne portait plus de couches en journée, la main d'Ama le corrigeant promptement après tout accident. Bientôt, pensa Marianne, il serait assez fort pour parcourir une partie du chemin lui-même. Elle l'encouragea à être aussi actif que possible, à se faire des muscles. Elle avait conscience qu'une femme blanche avec un enfant, marchant sur ce long sentier sinueux de Blackwater au bazar, serait un objet de curiosité pour toute personne attentive ; cela l'inquiétait mais elle ne voyait aucune alternative. Elle aurait préféré quitter la propriété pendant la nuit mais Ama dormait dans la chambre de l'enfant. Même si elle était parvenue à prendre George pendant qu'Ama était avec Lucas, Ama aurait sonné l'alarme aussitôt après être revenue dans sa chambre. Elle n'aurait pas le temps d'atteindre la gare avant que Lucas la rattrape. De quoi avait-elle besoin ? D'argent, bien sûr. La bague de fiançailles qu'Arthur lui avait offerte était le seul objet de valeur qu'elle possédât encore ; sa décision de la revendre fut rapide et sans sentiment. En qui pouvait-elle avoir confiance pour la vendre ? Elle passa en revue ses connaissances. Le Dr Scott et Ralph Armitage étaient au service de Lucas. Anne Rawlinson l'avait déjà trahie une fois. Ensuite il y avait les régisseurs, M. Cooper et M. Salter. Le premier était fainéant et long à la détente. Quant au second... elle avait pensé un jour qu'il avait un faible pour elle. Elle se mit donc à observer M. Salter. Elle remarqua qu'il passait souvent ses soirées seul dans son bungalow, au lieu d'aller boire avec Lucas à Blackwater, comme il le faisait jadis. Elle supposa que

Lucas, de plus en plus tyrannique sur la plantation comme à Blackwater, l'avait trop souvent insulté et se l'était mis à dos, comme tant d'autres d'ailleurs.

Enfin, il y avait les commerçants qui venaient au bungalow. Le *dhobi* et les camelots, avec leur soie et leur dentelle. Et M. Da Silva, qui se rendait à l'usine une fois par mois pour récupérer le thé et le transporter à la gare sur des chars à bœufs. Quand il passait au bungalow, il apportait un bouquet de fleurs à Marianne et une sucrerie pour George. Elle le vit saluer Ama de la tête, dans la véranda. Ses yeux d'ambre scrutèrent Marianne avec gentillesse.

— Vous avez l'air un peu maigre, madame Melrose, dit-il. La prochaine fois, je vous apporterai un gâteau, un gros gâteau, et vous devez me promettre que vous le mangerez en entier.

Elle estima qu'il faudrait au moins deux heures pour atteindre la gare et attraper un train. Sa plus grande difficulté était de saisir le moment où ni Lucas ni Ama ne remarqueraient leur absence. Lucas, évidemment, se trouvait loin sur la plantation l'essentiel de la journée. Mais, pendant ce temps-là, Ama ne quittait pas George.

Elle pensa aux festivals tamouls, chaque pleine lune. Le travail sur la plantation s'arrêtait tandis que les coolies dansaient, festoyaient et apportaient des offrandes à leurs dieux. Ces jours-là, Lucas buvait, de plus en plus souvent jusqu'au coma.

Le dimanche après-midi, elle se mit à se promener avec George en lui tenant la main, passant devant le bungalow de M. Salter, Ama la suivant sans bruit, irritée de s'éloigner, au moment le plus chaud de la journée, de son endroit préféré dans la véranda. M. Salter la saluait depuis le jardin et Marianne vit la façon dont ses yeux glissaient d'elle à Ama et suivaient sa silhouette souple, couverte d'un sari, le long de la colline.

Une ou deux fois, Marianne s'arrêta pour passer un moment avec M. Salter. Ama demeurait à quelques mètres, protégée du soleil par son ombrelle.

— On ne vous voit pas souvent au bungalow ces temps-ci, monsieur Salter, dit Marianne.

À nouveau, elle remarqua ses fréquents coups d'œil en direction d'Ama, incapable de s'en empêcher, hypnotisé par sa beauté. Elle sentit l'urgence quand il ajouta, en s'épongeant le front :

— Je vais peut-être retourner chez moi à la fin de l'année, madame Melrose. Cet endroit… Je ne me suis jamais habitué au climat. Je pensais que j'y arriverais, mais non. Je préfère le froid. Qui croirait que l'on puisse regretter une journée d'hiver à Édimbourg ?

Un jour, il cueillit pour elles des fleurs de son jardin. Une gerbe de bougainvilliers pour Marianne et des lys pour Ama, avec leurs trompettes blanches poudrées d'or. Elle vit la sueur sur sa lèvre supérieure quand sa main frôla celle d'Ama. Et un sourire affecté aux coins de la bouche rouge et pulpeuse d'Ama.

— Vous nous manquerez si vous rentrez en Écosse, monsieur Salter, dit Marianne en le remerciant. J'ai peur que la pauvre Ama ne trouve bien longues ses journées au bungalow. Je pense que la ville et les magasins lui manquent. Elle aime les jolies choses.

Elle compta les jours avant le retour de M. Da Silva. Il tint parole, lui apportant un gâteau glacé. Après avoir lancé un rapide coup d'œil vers le bungalow pour s'assurer qu'ils étaient seuls, elle lui prit la main pour le remercier et lui glissa sa bague en diamant.

— J'ai besoin que vous la revendiez pour moi, chuchota-t-elle. S'il vous plaît, monsieur Da Silva. Et si…

Ama venait d'entrer dans le vestibule, avec George à la main. Marianne eut l'impression que les battements de son cœur allaient l'étouffer. Mais sur un ton joyeux, M. Da Silva dit :

— La prochaine fois, j'apporterai quelque chose pour l'enfant, madame Melrose. Un bel objet. Personne ne le saura. Ce sera notre secret.

Puis il partit. S'agenouillant devant une plate-bande, Marianne se mit à désherber à l'aveugle.

— Je devais le faire, Arthur, murmura-t-elle. Tu comprends, n'est-ce pas ? Je le devais.

*

438

Depuis qu'elle et Ash s'étaient séparés, Iris avait passé trois mois à parcourir la France avec Charlotte avant de rentrer à Summerleigh. Lorsque la guerre éclata, elle avait quitté Sheffield pour travailler à l'hôpital militaire de Londres. Pendant toute cette période, elle s'était sentie profondément malheureuse, comme si tout sentiment s'était éteint. Sur le plan intellectuel, elle avait pu apprécier la beauté des villes et des châteaux français qu'elle et Charlotte avaient visités; mais sur le plan personnel, tant d'opulence et de charme l'avaient essorée. Cette insensibilité lui avait rendu supportable la décision, rendue inévitable par la guerre, de retourner à la routine et à la discipline hospitalières.

Un soir, elle retrouva Eva à la Lyons Corner House, dans le Strand. Des flocons de neige s'agglutinaient sur les fenêtres et glissaient le long de la vitre. Iris, qui avait été de garde toute la journée, commanda du thé, des toasts et des muffins. En attendant d'être servie, elle parla à Eva de l'hôpital dans lequel elle travaillait désormais.

— J'espère que je ne deviendrai jamais une sœur. Elles sont tellement bizarres – Sœur Leach insiste pour que la poussière soit faite trois fois par jour sur les châlits. Je connais l'importance de la propreté, mais *trois fois par jour*?

Puis, regardant Eva, elle reprit:

— Vas-y. Dis-moi.

— Dis-moi quoi?

— Dis-moi ce qui te tracasse. Père?

— Père va mieux. Il est retourné au travail. Mais il a changé, Iris.

— Père a toujours été robuste. La maladie est un choc pour lui. Es-tu donc soucieuse pour James? Ou pour sa famille?

Ces mots sonnaient étrangement; Iris avait encore du mal à imaginer James comme mari et père.

— Emily et Violet vont très bien. J'ai dîné avec elles il y a quelques jours. Et j'ai reçu une carte postale de James. Il semble aller bien.

Le thé arriva et Iris le servit.

— C'est Marianne, dit Eva.

— As-tu des nouvelles d'elle?

— J'ai reçu une lettre il y a quelques jours. Et il y a quelque chose qui cloche, Iris. J'en suis sûre. Elle sonne bizarrement.

— Bizarrement ?

— Pas comme Marianne. Pas comme celle que nous connaissons. Comme si elle se fichait de ce qu'elle disait et à qui elle écrivait. Elle n'a jamais été ainsi. Marianne a toujours été sensible. Trop même.

— Elle n'a plus été la même depuis la mort d'Arthur, souligna Iris. On ne peut s'attendre à ce qu'elle le soit après un tel événement.

— Non, bien sûr. Mais j'ai lu tout ça, déclara Eva en sortant un paquet de lettres de son sac. Et Clémence m'a laissée lire les lettres que Marianne lui avait envoyées. Et elles ne disent rien, Iris. Juste quelques petits trucs sur George, sur le jardin, sur la pluie et le beau temps. Rien d'important. Rien sur elle-même. Rien sur ce qu'elle ressent. Ou sur le fait qu'elle soit heureuse.

— Que crains-tu ?

— Je ne sais pas. Je n'en ai aucune idée.

Se rappelant de la précipitation du mariage de Marianne, Iris se sentit préoccupée.

— Peut-être que son mariage ne va pas bien, avança-t-elle lentement. Marianne a toujours gardé ses pensées pour elle. Peut-être ne veut-elle pas admettre que son mariage est un échec.

— Évidemment, aucun d'entre nous ne peut rien faire en ce moment. Avec cette sale guerre…

— Je hais tout cela. Je me dis que le beau est d'autant plus important aujourd'hui qu'il y a la guerre, mais mon travail à la galerie semble trivial et complaisant. Et cela m'énerve tellement de ressentir ceci à propos de ce qui était tout pour moi. Je me suis donc dit que je devrais suivre une formation d'infirmière, comme toi – et tu n'as pas intérêt à rire, Iris. Je suis allée assister à l'un des cours d'aide de première urgence donnés par mère. Mais à la simple vue du faux sang, je me suis sentie malade – comment pourrais-je donc y arriver si c'était du vrai ?

Elle alluma une cigarette, craquant l'allumette avec hargne.

— J'ai donc décidé de rentrer à la maison.

— Eva.

— Je sais, ça va être insupportable, je vais détester et je rêverai de revenir à Londres au bout d'une semaine. J'ai toujours été si fière de gagner mon propre argent et d'être indépendante. Je te regardais de haut parce que tu ne semblais penser qu'aux robes et aux chapeaux; je toisais Marianne parce qu'elle s'était mariée et Clem parce qu'elle était restée à la maison. Mais aujourd'hui, celle qui est inutile, c'est moi. Tout est sens dessus dessous avec cette horrible guerre.

— Que feras-tu là-bas?

— J'ai pensé que je pourrais aider père à l'entreprise. Je peux dactylographier le courrier, rédiger les comptes, donner des coups de téléphone. Lydia me l'a appris et je faisais tout cela quand je travaillais pour Paula. James étant parti et père n'étant pas encore très bien, ils ont besoin de moi, Iris. Même si c'est très dur de ravaler son orgueil et de retourner vers la famille, après toutes ces années à me débrouiller toute seule.

— Aucun d'entre nous n'est très doué pour ravaler son orgueil.

— Non, dit Eva en plissant les yeux et en soufflant un fin filet de fumée.

— Il y a autre chose. J'ai vu Ash.

Le cœur d'Iris se serra, mais elle répondit froidement.

— Ah bon? J'espère qu'il va bien.

— Parfaitement bien. Il aimerait te voir.

— Je ne crois pas que ce soit une bonne idée, affirma Iris en détournant le regard.

— Il n'est pas marié, tu sais.

Il y eut un silence pendant lequel Iris essaya d'absorber le choc, avant de dire :

— En ce qui me concerne, je ne vois pas la différence.

— Ash ne m'a pas dit ce qui s'était passé et je n'ai pas demandé. Mais il me semble que les choses n'étaient pas tout à fait celles que tu avais présumées.

Colère, ressentiment, blessure, Iris fut envahie de pensées confuses et, à son grand désarroi, parmi elles figurait un filet d'espoir. Le désarroi venait de ce que, avec l'espoir, s'ouvrait encore une fois la possibilité de la déception et de la douleur.

— Ash souhaite te voir, Iris. Il m'a prié de te le demander.

— Je ne peux pas.

— Bien sûr que tu peux.

— Tu ne comprends pas…

— Oh si! Je comprends que toi et Ash vous êtes blessés mutuellement et terriblement. Et je comprends également que tu pourrais être heureuse si tu le décidais. Si tu pouvais pardonner.

— Je ne suis pas sûre de le pouvoir.

— Quand je vois combien père et James se rendent malheureux parce que ni l'un ni l'autre n'est capable de pardonner, observa-t-elle avant de se pencher au-dessus de la table en fixant Iris. Tu aimes Ash et il t'aime. C'est aussi simple que cela.

— Si seulement ça l'était…

— Mais ça l'est. Il t'aime. Je peux te le dire. Je sais certaines choses sur l'amour, vois-tu. Je sais ce que l'on ressent. Et je peux te dire, par la façon dont il parle de toi, qu'Ash t'aime, assura Eva, les larmes aux yeux.

Il y eut un silence.

— Qui était-il? interrogea Iris. L'homme que tu as aimé? Je me suis toujours demandé si tu me le dirais, mais tu ne l'as jamais fait.

— C'était un artiste, répondit Eva, un sourire à travers les larmes, un assez célèbre artiste. Il était marié et avait des enfants. J'ai essayé de ne pas l'aimer mais je ne pouvais m'en empêcher. Tout ce que l'on nous a prévenues de ne pas faire, eh bien je l'ai fait. Et depuis que nous sommes séparés, j'ai l'impression d'avoir été coupée en deux. Mais je ne le regrette pas. Je ne peux pas le regretter, même si je sais que ce n'était pas bien, même s'il m'a fait beaucoup souffrir. J'écris encore à sa femme. Il se trouve en France, désormais. Il ne combat pas mais il sert comme brancardier. Parfois, dit-elle en croisant le regard d'Iris, quel que soit l'amour que l'on porte à une personne, on sait que l'on ne sera jamais heureux. Mais vous deux, Iris, vous pouvez être heureux et tu serais tellement idiote de laisser passer cette chance. Tellement idiote.

Par un soir froid, Ash l'attendait à l'extérieur de l'hôpital. Iris s'arrêta un instant, l'ayant vu avant lui, jaugeant ses réactions. Il avait changé : les cheveux coupés ras, le kaki. Eva ne l'avait pas prévenue à ce propos. Il se retourna et la vit. Pendant un instant de gêne, ils ne surent s'il fallait qu'ils s'embrassent. Elle facilita la chose en disant :

— Oh, mon Dieu, la responsable du foyer nous regarde. Donne-moi un baiser, Ash, un baiser normal, et je dirai que tu étais James. Elle est aussi bigleuse qu'une chauve-souris et vous avez tous les deux les cheveux blonds. Ensuite tu pourras me raccompagner à mes appartements.

Les lèvres de Ash effleurèrent sa joue et elle se dit — avec soulagement ou désespoir ? – qu'elle ne ressentait rien. Ils s'éloignèrent de l'hôpital. Elle toucha sa manche.

— Je ne t'avais jamais imaginé en soldat, reprit-elle avec un sourire contrit.

— Moi non plus. On dirait que c'est la mode. Il y a tellement d'hommes que je connaissais dans l'East End qui se sont engagés. L'armée te nourrit et te loge, tu comprends. Et comme c'est mon clan qui tient les rênes cette fois-ci, ma foi, il m'a semblé que je devais y aller.

Elle savait ce qu'il voulait dire par mon clan : ceux qui avaient fait partie du corps d'entraînement des officiers pendant le secondaire, des hommes habitués et formés au commandement.

— Et toi, Iris, de retour à l'hôpital... Plus jamais, avais-tu dit.

— C'est parfaitement horrible. Retour aux cheftaines autoritaires et aux règlements ridicules. Mais les hommes dans ma salle sont adorables. Et, pour certains d'entre eux, si jeunes. Parfois, j'ai l'impression d'être leur mère.

— Dans mon bataillon, certains hommes ont à peine seize ou dix-sept ans. Ils mentent sur leur âge réel pour pouvoir être recrutés.

— Où es-tu affecté, Ash ?

— Je suis encore au camp d'entraînement.

— Comme James. Dieu merci, déclara-t-elle en pensant aux hommes blessés dans sa salle.

— C'est gentil de ta part d'accepter de me voir.

— Eva m'a dit que tu ne t'étais pas marié.

— Non.

— Pourquoi pas?

— Il s'est avéré que tout cela était une erreur.

— Et l'enfant?

— Il existait. Mais ce n'était pas le mien.

Elle pensa combien Thelma Voss devait l'avoir désiré pour tenter cette bonne vieille ruse.

— Est-ce que tu l'aimais?

— Je l'aimais bien. Je l'admirais. Mais je n'étais pas amoureux d'elle.

— Mais tu as couché avec elle?

— Oui.

— Et… tu m'aimais?

— Oui.

— Alors je ne comprends pas pourquoi tu as couché avec Thelma.

— C'est difficile de savoir par où commencer, continua-t-il après un silence. M'excuser paraît outrageusement inapproprié. Quant à m'expliquer, il est présomptueux de ma part de présumer que cela t'importe suffisamment pour écouter.

— Tu peux satisfaire ma curiosité.

Il s'arrêta sous la lumière tamisée d'un lampadaire et expliqua:

— J'ai couché avec Thelma parce que je me sentais seul. Et parce que, à ce moment-là, je ne pensais pas que tu m'aimais. Et parce que j'étais en colère contre toi. Et parce que Thelma était là et que tu ne l'étais pas.

Tu vois, se dit-elle, *cela ne fait pas mal*. Elle marchait, parlait et tiens, pouvait même se permettre de sourire.

— Il semble que nous ne faisons jamais les choses au bon moment, n'est-ce pas Ash? Nous n'éprouvons jamais nos sentiments l'un pour l'autre au même moment.

— Ou peut-être ne les admettons-nous jamais au même moment.

Elle sentit son regard et détourna le sien.

— Pourquoi voulais-tu me voir, Ash ? Était-ce à cause de ça ? demanda-t-elle en touchant sa veste kaki à nouveau.

— En un sens, oui. Pas pour user de ta compassion – « Adieu ma belle, je dois te quitter », et tout ça. Mais parce qu'il est nécessaire de mettre les choses à plat. Et que tout soit dit.

Ils passèrent devant un café.

— As-tu faim ? demanda-t-il.

— Pas vraiment. Mais une tasse de café, pourquoi pas…

Ils entrèrent. L'air chaud sentait la serviette humide et le pudding à la vapeur ; une tablée d'ouvrières, en tablier et un foulard sur la tête, firent des œillades en direction de soldats, de l'autre côté de l'allée entre les tables.

— Je pensais que tu étais tellement bon, entama Iris. Si aimable, si généreux ; tout le monde t'aimait. Et intelligent aussi. Tous ces livres que tu as lus. Je pensais que tu étais tellement meilleur que moi. Je n'ai jamais été bonne. C'est peut-être pour cela, après tout, que je suis devenue infirmière, pour me prouver que je pouvais être ton égale.

— Mais peut-être n'était-ce pas de la bonté ? Peut-être était-ce uniquement une façon de remplir le temps ? Ou d'éviter d'être proche de qui que ce soit en particulier.

— Peut-être. Mais tu as fait prendre à mon existence une autre direction, Ash, que tu l'aies voulu ou non. Je pense que tu es venu ici me demander si je pourrais à nouveau t'aimer. Et la réponse la plus honnête est que je ne sais pas. Je ne sais vraiment pas. La seule chose que je sache est que, même si je le pouvais, ce ne sera pas comme avant.

Elle le vit pencher la tête en acceptation de ses paroles.

— Encore aujourd'hui, avec le recul, je ne peux pas te dire quand j'ai commencé à t'aimer, énonça-t-il. Si c'était à Londres ou à Sheffield. Peut-être était-ce lorsque je t'ai vue pour la première fois, descendre la colline à bicyclette. Je ne sais tout simplement pas ; je ne suis donc pas si intelligent, après tout. Mais je voulais te dire que, indépendamment de mes actes et de leur apparence, je t'aime profondément, Iris, et je sais que je t'aimerai toujours.

Voilà, pensa-t-elle, *je n'ai pas pleuré de joie ou de peine. Tu vois, ça ne fait pas mal du tout.* Ses poings étaient fermés et, en les ouvrant, elle vit quatre croissants de lune rouges creusés dans chacune de ses paumes.

— Il existe une autre raison pour laquelle je voulais te voir, dit-il. Il n'y a pas grand-monde à qui je puisse écrire – ou qui puisse m'écrire. Pas de parents, de frère, de sœur, de cousin. La plupart de mes amis se sont engagés. Et j'imagine que si je suis envoyé en France, ou je ne sais où, ce sera plutôt... triste. Je voulais donc te demander si, en tant que ma meilleure amie, je pouvais t'écrire, Iris ?

Elle eut un instant d'indécision avant de savoir ce qu'elle dirait. Il se pouvait qu'il ne revienne pas. Son beau, fort et généreux Ash pourrait terminer comme l'un de ces hommes brisés qu'elle soignait. Et de cela, elle se souciait.

— Bien sûr que tu peux, répondit-elle.

15

Marianne dissimula l'argent que M. Da Silva lui avait rapporté après la vente de sa bague de fiançailles derrière une plinthe branlante dans sa chambre, enfermé dans une tabatière en métal pour éviter insectes et souris. En passant devant le bungalow de M. Salter, un dimanche, elle évoqua l'ennui d'Ama, sa solitude et son amour des jolies choses. Lorsqu'elle remarqua, plus tard, de nouveaux bracelets aux poignets et aux chevilles d'Ama, que celle-ci ôtait avant le retour de Lucas, elle eut un léger goût de triomphe.

Elle marchait plusieurs kilomètres par jour autour du jardin et sur les sentiers rouges de poussière de la propriété. Elle devait se muscler, se disait-elle, pour que le trajet jusqu'au bazar ne la fatigue pas et pour qu'elle puisse résister à un long voyage. Elle déroba tout ce qui pouvait lui être utile – un panier en feuilles de palmier, une flasque, un couteau, une pochette d'allumettes. Elle les prenait sans le moindre soupçon de culpabilité, demeurant silencieuse quand un domestique était accusé de leur disparition. Elle étudia les cartes et les horaires de train et dénicha de vieux livres dans la petite bibliothèque de Blackwater. L'un d'entre eux parlait des soins élémentaires ; ainsi saurait-elle comment s'occuper de George quand elle serait l'unique responsable de sa survie. Un autre était une petite brochure qu'un des ancêtres de Lucas avait dû apporter et qui expliquait comment allumer un feu, comment distinguer les serpents inoffensifs de ceux qui étaient mortels. Elle les lut intensément, les apprenant par cœur.

Évidemment, elle faisait cela dans le dos de Lucas. Cependant, de temps en temps, elle le surprenait en train de la regarder avec un air suspicieux. Un jour, alors qu'elle passait près de lui dans la véranda, il lui attrapa la main et lui dit :

— Tu as l'air contente de toi, ma chère femme. Comme un chat qui a bu du lait.

Son pouce s'enfonça dans la paume de sa main mais elle ne cria pas.

— Que prépares-tu ? Que complotes-tu ? Peu importe ce que c'est, cela ne marchera pas, tu le sais – tu ne peux pas me battre.

Ils partirent pique-niquer avec les Rawlinson. Un chemin défoncé menait à une petite forêt d'acajous. Des abeilles sauvages butinaient un peu plus haut et, dans une clairière, au gré de la brise, mille papillons blancs virevoltaient comme des pétales au-dessus de l'herbe. La prairie s'élevait jusqu'à un promontoire surplombant la vallée. Marianne regarda en contrebas, là où les rizières et les lacs s'étalaient comme des mouchoirs verts et argentés.

— Ne raconte-t-on pas qu'une jeune fille s'est tuée ici, il y a bien longtemps ? interrogea Mme Rawlinson en s'avançant vers le précipice. Elle s'est jetée par-dessus la falaise. Par amour, ou autre chose de ridicule.

Les collines lui renvoyèrent un sinistre écho.

Ce soir-là, Marianne se trouvait dans la maison d'été au bout du jardin de Blackwater, debout sur le balcon, contemplant le coucher de soleil, quand elle entendit des pas. Elle se retourna et vit Lucas.

— Magnifique vue, n'est-ce pas ? dit-il doucement en venant se mettre debout derrière elle. Mon grand-père a choisi ce lieu pour construire sa maison à cause de la vue. Par temps clair, on peut voir la mer.

Elle sentit ses doigts se presser contre son dos.

— Mais c'est une longue descente…

Des rayons de soleil vermillon et or transperçaient le creux des collines. Ses doigts étaient comme de petites pointes chargées d'électricité. Il accentua légèrement la pression, elle vacilla et, beaucoup plus bas, le lit de la vallée parut frissonner.

— Quelle histoire touchante que celle que Mme Rawlinson nous a racontée cet après-midi, murmura-t-il. Mourir par amour. Ne crois-tu pas?

— Que vas-tu faire? siffla-t-elle en se retournant. Vas-tu me tuer, Lucas?

— Que tu es dramatique! Cela n'est pas nécessaire. Je pensais juste te prévenir.

— Me prévenir de quoi?

— De faire attention. De faire très, très attention. Et d'être obéissante.

— Et si je ne le suis pas?

— Je suis certain que tu le seras. Après tout, il y a gros à perdre. De plus, tu es obéissante par nature, n'est-ce pas Marianne? C'est la raison pour laquelle je t'ai choisie. Parce je savais que tu ne me causerais pas trop de soucis.

Sa main la lâcha et il s'en alla. Il était en train de quitter la maison d'été quand elle dit sur un ton dur:

— Que vous êtes idiots, vous les hommes. Que vous êtes simplistes.

Il marqua une pause et se retourna pour la regarder.

— Que veux-tu dire?

— De juger aux apparences. De prendre un manque de puissance physique pour un manque de force.

Elle traversa la pièce en se dirigeant vers lui.

— Tu penses que je suis faible, Lucas? J'ai perdu le seul homme que j'aimerai jamais. J'ai quitté ma famille et voyagé jusqu'à l'autre bout du monde. Et j'ai donné naissance à un enfant. J'ai survécu à tout cela et tu penses que je suis faible? Non, tu as tort, répliqua-t-elle en secouant lentement la tête. C'est toi qui es faible.

— Moi? lança-t-il avec un rire bref.

— Tu crois qu'aimer est une faiblesse...

— Et ça l'est...

— Pourtant, tu aimes George. Je peux le voir dans tes yeux, Lucas. À ta manière étrange et tordue, tu l'aimes. Tu peux lui faire mal, mais tu l'aimes néanmoins. Tu l'aimes mais tu ne supportes pas de l'admettre. Tu ne te connais pas toi-même. C'est cela, la faiblesse.

— D'où viennent ces foutaises, Marianne, rétorqua-t-il alors qu'elle vit un éclair d'incertitude dans ses yeux. L'amour n'a rien à voir avec ça.

— Comme je te l'ai déjà dit, nous sommes faits l'un pour l'autre. Tu m'as épousée pour mon argent et je t'ai épousé parce que je voulais un enfant. J'ai donc eu ce que je voulais.

Sa bouche se tordit de mépris.

— Oh, je ne doute pas que tu sois une garce pénible et fourbe. Toutes les femmes le sont. J'ai appris cela il y a long-temps.

— C'est toi qui m'as rendue pénible et fourbe. Comprends bien cela, Lucas, je ferais tout pour protéger George. Je menti-rais pour lui, je volerais pour lui. Et je tuerais pour lui.

Il se mit à remonter le chemin. D'un mouvement brusque, il se retourna.

— Et moi aussi, Marianne, dit-il avant d'éclater de rire. Et moi aussi.

Il la laissa ainsi dans la maison d'été, la bouche sèche. Sa menace avait été sans ambiguïté. Elle se souvint de Mme Raw-linson dans le jardin de Blackwater, disant : « Il y a une tendance dans la famille Melrose. George, le père de Lucas, était fils unique, comme Lucas lui-même. Sa mère était morte jeune, d'une fièvre, George fut élevé par son père, tout comme Lucas. » Si elle mourrait, pensa-t-elle avec une pointe d'horreur, George se retrouverait seul avec Lucas...

*

La première personne connue d'Eva à mourir à la guerre fut le petit-fils de Mme Bradwell. Celle-ci était la cuisinière de Summerleigh. Eva se rappelait Norman, qui avait seulement quelques années de moins qu'elle, venant dans la cuisine étant petit garçon. Il avait des taches de rousseur et le nez retroussé ; Mme Bradwell l'avait réprimandé pour avoir raclé avec le doigt le plat du pudding. Norman Bradwell était maintenant mort, tué au cours de la deuxième bataille d'Ypres, en avril 1915, deux jours avant son dix-neuvième anniversaire. Après cela, ce fut comme si une partie de Mme Bradwell avait été effacée, la laissant fanée et sans entrain.

L'impasse sur le front occidental avait ébranlé la suffisance nationale à propos de la supériorité présumée de l'armée britannique. Les pertes au combat furent suivies, en mai, par une série d'autres chocs – la formation d'une coalition gouvernementale dans laquelle le ministère de l'Armement était dirigé par Lloyd George, la destruction du paquebot *Lusitania* par la marine allemande, qui avait coûté la vie à mille deux cents personnes, et le bombardement de Londres par les dirigeables Zeppelin. Un cousin de Mme Catherwood mourut noyé quand le *Lusitania* fut coulé ; un vieil ami de Lydia, avec qui Eva avait dansé une ou deux fois à des fêtes organisées dans son appartement, mourut de dysenterie à Gallipoli. Chaque jour, elle redoutait de lire les journaux. Elle survolait rapidement les titres, priant qu'une journée passe sans l'annonce d'une nouvelle horreur. Elle sentait la guerre se rapprocher. La peur était constante que, la prochaine fois, elle serait touchée directement.

Ce printemps-là, elle était retournée à Summerleigh. Au début, être de retour à la maison fut aussi désagréable qu'elle l'avait craint. Mille fois elle regretta sa décision d'avoir quitté Londres. Elle trouvait toujours sa mère insupportable – son enseignement bénévole en soins élémentaires dominait désormais Summerleigh comme sa maladie auparavant. Les horaires des repas avaient été réaménagés et les pièces avaient été vidées de leurs meubles afin que le Dr Hazeldene puisse instruire ces dames, ou que mère leur apprenne à bander un membre cassé ou à s'occuper d'un patient fiévreux. Le soir, Eva et Clémence tricotaient des passe-montagnes et des cache-nez pour les troupes. Eva remarqua que mère ne tricotait pas mais passait son temps à écrire des lettres et à dresser des plannings.

Cependant, la guerre se prolongeant, il y eut un relâchement progressif mais notable des restrictions qu'Eva avait toujours trouvées si irritantes. Il y avait tellement de jeunes femmes qui rejoignaient les organisations de volontaires pour aider à l'effort de guerre que le chaperonnage était impraticable. Il devenait ainsi plus acceptable, pour une jeune femme non mariée et de bonne éducation, de se déplacer seule. On n'attendait plus nécessairement qu'elles se contentent de parties de tennis et de tournois de bridge l'après-midi. Au contraire, on les encourageait à travailler dans les hôpitaux, en tant que membres du Détachement d'assistance volontaire, ou à s'engager dans le corps des Femmes volontaires de réserve ou dans la Légion des femmes.

Clémence avait rejoint les réservistes. Un matin, mère l'avait vaguement regardée, comme si elle venait de se rappeler son existence, et lui avait suggéré : « Clémence, ne crois-tu pas que tu devrais faire quelque chose ? » À partir de cet instant, se dit Eva, Clémence avait été libérée. Ils la voyaient moins. Avec deux livres, elle avait payé son uniforme kaki, appris les soins d'urgence, les exercices et la marche au pas. Sachant conduire, elle avait été sollicitée pour servir de chauffeur à Mme Coles, qui dirigeait l'antenne locale de la Réserve, après avoir été une militante suffragette avant la guerre. Clémence la conduisait aux réunions et aux opérations de levée de fonds, à Sheffield et au-delà. En plus d'être officier réserviste, Mme Coles était membre du comité du Fonds de secours national, qui tentait de soulager la détresse causée par la rapide montée des prix de la nourriture, en distribuant denrées et aide aux plus démunis. Clémence préparait donc gâteaux et biscuits pour des réceptions de thé visant à collecter de l'argent, et fouillait les greniers de Summerleigh, à la recherche de tout objet inutilisé pouvant être envoyé aux ventes de charité.

La guerre avait aussi transformé les industries traditionnelles de Sheffield. Beaucoup d'hommes qualifiés s'étaient engagés, créant un grave manque de main-d'œuvre. En mai, un bataillon municipal, composé de volontaires de l'université et des classes professionnelles, quitta Sheffield pour le camp d'entraînement. Tant de chevaux de labour avaient été réquisitionnés au front qu'un fabricant employait désormais un éléphant de cirque pour tracter ses chargements de pièces fondues à travers la ville.

Scies, limes et pièces de machines agricoles se trouvant encore plus demandées en temps de guerre, J. Maclise & Fils devait augmenter sa production. De retour à la maison, Eva avait rassemblé ses arguments avant d'annoncer à son père son intention de travailler pour l'entreprise familiale : la perte d'employés qualifiés partis au front, l'absence de James, la mauvaise santé de père. Mais la bataille qu'elle anticipait ne fut que l'ombre de ce que, jadis, elle aurait été. Joshua abandonna avec une étonnante facilité. Dans un premier temps, il insista pour qu'Eva travaillât depuis la maison, décryptant ses notes manuscrites pour en faire des lettres dactylographiées. Mais rapidement et bien qu'à contrecœur, il reconnut son utilité et accepta qu'elle vînt au bureau. Au début, il y eut beaucoup de regards en coin et de chuchotements mais, avec le temps, elle ne fut plus guère un sujet d'intérêt. Après tout, elle était peut-être une femme mais elle était aussi une Maclise.

En l'absence de James, M. Foley avait repris le travail d'Aidan, laissant celui-ci diriger le nouveau site sur Corporation Street, tandis qu'Eva gérait le bureau de père à la place de M. Foley. Rob Foley lui fit faire l'inspection des ateliers de fonderie, de forge, de concassage, de moulinage à bois, d'empaquetage et d'entreposage. Il lui expliqua les méthodes de classement de son père, qui n'avaient pas changé depuis le grand-père. Eva tapait et classait le courrier, rédigeait reçus et paiements dans les livres de compte, organisaient les rendez-vous avec les grossistes et les exportateurs, courait après les paiements en retard et les arrivages de charbon et d'acier qui s'étaient égarés. Elle traitait avec les vendeurs et avec les acheteurs, répondait au téléphone et s'assurait que son père ne manquât ni de thé, ni de café.

Parfois, la tête lui tournait. C'était tellement différent du travail chez un éditeur ou dans une galerie d'art. Le bruit, la boue, la fumée et la poussière de charbon offensaient les sens. Pourtant, elle y prit rapidement du plaisir. Elle aimait voir dans les salles d'empaquetage les cartons de limes et de scies enveloppées dans du papier paraffiné, et elle aimait courir seule à travers les quartiers industriels de Sheffield, avec un message ou un document pour Aidan. Elle remarqua que les ouvriers aimaient et respectaient son père mais craignaient Aidan, et que ce dernier administrait les ateliers de Corporation Street comme son fief privé. Elle nota également, la mort dans l'âme, que Joshua n'avait plus le cœur à se dresser contre son plus jeune fils. Quand Aidan licencia une demi-douzaine d'hommes, au motif qu'ils ne fournissaient pas leur quota de travail – des hommes vieux ou souffrant de maladies chroniques après avoir été exposés pendant des années aux bains de plomb et aux fumées toxiques –, les protestations de Joshua manquèrent de conviction, comme s'il s'attendait à la défaite. Et quand Aidan changea les pratiques de travail afin de faire des économies, sabrant des primes établies de longue date, Joshua ne put que dire sur un ton morose :

— C'est la faute de James. Me laisser tomber comme ça. Comment peut-on s'attendre à ce que je gère sans lui ?

Une lueur s'était éteinte en lui et Eva frissonna à l'idée qu'il n'avait plus la volonté de se battre pour cette entreprise qu'il aimait. Sa maladie et cette faille entre lui et James avaient affecté la souplesse de sa démarche. Il manquait d'énergie et d'entrain et, pour la première fois, il se mit à ressembler à un vieil homme. En entrant dans son bureau, Eva le surprenait parfois en train de regarder au loin, un air de désolation dans le regard.

En l'amadouant, elle tenta de l'amener à faire la paix avec James.

— Vous manquez à James, père, lui dit-elle un jour. Je le sais.

— Si je lui manquais, répondit-il après avoir émis un grognement de mépris, il m'écrirait, non ? Je n'ai même pas reçu un mot. Il écrit à chacun d'entre vous, n'est-ce pas, mais pas à *moi*.

— Si seulement vous vous excusiez…

— Pourquoi devrais-je m'excuser ? C'est lui qui nous a tous trompés. Lui qui nous a endormis pendant trois ans et demi ! *Trois ans et demi !* Je ne l'aurais pas cru capable d'un tel tour ! Quel genre de fils est-il pour ne pas dire une telle chose à son père ?

— La seule raison pour laquelle James ne vous en a pas parlé est qu'il avait peur que vous fussiez en colère.

— Et comment que je suis en colère !

— Père, si seulement vous rencontriez Emily et Violet, je sais que vous les aimeriez.

— Jamais ! Et je ne veux pas entendre prononcer leurs noms dans cette maison, tu m'entends ?

— Je ne comprends pas pourquoi vous pouvez être si déraisonnable! réagit Eva, provoquée par l'intransigeance de son père. James a seulement épousé quelqu'un. Qu'y a-t-il de mal à cela?

— Il a épousé sa maîtresse, voilà ce qui est mal! cria-t-il. Une pure folie!

— Mais père…

— J'ai dit ce que j'avais à dire, ma fille, et je ne veux plus en entendre parler! Cela suffit, tu m'entends?

Il était devenu tout rouge. Eva abandonna le sujet.

Le bataillon de James fut envoyé en France au milieu de l'année. Lors de sa dernière permission, Eva alla lui rendre visite. Ils partirent se promener au bord du fleuve. Violet courait devant, Emily pressant le pas pour ne pas se laisser distancer. En les regardant, James sourit.

— Si tu écrivais juste un petit mot à père? risqua-t-elle. Juste quelques mots avant de partir.

— Non, dit-il, son sourire disparaissant. Je ne peux pas.

— Mais quitter l'Angleterre avec cette querelle non résolue…

— Il se peut qu'elle ne le soit jamais, n'est-ce pas? Est-ce cela que tu allais dire, Eva? Ne crois pas que je n'y ai pas pensé. Évidemment que oui. Mais que puis-je faire? Je pourrais souhaiter avoir fait les choses différemment, mais je ne regrette rien. Emily est la meilleure chose qui pouvait m'arriver, ajouta-t-il, la lumière réapparaissant sur son visage. La première fois où je l'ai vue, elle était assise dans la rangée devant moi au théâtre, à quelques sièges de distance. Je ne pouvais pas m'arrêter de la regarder. Je n'avais aucune idée de ce qui se jouait sur scène. Peux-tu imaginer ce que c'est de ressentir cela? Que rien au monde n'ait d'importance que cette seule autre personne?

Elle ne put répondre. Ces temps-ci, elle essayait de ne pas penser à Gabriel. Quand elle était occupée à son travail, elle y parvenait. Mais, encore aujourd'hui, dans les moments de calme, il s'immisçait dans ses pensées.

Des barges aux couleurs vives dérivaient; sur la proue de l'une d'entre elles, un chien noir et blanc aboyait.

— Es-tu inquiet? demanda-t-elle à James.

— De partir en France? Non.

Violet avait lancé sa balle dans les broussailles au bord du chemin de halage. James cassa une vieille branche et s'en servit pour dégager une voie à travers les orties et la récupérer. Quand il revint vers Eva, il dit d'une voix plus basse :

— Je suis uniquement inquiet pour elles. Emily pense qu'elle est peut-être enceinte d'un deuxième enfant. Cela a été difficile avec Violet. Je m'inquiète pour elle. Tu garderas un œil sur elles, Eva, n'est-ce pas ?

— Bien sûr, promit-elle en lui serrant la main.

— Peut-être la guerre sera-t-elle finie avant que le bébé naisse. Peut-être que ce sera un garçon, cette fois-ci. J'adorerais avoir un fils.

— Ce fut tellement merveilleux, déclara Clémence à Iris, d'apprendre que nous avions une belle-sœur et une nièce. Et Violet est si *adorable*.

Iris acquiesça, l'air absent. Elles se trouvaient chez Gorringe. Ce matin-là, Clémence avait conduit Mme Coles à une réunion à Londres. C'était le jour de congé d'Iris et elles avaient convenu de se voir pour le thé.

— Quand tu penses que nous sommes sept et que, avant la révélation de James, une seule d'entre nous s'était mariée, et que nous n'avions qu'un seul neveu, qu'aucun d'entre nous n'a jamais vu. Je me dis parfois que nous sommes plutôt une bande de stériles, non ? Je me demande pourquoi.

— Peut-être parce que nous sommes horrifiés à l'idée de pouvoir en avoir sept, moqua Iris en baissant les yeux sur son assiette. Tu veux mon jambon, Clem ? Je n'ai pas aussi faim que je l'avais cru.

— D'accord.

Elles échangèrent leurs assiettes et Clémence ouvrit un étui de petites cigarettes noires.

— Tu en veux une ?

— Je ne savais pas que tu fumais.

— Une mauvaise habitude que m'a donnée un ami. Mais franchement, Ellen Hutchinson vient d'avoir sa troisième fille ;

Louisa Palmer s'est mariée – et elle ne connaissait son mari que depuis six semaines, Iris. Quand tu nous regardes...

— Trois vieilles filles ? lança-t-elle avant de réaliser que Clémence était sérieuse. Tu te marieras, j'en suis sûre. Et tu auras des dizaines d'enfants.

— Je ne me marierai jamais, dit Clémence en secouant la tête.

— Mère va mieux désormais. Tu n'as pas à sacrifier le reste de ta vie pour elle.

— Il ne s'agit pas de mère. Je sais que le mariage ne m'irait pas.

Iris réalisa qu'elles avaient toujours eu tendance à voir ce que Clémence n'était pas – elle n'était pas belle, ni intelligente, ni particulièrement talentueuse – alors qu'elles auraient dû observer ce qu'elle était. C'est Clémence qui avait maintenu les liens au sein de la famille. Sans son sens pratique et sa personnalité chaleureuse, il n'y aurait guère eu de foyer où se retrouver. Clémence avait une force et une intégrité qui faisaient peut-être défaut aux autres.

— Tu ne peux pas savoir cela.

— Si. Je n'aurais même pas pu me marier avec Ivor, et c'était le plus doux des hommes.

— Ivor ? s'exclama Iris, les yeux écarquillés.

— Un ami à moi. Je suppose qu'on peut dire qu'il était mon amoureux.

— Ton amoureux ?

— Iris, les hommes peuvent aimer des filles qui ne sont pas belles, dit-elle froidement. Et les filles qui ne sont pas jolies peuvent aimer.

— Je m'excuse, je ne voulais pas dire...

— Si. Je peux voir que si. Et ce n'était pas juste un petit béguin.

Iris parvint à reprendre un peu ses esprits.

— À quoi ressemblait-il ?

— Oh, il était très beau et talentueux et gentil. Je l'adorais.

— Le vois-tu toujours ?

Clémence fit «non» de la tête.

— Que s'est-il passé?

— J'ai réalisé que je lui plaisais moins qu'il ne me plaisait. Quand il m'embrassait, il était trop brusque et ça piquait. On aurait dit... enfin, comme si on n'allait pas bien ensemble. Comme enfiler une robe beaucoup trop petite. Cela ne m'*allait* pas. Et je n'ai pas aimé ça. Or, il faut l'aimer pour avoir des enfants, non?

— Je ne pense pas que toutes les femmes aiment cet aspect du mariage.

— Je pense pourtant qu'elles le devraient. Souviens-toi de la façon dont Marianne et Arthur se touchaient tout le temps. Le mariage devrait être ainsi. Je ne pense pas que l'on devrait se marier à quelqu'un si l'on préférait plutôt ne pas le toucher. Donc, dit-elle tristement, pas de bébé pour moi. Et j'aime pourtant beaucoup les bébés.

Elles se séparèrent peu de temps après, Clémence reconduisant Mme Coles à Sheffield et Iris flânant dans Selfridge avant d'aller retrouver Ash à la gare Victoria. Les merveilles au rayon de la chapellerie féminine ne lui procurèrent pas autant de plaisir que d'habitude. Une pensée désagréable ne cessait de la tarauder, quand bien même elle s'échinait à se distraire avec de la dentelle, des boutons de perle, des rubans et des fleurs en soie. Les paroles de Clémence tournaient dans son esprit: «Nous sommes plutôt une bande de stériles, non?» Et elle-même était la plus stérile de tous, songea-t-elle. Marianne s'était mariée deux fois et avait eu un enfant. Eva avait eu un amant, qui lui avait assurément brisé le cœur mais un amant quand même. Même Clémence avait aimé. Elle s'était simplement préservée, indemne, évitant les turpitudes et les complications de partager son cœur avec un autre. Elle ne pouvait pas seulement accabler Ash pour ce qui s'était passé. Avec le recul, elle voyait qu'elle l'avait maintenu à distance pendant des années et, ce faisant, elle l'avait conduit dans les bras de Thelma. Elle n'avait pas réussi à franchir le pas pour lui dire qu'elle l'aimait, avant qu'il ne soit trop tard. Elle avait vingt-neuf ans et, à moins qu'elle ne surmontât cette part dure et défiante d'elle-même, elle voyait comment elle finirait.

Déambulant au milieu des chapeaux de jour en feutre et des chapeaux de soirée en taffetas, elle eut une soudaine et affreuse vision d'elle-même, dix ou vingt ans plus tard, une beauté vieillissante, attendant toujours comme un dû d'être admirée des hommes, flirteuse et désinvolte, car là étaient ses mécanismes de défense.

Elle regarda sa montre et vit qu'il était l'heure de retrouver Ash. Dans le métro, elle sentit combien elle avait peur. Là se trouvait la source de tout, évidemment ; elle qui s'était toujours enorgueillie de son intrépidité, de ne pas être une poule mouillée, était retenue par la peur d'aimer et de perdre. Cette peur la hantait tandis qu'elle attendait au portillon d'accès aux trains. Perdue dans la foule, les tourbillons de fumée et le sifflement de la vapeur, elle ne savait toujours pas ce qu'elle allait lui dire. Elle prit une pièce dans son porte-monnaie et la lança en l'air : *Face, je l'aime ; pile, j'attends d'en être sûre.* Mais au même instant, le train déversa ses passagers, elle échoua à rattraper la pièce qui se perdit au milieu d'une armée de pieds en marche.

Elle le vit alors, s'avançant sur le quai dans sa direction.

— C'est tellement gentil d'être venue, Iris, dit-il avec un franc sourire, déposant un baiser sur sa joue.

Elle répondit de façon légère et n'engageant à rien. Le quai était bondé d'employés de bureau et de soldats se bousculant. On entendit au loin le roulement d'un train. Elle se sentit soudainement terrifiée : si elle ne trouvait pas les mots maintenant, elle ne les trouverait peut-être jamais et ils demeureraient ainsi, s'aimant l'un l'autre mais à jamais distants. Puis elle comprit qu'elle n'avait pas besoin de trouver les mots. Parfois, les mots séparent et maintiennent séparés. Avec l'arrivée du train, un souffle d'air envahit la station. Ash commença à avancer. Elle lui mit la main sur le bras pour l'arrêter.

— Iris ? dit-il.

Se dressant sur la pointe des pieds, elle l'embrassa. Avec hésitation d'abord, puis, quand elle vit la lumière dans ses yeux, sentit ses bras la serrer et l'entendit chuchoter son nom comme un gémissement, elle abandonna enfin toute prudence, ferma les yeux et l'embrassa encore et encore, laissant la foule se diviser en deux flots autour d'eux.

*

Il s'agissait de serrer les dents et d'attendre. Attendre le bon moment. Attendre que certains facteurs coïncident.

Lucas voulut apprendre à George à monter à cheval. Il assit le petit garçon sur un poney qu'il mena en descendant et remontant le chemin. George s'accrochait aux rênes, les yeux remplis de peur. Quand le poney, énervé par un insecte, regimba, George se mit à pleurer. À la leçon suivante, George devint hystérique et Lucas l'enferma dans sa chambre pour le punir de sa lâcheté. En écoutant les hurlements de peur de George se transformer en sanglots de désespoir, Marianne sut qu'elle ne pouvait plus attendre.

Quelques jours plus tard avait lieu le festival de la pleine lune. Le travail cessa sur la plantation. Le Saami, dieu tamoul, fut enlevé du temple et monté sur un paon en bois peint, avant d'être porté en parade jusqu'au bazar de la ville. Les tambours résonnaient depuis les habitations des coolies, une pulsation monotone donnant l'impression que la terre vibrait. Ce jour-là, le jardin de Blackwater était particulièrement beau, le ciel limpide, les contours de chaque pétale et de chaque feuille se dessinant distinctement. À côté du petit lieu d'offrandes dans les arbres, les rubans blancs flottaient. Pleuraient-ils un mort, se demanda Marianne, ou en annonçaient-ils un?

Le matin, elle joua avec George dans le jardin puis, lorsque Ama le lui reprit pour aller prendre son déjeuner, elle s'assit sous le banian. Son livre était ouvert et, de temps en temps, elle tournait une page, mais elle ne lisait pas, observait et écoutait. Contrairement à Ama, elle comprit que la tête de Lucas n'allait pas bien à la façon dont il clignait des yeux face à la lumière et à la manière dont il se déplaçait avec précaution, comme pour éviter d'accroître la douleur qui le lançait sous son crâne. Elle remarqua qu'Ama était en colère et amère, autoritaire avec les domestiques et qu'elle s'emportait contre Lucas. Son

460

alternance de cajolerie et de bouderie irrita bientôt Lucas, qui la secoua brutalement, en lui criant :

— Mais pour l'amour de Dieu, femme, vas-tu cesser tes jérémiades ! Et ce *bruit* ! Si seulement ils pouvaient arrêter ce foutu bruit !

Ama se précipita dans le bungalow, ses petits pieds trottinant sur le sol. Lucas but sans discontinuer pendant le repas, mangeant peu. À l'issue du déjeuner, il retourna dans la véranda. La fumée de son cigare faisait des volutes dans l'air immobile. Le parquet semblait trembler du roulement des tambours. Dans le jardin, Ama passait d'un coin d'ombre à l'autre, l'air abattu, s'arrêtant de temps à autre pour admirer les bagues autour de ses doigts et la chute soyeuse de ses longs cheveux noirs.

Dix minutes plus tard, Marianne quitta la véranda, prétextant aller chercher un mètre de soie brodée. À l'intérieur de sa chambre, au fond d'un tiroir, elle prit les gouttes de somnifère que le Dr Scott lui avait prescrites. Elle dissimula la petite fiole dans son corsage. Dans le vestibule, elle arrêta Nadeshan, qui venait de la cuisine avec une bouteille d'arack et un verre sur un plateau. Elle lui prit le plateau des mains.

— J'apporterai sa boisson à monsieur. Tu peux aller au festival, Nadeshan. Et s'il te plaît, dis aux autres employés qu'ils sont libres de partir cet après-midi.

Seule dans le vestibule, elle versa une dose d'arack, fit glisser la fiole dans sa main, la débouchonna et, les mains tremblantes, la vida dans le verre. *S'il me voit, il me tue*, pensa-t-elle. Puis, elle cacha la fiole et se dirigea vers la véranda. Elle posa le plateau à côté de Lucas et alla s'asseoir non loin, où elle se mit à coudre. Ne pas le regarder, ne rien faire qui ne soit pas ordinaire. Ne pas le regarder car il verrait la rage et la révolte dans ses yeux. L'aiguille entrait et sortait du morceau de lin. Un nœud français par-ci, un pétale de fleur par-là. Quelle dose avait-il bu ? Suffisamment, sans doute. Combien de temps dormirait-il ? Plusieurs heures, peut-être.

On entendait le grincement de la chaise à bascule en osier et l'on sentait l'odeur de la fumée du cigare. Cela faisait quelque temps, à coup sûr, qu'elle n'avait pas entendu le bruit de son verre. Elle leva les yeux. Ceux de Lucas étaient clos, son verre vide à côté de sa chaise. Son cigare se consumait dans le cendrier. Elle prononça son nom mais il ne se réveilla pas. Se glissant hors du bungalow par une porte latérale, elle courut vers la maison de M. Salter. M. Salter était assis dans sa véranda, un verre à la main.

— Pauvre Ama, commença Marianne. Elle veut aller au bazar mais n'a personne pour l'emmener.

— M. Melrose…

— M. Melrose a mal à la tête. Il dort. Je m'attends à ce qu'il dorme tout l'après-midi.

Elle retourna en courant vers le bungalow. Elle baissa les stores de sa chambre, tira les rideaux et étendit sur son lit un long châle en soie. Elle y posa les habits de George, son argent et ces petites choses qu'elle avait subtilisées. Puis sa brosse, son peigne, un linge de rechange et sa photographie d'Arthur. Elle partit ensuite à la cuisine. En ouvrant la porte, quelques excuses lui vinrent à la bouche. « J'ai besoin d'une flasque de thé léger pour le bébé… Le *peria* voudrait quelques biscuits et quelques fruits… » Mais la cuisine était vide, les domestiques étaient partis au festival et elle put prendre ce dont elle avait besoin sans entrave.

De retour dans sa chambre, elle mit la flasque et la nourriture avec le reste de ses affaires et noua le ballot. Il y eut un bruit derrière elle. Elle se retourna et vit Lucas.

— Toi, espèce de sale petite garce, dit-il en faisant quelques pas dans la chambre.

Saisie de terreur, Marianne enregistra le manque d'assurance de ses mouvements et la manière dont son grand corps vacillait en avançant vers elle. Ses yeux, passant du paquet sur le lit à elle, étaient comme voilés.

Elle essaya de se ruer vers la porte. Mais il l'attrapa, ses doigts s'enfonçant dans sa chair.

— Tu veux me laisser seul, hein ? Une fois de plus ? Je savais que tu préparais quelque chose, sale garce.

D'un geste rapide et ferme, il balaya du bras le ballot de nourriture et d'habits, et l'envoya par terre.

— Je t'avais dit que je ne te laisserais pas me le prendre. *Jamais*. Je m'assurerai que tu sois morte avant.

Ses mains l'agrippèrent autour du cou, ses pouces faisant pression sur sa trachée. Elle pouvait entendre son propre souffle, râpeux, paniqué. Il y eut un rugissement dans ses oreilles, un trou noir. À l'aveugle, elle frappa sa tête avec ses poings. L'impact sur son crâne douloureux dut le secouer car il eut le souffle coupé et relâcha sa prise. Elle s'arracha de lui et il trébucha, perdant l'équilibre. Alors qu'elle reprenait son souffle, une main sur sa gorge et l'autre tenant le portant de son lit, il tomba, se cognant la tête sur l'entourage en cuivre de la cheminée. Les yeux clos, prise de haut-le-cœur, elle s'appuya contre le lit, luttant pour ne pas s'évanouir. Quand elle fut à nouveau capable d'ouvrir les yeux, elle vit Lucas en train de tenter de se redresser. Ses yeux étaient fixés sur elle, la captant de son regard agonisant et enragé. Elle se saisit du premier objet qui lui tomba sous la main – ses ciseaux de couture – et le frappa.

Au bout d'un moment, elle réalisa qu'il ne bougeait plus. Il était affalé dans l'âtre, visage contre terre, les bras étendus sur les carreaux du foyer. Une tache sombre se répandait lentement sur ses cheveux clairs.

— Lucas ? murmura-t-elle.

Mais il ne bougea pas et ne dit pas un mot. Elle sentit ses bras et ses jambes trembler. D'un geste mécanique, elle ramassa ses affaires sur le sol. Elle continuait de regarder vers Lucas, s'attendant à ce qu'il se relève, son tourmenteur, sa Némésis. Mais il ne bougeait pas. Levant les yeux, elle vit Rani sur le palier. Ses grands yeux noirs fixaient Lucas.

— Monsieur mort ? chuchota-t-elle.

— Je ne sais pas, Rani, dit Marianne d'une voix rauque.

— Madame doit partir. Madame doit partir *tout de suite*.

Et elle comprit qu'elle le devait. Mais ses mains tremblaient tellement qu'elle n'arrivait pas à ligoter son paquetage. Rani s'en empara et fit un nœud. « Madame doit partir. Madame doit partir tout de suite. » En fermant la porte de sa chambre, elle semblait refermer la porte sur l'horreur et la folie. Dans la chambre d'enfant, elle réveilla George et l'habilla. Rani revint avec une bande de tissu bleu.

— Madame doit porter ça.

Un sari.

— Oui, bien sûr, souffla-t-elle.

Rani l'aida à s'habiller : des perles du bazar autour de ses bras, une raie au milieu de ses cheveux bruns repliés derrière les oreilles, la tête couverte d'un tissu, les pieds nus.

— Regardez, *dorasanie*.

Marianne se regarda dans le miroir. Elle vit des yeux bleus foncés au milieu d'un visage blanc comme du papier. Avec la marque rouge de ses doigts sur sa gorge. Elle tira un petit coup sec sur le tissu pour cacher son visage et l'ancienne Marianne disparut. Désormais, c'était une autre femme, originaire d'un autre pays.

Elle prit son enfant et son ballot. Tandis qu'elle se dépêchait de quitter Blackwater, elle eut l'impression d'entendre le bruit de ses pas, le murmure de sa voix la poursuivant, mais elle ne se retourna pas.

*

James se trouvait dans le nord de la France, en route vers le front, quand le bombardement débuta. Un sentiment d'excitation les saisit d'abord ; après des journées de marche sur des routes poussiéreuses, à travers de petits villages français maussades, il se passait enfin quelque chose. Puis le bruit se poursuivit pendant des heures, pendant des jours, de plus en plus fort au fur et à mesure qu'ils approchaient de la ligne de front, et il lui sembla que ce bruit le transperçait, lui faisant mal à la tête et lui agaçant les dents. À l'abri dans une grange à foin, il écrivit à Emily.

« Le lait concentré et les bougies que tu m'as envoyés sont très appréciés. J'étais presque à court. Et le gâteau que tu as fait avec Violet était un tel délice. Dis à Violet qu'elle est presque aussi bonne cuisinière que sa mère. Davantage de cigarettes seraient les bienvenues la prochaine fois, si tu le peux, chérie, et quelques caramels, peut-être. Les nuits sont devenues froides ici, mon amour. Est-ce qu'il fait froid à Londres? Habille-toi bien quand tu sors. Prends l'argent que j'ai laissé dans le tiroir si tu as besoin d'acheter un manteau neuf, ou des gants pour toi ou pour Violet. Je conserve précieusement le porte-bonheur que tu m'as donné. Je le garde tout près de mon cœur. »

Dans un geste qui était déjà devenu une habitude, il tapota sa poche qui contenait le trèfle à quatre feuilles en argent qu'elle lui avait offert comme cadeau de départ. Il trouvait souvent ironique que lui, qui avait tant rêvé d'aventure et d'héroïsme, puisse se retrouver maintenant ici. Il avait jadis raillé les mondanités mais, désormais, la seule chose qu'il désirait était la banalité de la vie de famille. Il aurait échangé avec joie les épreuves et l'aventure pour un après-midi au parc avec Violet, et une nuit à tenir Emily dans ses bras pendant qu'elle dormait. Tout ce qu'il voulait était survivre. Il devait rester en vie, pour Emily, pour Violet et pour l'enfant à naître.

Quand il eut fini sa lettre, il alla se poster sur le seuil de la grange pour fumer une cigarette. À l'horizon, il voyait un halo de lumière orange au cœur de la nuit. Au petit matin, en quittant la grange, il aperçut un avion, bien haut dans le magnifique ciel bleu. Des bouffées de fumée blanche fleurissaient autour de lui avant de se disperser. L'appareil sortit intact et James le regarda pendant un moment, avant d'activer ses hommes.

Les signes de la bataille augmentaient au fur et à mesure de leur marche. Ils passèrent à côté d'épaves de charrettes et de motocyclettes abandonnées sur le bord de la route, et le corps mort d'un cheval dans un fossé, les entrailles ouvertes. Bientôt, ils virent les éclopés en marche, soutenant un bras blessé ou maintenant un bandage sur la tête, et se dirigeant vers le premier poste d'assistance. Il n'y en eut d'abord qu'une poignée, puis ils furent tellement nombreux que l'on aurait dit une rivière. La nuit tomba et James vit plus clairement les éclairs colorés qui illuminaient le plat pays devant lui. Les hommes avaient cessé de chanter et de parler ; on n'entendait plus que le bruit de succion des bottes dans la boue, le cliquetis des boucles et des sangles, et le vacarme des fusils, désormais assourdissant.

À l'approche du village de Loos, les trous d'obus avaient crevé le sol et ils ralentissaient leur marche. De temps en temps, un obus passait au-dessus de leurs têtes et ils s'aplatissaient au sol pour se protéger. Leurs manteaux étaient alourdis par la boue et les rabats cognaient leurs jambes, rendant leur marche difficile. De l'autre côté de la colline, un épais nuage de fumée grise planait comme un banc de brume.

La silhouette du village en ruines apparut, éclairée par le feu de l'artillerie, les murs éventrés et les maisons sans toit comme des dents cassées, la flèche explosée d'une église surgissant des combles. Les poutres des charpentes et les piquets télégraphiques étaient éparpillés comme des allumettes. Quelques signes – une casserole cabossée, une cage à poules vomissant de la paille, une bouteille de vin encore bouchonnée et traînant dans la boue – montrèrent à James qu'il avait été un temps où des gens vivaient dans ce lieu infernal.

L'un des hommes alluma une cigarette et on entendit un bruit, comme le gémissement d'une guêpe, quand une balle vint se ficher dans un mur proche. Alors qu'ils se précipitaient pour se mettre à l'abri, on entendit un autre *bzzzzz*, puis quelqu'un crier. Ils éloignèrent du village l'homme blessé, à la recherche d'un poste de secours. James et son sergent visèrent et abattirent le tireur, qui était perché sur l'étage supérieur d'un estaminet en ruines. James ne put dire si c'était son tir ou celui de son sergent qui toucha le tireur embusqué, mais son estomac se souleva en voyant celui-ci tomber. Après coup, il pensa que c'était étrange de ne pas savoir si vous aviez, pour la première fois de votre vie, tué un homme.

Ils passèrent la nuit dans une tranchée boueuse, au pied de la colline. Ils avaient reçu l'ordre de franchir celle-ci à l'aube. Émergeant d'un sommeil intermittent et agité, James sentit son ventre se nouer et il murmura une prière. Sur les deux cents mètres qui les séparaient des lignes allemandes, les premiers cinquante mètres étaient masqués par les bombes fumigènes qu'ils avaient lancées. Puis il y eut le *ra-ta-ta-ta-ta* des mitrailleuses, et James pensa d'abord que ses hommes, effrayés, s'étaient jetés dans la boue pour se couvrir. Quand il atteignit les lignes allemandes, il découvrit que les barbelés entourant les tranchées n'avaient pas été, contrairement à son attente, aplatis par l'artillerie britannique. Il courait le long des lignes de barbelés, cherchant une ouverture, quand quelque chose piqua son épaule et il tomba.

Il se retrouva dans un trou d'obus en compagnie de son caporal, un homme trapu nommé Browning. Quand il se retourna pour voir les lignes britanniques, il vit que ses hommes n'avaient pas eu la trouille, comme il l'avait cru, mais avaient été balayés par le tir des mitrailleuses. Il remarqua d'autres choses. Un méli-mélo de haillons et d'os, sur un flanc du trou, qu'il réalisa être les restes d'un homme. Un garçon coincé dans les fils barbelés, les bras écartés dans l'attitude d'un crucifié, ses cheveux blonds lui tombant sur le visage. Un homme agenouillé, comme s'il était en prière, sauf qu'il lui manquait la tête.

Lui et Browning ne tenaient pas tout à fait dans le trou. Ils se recroquevillèrent l'un contre l'autre afin de maintenir leurs têtes et leurs corps au-dessous du niveau du sol mais leurs jambes ressortaient. Les balles pleuvaient dans la boue. James entendit s'entrecouper le souffle de Browning quand il reçut une balle dans la cuisse. Quand une autre vague de soldats britanniques chargèrent, armés de leurs baïonnettes, les mitrailleuses les alignèrent dès qu'ils furent sortis de leurs tranchées. Au bout d'un moment, les tirs cessèrent, les Britanniques acceptant leur défaite et renonçant à l'attaque. Dans le silence pénible qui s'ensuivit, James vit des hommes émerger des trous dans ce paysage sinistré, des hommes marron-gris comme s'ils étaient faits de boue. Lentement, les blessés rampèrent vers les lignes britanniques. Avec un picotement au niveau de son omoplate, James tira le caporal Browning à travers les deux cents mètres du *no man's land* qui les séparait des tranchées britanniques, mais aucun soldat allemand ne fit feu.

Les reportages journalistiques sur la bataille de Loos passèrent de l'annonce précoce et rassurante d'une glorieuse victoire à un récit plus sombre des événements. Comme une noire cicatrice, la liste des morts remplissait les colonnes sur la première page du *Times*.

Eva était devenue très superstitieuse. Elle se détournait des pies solitaires, évitait de passer sous une échelle et de porter perles et opales. Chaque fois que quelqu'un frappait à la porte, elle sursautait, les nerfs à vif. Elle détestait être à la maison, où les craintes de la famille paraissaient s'additionner. Elle préférait rester au travail, la tête penchée sur son bureau, à taper des lettres et à calculer des colonnes de chiffres. À la maison, elle ne cessait d'aller à la fenêtre et, si elle voyait apparaître le porteur de télégrammes au bout de la rue, son ventre se nouait et elle détournait les yeux, retenant sa respiration jusqu'à ce qu'elle puisse à nouveau regarder sans risque. Comme si, en ne regardant pas, on ne la remarquerait pas et James serait sauf.

Un jeudi en fin d'après-midi, un accident survint dans l'atelier de concassage. L'une des ouvrières, pressée de terminer son travail et de rentrer chez elle, se prit la manche dans la roue de la machine. Joshua se trouvait à Londres ; Eva appela donc un fiacre pour emmener la fille blessée à l'hôpital. Elle parvint à retourner au bureau sans s'évanouir. Une vague de chaleur suffocante la submergea alors, elle déboutonna le haut de son corsage et vit un voile verdâtre. Quand elle reprit conscience, quelqu'un était en train de la secouer et l'appeler par son nom. En ouvrant les yeux, elle vit Rob Foley. Quelqu'un frappa à la porte et l'une des filles travaillant dans la section d'empaquetage entra avec un verre à la main, qu'elle tendit à Rob.

— Tenez, dit-il. Buvez ceci.

Il porta le verre jusqu'aux lèvres d'Eva. C'était de l'eau de vie. Âpre et bon marché, achetée au pub le plus proche, pensa-t-elle, mais qui dissipa un peu son vertige.

— Je suis désolée. C'est tellement ridicule de m'être évanouie, dit-elle quand elle pu s'asseoir.

— Je vais appeler un fiacre pour vous ramener à la maison.

— Non, dit-elle en pressant ses mains contre ses yeux pour retenir ses larmes. Comment va la fille qui s'est blessée ?

— Elle va s'en sortir.

— Et sa main…

— Elle va probablement perdre quelques doigts.

— Oh…

— Ils vont la recoudre, ne vous inquiétez pas, on va s'occuper d'elle. Maintenant, laissez-moi appeler un taxi.

— Je vous en prie, monsieur Foley, souffla-t-elle, je ne veux pas rentrer à la maison. Pas tout de suite.

— Rob. Pour l'amour de Dieu, pourriez-vous m'appeler Rob?

— Si vous cessez de m'appeler *mademoiselle* Eva. Ça sonne tellement victorien.

Elle renifla puis se moucha.

— Il semble que ce soit une habitude chez vous de venir à ma rescousse.

Il parut gêné.

— Ne voulez-vous pas finir? dit-il en lui tendant le verre à nouveau.

— Je déteste l'eau de vie. Finissez-la.

— Je ne bois pas.

— Pas du tout?

Il secoua la tête.

— À cause de mon père. Je sais à quoi mène la boisson.

— Et j'imagine que vous ne fumez pas?

Il sortit un étui à cigarettes de sa poche, alluma deux cigarettes et en tendit une à Eva. Elle tira dessus pendant quelques instants, puis elle dit:

— Je ne veux vraiment pas rentrer à la maison. Je préfère être ici. Cela m'évite de m'inquiéter.

— Au sujet de votre frère?

— Je m'inquiète pour lui à chaque instant.

— Si vous n'avez pas de nouvelles…

— Je n'arrive pas à penser de cette façon! Si je m'autorise à croire qu'il va bien, je crains que quelque chose d'horrible n'arrive! C'est ridicule, n'est-ce pas? Une pure superstition. Comme si tout ce que je pensais ou faisais pouvait changer quoi que ce soit pour James maintenant.

— Ma sœur Susan organise des séances. Elle croit qu'elle peut parler aux morts. Des mères ayant perdu leur fils au front vont la consulter. Au moins, vous n'avez pas eu recours aux sornettes de la planche Ouija.

— Je peux comprendre ceux qui le font. Même si ce sont des balivernes. Pas vous ? Quand je suis à la maison, je n'arrive pas à ne pas y penser. Rien ne peut m'en distraire.

— Et la peinture ?

— Je n'ai pas peint depuis des années.

— Pourquoi ?

— Parce que j'ai réalisé que je n'étais pas assez douée.

— Ce n'est pas vrai. Vous vous souvenez de cette peinture de moi que vous aviez réalisée ?

— Lorsque vous étiez si en colère contre moi d'être allée dans la salle aux fourneaux ?

— Je l'ai gardée.

— C'était un petit croquis de rien du tout.

— Moi, je l'aime. Ma sœur Theresa l'aime aussi. Elle dit que vous m'avez parfaitement saisi.

— Ah ! Les portraits… lança-t-elle avec mépris. N'importe qui peut dessiner un portrait.

— Je peux vous assurer, Eva, que si j'essayais de faire votre portrait, vous ressembleriez sans doute à un navet ou à une coccinelle.

Elle sourit.

— N'avez-vous pas un côté artiste ?

— J'apprécie la musique mais je ne sais pas en jouer. Je peux me perdre dans un tableau mais je ne sais pas dessiner. Parfois, je veux dire quelque chose et je ne trouve pas les mots.

Il y eut un court silence. Elle entendit les ouvriers et les ouvrières se dirent au revoir et quitter l'usine.

— Bien sûr que vous savez dessiner et vous ne devriez pas renoncer à un tel talent. Qui diable vous a dit que vous n'étiez pas assez douée ?

— Quelqu'un, dit-elle doucement. Quelqu'un que je connaissais bien.

— Peut-être avait-il tort.

— Je ne le crois pas. Non, je suis sûre qu'il avait raison. Je le savais moi-même, en fait. Si je ne l'avais pas su au fond de moi, je ne l'aurais pas cru n'est-ce pas? Non, vraiment, je suis assez certaine de cela. C'est d'ailleurs à peu près la seule chose dont je sois certaine, par les temps qui courent.

— Rien d'autre?

— Avant, je pensais que je savais tout. Je savais que je devais aller aux Beaux-Arts et je savais que j'allais devenir une grande artiste. Je savais que je voulais vivre seule et ne jamais être liée à quelqu'un d'autre. Et pourtant, constata-t-elle en regardant autour d'elle, me voilà ici. Je n'aurais jamais cru que je terminerais ici. J'aimerais vous ressembler, Rob. Être aussi inébranlable.

— Inébranlable? Ou ennuyeux?

— Non. Pas ennuyeux du tout, dit-elle en voyant un bref éclair dans ses yeux avant qu'il ne détourne le regard.

— Jadis, vous me trouviez ennuyeux.

— Uniquement à l'époque où j'étais une petite idiote et une ignorante. Maintenant que je suis une femme mûre, j'ai davantage de bon sens.

Il grimaça. Puis, soudainement, il demanda:

— Cela vous aiderait-il à vous occuper l'esprit de venir faire connaissance avec ma famille?

— J'en serais ravie mais…

— Je rentre à la maison le vendredi soir. Vous pourriez venir demain, pour le thé. Je vous raccompagnerai à Sheffield, bien entendu. Oh, mais quel idiot je suis! Vous devez déjà avoir d'autres arrangements, bien sûr.

— Non, je n'en ai aucun. Je serai ravie de venir, Rob.

*

Si c'était de la peur, alors elle ne ressemblait à aucune peur qu'il avait éprouvée dans le passé, se dit James. Ce n'était pas ce sentiment d'angoisse avant d'aller passer un examen, ni l'appréhension d'aller annoncer à père l'existence d'Emily. La plupart du temps, James ressentait faim et fatigue. Dès qu'on ne lui demandait rien, il se pelotonnait et s'endormait en une ou deux minutes. Il semblait ne jamais y avoir assez à manger. Il avait terminé le contenu du dernier colis envoyé par Emily, le partageant avec ses hommes, eux aussi affamés. Il se mit à rêver de repas de Noël, de pique-niques et de dîners au Savoy.

Dès qu'il en avait l'occasion, il écrivait à Emily. Il n'avait jamais beaucoup écrit auparavant, mais écrire à Emily venait naturellement – c'était comme lui parler. Il pensa souvent aux années partagées avec elle. Le jour où ils s'étaient rencontrés, le temps où ils sortaient ensemble, la première fois où il lui avait fait l'amour. Quand elle lui avait dit qu'elle attendait un enfant de lui, elle avait pleuré, pensant qu'il allait l'abandonner. Mais au lieu de cela, il l'avait demandée en mariage. Le jour des noces, il avait acheté un petit bouquet de bruyère blanche à un gitan dans la rue. Puis il l'avait emmenée à leur maison de Twickenham et avait franchi le seuil en la portant. Elle était légère comme une plume. Plus tard, en lui faisant l'amour, il avait passé la main sur la petite rondeur de son ventre et avait pensé à l'enfant, *son* enfant.

Il savait pourtant qu'il n'était plus l'homme qu'Emily avait épousé. Ses lettres lui semblaient parfois être une autre forme de tromperie, comme celle qu'il avait pratiquée pendant des années en cachant Emily et Violet à sa famille. Deux jours plus tôt, il s'était mis à pleuvoir et les armes s'étaient tues, enfin. Il continuait de les entendre dans sa tête comme un long écho que la pluie n'arrivait pas à étouffer complètement. Il se demandait si cet écho disparaîtrait jamais. Quand il fermait les yeux, il voyait défiler des images de la bataille comme une série de clichés. Des corps, des bouts de corps. Des corps de chevaux et des corps d'hommes. Des hommes qu'il avait connus, avec qui il avait blagué et ri, dont les têtes avaient été pulvérisées et dont les membres pourrissaient dans la boue. Pourrait-il jamais redevenir la personne qu'il était? Dans son for intérieur, il savait que non. Dans ses rêves et dans les moments de calme, il demeurerait hanté par ce qu'il avait vu. Il voyait cette souillure s'accrocher à lui, plus collante encore que la boue dans les tranchées.

Une fois sa lettre achevée, il devait emmener un groupe vérifier les barbelés autour des tranchées. Il faisait nuit noire, la lune était masquée par les nuages de pluie, et il eut juste une seconde de retard avant de remarquer la patrouille allemande. Il y eut une très forte lumière et, pendant un quart de seconde, il crut que le bombardement avait repris, ayant l'impression d'un très fort bruit de canon. Avec sa main, il tenta d'atteindre la poche où se trouvait la photographie d'Emily et le trèfle en argent, mais son bras ne répondit pas. Ses membres devinrent brusquement froids et il ne vit plus rien. Il ressentit une poussée de colère et de nostalgie pour la vie qu'il n'aurait pas, puis un terrible sentiment de solitude, en sachant qu'il ne reverrait jamais sa femme et son enfant. Puis, quelque chose explosa dans sa tête et il se sentit tomber, d'une longue chute qui paraissait sans fin.

*

Joshua avait l'impression de mourir à petit feu depuis que Katharine lui avait dit ne plus vouloir le voir. C'était en octobre 1914. Une connaissance commune, un fondeur de fonte, l'avait demandée en mariage et elle avait accepté.

— Est-ce que vous l'aimez? s'était-il exclamé.

— C'est un homme riche, Joshua, lui avait-elle répondu calmement. Il est veuf et donc libre. J'ai deux filles et, pour elles, dans cette terrible époque, je dois trouver un mari.

Deux jours plus tard, James lui avait révélé l'existence de sa femme et de son enfant. Joshua voyait bien que sa furie avait des origines multiples – sa douleur de perdre Katharine et sa jalousie envers James, libre d'épouser la femme qu'il aimait alors que lui ne l'était pas. Cette conscience que la duperie de James faisait écho à la sienne avait aiguisé son sentiment de culpabilité, ce qu'il exprimait à sa façon, par la colère. Il avait été profondément blessé que James ne lui eût pas donné sa confiance et lui, le père, n'avait pas suffisamment aimé James pour partager son secret.

La colère, cependant, était une émotion dangereuse, combustible, se répandant et prenant feu facilement. Le choc lui avait fait dire des choses dures et idiotes et James, dans sa rage, avait répliqué du même ton. Le choc s'était doublé d'un coup plus terrible encore quand il avait réalisé les conséquences des accusations que James lui avait lancées. «De quel droit me critiquez-vous, espèce d'hypocrite, qui avez trahi ma mère depuis des années?» Joshua avait alors découvert dans les yeux de son fils aîné que celui-ci savait. Stupéfait, cette découverte l'avait déchaîné. Sur la défensive, Joshua avait tenté de se justifier – c'était une chose pour un homme d'avoir une maîtresse, avait-il crié dans un style pompeux, c'en était une autre de l'épouser. Mais le mépris dans le regard de James n'en avait été qu'accru.

Ensuite, James était parti et sa colère avait continué de se consumer pendant des semaines. Comment ce garçon pouvait-il oser le traiter d'hypocrite quand il s'était lui-même comporté d'une façon si mesquine et sournoise? Comment pouvait-il ne pas se rendre compte qu'en prenant pour femme son amourette – une *assistante chapelière*, pour l'amour du ciel, une femme intéressée, à coup sûr, ne valant pas beaucoup mieux qu'une putain – il avait couvert de honte toute la famille? Comment ne voyait-il pas qu'avec cette seule décision, fatale, il avait ruiné le travail de son père et de son grand-père et renvoyait les Maclise dans le caniveau?

Les Maclise étaient issus de rien, se rappelait Joshua avec amertume, et quand lui s'en irait, ils pourraient bien y retourner. Ses enfants étaient une déception et un fardeau. Personne ne pouvait appeler Clémence une beauté, bien qu'il l'eût personnellement toujours trouvée charmante, mais ses autres filles étaient belles, chacune à leur manière. Et pourtant, qu'étaient-elles devenues? La pauvre Marianne avait perdu son mari puis, sans tenir compte des protestations de la famille, s'était faite ferrer par ce type aux yeux de serpent, en qui Joshua n'avait pas la moindre confiance. Il y pensait tout le temps, avec une angoisse lancinante. Aucune de ses trois autres filles ne s'était mariée ni même fiancée. En songeant à Iris et à Eva, ces si jolies filles, en train de gaspiller leur jeunesse, son exaspération ajoutait à sa colère.

Et puis il y avait ses fils. James était un menteur et un imbécile, Philip une mauviette. Quant à Aidan, il ressentait pour lui un mélange de pitié et de dégoût. Il lui reconnaissait une volonté de fer, de l'intelligence, du snobisme, de l'intransigeance et l'amour de l'argent. Si l'occasion lui était donnée, il savait ce que Aidan ferait de l'entreprise que son père et lui avaient consacré leurs vies à construire. Après sa querelle avec James, la volonté lui avait manqué de s'opposer à Aidan, réalisant que le pouvoir lui échappait des mains. Aidan avait la jeunesse et la force quand lui ne possédait plus ni l'une ni l'autre.

Quant à Lilian, il la regardait avec une sorte d'abattement, reconnaissant avec résignation ses limites. Même s'il était inapproprié de comparer Lilian à Katharine, il ne pouvait s'empêcher de se rappeler combien celle-ci avait été généreuse, gentille et soucieuse de lui. Elle remarquait quand il était fatigué ou contrarié, sentait s'il avait eu une journée difficile au travail. Rien de cela n'atteignait le monde de Lilian, un monde ne tournant qu'autour d'elle-même.

Oh, Katharine... Il pensait à elle tout le temps. Il ne s'était pas attendu à découvrir l'amour si tard dans sa vie. Désormais, elle lui manquait au point de le consumer. Sa proximité, sa chaleur, sa vue même lui manquaient.

Regret et désillusion, tels étaient les sentiments qui le dominaient. Tandis que la bataille de Loos faisait rage, la vérité sur la manière dont la guerre était conduite commençait à filtrer. Il apprit que son pays aimé avait envoyé ses hommes combattre avec des baïonnettes un ennemi armé de mitrailleuses, et avait ordonné l'usage de dichlore qui revenait en plein visage de ses propres soldats. Il savait – tous les maîtres de forges le savaient – que les troupes n'étaient pas correctement équipées, qu'elles étaient à court d'armes et à court de munitions. Elles étaient parfois même à court de nourriture. Le pays s'était précipité dans une guerre à laquelle il n'était pas préparé, dont l'issue avait été contemplée avec complaisance et aucun sens de l'urgence par les politiciens et les généraux.

Mais la plus grande de ses désillusions était vis-à-vis de lui-même. À cause de son orgueil et son incapacité à pardonner. Quand il avait réalisé, en parcourant les colonnes des journaux, que le régiment de James se battait à Loos, sa colère et son ressentiment s'étaient immédiatement transformés en angoisse. Ce soir-là, il écrivit à James une lettre hésitante et maladroite;

il n'avait jamais été doué pour s'exprimer par écrit. Il épiait, comme tous les autres, le porteur de télégrammes. Si Dieu était assez bon pour laisser James revenir à la maison, il priait d'être encore en vie pour le voir. Il savait que son cœur flanchait. Il en sentait de plus en plus souvent les traîtres palpitations et cette douleur profonde se répandant dans la poitrine et dans le bras. Un matin, il était sur le point de partir quand on frappa à la porte. Avant même qu'Edith ouvrît, il *savait*. Les autres – Eva, Clémence, Aidan et Lilian – se regroupèrent dans le couloir. Joshua vit la peur dans leurs regards, leur hésitation et leur angoisse. Puis il se dirigea à grands pas vers la porte et prit lui-même le télégramme des mains du jeune porteur.

Le souffle court et le teint gris, Joshua traversa la maison en trébuchant, comme un gros taureau blessé, se dit Aidan. Il annonça qu'il y aurait une messe de souvenir pour James, à laquelle sa femme et son enfant seraient conviés. Tous deux, évidemment, dormiraient à Summerleigh. Mère protesta; Joshua, blêmissant, siffla :

— Je te dis qu'ils resteront ici! Et tu les accueilleras correctement! Ils sont tout ce qui reste de lui!

Père insista pour qu'Aidan se rendît à Londres pour accompagner Emily et Violet à Sheffield. Dans la mesure où il pouvait voir à travers son voile noir, Aidan eut l'impression qu'Emily était assez jolie et sans prétention. Elle parlait peu, d'une voix douce et craintive, et il grinçait parfois des dents à sa prononciation. Il nota que chaque fois qu'elle commettait une erreur, elle se corrigeait rapidement.

Assis avec Emily et l'enfant dans la voiture de première classe, Aidan se divertit en réfléchissant à ses projets pour l'entreprise. James n'était plus. Père était malade et se retirerait bientôt. Il aurait alors enfin les mains libres. Pour commencer, il se débarrasserait des bras cassés – les malades, les vieux, les fainéants. Le défaut de père avait toujours été son sentimentalisme; en parcourant les livres de compte, Aidan avait découvert une liste de vieux employés à qui père versait une pension pour leur éviter d'aller à l'hospice. Et puis, il y avait la célébration annuelle de l'anniversaire du grand-père Maclise, où les fonderies et les ateliers étaient inondés de bière, et le travail s'arrêtait pratiquement. Eva avait récemment proposé des choses absurdes comme l'installation de lavabos et de robinets d'eau potable pour les femmes (avec tant d'hommes à la guerre, ils avaient dû recruter plus de travailleuses). Une perte d'argent ridicule : elles pouvaient très bien se débrouiller avec les robinets extérieurs, comme cela avait toujours été le cas. Ce n'étaient que de petites mesures mais elles s'ajoutaient les unes aux autres et grevaient les bénéfices. Ensuite, en temps voulu, il introduirait l'affaire en Bourse. Père aurait dû le faire il y a des années ; cela leur permettrait de s'agrandir et de se diversifier. La guerre avait offert des opportunités illimitées aux sociétés d'ingénierie comme J. Maclise & Fils ; la guerre leur permettrait de faire fortune.

Son esprit vagabonda ainsi et il se prit à penser à Dorothy Hutchinson. Dorothy était la plus jeune des cinq sœurs Hutchinson. C'était une jolie fille, cheveux bruns et yeux marron, pleine de fougue sans aller jusqu'à l'effronterie. Aidan avait dansé avec elle à plusieurs bals et dîners. Ils avaient également joué au tennis ensemble. Il décida de la demander bientôt en mariage. Les Hutchinson étaient une des meilleures familles de Sheffield ; il avait remarqué qu'ils faisaient les choses juste un peu mieux que les Maclise : leur maison était plus luxueusement meublée, la famille était plus disciplinée, plus consciente des apparences. Encore aujourd'hui, lors des réceptions, les Hutchinson parvenaient à disposer d'un ou deux valets de chambre en gants blancs, alors que les Maclise devaient se contenter de la négligente Ruby ou d'Edith qui se plaignait éternellement de ses jambes douloureuses. Avec un tel mariage, Aidan monterait d'un échelon sur l'échelle sociale, qu'il entendait gravir. Père approuverait une alliance avec les Hutchinson ; Aidan ferait enfin plaisir à père, en réalisant le prestigieux mariage que James avait si manifestement raté.

Mais finalement, Joshua ne survécut que six semaines à son fils aîné. Deux jours après la cérémonie funéraire, son cœur accablé céda. Il mourut au travail, s'écroulant dans la poussière de charbon et les flaques de la cour, au milieu du fracas des marteaux et de la fumée des fourneaux. Quand on lui annonça la mort de son père, Aidan eut l'impression qu'un terrible abîme s'ouvrait devant lui. Un vide qui ne serait peut-être jamais comblé. Comme si un dieu immense et indestructible avait été abattu.

Il fit ramener le corps de son père à Summerleigh dans une bière de velours noir, les chevaux caparaçonnés de noir et ornés de plumets. Les ouvriers s'alignèrent en silence au portail pour lui rendre hommage, tandis que la bière quittait l'usine. Les hommes ôtèrent leurs chapeaux et les femmes sanglotèrent.

Peu de temps après, quand l'avocat de la famille, M. Hancock, lut le testament, Aidan découvrit que son père n'avait pas, contrairement à ce qu'il aurait cru, déshérité James. Après la mort de ce dernier, père avait rectifié son testament, donnant une moitié à Aidan et désignant l'autre moitié comme un legs par fidéicommis pour le fils de James (si le deuxième enfant d'Emily se révélait un garçon), cette part devant être gérée jusqu'à la majorité par ni plus ni moins qu'Eva. Père avait aussi pourvu Emily d'une allocation pour s'occuper des enfants de James. Aidan se réconforta en se disant que l'enfant serait probablement une autre fille. Mais la blessure laissa une marque profonde et douloureuse, pour laquelle il ne trouvait aucune consolation. Père ne lui avait pas fait confiance. Il marquait sa désapprobation par-delà la mort.

Lorsque, le mois suivant, un télégramme arriva annonçant la naissance du fils de James, Aidan dut se réfugier dans sa chambre pour se jeter sur son lit, et serrer la couverture de rage et de déception. Puis, réalisant le ridicule de son comportement, il se leva, prit un bain, se rasa et s'habilla de ses plus beaux habits. Manteau et chapeau noirs, cravate et cache-col noirs, pour père et pour James. Il se rendrait en ville, décida-t-il, pour prendre un verre et fumer une cigarette dans le bar de l'un des meilleurs hôtels.

Au centre-ville, il aperçut Dorothy Hutchinson, qui se tenait debout devant chez John Walsh. Il traversa la rue pour la rejoindre. Il s'attendait à des salutations, à des condoléances et à de la compassion. Mais elle lui dit seulement:

— Comment donc, Aidan, vous n'êtes pas encore en kaki ? avant de lui glisser quelque chose dans la main.

Quand elle se fut éloignée, il ouvrit la main et découvrit dans sa paume une plume blanche[1].

---

1. Montrer la plume blanche est une manière de signifier le manque de courage.

16

Après la mort de James et de père, Clémence eut le sentiment que l'esprit de la famille s'était évanoui. Les Maclise avaient rapetissé, ils étaient devenus plus ennuyeux, plus calmes, presque ternes. Chaque soir, dans son lit, se souvenant de James lui apprenant à conduire ou de père l'emmenant aux concerts d'Ivor, elle pleurait silencieusement, le cœur opprimé.

Au printemps 1916, le gouvernement ordonna la conscription. Des affiches furent collées dans les rues, rappelant à tous les hommes non mariés en âge de combattre qu'ils avaient désormais l'obligation de s'engager sous les drapeaux. Au cours des vacances de Pâques, Philip informa Clémence qu'il avait décidé de s'engager immédiatement et de ne pas attendre la fin de son année scolaire. Face à ses protestations, il dit avec un sourire contrit:

— Pensais-tu que j'allais m'enfuir? C'est ce que j'ai toujours fait, n'est-ce pas? Mais cette fois-ci, ce ne sera pas le cas.

— Mais Phil, tu vas détester ça!

— Oh, ce sera détestable, à n'en pas douter. Et je sais que le malaise sera constant. Mais tant d'anciens élèves ont déjà été tués ou blessés – le directeur lit leurs noms à la prière du matin. Pourquoi devrais-je être différent? Pourquoi devrais-je être épargné? Je sais que je ne serai pas un bon soldat. J'ai toujours été nul à l'entraînement: je n'arrive pas à marcher au pas et je ne me souviens jamais de la façon dont on assemble un fusil. Mais je ferai de mon mieux. Tu comprends, n'est-ce pas?

La commission médicale de l'armée refusa Philip pour raisons de santé. Il souffrait toujours d'asthme et sa myopie avait empiré au fil des ans. Clémence fut profondément soulagée mais elle se rendait compte que, bien qu'il fût lui aussi soulagé, Philip avait à nouveau ressenti le rejet.

— Je voulais être utile, argua-t-il, dérouté. Tout cet effort à rassembler mon courage et faire honneur, pour m'entendre dire qu'ils ne veulent pas de moi.

Eva eut alors une inspiration. Elle écrivit à une amie, Sadie Bellamy, qui vivait dans une ferme dans le Wiltshire. Sadie répondit par retour de courrier qu'elle serait ravie d'accueillir Philip chez elle, pour l'aider à la ferme. Philip avait toujours aimé les animaux et l'air frais serait bon pour son asthme. Clémence et Eva l'accompagnèrent au train. Clémence attendit de voir le petit point blanc du mouchoir de Philip disparaître au virage du train. *En voici un autre de parti*, pensa-t-elle. Ils n'étaient plus que trois. Il n'y a pas si longtemps encore, ils étaient dix. Et elle eut à nouveau un pincement au cœur.

Elle et Eva vivaient au gré des lettres, les arrachant au postier dès qu'il frappait à la porte. Des lettres de Philip depuis Greenstones, fourmillant d'histoires sur les enfants Bellamy et sur la ferme. Des lettres d'Aidan, en camp d'entraînement dans le nord de l'Angleterre. Des lettres d'Iris, infirmière dans un hôpital militaire à Étaples, dans le nord de la France.

Mais aucune lettre de Marianne. Chaque jour, elles fourrageaient rapidement dans les enveloppes livrées par le postier, à la recherche d'une lettre avec l'écriture de Marianne. Et chaque jour, elles étaient déçues. Rien, pas même après qu'elles lui eurent écrit pour lui annoncer la mort de James et de père. L'espoir que l'absence de nouvelles de Marianne fut dû à autre chose qu'un très grave changement de sa situation disparut. Elles n'en parlaient que rarement entre elles mais elles craignaient désormais toutes pour sa sécurité. Un soir, Eva écrivit au gouverneur de Ceylan, lui demandant son aide pour savoir ce qui était arrivé à Marianne. Clémence regardait par-dessus l'épaule d'Eva pendant que celle-ci écrivait. La perte de James et de père les avait rendues sombres, froides et vides. Mais perdre une sœur serait comme perdre une partie d'elle-même, se dit-elle.

Elles avaient oublié ce que c'était de recevoir de bonnes nouvelles. Il n'y en avait aucune venant du front, où l'horreur ne faisait que s'ajouter à l'horreur. En janvier, des dizaines de milliers de soldats alliés, notamment d'Australie et de Nouvelle-Zélande, furent évacués de la péninsule de Gallipoli, où ils combattaient depuis le printemps précédent, au prix d'énormes pertes. Cette défaite fut suivie, en mai, par la bataille navale du Jutland. Clémence avait toujours appris que la marine britannique était invincible : « Britannia règne sur les eaux[1] », cela était un fait indiscutable. Et pourtant, les pertes de la Royal Navy avaient été beaucoup plus importantes que celles de la grande flotte allemande.

Enfin, au début du mois de juin, lord Kitchener, créateur de la Nouvelle Armée des volontaires, se noya quand son navire fut coulé par une mine. Clémence était en train de faire des achats à Sheffield quand elle lut les titres sur les kiosques à journaux. Le silence régnait dans les rues ; elle pouvait voir sa propre torpeur et sa propre incrédulité dans les yeux des passants.

À la fin de ce même mois, les Britanniques commencèrent à bombarder la Somme à l'artillerie. Ce bombardement, qui visait à détruire les défenses allemandes, fut si puissant que les vibrations des grandes canonnières pouvaient être ressenties jusqu'à Londres. Le 1er juillet, cent vingt mille hommes furent lancés dans la bataille. Les titres de la presse furent d'abord pleins de jubilation. Puis, on commença à apprendre le nombre des pertes. Des bataillons entiers, dont beaucoup étaient constitués des volontaires de Kitchener, avaient été annihilés. Au début de la guerre, les villes de Grande-Bretagne avaient fièrement mobilisé leurs bataillons de résidents prêts à combattre ensemble ; après le carnage de la Somme, ces villes étaient plongées dans le deuil.

Le bataillon de la ville de Sheffield avait été formé peu de temps après l'ouverture des hostilités. Chargé de prendre la ville de Serre, il s'était retrouvé à avancer sous un déluge de feu. Les victimes étaient ces hommes de Sheffield qui avaient travaillé

---

1. « Britannia rule the waves » est le refrain d'un des plus célèbres chants patriotiques britanniques.

dans les fonderies, les usines et les institutions scolaires. Certains étaient issus de familles que Clémence avait connues depuis toujours. Oswald Hutchinson était mort ; Alfred Palmer était porté disparu ; Ronnie Catherwood souffrait de graves blessures après qu'une grenade à fusil avait explosé à côté de lui – le médecin avait dit à sa mère qu'il était peu probable qu'il recouvre la vue.

Clémence alla lui rendre visite à l'hôpital de Londres où il avait été emmené dès qu'il avait été en état d'être évacué de France. Un bandage blanc couvrait la moitié de sa tête. Son bras droit avait été amputé juste au-dessous du coude. Assise aux côtés de ce visage pâle et calme, Clémence se souvint d'un jour où, de nombreuses années plus tôt, alors qu'elle était adolescente, une fête avait eu lieu à Summerleigh et elle était descendue de l'étage en catimini pour voir, par la porte entrouverte, Ronnie valser avec Iris, les yeux pleins d'extase. Elle revint visiter Ronnie tous les quinze jours. Un jour, en se rendant à Londres, Clémence se retrouva seule dans le compartiment jusqu'à la gare de Northampton, où une jeune femme ouvrit sa porte.

— Ces sièges sont-ils libres ? demanda-t-elle.

Clémence fit « oui » de la tête et la femme s'y installa. Elle portait une robe et un chapeau noirs, ainsi qu'un voile.

— Excusez-moi, cela vous dérange-t-il si j'ôte mon chapeau ? demanda-t-elle.

— Pas le moins du monde.

— Je me sens toujours emprisonnée sous un chapeau, pas vous ? Surtout quand il fait si chaud et que l'on doit porter le voile.

Elle enleva son chapeau. Ses cheveux noirs épais et brillants étaient enroulés au niveau de la nuque. Elle avait des yeux bridés couleur noisette et un teint crème. Clémence se dit qu'elle était une des plus belles femmes qu'elle eût jamais vue.

— Je m'appelle Ottilie Maitland, dit-elle en lui tendant la main.

— Ottilie. Que c'est charmant, dit Clémence après s'être présentée.

— J'aime ce prénom, en effet. Mais Clémence est très joli aussi, reprit-elle en penchant la tête d'un côté et en fixant

Clémence du regard. Oui, cela vous va bien. Voulez-vous une tasse de thé?

Elle sortit une thermos de son sac.

— Michael avait l'habitude d'emporter une thermos et un paquet de gâteaux au gingembre chaque fois qu'il prenait le train, et je tiens cette habitude de lui. Il disait toujours que cela lui évitait de faire la queue dans le wagon-restaurant.

— Michael?

— C'était mon mari. Il est mort d'une pneumonie il y a quatre mois, en France. Il était capitaine dans la Garde royale.

— Depuis combien de temps étiez-vous mariés? demanda Clémence après avoir offert ses condoléances.

— Deux ans. J'ai un bébé, un petit garçon de huit mois. De qui êtes-vous en deuil, Clémence?

— De mon père et de mon frère James. Je me fais constamment du souci pour ma famille. Je n'arrive pas à m'en empêcher. Je m'excuse, dit-elle, soudain gênée.

— Prenez un gâteau au gingembre, proposa Ottilie. Je vis de biscuits et de boîtes de conserve, ces temps-ci. On n'a pas très envie de cuisiner pour soi, n'est-ce pas? J'imagine que lorsque le bébé aura grandi, nous pourrons partager d'agréables dîners mais pour le moment, il ne mange que du pain, du lait et de la compote de fruit.

Ottilie s'interrompit, regarda Clémence pensivement et dit :

— Si vous avez besoin de vous changer les idées, vous pouvez toujours venir me rendre visite.

Clémence ne put s'empêcher de la regarder, stupéfaite. Ottilie éclata d'un rire rauque.

— Ma nounou me gronde tout le temps pour être trop directe. Mais je sais toujours au premier coup d'œil si je vais aimer quelqu'un, et je sais que je vous apprécierais, Clémence. Alors pourquoi tergiverser? Je sais aussi que vous adorerez ma maison. Tout le monde l'aime. Elle tombe un peu en ruines mais cela n'a pas d'importance. Et je serais heureuse que vous voyiez mon petit garçon. On a besoin d'amis dans cette horrible époque et on s'ennuie, Archie et moi.

Ottilie vivait dans le Leicestershire, dans un petit manoir perdu au milieu de forêts et de prairies légèrement vallonneuses. La demeure était une sorte de nid avec des pièces aux murs de guingois, des escaliers en tortillons et des couloirs qui avaient une façon de vous faire déboucher sur un lieu inattendu. Les meubles étaient en vieux chêne sculpté, vernis à la cire d'abeille depuis la nuit des temps et recouverts de velours usé ou d'un damassé piqué d'humidité. Il y avait assurément des fantômes à Hadfield, et Ottilie regardait nonchalamment par-dessus son épaule en direction de Clémence tandis qu'elle dévalait un escalier étroit et sombre.

— Je pense toujours que les fantômes sont comme des araignées : ils ne vous dérangeront pas si vous les laissez tranquilles. Et tout comme les araignées, ils entretiennent la maison, d'une certaine façon.

Dehors, les massifs d'arbustes et les plates-bandes avaient été laissés à eux-mêmes.

— Les seules parties du jardin qui aient été entretenues, pourrait-on dire, sont le potager et les bacs à fruits rouges. Cet automne, j'ai l'intention de planter beaucoup de pommes de terre. Si les Allemands coulent tous nos bateaux, Archie et moi ne mourrons au moins pas de faim.

Archie était le bébé énergique et potelé d'Ottilie. Elle lui donna un baiser et son regard devint farouche.

— Et si cette foutue guerre n'est pas finie quand Archie sera devenu un homme, je le cacherai dans le grenier. J'y suis assez décidée. L'armée ne l'aura pas.

Comme l'avait prévenue Ottilie, la maison était dans un certain état de délabrement. Les orages avaient délogé des tuiles du toit, portes et fenêtres étaient fermées avec des cales pour ne plus être ouvertes. La seule domestique était une vieille dame, Mme Forbes, qui avait été la nounou d'Ottilie dans le passé et qui s'occupait désormais d'Archie. Ottilie et Mme Forbes coexistaient dans une atmosphère de guerre affectueuse, Mme Forbes insistant pour qu'Archie soit tenu à une routine stricte, Ottilie ne prêtant aucune attention aux heures de coucher ou au fait honteux de manger en dehors des repas. Les domestiques employés quand Ottilie et Michael s'étaient mariés étaient tous plutôt vieux, expliqua-t-elle. Depuis, ils étaient morts ou avaient pris leur retraite et étaient repartis vivre avec leurs enfants. Ottilie ne s'était jamais occupée de les remplacer. Dotée d'un farouche sens pratique, elle réparait elle-même les délabrements principaux, jardinait avec une dévotion fanatique, cuisinait et faisait le ménage quand elle en avait le goût. Quand des rats s'installèrent dans le tas de compost, Ottilie les tua en tirant depuis une fenêtre à l'étage. Elle était bonne tireuse et la cour fut bientôt jonchée de petits cadavres marron.

Leur amitié s'approfondit en même temps que l'été glissait vers l'automne. Clémence restait souvent la nuit à Hadfield, dormant dans un haut lit à baldaquin devant des tapisseries sur canevas un peu passées, représentant des scènes de chasse. Pendant la journée, elle s'occupait d'Archie et du jardin, ou de toute autre tâche dans la maison, grimpant dans les greniers froids et sombres pour réparer une tuile du toit ou pour enlever les feuilles dans les gouttières. Bien que Hadfield, avec sa beauté de conte de fées, isolée et délabrée, représentât à la fois une évasion et un plaisir de visite, Clémence savait qu'elle serait venue tout aussi souvent si Ottilie avait vécu dans un taudis. C'est bien Ottilie qui attirait Clémence à Hadfield. Elle pensait à elle comme à un oignon. Ce n'était pas une comparaison très flatteuse ou poétique mais elle ne trouvait pas mieux pour décrire les différents niveaux de fascination et de magie qu'elle paraissait révéler sans cesse. À Summerleigh, ou en conduisant Mme Coles à ses réunions, Clémence s'imaginait Ottilie dans les vieilles culottes de cheval et la veste en tweed de feu son mari, en train de faire des trous dans le jardin, assise à la cuisine après avoir pris un bain, les cheveux humides formant un voile noir sur ses épaules. Elle éprouvait alors un frisson de joie et d'envie qui lui rappelait parfois ce qu'elle avait ressenti pour Ivor, sans l'insécurité et la déférence qui, réalisait-elle, avaient marqué son amour pour lui.

Elle remarqua qu'Otillie évoquait rarement son mari, et se dit que la blessure de sa disparition devait être encore trop à vif. Une photographie de Michael Maitland était posée sur la cheminée, au salon. Malgré son uniforme militaire, il avait une apparence gamine, avec des yeux noirs et ronds comme des boutons d'ébène, le sourire hésitant, cherchant à plaire.

Un après-midi où elle visitait Hadfield, Clémence trouva Ottilie à genoux devant le fourneau de la cuisine.

— Cette foutue machine refuse de s'allumer, dit-elle, en colère. Je viens d'user une boîte entière d'allumettes.

Clémence proposa d'essayer pendant qu'Otillie allait s'occuper d'Archie, qui avait un rhume. Le fourneau était encrassé et Clémence passa quelques agréables heures à nettoyer les cendriers du poêle et à régler le tirage. Quand elle le ralluma, elle était couverte de suie et dut faire bouillir de l'eau pour aller prendre un bain.

Plus tard, elle s'assit dans la cuisine, enveloppée dans une robe de chambre d'Ottilie alors que celle-ci préparait des toasts au fromage.

— Aujourd'hui, c'est l'anniversaire de Michael, dit-elle alors. Mon pauvre chéri aurait eu trente et un ans. Le jour de son anniversaire, nous grimpions toujours le gros chêne du jardin. On prenait deux verres et une bouteille de bordeaux et on allait la boire dans les branches. Arriver à descendre quand on est ivre est délicat et cinglé mais très drôle. Bien entendu, lorsque nous étions petits, nous emportions de la limonade à la place du vin, mais c'était drôle quand même.

— Vous vous connaissiez étant petit ?

— Nous étions cousins. Nous avions la même grand-mère. Je connaissais déjà Michael depuis des années quand nous nous sommes fiancés. Il avait six ans de plus que moi et je l'admirais énormément. Il était si grand, si intelligent et si beau.

— Il doit te manquer affreusement.

— Par certains côtés. Par d'autres, non, dit-elle en versant du lait bouillant dans des tasses à cacao. Nous n'aurions jamais dû nous marier. Tiens, tu es la première personne à qui j'avoue cela. Il n'y a personne d'autre à qui je puisse le confesser. Et je ne cherche pas à te choquer, Clémence, mais c'est la vérité.

— Est-ce que tu l'aimais ?

— Je l'aimais beaucoup, mais comme un ami ou une sorte de frère. Pas comme un mari, reprit-elle en versant du cognac dans les tasses. Michael était très doux et gentil, et nous étions de grands amis. Fiancés, il m'embrassait de temps en temps, en fin de soirée par exemple, et je détestais ça. Je pensais que ce serait différent une fois mariés, que le mariage changerait ma façon de ressentir les choses, mais ce ne fut point le cas. Quand il m'embrassait, je fermais les yeux et faisais comme si je n'étais pas là. J'essayais de ne pas le montrer mais il le savait. Et je crois qu'il ressentait la même chose. Je pense souvent que cela a dû être plus difficile pour lui. Les hommes sont censés être responsables de cet aspect du mariage, n'est-ce pas ? N'hésite pas à me dire de me taire si tu ne veux pas entendre parler de tout cela, d'accord ? Je le comprendrai parfaitement.

— Cela ne me dérange pas du tout.

— Un peu plus de cacao ?

— Avec plaisir.

— Et une clope. J'ai besoin d'une clope, ajouta-t-elle tout en offrant une cigarette à Clémence. Le soir de notre mariage, ni lui ni moi n'avions la moindre idée de ce qu'il fallait faire. Finalement, nous nous sommes juste serrés l'un contre l'autre et nous nous sommes endormis. Mais Michael s'est dit que ça clochait ; il est donc allé voir un gars sur Harley Street, qui l'a mis sur le bon chemin. Après cela, nous avons réussi à être proprement mariés, enfin. Quand nous avons su que le petit Archie était attendu, nous avons cessé de partager la même chambre. Et c'était mieux ainsi. Mais nous n'étions pas *heureux*. Nous étions conscients de ne pas être comme les autres couples, tu vois, et cela nous rendait mal à l'aise. Presque honteux. Je crois que Michael préférait la compagnie des hommes. Il n'avait pas eu de sœur, était allé au collège pour garçons et, après l'université, avait rejoint l'armée. Il n'avait jamais eu l'occasion de s'habituer aux femmes. Avec le recul, je me demande s'il m'aimait parce que j'avais toujours été un garçon manqué. Nous avions beaucoup de points communs – nous aimions les voitures à moteur, la chasse et la voile. Il devait se marier à cause de Hadfield. Mon petit Archie est le dernier des Maitland.

— Pourquoi l'as-tu épousé ?

— Pas pour les bonnes raisons, je le crains, dit Ottilie avec un sourire attristé. Toutes mes amies se mariaient et je ne voulais pas être exclue. J'ai commencé à être inquiète de ne jamais avoir rencontré quelqu'un que je veuille épouser. Je crois que Michael et moi nous sommes mariés parce que chacun de nous deux a pensé qu'on était le moins pire. Et parce que, en se mariant, nous n'avions plus à prétendre pouvoir rencontrer quelqu'un d'autre.

— Penses-tu que tu te marieras à nouveau?

— Oh, non. J'ai eu ma leçon. J'ai su très vite que j'avais commis une terrible erreur. Je détestais ne pas avoir ma propre chambre. Je détestais avoir Michael dans mon lit. Je trouvais ça… dégoûtant.

Clémence songea à cette mêlée avec Ivor sur le divan de son salon et à sa perplexité : si c'est *ça* le mariage, alors pourquoi diable les gens en font-ils tout un plat?

— Laisse-moi te coiffer les cheveux, lui dit Ottilie.

Elle ferma les yeux, réchauffée et bienheureuse pendant qu'Ottilie, debout derrière elle, la coiffait.

— La seule chose que je regrette, avança Ottilie, est que j'ai toujours su, au fond de moi, que ça n'allait pas. Te rappelles-tu quand je t'ai dit, le premier jour où nous nous sommes rencontrées, que je savais d'emblée ce que je ressentais pour une personne?

— Bien sûr, je m'en rappelle.

— Je savais que je n'étais pas vraiment amoureuse de Michael, mais je ne me suis pas écoutée. Après sa mort, je me suis promise de ne jamais commettre cette erreur une autre fois. Ce n'était pas juste pour moi, et ce ne l'était certainement pas pour Michael.

Les mouvements du peigne s'arrêtèrent. Soudain inquiète, Clémence tendit la main et prit celle d'Ottilie.

— Est-ce que tu changes parfois d'avis? À propos de tes sentiments sur les gens, je veux dire.

— Jamais. Je ne changerai jamais d'opinion sur toi, ma chère Clémence. Je t'aime. Je le sais depuis très longtemps.

Ottilie se pencha et baisa le front de Clémence.

*

Depuis le début de l'année, Iris avait travaillé comme infirmière dans un hôpital militaire britannique à Étaples, sur la côte nord française. Vers la fin du mois de juin, on leur ordonna d'évacuer les convalescents et de préparer les salles pour un nouvel afflux de blessés. Dans les jours qui suivirent, un sentiment d'appréhension planait sur l'hôpital. Puis, les premiers blessés arrivèrent de la Somme, acheminés par train. Ils recouvrirent le sol des salles d'admission d'une masse kaki et boueuse, enveloppés dans des couvertures marron, leurs membres brisés attachés à des attelles ou leur tête recouverte de bandages ensanglantés. Après un rapide coup d'œil pour vérifier qu'*il* n'était pas parmi eux, Iris appliqua les mêmes procédures, inlassablement. Enlever les habits souillés et tachés de sang, ôter les bandages réalisés au poste de tri médical, laver la blessure, la couvrir d'un pansement et de bandes stérilisés, le tout en murmurant quelques mots de réconfort. Prendre la température et le pouls, demander au détachement de l'assistance volontaire des bassins hygiéniques et de l'eau. Les patients étaient rapidement répartis en groupes : ceux envoyés en radiologie, ceux nécessitant une chirurgie immédiate, ceux en danger d'hémorragie. Une fois tous les lits occupés, Iris ordonnait aux garçons de salle de déplacer les moins gravement atteints sur le sol afin de créer de la place pour les nouveaux arrivages de blessés graves.

À l'automne, au cours d'une trêve dans les combats, elle reçut une note de Ash disant qu'il était en mission près du Touquet mais qu'il serait libre le jour suivant. La surveillante accorda à Iris une journée de repos méritée depuis longtemps. Le lendemain matin, en retrouvant Ash pour la première fois, elle eut envie de caresser tous ses membres comme pour vérifier qu'il était toujours entier. Lisant dans ses pensées, il grimaça et dit :

— Toujours en une seule pièce. J'ai toujours été un sacré veinard.

— Reste-le, Ash.

Il l'embrassa.

— Que faisons-nous ? Je pensais à une marche le long de la plage.

491

Ils suivirent la côte jusqu'à Paris-Plage. Une brise fouettait l'herbe sur les dunes de sable et gonflait les voiles des bateaux de pêche au large. Elle sentait l'odeur de sel dans les vagues et son bras autour d'elle quand il dit :

— J'ai souvent regretté de ne pas avoir été plus rapide à la détente. Imagine que si nous nous étions mariés quand tu me l'as demandé, il y a des années, après la fête chez toi…

— Je ne t'ai pas tout à fait demandé de m'épouser.

— C'était tout comme. Tu rougis…

— Pas du tout : c'est juste un rougissement de bonne santé, à cause de l'air de la mer…

— Enfin bref, si nous nous étions mariés à cette époque, nous pourrions avoir une demi-douzaine d'enfants à ce jour.

— Pas une demi-douzaine…

— Cela aurait été faisable. Trois fois des jumeaux.

— Mon Dieu… Nous aurions besoin d'une maison immense.

— J'en ai une.

— C'est juste.

— Si nous traversons ce truc…

— Ash. Nous ne devrions pas faire de plans. Tu sais que ça porte malheur.

— Je crains bien d'en avoir déjà fait. Je t'ai acheté ceci.

Il prit quelque chose dans sa poche. Quand elle ouvrit la petite boîte, elle y découvrit une bague, avec une combinaison à l'ancienne de perles et de petits rubis.

— Je l'ai trouvée au Touquet. Si tu ne l'aimes pas, je t'en achèterai une plus belle la prochaine fois que nous serons à Londres.

— Je l'aime beaucoup, dit-elle, avec une boule dans la gorge. Elle est très belle.

— Je ne vais certainement pas manquer de faire les choses correctement, cette fois-ci.

Il s'agenouilla alors sur le sable. L'écume des vagues venait lécher ses chevilles et elle dut mettre ses mains devant la bouche pour ne pas pouffer de rire.

— Voudrais-tu m'épouser, Iris ? dit-il, et elle n'eut plus du tout envie de rire.

— Bien sûr que je le veux, murmura-t-elle.

Il l'emmena déjeuner au Touquet. Avec une bouteille de champagne et des fruits de mer servis sur du riz, ils eurent une longue conversation sans queue ni tête sur tout et n'importe quoi, sauf sur la guerre. Sur leur mariage, sur l'endroit où ils vivraient, sur ce qu'ils feraient.

— J'ai pensé ouvrir une école. La maison d'Emlyn ferait une merveilleuse école. Le problème, avec le droit, est que l'on finit par essayer de réparer les dégâts de ce que les gens ont fait de leur vie. Mieux vaut agir en amont, quand on peut encore faire une différence, dit-il en passant la main dans les cheveux d'Iris. Si une maison pleine d'enfants ne te gêne pas, bien sûr. Tu préféreras peut-être un peu de paix et de tranquillité après tout ça.

— Peut-être.

Elle porta sa main vers ses lèvres et y déposa un baiser.

— Mon cher Ash, toujours en train d'essayer de changer le monde ? Comment fais-tu pour garder la foi ?

— Je la perds parfois.

— Tu as traversé des moments atroces, n'est-ce pas ?

— Assez moches, oui. Mais j'imagine que tu n'es pas non plus restée à te tourner les pouces. Donc n'en parlons pas. Donnons-nous congé de la guerre pour un jour, sourit-il. Parle-moi de ta famille. Je t'épouse pour ta famille, Iris, bien sûr. J'ai toujours voulu une grande famille.

— Tu compenseras un peu, en termes de nombre. C'est tellement étrange de se dire que nous ne sommes plus que six. Ou cinq peut-être.

Il était en train d'extraire quelque chose d'une coquille et s'arrêta en la regardant.

— Cinq ?

Elle lui parla de Marianne.

— Je crois vraiment que quelque chose d'horrible lui est arrivé, Ash. En fait, je crois qu'elle est morte. Je ne l'ai pas dit à Eva car cela l'énerverait, mais je le pense depuis un certain temps. Elle ne nous aurait pas oublié comme ça, je le sais. Quelque chose d'atroce lui est arrivé, j'en suis sûre.

— Mais son mari... et son enfant...

— Je n'ai jamais eu confiance en Lucas Melrose. Il était impossible de l'aimer, Ash. Il était très beau, intelligent et riche, j'imagine, mais il m'était impossible de l'aimer. Et Eva pensait la même chose. Elle a écrit au gouverneur de Ceylan. Mais nous n'avons encore reçu aucune nouvelle et tant de bateaux ont été coulés en Méditerranée que nous ne savons pas du tout si les lettres sont passées ou non.

— Tu ne devrais pas abandonner, conseilla-t-il en lui serrant la main. Avant d'en être certaine, il y a toujours de l'espoir.

Elle parvint à sourire.

— Tiens, prends ça.

— On dirait un escargot.

— Je crois bien que c'en est un.

— Alors prends-le.

— C'est meilleur que les rations de l'armée. Comment va Eva ?

— Elle m'écrit des lettres terriblement ennuyeuses à propos de commandes du ministère, du coût du travail à la pièce, des différentes sortes d'acier et des problèmes avec les machines. Je n'ai aucune idée de la moitié des sujets dont elle me parle. C'est tellement étrange de se dire qu'Eva gère l'usine de père. Pauvre Eva, dit-elle sur un ton triste. Père lui manque tellement. Il nous manque à tous, bien sûr, mais plus à Eva.

Il versa le reste de la bouteille de champagne dans le verre d'Iris.

— Maintenant, bois, je t'emmène danser.

Ash avait un ami, David Richardson, qui possédait un phonographe portable. Sur la portion de plage entre dunes et mer, où le sable compact et luisant était parsemé de coquillages rose et jaune, ils se mirent à danser. Le lieutenant Richardson avait apporté deux disques, une chanson tirée de *Hullo, Ragtime!* et une valse de *Gaiety Girl*[1]. Iris dansa avec chacun des hommes. On entendait les goélands et le bruit des vagues dans la douce chaleur d'un soleil d'automne. Elle oublia la guerre, l'évacuant de son esprit pendant qu'elle dansait.

---

1. Célèbre comédie musicale anglaise de la fin du XIXᵉ siècle.

Elle était en train de valser avec le lieutenant Richardson quand elle surprit Ash, assis et courbé sous la dune pour se protéger du vent, contemplant la mer. Quand elle vint s'asseoir à côté de lui, il lui prit la main.

— Je me demande s'il aurait été mieux de ne pas voir ceci. Je me demande si cela aurait été plus facile.

Avec le bruit des vagues et le chuchotement de la brise dans les oyats, sa voix était difficilement audible.

— Quand je suis là-bas, dans les tranchées, je me convaincs que rien d'autre n'existe. Ainsi, on ne perd pas son temps à languir de ce que l'on ne peut pas avoir. C'est d'une laideur tellement inimaginable. De la boue et des cratères à perte de vue. Au mieux, un poteau télégraphique ou un tronc d'arbre jaillit de la boue. Ou une croix marquant le lieu où un homme est mort. Et il y a tous les déchets de la guerre – douilles d'obus, pelles, besaces, vieilles conserves rouillées, papier de chocolat ou paquets de cigarettes vides. Les seuls organismes vivants sont les rats, les poux et nous. Il n'y a rien d'autre en vie, rien du tout.

Il dansa avec elle une dernière fois. La musique se perdait presque dans le vent qui s'était levé et le ciel s'assombrissait. *Quoi qu'il arrive, je me souviendrai toujours de ce moment*, se dit-elle. *Je me souviendrai toujours de ma tête dans le creux de son épaule, de ses bras autour de moi et de sa joue contre la mienne. Et de l'eau léchant mes pieds au gré de la marée montante et lui en train de m'embrasser.*

— Garde bien ta bonne étoile, Ash. Promets-moi de faire attention à toi. Promets-moi, murmura-t-elle.

*

«Il va bien falloir vivre avec»: c'était une phrase à laquelle elles avaient souvent recours.

Vivre avec signifiait tout autant faire du ragoût avec de la viande de chat que retourner au travail le lendemain du jour où l'on avait reçu une lettre vous informant que votre fils était mort. Pour Eva, *vivre avec* consistait à se traîner hors du lit tôt le matin sept jours sur sept – alors que tous les muscles de son corps suppliaient d'y rester une heure de plus – afin d'arriver au bureau avant le reste des employés, comme son père. Cela consistait à demeurer à l'usine tard le soir, pour achever une commande du ministère de l'Armement alors qu'elle avait mal à la tête et que les lignes de chiffres dansaient devant ses yeux. Cela consistait à serrer les dents quand, après que Ruby, la bonne, eut quitté Summerleigh pour aller travailler dans une usine à munitions, laissant Edith, de plus en plus âgée et fragile, et Mme Bradwell seules à s'occuper de la maison, mère arrivait à se plaindre quand même de la nourriture et du froid.

Début 1917, le blocus maritime opéré par les sous-marins allemands envoyait par le fond des tonnes de fret commercial. Un risque réel de famine menaçait le pays. Du fait de la grave pénurie de blé, on exhortait chacun à manger moins de pain. Parcs et terrains de jeux furent labourés pour y planter des légumes. Le roi Georges V annonça le remplacement des roses et des géraniums dans les parcs royaux par des pommes de terre et des choux. Clémence avait retourné la terre des plates-bandes de Summerleigh et, au moindre moment perdu, Eva triait les semis qu'elle avait plantés. Puis, en février, Clémence s'engagea dans l'Armée féminine de terre, qui venait d'être créée, et elle fut envoyée travailler dans une ferme, près de Market Harborough.

Bien que la nourriture à Summerleigh fut fade, simple et limitée, Eva était consciente de leurs privilèges. Des récits leur arrivaient de zones rurales défavorisées et des quartiers les plus pauvres où des enfants mouraient de malnutrition. Les enfants des taudis, les joues creuses et les vêtements en lambeaux, se rassemblaient à l'extérieur des usines de la ville pour quémander les restes des paniers-repas des employés.

Eva se savait chanceuse à d'autres égards. Même s'ils avaient perdu James et père, l'épouse de James et ses enfants se portaient bien grâce à l'allocation que père leur avait léguée dans son testament. Aidan avait réchappé au bain de sang de la Somme et était désormais en relative sécurité, affecté au quartier général de l'armée, à distance du front. Philip, lui, était heureux à Greenstones. «Je ne m'en sortirais pas sans lui, écrivit Sadie.

C'est un trésor – dur à la tâche, merveilleusement patient avec les enfants et ne se plaignant jamais. »

Tant de leurs amis et connaissances souffraient bien davantage. Des pères, des maris et des fils étaient morts au combat, de pneumonie, ou de dysenterie. D'autres se trouvaient estropiés à vie, comme Ronnie Catherwood, ou détruits de l'intérieur de sorte que le moindre bruit – une feuille tombée, le vent dans les arbres – les faisait trembler de terreur. Certains hommes travaillant chez Maclise avaient perdu deux, trois, voire quatre fils. D'autres jeunes employées avaient perdu leur père, leur mari et leurs frères. Certaines femmes ayant reçu le télégramme ou la lettre les informant que leur mari ou leur fils était porté disparu continuaient d'espérer. Cet espoir se réduisait au fil des mois et des années sans recevoir de nouvelles, jusqu'au jour où elles devaient accepter, enfin, que leur être cher était mort, son corps disparu et son lieu de repos éternel à jamais inconnu.

Eva était constamment inquiète pour Marianne. Ne pas savoir était une torture. En revenant du bureau, penchée dans le jardin à enlever les limaces des plants de choux, elle s'efforçait d'élucider le mystère de son silence. Comme l'avait suggéré Iris, peut-être que son mariage avec Lucas avait été un échec et que Marianne l'avait quitté. Mais, dans ce cas, pourquoi n'écrivait-elle pas ? Elle ne pouvait pas croire que ses sœurs la jugeraient – elles qui avaient, dans une large mesure, si bien raté leurs histoires d'amour. Ou alors Marianne s'était juste enfuie. Réalisant qu'elle s'était trompée de choix de vie, elle avait emmené son fils et pris un nouveau départ ailleurs. En revanche, Eva refusait catégoriquement de croire que Marianne était morte. Elle savait qu'Iris le pensait et cela la mettait en colère qu'elle laisse ainsi tomber Marianne. Eva pensait que Marianne avait besoin qu'elles y croient – une superstition qu'elle gardait bien pour elle, la sachant irrationnelle.

À l'usine comme à la maison, elle *vivait* donc *avec*. La guerre avait également transformé l'entreprise Maclise. Ils fabriquaient désormais des baïonnettes et des casques, ainsi que de la taillanderie. Elle souriait en imaginant ce que père aurait dit en voyant ces rangées de femmes en bleu de travail réalisant avec succès des tâches d'ingénierie complexes dont on croyait, jadis, que seuls les hommes étaient capables. Elle souriait aussi de devoir acheter son billet de tramway auprès d'une femme chauffeur ou, en visitant un ami à l'hôpital, de voir des femmes médecins travailler en salle. Les femmes étaient en train de changer, tout comme les sœurs Maclise avaient changé. Alors que de vieilles restrictions et frustrations volaient en éclat, les femmes révélaient des talents et des qualités qu'elles n'avaient jamais été autorisées à déployer. Tout ce qu'Eva avait espéré et pour lequel elle s'était battue. Elle ressentit un plaisir serein mais aucun triomphe, en connaissant le prix qu'elles avaient payé et continuaient de payer.

Quelqu'un ébouriffa ses cheveux avec douceur ; Eva se réveilla. Elle était tombée de sommeil sur une liasse de factures ; elle sentait leur marque sur sa joue.

— Vous devriez rentrer chez vous, lui conseilla Rob Foley. C'est probablement plus confortable que de dormir sur le bureau.

— À peine, répondit Eva en se frottant les yeux. Encore que mère m'attrape si je m'endors dans le salon ; elle dit qu'elle a suffisamment peu de compagnie pour avoir besoin d'entendre sa fille somnoler toute la soirée. Et puis il fait tellement froid dans cette grande maison, comme s'il n'y avait jamais assez de charbon pour la chauffer. J'ai bien songé à dormir au bureau, Rob. Pensez seulement au temps que je perds à venir et à retourner à Summerleigh. Mais cela ne conviendrait pas, n'est-ce pas ?

— Pas du tout, j'en ai peur. Tenez, je vous ai apporté du café, continua-t-il en posant une tasse devant elle. Eva, je dois vous avertir que j'ai décidé de présenter ma démission.

— Oh, ne soyez pas ridicule, Rob…

Elle le fixa des yeux, l'esprit encore embrouillé par le sommeil. Toutes sortes de motifs lui passèrent par la tête – on lui avait offert un travail plus lucratif ailleurs ; il en avait assez de travailler pour une femme – et elle les écarta immédiatement. Puis, tout à coup, en le regardant, elle comprit et elle dit, furieuse :

— Rob, *non*. Non. Vous ne devez pas faire ça. Pas *vous*.

— Je le dois, Eva.

— Non, vous ne le devez pas. Votre travail ici est tellement important – et trois personnes dépendent de vous. Vous n'avez pas à rejoindre l'armée, vous savez que non...

— Sur un plan strict, non, c'est vrai. Mais Eva, cette guerre ne va pas se terminer tout de suite. Devrais-je attendre jusqu'à ce que l'on n'ait plus qu'à racler les fonds de culasse ? Devrais-je attendre qu'ils appellent les hommes de cinquante ans et les veufs avec enfants ? Ne croyez-vous pas qu'il est plus digne d'y aller maintenant, de moi-même ?

— Mais j'ai besoin de vous ! lança-t-elle.

— Pour les affaires, vous voulez dire ?

— Oui, répliqua-t-elle durement. Pour les affaires.

Un long silence s'ensuivit. Elle but son café. Il était trop chaud et elle se brûla la langue. Elle se sentait incroyablement contrariée. Elle voulait pleurer, lui crier dessus pour lui faire entendre raison. Mais elle l'entendit dire :

— Vous y arriverez, je le sais. Cela fait maintenant deux ans que vous travaillez ici.

— Mais pas toute seule, Rob ! Pas toute seule !

— Vous ne serez pas seule. Vous avez des contremaîtres et des artisans qui connaissent leur travail sur le bout des doigts. Et ce n'est pas que vous courez après les commandes. Il y a trop de travail, pas trop peu.

— Si vous savez qu'il y a trop de travail, pourquoi nous abandonnez-vous alors que nous avons besoin de vous ?

— Ce que vous dites n'est pas juste. Vous savez que ce n'est pas juste. Je dois y aller. Je vais être en retard pour le dîner. Venez-vous ?

Il lui tint la porte ouverte. D'un air boudeur, elle prit son manteau et le suivit. Alors qu'ils franchissaient le portail, il ajouta :

— Eva, vous travaillez bien. Tout se passera bien. Vous êtes clairement la fille de votre père.

Mais elle ne répondit pas. Il faisait un froid de canard. Des flocons de neige gelés leur piquaient le visage tandis qu'ils se dirigeaient vers les appartements de Rob. En passant devant une église, ils entendirent chanter. Rob marqua un temps d'arrêt.

— Si nous entrions?

— Et votre logeuse… votre dîner…

— Au diable mon dîner! dit-il avec vigueur, ce qui la choqua plutôt dans la mesure où Rob Foley ne jurait jamais.

L'église, éclairée à la chandelle, était glacée. Debout au fond et écoutant le chant, Eva sentit sa colère se résorber. Elle fut frappée de constater que le chœur était essentiellement composé de filles et de femmes. Les voix ténors et basses étaient assurées par une poignée de vieux hommes, appuyés par l'orgue. Des larmes lui piquèrent les yeux. Sa colère n'était pas contre Rob mais due à tout ce gâchis et à la solitude qu'elle ressentirait une fois qu'il serait parti. «Mais j'ai besoin de vous», avait-elle dit. «Pour les affaires». *Faux, Eva Maclise*, pensa-t-elle, *faux. Pas seulement pour les affaires.*

Ah! mais les risques de l'amour… La douleur d'être le moins aimé des deux, et la douleur de le perdre. L'air sombre, elle se dit que les sœurs Maclise auraient pu écrire un livre là-dessus. Mais au bout d'un moment elle glissa sa main dans la sienne. Il ne dit pas un mot, ne la regarda même pas, mais elle sentit la pression de sa main en réponse à la sienne.

Le chœur s'arrêta et ils quittèrent l'église. En descendant les escaliers, il lui déclara:

— Je vous aime. Je sais que je ne devrais pas, mais je vous aime, Eva.

— Pourquoi ne le devriez-vous pas? demanda-t-elle en sentant la colère revenir. Vous n'allez pas me ressortir tout le truc victorien, la situation sociale et toutes ces balivernes, n'est-ce pas?

— Eh bien, il y a de cela, oui. Et puis il y a mon père.

Ils descendirent la rue. La neige tombait lentement, saisie brièvement dans la lumière tamisée des lampadaires avant de disparaître.

— Votre père s'est suicidé et j'ai pris pour amant un homme marié. Je crois que cela nous met à égalité, non?

Elle chercha la surprise dans ses yeux mais il eut un petit sourire et suggéra:

— À égalité de dégradation, vous voulez dire?

— J'imagine.

Ils reprirent leur marche. Arrivés au coin de la rue où il habitait, il reprit :

— Ce qui vous est arrivé… Est-ce terminé ?

— Oh, oui. C'était il y a longtemps.

— Mais ce qui m'est arrivé ne sera jamais derrière moi. Le suicide est le signe d'un dérangement mental. Beaucoup de médecins pensent que la folie est héréditaire.

— J'ai toujours pensé que les médecins racontaient beaucoup de sottises. Regardez tous ceux qui ont essayé et échoué à soigner ma mère, alors que tout ce dont elle avait besoin était d'avoir quelque chose d'intéressant à faire.

— Mais vous ne pourrez jamais en être sûre, Eva. Il y aura toujours cette possibilité, cette ombre.

Elle frissonna et releva le col de son manteau.

— Je ne suis même pas sûre de vouloir prendre le risque d'aimer quelqu'un à nouveau. Et je ne suis pas sûre, au demeurant, de pouvoir avoir des enfants : ce n'est jamais arrivé pendant que Gabriel et moi étions ensemble et cela aurait très bien pu.

Elle tourna autour de lui et lui dit sur un ton tranchant :

— On ne peut jamais être sûr de rien, Rob. Si j'ai appris une chose, c'est bien cela.

Puis elle l'embrassa sur la joue, avant de s'éloigner pour attraper le tramway.

Elle n'avait pas eu l'intention d'aller lui dire au revoir. Elle avait toujours détesté les adieux dans les gares (cette terrible affaire de regarder quelqu'un que l'on aime vous être arraché). Mais ce matin-là, elle avait des questions à traiter avec l'avocat de la famille à Fargate et, quand elle quitta le bureau de ce dernier, elle s'aperçut en regardant sa montre qu'en se dépêchant, elle arriverait juste à temps pour le départ de Rob.

Le train se trouvait déjà à quai. Au milieu de la foule, Eva repéra d'abord la mère de Rob, puis Susan Foley, dans ces habits noirs flottants qu'elle affectionnait depuis que, avec la guerre, sa carrière de voyante avait été lancée. Elle vit le visage de Rob s'éclairer quand il l'aperçut et remarqua, à nouveau, cette transformation qu'elle avait notée il y a si longtemps – un visage ordinaire que le sourire rendait beau.

— Je pensais vous poster ceci car je n'étais pas sûre d'avoir fini à temps, mais j'ai terminé hier soir, lui expliqua-t-elle, en lui tendant un bout de papier. Je ne l'ai pas encadré car je me suis dit qu'il serait plus facile de le transporter ainsi dans votre sac.

Il déplia le croquis de sa mère et de ses sœurs.

— Évidemment, j'ai dû le dessiner de mémoire, s'empressa-t-elle d'ajouter. Et je crains d'avoir pas mal perdu la main.

— C'est parfait. Merci infiniment.

On entendit un sifflement de vapeur et il attrapa son bagage.

— Je croyais que vous ne dessiniez plus ?

— C'est exact. Tout l'honneur est pour vous, Rob.

Le chef de train siffla et brandit son drapeau. Winifred Foley éclata en sanglots.

— C'est l'heure, mère…

— Je prierai pour toi, Rob…

— Et si quelque chose arrivait, souviens-toi qu'il n'y a qu'un mystérieux voile entre l'Ici et l'Au-delà.

— Susan ! cria Winifred en redoublant de pleurs.

Les deux femmes s'accrochèrent à lui. Eva recula d'un pas. Se détachant d'elles, Rob monta dans le wagon. Le train roula quelques mètres puis il s'arrêta. Elle le vit se pencher au dehors de la porte de son compartiment et l'entendit crier son nom. Elle courut alors dans sa direction. Il la souleva dans ses bras et l'embrassa maintes fois. Ils étaient toujours accrochés l'un à l'autre quand la turbine repartit. Quand il la lâcha enfin, elle demeura ainsi debout sur le quai, regardant le train partir, trop hors d'haleine pour faire un signe de la main.

*

À cause du froid et de la pénurie de charbon, Ottilie s'était mise à porter son manteau de fourrure à l'intérieur de la maison. Le manteau avait la même couleur sombre que ses cheveux, songea Clémence – un même reflet animal.

Un jour, visitant Hadfield lors d'une journée de congé, Clémence se trouvait dans le jardin avec Ottilie et Archie quand le gros nuage noir d'un Zeppelin se mit à grossir à l'horizon. Elles regardèrent, fascinées et inquiètes, l'ombre tomber sur elles. Elles coururent se réfugier à l'intérieur et se cachèrent sous la table de la cuisine jusqu'à ce qu'il soit passé.

Cette nuit-là, elles partagèrent un lit pour se tenir chaud. Le corps d'Ottilie s'enroula dans celui de Clémence et ses cheveux doux tombèrent sur le visage de Clémence. Dehors, le vent soufflait violemment. Clémence caressa les cheveux d'Ottilie endormie et trouva très étrange que, en dépit de tout – James, père, Marianne – elle ne se soit jamais sentie aussi heureuse de sa vie.

En février 1917, quand l'armée allemande se retira sur la ligne Hindenberg, cela faisait un an qu'Iris travaillait comme infirmière à Étaples. Promue infirmière en chef peu de temps après son arrivée à l'hôpital, elle était désormais responsable du pavillon médical. Pendant tout l'hiver, le froid parut immobiliser l'herbe qui recouvrait les dunes et il transformait en glaçons les gouttes passant à travers les jointures de la cabane en bois et en toile dans laquelle elle dormait.

En salle, elle s'occupait d'hommes atteints de pneumonie, de septicémie ou de la fièvre des tranchées. Beaucoup de patients souffraient également de psychose traumatique. Quand elle était de garde la nuit, les cris de ces derniers et les gémissements des blessés déchiraient le silence. Au fil des mois, elle se rendait compte que quelque chose s'était déconnecté en elle, à l'instar de ce qui s'était passé au cours de l'épidémie de diphtérie au Mandeville. La capacité de chacun à encaisser avait ses limites et elle avait atteint les siennes depuis longtemps. Elle effectuait ses tâches avec l'efficacité d'une experte mais elle surprenait parfois dans le regard des volontaires qui l'aidaient en salle une expression qui la décontenançait. Un jour de «coup de feu», elle rembarra l'une d'entre elles, la pressant de finir l'évacuation d'un soldat décédé. Elle entendait souvent l'écho creux de sa voix murmurant quelques paroles de réconfort à un mourant, des mots qui avaient, pour elle, perdu tout sens depuis longtemps.

Elle se sentait tout le temps sale et fatiguée. Sale, car il n'y avait jamais assez d'eau chaude pour prendre un bain au cours de ce long, long hiver. Comme nombre de ses collègues, elle avait attrapé une infection intestinale, une nausée chronique qui l'envoyait de temps en temps courir vomir aux toilettes. Une ou deux fois, elle s'endormit debout, lui faisant craindre de commettre une erreur ou une négligence. Lorsqu'elle se mettait enfin au lit, elle sombrait littéralement dans un sommeil que, en journée, elle languissait de retrouver. Dans leur correspondance, Ash et elle ne parlaient plus de la fin de la guerre. Dans son for intérieur, elle avait accepté qu'elle durerait éternellement. Elle supposait que Ash pensait la même chose et savait qu'il n'y avait rien d'autre que la saleté et l'horreur, qu'il n'y avait rien à espérer, et qu'aucune abomination n'était impossible. Quand elle regardait la bague qu'il lui avait donnée et qu'elle essayait de se rappeler le sable, la danse, son baiser, elle n'arrivait pas à se souvenir de la sensation. La réalité, c'était le reste.

Le dimanche de Pâques, après les prières, Iris reçut l'ordre de vider la salle et de la préparer pour un afflux de blessés chirurgicaux. Les patients furent évacués vers d'autres hôpitaux, ou vers des maisons de convalescence en France et en Angleterre, et l'on mit des draps propres aux lits. Le lendemain, les convois de blessés commencèrent à arriver. Iris reprit une routine qu'elle pouvait appliquer sans réfléchir : ôter les habits des patients, enlever le bandage d'urgence, laver la blessure, établir l'état du patient, poser un bandage neuf ; distribuer bassins hygiéniques et bouilloires, vérifier le pouls et la température. Avec toujours, en bruit de fond, les allées et venues des trains amenant du front les hommes blessés et emmenant des troupes fraîchement arrivées pour les remplacer.

Le mardi soir, un nouveau convoi de blessés fut acheminé dans la salle d'Iris. Elle était en train de passer d'un patient à l'autre quand elle vit une volontaire avec une main tenant une paire de ciseaux et l'autre plaquée sur sa bouche, les yeux fixés sur son patient. Iris vit que tout le visage de l'homme était couvert de bandages ; seules sa bouche et ses narines ne l'étaient pas, lui permettant de respirer. Elle prit les ciseaux de la main de la volontaire. Elle allait commencer à enlever les bandages quand une pensée la traversa violemment : *Ce pourrait être quelqu'un que je connais.* L'uniforme de l'homme était couvert de boue ; elle ne pouvait pas voir l'insigne de son régiment. Ce pourrait être Ash, ce pourrait être Aidan. Ce pourrait être n'importe lequel de ses vieux amis de Summerleigh ; elle aurait pu avoir dansé avec cet homme quand elle était jeune fille. Sa main se mit à trembler de manière incontrôlable. Puis le patient murmura :

— Pas beau à voir, n'est-ce pas, mademoiselle l'infirmière ?

Elle se calma et commença à ôter le bandage. Tandis qu'elle enlevait couche après couche, elle entendit la voix, sourde de peur :

— Ce n'est pas trop moche, dites-moi ?

— Ce n'est pas trop mal du tout, dit-elle en contrôlant le tremblement de sa voix. On va vous donner quelque chose pour la douleur. Ne vous inquiétez pas, on va vous retaper.

Toutes les platitudes de rigueur. Mais quand elle retira le dernier des bandages, elle s'aperçut que la moitié du visage avait été arraché. Elle fit ce qu'elle put pour lui, l'envoya en chirurgie et, dès que possible, s'échappa dehors pour fumer une cigarette, les doigts tremblotant en essayant de l'allumer.

Après cela, l'état d'insensibilité qui l'avait protégée depuis des mois disparut. Elle perdit le peu d'appétit qu'elle avait et son sommeil agité fut peuplé de cauchemars dans lesquels elle défaisait des bandages ensanglantés pour découvrir des horreurs – un crâne rongé par les asticots ; James aveugle et muet ; et, le pire de tous, un trou béant à la place de la tête.

Quelques jours plus tard, elle accompagnait un patient à la salle d'opération quand une volontaire accourut vers elle.

— Mademoiselle Maclise, il y a un soldat dans ma salle qui dit vous connaître.

Ash, pensa-t-elle, le cœur battant soudain la chamade. Elle savait que le régiment de Ash, celui de York et Lancaster, avait participé aux combats à Arras. Elle courut, se passant la main dans les cheveux, détachant son tablier souillé et le jetant dans une corbeille à linge, avant de suivre la volontaire dans sa salle.

Ce n'était pas Ash mais le lieutenant Richardson, l'ami au phonographe. Une armature sous le drap protégeait sa blessure à la jambe; son visage était presque aussi blanc que l'oreiller.

— David, dit-elle en s'asseyant à ses côtés. Comment vous sentez-vous?

— Pas trop mal, répondit-il avec un faux sourire. Je ne danserai plus, en revanche. On vient de m'annoncer que l'on va devoir m'amputer.

— Je suis désolée, David, déclara-t-elle en lui prenant la main.

— Je dois vous dire quelque chose – j'aimerais mieux pas mais je le dois. Je dois vous le dire maintenant au cas où je ne supporterais pas l'opération.

Son corps se glaça.

— Ash? murmura-t-elle. Vous savez quelque chose sur lui?

— Il ne s'en est pas sorti. Porté disparu, selon quelqu'un. J'ai demandé autour de moi et un gars d'une autre section m'a dit que le lieutenant Wentworth était mort à Monchy-le-Preux. Je suis désolé, Iris. Je suis tellement désolé.

À part dans son courrier avec ses sœurs, elle ne dit rien à personne à propos de Ash. Elle n'avait confié à aucun de ses collègues qu'elle était fiancée et elle ne leur parla pas de la mort de Ash. Elle mit sa bague dans une petite boîte où elle conservait ses trésors, attacha ses lettres avec un ruban et les rangea au fond de son sac. Elle ne pleura même pas. Elle avait pleuré pour James et pour père mais elle ne pleura pas pour Ash, qu'elle avait aimé et envisagé d'épouser. Elle poursuivit simplement son travail, serrant des garrots et posant des attelles, lavant et bandant les blessures.

Les convois diminuèrent en même temps que l'intensité de la bataille baissait. Un soir où elle était de garde, en train de nettoyer des ustensiles dans l'évier, elle s'aperçut qu'une partie de ses cheveux étaient tombés. Elle ôta sa coiffe et déroula ses longs cheveux bouclés. Elle remarqua quelque chose en train de bouger, coincée dans les mèches blondes. En la pinçant entre ses doigts, elle découvrit un pou.

Elle eut un petit rire. Elle se revit en train de s'habiller pour une fête à Summerleigh quand elle avait vingt-deux ans, enfilant sa robe de bal, piquant des plumes d'autruche et un gardénia dans ses cheveux, des diamants aux oreilles et légèrement parfumée. Qu'elle avait été idiote de croire que la soie et les diamants étaient éternels! La vraie vie, c'était plutôt *ça*: la saleté incrustée dans la peau de ses mains et des poux dans les cheveux.

Une paire de ciseaux chirurgicaux traînait sur l'égouttoir. Elle enleva les épingles restantes dans ses cheveux, prit les ciseaux et se mit à couper ses cheveux. Elle entendit un bruit. En levant les yeux, elle vit une volontaire en train de la regarder, bouche bée.

Iris continua de couper. Elle entendit la volontaire quitter la cabane en courant. Les touffes de cheveux blonds tombaient sur le sol. Couper, couper, couper avec un passé qui ne reviendrait jamais.

Puis il y eut de nouveaux pas.

— Mademoiselle? Que faites-vous? dit une voix.

— Je me coupe les cheveux, Madame, dit-elle calmement. Je me coupe les cheveux.

*

Après le départ de Rob, Eva se mit à fabriquer des mosaïques. Elle prenait plaisir à créer des images à partir d'objets brisés, comme des fragments de métal dans les ateliers, ou des éclats de vieilles tasses ou assiettes qu'elle découvrait cachés dans le grenier et la remise, car on avait appris aux Maclise à ne rien jeter.

Ses images étaient celles des ouvrières ou des enfants jouant dans la rue. Elle avait toujours su repérer la beauté dans les choses ordinaires. Elle créait le soir, après le travail, dans le peu de temps séparant le dîner du coucher. Elle avait dégagé une chambre de domestique, à l'étage supérieur de la maison; il y faisait froid et humide, mais elle s'emmitouflait dans son manteau et posait une bouillotte sous ses pieds. Le jour où elle avait reçu la lettre d'Iris annonçant la mort de Ash, elle s'était installée au milieu d'éclats de porcelaine et avait pensé à Ash le jour du pique-nique, assis sur les rochers et mangeant des fraises. Ash marchant sous la pluie, avec Iris au bras, à travers les rues de Whitechapel. Et Ash, les yeux brillants quand il leur avait exprimé ses espoirs pour l'avenir.

Peu de temps après, elle attrapa un méchant rhume.

— Tu persistes à rester dans les courants d'air, dit mère. Tu sais combien je dois faire attention – tu manques tellement d'égards en apportant ainsi les microbes dans la maison. Et tu dois te souvenir de commander davantage de charbon, Eva. Hier après-midi, j'avais les os gelés en m'asseyant dans le salon.

Peu importait le nombre de fois où Eva lui avait expliqué qu'ils étaient à court de charbon car il n'y en avait tout simplement pas assez sur le marché, tout comme ils étaient à court de nourriture car il fallait faire la queue pour s'approvisionner et que, souvent, quand venait son tour d'être servie, il ne restait plus rien. Mère continuait, malgré tout, de mettre leurs difficultés sur le compte de l'inefficacité d'Eva.

Au réveil, le lendemain, elle avait la tête lourde et la gorge râpeuse. Elle voulait se pelotonner au lit et glisser la tête sous son édredon mais elle se força à se lever, à se laver et à s'habiller. Au bureau, un instant elle ôtait son gilet de laine et sa veste à cause de la chaleur, un autre elle remettait le tout parce qu'elle avait froid. Elle avait de la fièvre et promit d'aller acheter de l'aspirine à l'heure du déjeuner. Elle avait l'impression d'avoir les sinus remplis de ciment. Le plus simple des problèmes à résoudre, au cœur d'une journée chargée de difficultés, lui coûtait un effort. Plusieurs employés étaient en congé maladie et les femmes devaient être mutées d'un atelier à un autre, pour combler les absences. Elles maugréaient d'être séparées de leurs copines. Une nouvelle commande du ministère de l'Armement était tombée ; comme elle avait priorité, d'autres travaux, dont certains étaient déjà en retard, devaient être reportés. Un arrivage d'acier s'était perdu aux docks et Eva s'était finalement rendue elle-même sur les quais pour retrouver la cargaison. Serpentant entre les tas de charbon et les piles de bois, elle pensa avec tristesse combien Rob lui manquait et combien ce serait bon qu'il soit là, pour la soulager de certains fardeaux.

Elle passa la pause du déjeuner à faire la queue pour les courses dans le centre-ville. Personne d'autre n'était disponible, Clémence était loin, les jambes d'Edith étaient trop faibles et Mme Bradwell était trop vieille et trop triste pour attendre d'elle qu'elle patiente debout sous le vent froid. Quant à imaginer mère, désormais curieusement habillée de vêtements vieillis en crêpe de Chine, dentelle et baleines, se tenir ainsi dans la file, était définitivement ridicule.

Ce soir-là, quand elle quitta le bureau, il pleuvait et le tramway était plein. Elle décida de rentrer à pied, le parapluie dans une main et le cabas pour les courses dans l'autre. Parvenant enfin à Summerleigh, elle ouvrit la porte, déposa le lourd sac et ôta son manteau et son écharpe humides. Elle entendit alors la voix grincheuse de sa mère :

— Eva ? C'est toi, Eva ?

— Oui, mère.

Lilian était dans le salon, assise devant la table vide. Eva la regarda avec stupéfaction.

— Mère ? Mais que fabriquez-vous ?

— J'attends mon dîner, dit-elle, l'air abasourdi.

— Vous n'avez pas encore dîné ? Et le feu... vous n'avez pas allumé le feu !

— Il fait tellement froid – et je suis assez morte de faim. Il va vraiment falloir que tu t'occupes de remplacer Edith, elle est de moins en moins fiable...

— Mère, s'emporta Eva, c'est le jour de congé d'Edith et Mme Bradwell a dû aller à l'hôpital ! Je vous l'avais dit !

— Ne te mets pas en colère contre moi, s'il te plaît, Eva...

— Je vous ai dit que Mme Bradwell vous laisserait une assiette dans le garde-manger. Vous n'aviez qu'à aller la chercher – et vous n'aviez qu'à mettre une allumette dans le feu...

— S'il te plaît, ne me crie pas dessus, Eva – oh ma pauvre tête – si seulement Clémence ou Iris était ici, je suis tellement fatiguée, comment pourrais-je me débrouiller toute seule ?

La voix de Lilian tremblotait, larmoyante, et son visage était brisé. Eva se sentit soudainement honteuse d'elle-même. Elle aussi voulait pleurer mais elle parvint à se retenir et embrassa sa mère sur la joue, avant de dire plus gentiment :

— Que pensez-vous d'aller vous coucher plus tôt ? Je vous apporterai quelque chose sur un plateau.

Elle trouva dans le garde-manger l'assiette que Mme Bradwell avait préparée, avec du pain, du jambon et des pickles. Elle coupa une tranche de gâteau et fit bouillir la théière, avant d'apporter le plateau dans la chambre de sa mère. Puis elle aida cette dernière à enlever ses jupons et son corset et à enfiler sa chemise de nuit, lui installa une bouilloire et lui souhaita bonne nuit.

De retour dans la cuisine, elle était trop fatiguée pour manger. Elle but le reste du thé, plutôt froid, et débarrassa la cuisine. Puis elle enfila son imperméable et sortit dans le jardin. Les choux que Clémence avait si précautionneusement plantés étaient dentelés de petits trous. Elle n'arrivait même pas à combattre les limaces, se dit-elle. Rentrée à la maison, elle prépara son casse-croûte pour le lendemain, repassa un chemisier, lava quelques bas et jupons, et arrangea à l'avance le petit-déjeuner. Quand elle eut fini, il était 23 heures. Se voyant dans le miroir de l'entrée, elle fut envahie de désespoir. Emmitouflée dans des pulls et des châles, ses cheveux avaient frisé à cause de la pluie, son nez rouge pelait. *Il fut un temps où je voulais devenir artiste, avoir ma propre maison et vivre à ma façon.*

Dans le salon, elle sortit sa plume et du papier pour écrire à ses sœurs. Elle s'assit dans le fauteuil de tante Hannah. Cette dernière et Winnie lui manquaient. Il eût été si bon de pouvoir la caresser sur ses genoux. Elle ne se serait pas sentie si seule. La maison résonnait ; elle sentait toutes ses pièces vides, les ombres dans les escaliers et dans les couloirs, l'immobilité des rideaux et des tentures. Assise là et se mouchant, il lui vint à l'esprit qu'il en serait peut-être toujours ainsi, qu'elle serait peut-être éternellement seule, que Rob ne reviendrait peut-être pas, que Aidan et ses sœurs ne reviendraient peut-être pas. Elle écarta le papier et sa plume. Quelle imbécillité d'écrire à Marianne alors qu'ils n'avaient aucune nouvelle d'elle depuis si longtemps !

Le plaid de tante Hannah était plié sur le bras du fauteuil; elle s'enroula dedans. Il était horriblement vieux et piquait, mais il possédait encore cette odeur rassurante de camphre et de dragées aux violettes. Elle savait qu'elle devait aller se coucher mais, pour la première fois de la journée, elle se sentait bien. Les paupières lourdes, elle se recroquevilla dans le fauteuil dont l'oreille lui servit de repose-tête. *Je ne dois pas oublier de demander à M. Garrett de vérifier les stocks de papier d'emballage et de toile à sac*, pensa-t-elle... *Je dois savoir si cette fichue fille à l'atelier d'emballage, quel est son nom déjà, Sally machin-truc, a l'intention de revenir au travail ou non... Je ne dois pas oublier...*

Elle s'endormit. Elle rêva qu'ils étaient à nouveau tous enfants et qu'ils jouaient sur la plage. Marianne, la jupe rentrée dans sa culotte longue, ramassait des coquillages. Iris et Clémence jouaient au jeu du chat. Elle construisait un château et était en train de poser un drapeau en papier sur la plus haute tour quand elle entendit Iris crier son nom. Ne voulant pas être interrompue, elle l'ignora, mais Iris l'appela encore plus fort.

Eva ouvrit les yeux. Iris, vêtue d'un manteau et d'un chapeau bleu marine, se tenait debout devant elle. Eva cligna des yeux, s'attendant à ce que son rêve prenne fin. Mais comme il continuait, elle murmura:

— Iris? Est-ce vraiment toi?

Iris fit « oui » de la tête.

— Je suis de retour à la maison, Eva.

Eva se jeta dans les bras de sa sœur.

— Oh Iris! s'exclama-t-elle en fondant en larmes.

17

Ned Fraser alla lui chercher des opales de White Cliffs. Quand elle les porta à la lumière, elle vit les torsades colorées prises dans la pierre.

— Les mineurs d'opales vivent dans des grottes blanches, lui raconta-t-il. Je t'y emmènerai, Annie, si tu le veux.

— Un jour, peut-être, Ned, répondit-elle. Un jour.

Elle travaillait à l'hôtel Redburn depuis un an. Quand elle et George étaient arrivés à Broken Hill, elle s'était traînée de magasin en hôtel et de pub en blanchisserie, à la recherche d'un travail. Systématiquement, elle avait été éconduite : sa minceur, se dit-elle, sa voix calme et douce, ne s'accordaient pas aux lieux. Et il y avait l'enfant, bien sûr. Mais Jean Redburn, la courtaude et très directe veuve qui gérait l'hôtel, l'avait prise en pitié.

— Vous et le petit garçon pouvez prendre la chambre à l'arrière de la maison, lui proposa-t-elle. Je retirerai le loyer de votre salaire. Et ma troisième gardera George.

Elle saisit George par le menton.

— Ma Jenny t'aimera, mon petit garçon. Elle pensera que tu es un cadeau du ciel.

Au début, Marianne faisait le ménage et la vaisselle mais, au bout de quelques semaines, Jean lui offrit de travailler au bar.

— Vous avez un joli visage, Annie, dit-elle un soir à Marianne, ce serait bien que vous souriez un peu plus. Mes gars aiment bien voir une jolie fille.

Les gars de Jean étaient les mineurs qui avaient transformé Broken Hill en ville champignon et extrayaient argent et plomb du sous-sol. Chaque vendredi soir, ils se ruaient au bar de l'hôtel. Certains portaient encore leur tenue de travail crasseuse ; d'autres s'étaient faits beaux, en enfilant leurs meilleurs habits. Le bar de Jean Redburn résonnait de leurs cris, de leurs chants et de leurs rires. Quand une bagarre éclatait, Jean balançait sur eux un seau d'eau froide. Si ce n'était pas suffisant, elle leur ordonnait de sortir. Et s'ils ne s'exécutaient pas en silence, leurs collègues se chargeaient avec plaisir de les pousser dehors.

Marianne n'avait pas eu l'intention de rester si longtemps à Broken Hill. Elle pensait partir après quelques mois, comme elle l'avait toujours fait. C'était plus sûr, se disait-elle. Mais finalement, elle était restée, réalisant qu'elle ne trouverait sans doute pas d'endroit plus sûr que celui-ci. Elle traversait encore des mauvais jours, ceux où, en marchant dans la rue principale animée, elle apercevait la tête d'un homme aux cheveux très blonds, avec un comportement et une tenue particuliers, et elle se mettait à trembler. Mais ces jours-là devenaient plus rares. Broken Hill, entourée de dizaines de milliers d'hectares de désert, serait difficile à trouver.

Ses cauchemars, en revanche, persistaient. Elle revivait souvent sa fuite de Blackwater, trébuchant sur le chemin montagneux avec George dans ses bras, regardant derrière elle pour voir s'*il* la poursuivait. Elle sentait à nouveau l'agitation du bazar tandis qu'elle se faufilait dans la foule festivalière pour rejoindre la gare ferroviaire. Dans le wagon de troisième classe, personne ne s'était levé pour elle, personne n'avait murmuré de salutations respectueuses. Elle s'était assise à la seule place disponible, à l'extrémité d'un banc en bois. Un mendiant, assis par terre entre les sièges, avait tendu la main pour s'agripper à elle ; les camelots se pressaient dans les couloirs bondés, vendant noix et sucreries. Son anonymat l'avait protégée.

À Colombo, elle avait trouvé un paquebot de la poste hollandaise pour l'emmener à Singapour. De là, elle avait fait du cabotage d'un port à l'autre, en utilisant des ferry-boats à vapeur. Quelque part entre Singapour et Surabaya, elle avait réintégré des habits occidentaux et était devenue Annie Leighton, veuve de guerre avec un petit garçon. Elle s'était habituée aux cabines de troisième classe, aux fonds de cale puant le mazout, et à dormir sur le pont par les chaudes nuits d'été tropical, avec George dans les bras. Elle économisait son argent autant que possible et n'attirait jamais l'attention sur elle.

Deux mois après avoir quitté Blackwater, elle avait atteint Sidney. Ayant épuisé ses réserves, elle avait pris des travaux de femme de ménage et de couturière, s'enfonçant davantage dans le cœur rouge et insondable de l'Australie. Au fil de leur voyage, elle avait regardé George se débarrasser de ses peurs et de ses caprices, et redevenir le petit garçon joyeux qu'il était. Elle apprit à résister à la tentation de le dorloter et de le regarder à chaque instant du jour.

Elle s'était découverte des aptitudes insoupçonnées. Elle soignait George quand il était malade, lui confectionnait des habits, le nourrissait. Elle apprit à cuisiner, à allumer un feu, à laver un sol au point de se voir dans le carrelage, à faire partir les serpents à sonnette, les chiens méchants et les mineurs amoureux. Elle était également dotée de talents plus sombres. Elle avait appris à voler et à mentir. Et elle avait appris à tuer.

Il y avait un prix à payer pour la liberté et ce prix, craignait-elle, était de vivre seule pour le restant de ses jours. Elle n'était pas libre d'aimer un autre homme et ne l'était pas de rentrer à la maison. Si Lucas était en vie et qu'elle retournait en Angleterre, il la retrouverait et lui reprendrait George. S'il était mort, alors elle l'avait tué. Elle aurait peut-être pu convaincre une cour de justice que sa mort avait été un accident (sa tête cognant le rebord de la cheminée, son besoin de se protéger), mais elle savait la vérité. Elle avait eu l'intention de le tuer. Elle l'avait voulu mort. Il était d'ailleurs étrange, se disait-elle, de ne pas savoir si elle était une veuve ou une épouse, mais de savoir avec certitude qu'elle était une meurtrière.

Cela avait été un long périple de Summerleigh à Broken Hill, mais elle ne regrettait rien. Elle savait qu'elle avait connu une année de parfait amour avec Arthur, ce qui était davantage que beaucoup d'autres au cours de leur vie. Son mariage avec Lucas lui avait donné George. L'amour pouvait naître de la haine.

Parfois, pendant les soirées de repos, elle allait marcher avec Ned Fraser vers les lacs Menindee. Des arbres aux branches noires poussaient dans une eau pâle et des aigles d'Australie tournoyaient au-dessus d'eux. Ned lui parla de sa famille en Écosse.

— Est-ce que vous leur écrivez? demanda-t-elle.

— Je ne suis pas très porté sur l'écriture mais j'envoie quelque chose de temps en temps.

— Qu'envoyez-vous?

— Une photographie, parfois. Un jour, j'ai envoyé des opales de White Cliffs, dit-il en expédiant un galet dans le lac. Il faut bien garder le contact. Ce serait un drôle de monde si les gens ne disaient pas à leur famille qu'ils pensent à eux.

Les nouvelles de la guerre parvenaient même jusqu'à Broken Hill. Elle pensait de plus en plus fréquemment à sa famille, se demandant s'ils avaient survécu ou si, par son silence, elle avait ajouté à leur chagrin. « Parfois, lui avait dit Arthur la première fois où ils s'étaient rencontrés, il faut tenter sa chance. » Un jour, elle demanda à Ned de lui acheter des opales. Trois: une pour chaque sœur. Elle les enveloppa dans du coton et les mit dans une boîte. Elle se fit prendre en photo avec George, habillés sur leur trente et un. Elle pressa quelques fleurs du jardin qu'elle cultivait à l'arrière de l'hôtel et choisit l'un des dessins de George. Elle donna le paquet à l'un des voyageurs de commerce résidant à l'hôtel, qui promit de trouver quelqu'un pour le poster, dans un lieu très lointain de Broken Hill. Elle ne pouvait pas leur dire où elle se trouvait. Pas encore. Un jour peut-être. Quand elle se saurait en sécurité.

*

Iris expliqua à Eva que la surveillante l'avait renvoyée chez elle.

— Elle a dit que j'avais besoin de repos, fit-elle en retirant son chapeau. Je crois que c'est à cause de ça. Elle a pensé que je devenais cinglée.

— Tes cheveux! cria Eva, horrifiée. Tes si beaux cheveux!

— J'avais des poux. J'ai dû les attraper par un des soldats. Je pense m'en être débarrassée – ils m'ont donné un produit pour me laver les cheveux. Mais chaque fois que j'y songe, ça me gratte.

Iris annonça qu'elle ne retournerait pas en France. Elle en avait assez ; elle arrêtait le métier d'infirmière. Elle rentrait à la maison pour de bon. Eva remarqua combien elle était épuisée et maigre.

Elles s'occupèrent l'une de l'autre, s'apportant le petit-déjeuner au lit à tour de rôle. Iris allait faire la queue pour les courses et aidait à la maison. Elle trouva également l'adresse d'une maison de santé onéreuse, à Scarborough, et y emmena mère pour un séjour de repos. Le soir, elles parlaient pendant des heures. Eva apprit que Ash avait été «porté disparu».

— Tu n'es donc sûre de rien, dit-elle.

— C'est ce que m'a dit Ash la dernière fois que je l'ai vu.

— Tu ne dois pas perdre espoir, Iris.

— Je sais ce que *disparu* veut dire. Cela veut dire qu'il s'est fait souffler par l'explosion et qu'il n'y avait même pas de corps à enterrer.

Le désespoir se lisait dans les yeux d'Iris. Eva changea de sujet mais, en secret, elle écrivit des lettres. Au ministère de la Guerre, à l'officier supérieur de Ash, aux hôpitaux militaires et de la Croix-Rouge.

De meilleures nouvelles arrivaient enfin du front. La bataille d'Arras avait été, sinon une victoire claire et nette, au moins une victoire partielle – ce qui pouvait se célébrer dans une guerre où les victoires avaient été rares. Ce mois-là, les Américains étaient entrés en guerre aux côtés des Alliés. L'armée de volontaires américains ne serait pas prête au combat immédiatement mais il parut à Eva qu'avec leur énergie et leur force, le conflit prendrait peut-être fin un jour.

Iris était de retour à la maison depuis trois semaines quand, en rentrant à Summerleigh un soir après le travail, Eva la trouva à une table en train de pleurer. Elle tenait dans ses mains une lettre. Le cœur d'Eva se serra. Elle s'assit à côté de sa sœur.

— Iris...

— C'est Ash.

— Je suis tellement désolée.

Mais Iris secoua la tête.

— Il est en vie!

C'étaient des larmes de joie.

— Il est en vie, Eva!

Il y avait deux lieutenants Wentworth dans le bataillon de Ash. C'était l'autre, Alan Wentworth, qui avait été tué à Monchy-le-Preux. Ash avait été grièvement blessé. Laissé pour mort, il avait finalement été récupéré par des brancardiers et emmené à un poste de secours. De là, il avait été évacué vers un hôpital militaire, où il était resté dans le coma pendant plusieurs jours. Après avoir récupéré, il avait écrit à Iris à Étaples. Mais sa lettre lui était revenue, l'informant qu'elle avait quitté Étaples et avait été transférée vers un autre hôpital. Il n'avait pas réalisé qu'Iris l'avait cru mort jusqu'à ce que, à l'hôpital militaire de Londres où il récupérait de ses blessures, il ait reçu des lettres d'Eva et de David Richardson en même temps.

Iris partit lui rendre visite. À l'entrée de la salle, elle s'arrêta, scrutant les lits, essayant de se préparer, de contrôler ses nerfs. Elle savait qu'il ne serait pas le même. Ils n'étaient jamais les mêmes. Elle ne devait pas montrer son désarroi, se dit-elle avec fermeté. Elle devait être douce et sans exigence: la dernière chose qu'un soldat blessé souhaitait était de voir sa fiancée pleurer sur lui.

Sa résolution ne tint que le temps de son premier baiser. Alors, en le regardant, en voyant les entailles, les contusions et les bandages, en voyant les dégâts que la guerre avait causés sur lui, elle dit avec une passion soudaine:

— Oh Ash! Je t'avais dit de faire attention à toi! Je te l'avais dit!

Il la prit dans ses bras.

— Ne pleure pas. Je suis là maintenant, non? Ne pleure pas, ma chère Iris, je t'en prie ne pleure pas.

Iris et Ash se marièrent en juillet 1917. Eva savait que ce n'était pas le fastueux mariage dont Iris avait rêvé. Mais Iris était belle dans la robe de mariage en vieille dentelle blanche de mère, réajustée, et Ash l'était aussi dans son uniforme de l'armée, même s'il devait encore s'appuyer sur une canne. Il faisait beau, Clémence, mère et Philip étaient là, et même Aidan s'était débrouillé pour obtenir un congé.

La réception eut lieu à Summerleigh. Ils avaient constitué des réserves de nourriture pour le buffet et Aidan avait rapporté des bouteilles de champagne depuis la France. Ils décorèrent la table de roses blanches et roses, cueillies dans le jardin de Summerleigh. Mme Bradwell fit un gâteau. À l'issue des discours, après le gâteau, ils allèrent dehors. On évoqua l'idée de danser mais elle n'aboutit pas vraiment, puis ils se dispersèrent dans le jardin, par groupes de deux ou trois.

— Mes cachets, dit tout à coup mère, en mettant la main sur sa tête. J'ai oublié de prendre mes cachets. Ma pauvre tête. Eva, ma chérie…

Eva traversa le jardin. Elle vit que Ash et Iris se trouvaient dans le verger, assis à l'ombre des arbres. Aidan discutait avec Clémence. Philip semblait essayer de convaincre l'amie de Clémence, Ottilie, d'élever des cochons.

— Trop de gens ont une idée complètement fausse des cochons. Ce sont des animaux merveilleux… si intelligents et si propres…

Eva prit les cachets de mère dans sa chambre. Elle était en train de dévaler les escaliers quand on frappa à la porte. Le postier lui tendit un colis. Elle pensa d'abord à un autre cadeau de mariage mais, en lisant l'inscription, son cœur s'accéléra. Elle emporta le colis dehors en appelant Iris et Clémence.

— Un colis… dit Iris.

— C'est pour qui ? demanda Clémence.

— C'est pour nous, dit Eva. C'est pour nous toutes. C'est de la part de Marianne.

Eva coupa la ficelle et le sceau de cire. Alors qu'elle enlevait les couches de papier de soie et révélait le miroitement des opales, un dessin d'enfant, une photographie, Clémence déplia le papier d'emballage et lut ce que Marianne y avait écrit :

À l'attention de toutes mes sœurs.

*Cet ouvrage a été composé
par Atlant'Communication
au Bernard (Vendée)*

Impression réalisée par

*La Flèche (Sarthe)
en mai 2013
pour le compte des Éditions de l'Archipel
département éditorial
de la S.A.S. Écriture-Communication*

Imprimé en France
N° d'impression : 73203
Dépôt légal : juin 2013